WALTER HENN Dr.-Ing., o. Prof. für Baukonstruktionen
und Industriebau an der Technischen Hochschule Braunschweig

BAUTEN DER INDUSTRIE

BAND **1**   PLANUNG · ENTWURF · KONSTRUKTION

VEB VERLAG TECHNIK BERLIN

MITARBEITER: Architekt Fritz Hierl · Dipl.-Ing. Rüdiger Henschker · Dr.-Ing. Ulrich Maerker · Dr.-Ing. Hans Wittke
ZEICHNER: H. J. Meier-Menzel · Dipl.-Ing. F. X. Greiner · Dipl.-Ing. G. Pein · stud. arch. H. Kolls · stud. arch. J. Schertzl

GELEITWORT

Mit den zwei Bänden „Bauten der Industrie" legt Walter Henn der Fachwelt einen Abriß aus dem in der Literatur bisher recht stiefmütterlich behandelten Gebiet des Industriebaus vor. Während im ersten Band Planung, Entwurf und Konstruktion behandelt werden, bietet der zweite Band einen Querschnitt ausgeführter Beispiele von Produktionsstätten der verarbeitenden Industrie. Beide Bände stehen in Wechselbeziehung, die ausgeführten Beispiele sind in den mit einheitlicher und übersichtlicher Strichmanier hergestellten Skizzen und Zeichnungen des ersten Bandes als Abstraktion und als Beweis für das Typische wiederzufinden.

Der Verfasser setzt sich für das Neue im Industriebau ein, der im Zeitalter der Technik zu einem integrierenden Bestandteil der Wirtschaft und in seiner Formensprache von überwältigender Vielseitigkeit geworden ist. Der Industriebau hat kaum Tradition. Die Ausmaße unserer heutigen Produktionsstätten und ihr künftiges Wachstum erfordern einen Bruch mit der bisherigen Methode einer planlosen Überbauung des Werkgeländes. Anstelle sporadisch wachsender Industrieanlagen treten geplante und gestaltete.

Ganz richtig weist Walter Henn darauf hin, daß wirklich gute Lösungen der bautechnischen Probleme nur in Zusammenarbeit des Architekten mit dem Ingenieur zustande kommen können, denn das Zusammenspiel von Funktion, Konstruktion und Betriebsablauf ist im Industriebau so vielgestaltig und von so überragender Bedeutung,

daß ein einzelner die hierzu erforderlichen Spezialkenntnisse gar nicht besitzen kann. Und hier ist das vorliegende Werk ein guter Helfer, vermittelt es doch dem Architekten das Wesen des statischen Kräftespiels, die Klarheit des statischen Systems, die Übersicht über die Möglichkeiten der Formgebung und die Einzelheit besonders schwieriger Punkte der Konstruktion. Der Bauingenieur wird hingegen in den grundsätzlichen Ausführungen wesentliche Hinweise über die Probleme erhalten, die der Industriearchitekt zu lösen und die er beim Konstruieren zu berücksichtigen hat. Er gewinnt einen Maßstab für die funktionelle Abhängigkeit des Betriebsvorganges vom Raumprogramm, für die Massenverteilung, die städtebaulichen Berücksichtigungen bei der Lösung verschiedener zusammenhängender Industrieanlagen.

Ein dritter Personenkreis, der von diesem Buch Nutzen haben wird, ist der Auftraggeber für den Bau von Industrieanlagen. Für die Planung enthält es ausgezeichnetes Anschauungsmaterial dafür, was es auf dem Gebiet seiner geplanten Investitionen bereits gibt und wie es in der Natur aussieht, was beim Bau zu beachten ist und was ein gutes Architekten-Ingenieur-Kollektiv zu gestalten in der Lage ist, wenn man für das Neue aufgeschlossen ist. So mancher Widerstand von Bauherren, die „auch etwas vom Bau verstehen", wird beim Studium dieser Darstellungen zu überwinden sein, und das Verständnis für die Aufgaben der Fachleute für Industriebau wird bei vielen geweckt werden.

Wenn der Verfasser hier Wege aufzeigt, wie man den Fragenkomplex des Industriebaues anzugreifen hat, wie man vom Funktions-Diagramm zum Raumbedarf schreitet, wie man Raum und Gebäudeform koppelt und ihm ein sinnvolles konstruktives System gibt, das wiederum von der Bauweise abhängig ist, wie man aus der Gebäudeform und aus der städtebaulichen Situation die Werksgeländeaufschließung vornimmt, kommt er einem Bedürfnis nach, das auf diesem Gebiet der Bautechnik immer noch herrscht. Diese Hinweise werden unterstützt von einer Reihe von Vorschriften oder Erfahrungswerten.

Die moderne Industriearchitektur drängt nach sinnvollem und sparsamem Gebrauch der Baustoffe, deren richtiger Einsatz der Eigenart des Materials anzupassen ist.

Durch Trennung der tragenden von der raumumschließenden Funktion und durch Lösung von den technologischen Vorstellungen des Mauerwerksbaues beginnt die Epoche des Industriebaues, in der dem Architekten die Aufgabe erwächst, mit den neuen Baustoffen Stahl, Stahlbeton, Aluminium, Glas, Asbestzement usw. zu denken und zu gestalten. Die Mannigfaltigkeit der Industriebauformen vom gebauten Gerät bis zum Mehrzwecke-Produktionsgebäude stellt Architekten und Konstrukteure vor immer neue Probleme, die ökonomische Forderung nach Verbilligung der Produktion legt dem Gestaltenden Einschränkungen auf, die wiederum zu neuartigen Formen führen. Die Verschiedenartigkeit der Funktionen in einem Komplex führt oft zu eigenwilligen Formen der Industriebauwerke. Hier gibt das Buch gute Beispiele dafür, wie der Architekt durch Gestaltung der Außenhaut dennoch den Eindruck der Zusammengehörigkeit und des Einheitlichen erwecken kann. In der Deutschen Demokratischen Republik hat dieses Buch seinen Wert insoweit, als es Wege für die Lösung einzelner Aufgaben als individuelle Projektierung weist. Unsere Entwicklung zum industrialisierten Bauen geht über die Zielsetzung dieses Buches hinaus. Die richtige Erkenntnis der Bedeutung der Normung und Typung wird vom Verfasser erkannt und in einem längeren Abschnitt gewürdigt, kann aber naturgemäß nicht von ihm generell gelöst werden. Für die Lösung solcher Fragen ist eine umfangreiche Typungs-Organisation notwendig, die in langjähriger Arbeit die Grundlagen ausarbeiten muß. Auch muß eine Typisierungsarbeit Stückwerk bleiben, wenn sie nicht auf die Möglichkeiten der ausführenden Bauindustrie abgestimmt ist. Ein solches Problem läßt sich nur durch eine Planwirtschaft lösen. Es fehlt daher in diesem Buch die Grundlage der Montagebauweise, die industrielle Fertigung von Bauwerken, die Großblockbauweise und die Skizzierung ihrer Gesetzmäßigkeiten in ihrem Einfluß auf die Industrie-Architektur. Die Lösung solcher Aufgaben gelingt eben nur, wenn die Macht des Staatsapparates hinter der Bauwirtschaft steht und durch zentrale Lenkung polarisierend auf alle schöpferischen Kräfte einwirkt.

Dem Verfasser sind die Möglichkeiten nicht gegeben, und so ist sein Versuch, ein Ordnungsprinzip in das Chaos zu bringen und das Vorbildliche unter der Vielfalt der Industrieprojekte herauszustellen, hoch zu bewerten.

Möge dieses Buch unseren am Industriebau tätigen Menschen wertvolle Anregungen geben in der Lösung gestellter Aufgaben, im kritischen Vergleich mit den gefundenen Lösungen, in der Erkenntnis der Gesetzmäßigkeiten unserer modernen Baustoffe und in der Sparsamkeit der Mittel bei höchstem ästhetischen Effekt.

Johannes Schreinert
Technischer Direktor im Entwurfsbüro für Industriebau
Berlin

VORWORT

Ein Buch über den Industriebau bedarf keiner Begründung. Wegen der Fülle des Stoffes und der verschiedenen Betrachtungsmöglichkeiten müssen vorweg aber die Ziele kurz aufgezeigt und die gebotenen Grenzen abgesteckt werden.

Die Bauten der Industrie sind für viele Menschen zum Lebensraum geworden. Sie sind von stärkerem Einfluß auf die gesamten persönlichen, gesellschaftlichen und staatlichen Verhältnisse, als man zunächst anzunehmen geneigt ist. Eine Fabrik ist nicht nur eine Prodruktionsstätte, sondern auch eine Arbeitsstätte. In ihr sind täglich oft hunderte oder tausende von Menschen acht Stunden lang tätig. Um seine Kräfte und Fähigkeiten auf die Dauer voll entfalten zu können, muß sich der Mensch an seiner Arbeitsstätte wohlfühlen. Dazu gehört jedoch eine gestaltete Umgebung. Eine Gestaltung der Industriebauten muß gefordert werden, damit dem Menschen der eigene Wert innerhalb der Technik bewußt wird, denn das Gesicht seiner Arbeitsstätte ist ein Ausdruck seiner Würde. Der Industriebau soll durch seine Bauwerke eine dem Menschen angemessene Ordnung schaffen und die Leistung des einzelnen in die jeweils größeren Zusammenhänge einfügen. Auch im Industriebau soll der Mensch nicht untergehen. Von seinem Wirken soll die Gestalt Zeugnis ablegen, Zeugnis für diejenigen, die in dem Werk arbeiten, und Zeugnis für diejenigen, die es geschaffen haben.

Die Planung und Gestaltung der Industriebauten, aufgefaßt als ein Ordnungsprinzip, ist daher der Inhalt dieses Buches. Es ist nur das aufgezeigt, was für den Entwurf und die Gestaltung wichtig und dem Industriebau eigen ist.

Dieses Werk soll der Anfang einer Buchreihe sein, die den Industrie- und Verkehrsbau zum Inhalt hat. Daraus erklärt sich die Beschränkung in den vorliegenden beiden Bänden auf die Produktionsstätten der verarbeitenden Industrien im üblichen Sinne. Die Werke des Erz- und Kohlenbergbaues, die Bauten der Energiewirtschaft und die Verkehrsbauten sollen in später erscheinenden Bänden behandelt werden.

Im Industriebau fließen alle Spezialgebiete, in die sich das Bauwesen unserer Tage aufgelöst hat, wieder zusammen. Daher ist die Überschau wichtiger als die Betrachtung von Einzelheiten.

In einem ersten Abschnitt ist versucht worden, die Grundlagen der Planung und Gestaltung von Gesamtanlagen herauszustellen. Alle Einzelheiten dazu sind in den lexikonartigen zweiten Abschnitt eingereiht. In einem zweiten Band sind Beispiele ausgeführter Industriebauten wiedergegeben.

Der Umfang der beiden Bände dieses Werkes hätte vervielfacht werden müssen, wenn ein Anspruch auf Vollständigkeit nach irgendeiner Richtung hin hätte erfüllt werden sollen. Dies möge sich der Leser vor Augen halten, wenn er auf unvermeidbare Lücken und Unvollkommenheiten in der vorliegenden Arbeit stößt.

TEIL I: PLANUNG UND GESTALTUNG VON INDUSTRIEBAUTEN

TEIL II: SACHLEXIKON ZUR AUSFÜHRUNG VON INDUSTRIEBAUTEN

TEIL I

PLANUNG UND GESTALTUNG VON INDUSTRIEBAUTEN

Textilfabriken in Manchester · Reiseskizze von Schinkel 1826

Vom Wesen des Industriebaues

Das Bauen unserer Zeit ist voller Problematik. Es ist vor allem dadurch gekennzeichnet, daß viele überkommene Vorbilder und Formen nicht mehr im Einklang stehen mit den baulichen Aufgaben der Gegenwart und mit den baulichen Möglichkeiten, die sich aus neuen Baustoffen, neuen Baukonstruktionen und neuen Bauarten ergeben. Zu groß ist die Versuchung der schnellebigen Zeit, sich mit augenblicksbestimmten Lösungen zufrieden zu geben. Entweder ist mangelnder Gestaltungswille am Werk, der vor den wirtschaftlichen und technischen Bedingungen zurückweicht, oder man greift zu solchen lediglich effektvollen Lösungen, die, wie alles Modische, schnell veralten.

Oft scheint eine umfassende, sinnvolle Ordnung im Bauen kaum mehr erreichbar zu sein. Das Bemühen um ein bestimmtes bauliches Gepräge unserer Zeit ist zwar spürbar, es geht jedoch nur von einigen Wenigen aus, und zwar vorsätzlich. Der bauliche Ausdruck einer Zeit aber wird weder von einzelnen geschaffen, noch kann er vorsätzlich und bewußt beschworen werden.

Unsere Zeit wird maßgeblich von der Technik bestimmt; ihr sichtbarster Niederschlag im Bauen ist der Industriebau. Man soll aber den Einfluß der Technik auf das Bauen nicht nur oberflächlich auf gewisse Konstruktions-, Fertigungs- oder auch Formfragen beziehen, sondern ihn in seiner ganzen Tragweite zu erfassen suchen.

Nach wie vor erfährt unsere Welt durch die Weiterentwicklung der Technik neue Anstöße zu tiefgreifenden Wandlungen. Es ist nicht abzusehen, wie sich die durch die Technik bewirkten Existenzwandlungen noch auswirken werden. Die gesamten Lebensverhältnisse wurden jedenfalls durch die Technik in den letzten hundert Jahren stärker verändert, als es alle anderen Einwirkungen in dem zurückliegenden Jahrtausend bis zur Einführung der Eisenbahn bewirkt hatten. In nur wenigen Bereichen zeigt sich dies so untrüglich wie im Industriebau, der unmittelbar den Bedürfnissen dessen dient, was man gemeinhin als Technik bezeichnet.

Wie jedes andere Gebiet des Bauens muß sich auch der Industriebau neben der Erfüllung der ihm gestellten unmittelbaren Aufgaben in die Zusammenhänge des übrigen Lebens einordnen. So selbstverständlich sich das anhört, so wenig wurde im Industriebau der Vergangenheit dieser doppelten Bindung genügt. Nicht zuletzt lag das daran, daß vielfach einseitig eingestellte Spezialisten den Ausschlag gaben. Inzwischen hat sich die Erkenntnis durchgesetzt, daß der Industriebau im Schnittpunkt sehr vieler Forderungen und auch Möglichkeiten steht und deshalb nicht von einer Berufsgruppe allein, sondern von Architekten, Bauingenieuren, Maschineningenieuren, Betriebsingenieuren und von Volks- wie auch Betriebswirtschaftlern gemeinsam ausgeformt wird. Das ist die besondere Lage, die den Industriebau heute kennzeichnet, und zugleich der Grund seiner großen Bedeutung.

Während die Technik ihre entscheidenden Wandlungen im vorigen Jahrhundert durchgemacht hat und zum Begriff der »Industrie« führte, vollzieht sich die Veränderung im ihr zugehörigen Bauen erst in unseren Tagen. Bisher war der Industriebau vielfach noch an alte Formen und Konstruktionen gebunden, nunmehr setzen sich immer klarer solche Bauarten, Formen und Anlagen durch, die ausschließlich durch die besonderen Bedingungen und

Gegebenheiten einzelner Industriezweige bestimmt sind. Damit ist der Industriebau unserer Tage weitgehend traditionslos geworden – eine auf den ersten Blick vielleicht zu bedauernde Feststellung. Es ist aber andererseits ein Vorzug, daß der Industriebau von vielem unbelastet und frei von hemmenden historischen Bindungen ist. Er zeigt daher die Aufgaben, die unserer Zeit durch die ungewöhnlich rasche Ausbreitung und Weiterentwicklung der Technik erwachsen sind, in vielem klarer auf als die meisten anderen Disziplinen des Bauwesens und wird zu einem besonders charakteristischen Spiegelbild unserer Zeit.

sierung, andererseits zur Zusammenballung von Menschen und Energien. Voraussetzung für eine hochentwickelte Industrie ist ein entsprechender Verkehr, mit dessen Hilfe die Rohstoffe und Hilfsmittel zugeführt und die Erzeugnisse verteilt werden können.

Somit weist die auf wirtschaftlichen Erfordernissen und Grundsätzen basierende Industrie sehr verschiedene Aufgaben auf. Der ihr zugehörige Industriebau umschließt demgemäß eine Vielzahl baulicher Anlagen, die ganz verschiedenen Zwecken dienen können, sich in ihrer Gesamtheit aber der industriellen Tätigkeit unterordnen

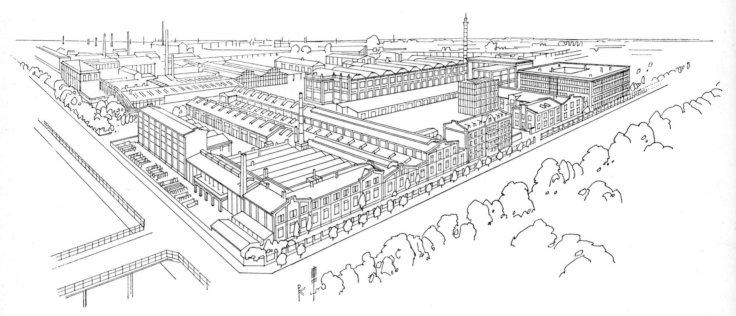

Gewachsene Fabrikanlage · Siemenswerk in Berlin 1896

Die Entstehung eines ganz neuen Typs von Bauwerken als ein Phänomen, das nicht als Weiterentwicklung innerhalb der Baugeschichte zu werten ist, ist der bedeutsame Zuwachs, den der Industriebau gebracht hat. So kommt dem Industriebau in dem bewegten und vielfarbigen Bild der Architektur unserer Tage eine Ausnahmestellung zu, und viele seiner Bauten haben bereits eine gewisse neue Allgemeingültigkeit erreicht. Man darf wohl ohne Übertreibung sagen, daß der Industriebau zu einem der wichtigsten Ausgangspunkte für die Bemühungen um ein Neues Bauen geworden ist und dies auch in Zukunft bleiben dürfte.

Dem Industriebau liegen zunächst jene wirtschaftlichen Notwendigkeiten und Bedürfnisse zugrunde, die sich aus dem Wesen der Industrie selbst herleiten. Unter »Industrie« möge hierbei ganz allgemein die Gewinnung und Aufbereitung von Rohstoffen und die Produktion von Waren mit Hilfe der heutigen Technik verstanden sein. Die Anwendung von wirtschaftlichen Prinzipien führt dabei einerseits zur Arbeitsteilung und Mechani-

und dem wirtschaftlichen Betriebsvorgang anpassen müssen. Jede Einzelanlage ist einmal für sich allein zu betrachten, durchzubilden und zu planen; zum anderen muß man die Summe als ein Ganzes – als Integral – zu erfassen suchen, das durch vielfältige Gliederungen und Verflechtungen bestimmt ist.

Zu diesem ineinandergreifenden Gefüge von Industrieeinzelbauten kommen immer mehr Anlagen hinzu, die mit dem Industriebau im ursprünglichen Sinne nichts gemein haben, so z. B. die Bauten für die Belegschaft, angefangen bei der einfachen Kantine und endend beim Werksportplatz.

Grundsatz aber bleibt: Je vielfältiger und beziehungsreicher eine neuzeitliche Industrieanlage wird, um so mehr muß der Industriebau den Produktionsablauf zur Grundlage seiner baulichen Ordnung machen.

Daneben können die Fragen der Installation, der Beheizung, der Belüftung, der Belichtung, der Verkehrsabwicklung usw. einen solchen Einfluß auf die Ausbildung der Bauwerke im einzelnen haben, daß es nicht immer einfach ist, unter mehreren Möglichkeiten die zweckmäßigste Lösung zu finden.

In den zurückliegenden baugeschichtlichen Epochen waren es die übergeordnete Idee und die vorgefaßte Form, die in einem Bauwerk zur Ausführung gelangten. Vorgefaßte Formen können jedoch dem Industriebau nur in den seltensten Fällen zugrunde gelegt werden, weil sich die endgültige Form aus der Summierung vieler technischer Einzelheiten und der Erfüllung von produktionstechnischen Forderungen ergibt. Dabei ist immer wieder festzustellen, daß der Begriff der Wirtschaftlichkeit nicht so eng

dustriebau leichter Eingang, als im übrigen Bauwesen. So hatte auch bisher der Stahlbau gegenüber dem Stahlbetonbau den Vorteil der kürzeren Bauzeit, und nicht zuletzt wird die Einführung der Montage- und Fertigbauarten durch die Forderung nach kurzer Bauzeit gefördert.

Das Bindeglied bei der Planung zwischen Architekt bzw. Bauingenieur und Betriebsingenieur ist das „Lay-out" einer Anlage. Hier findet der beabsichtigte Produktionsablauf seinen technischen Niederschlag. Das Abstimmen der verschiedenen technischen Einrichtungen aufeinander

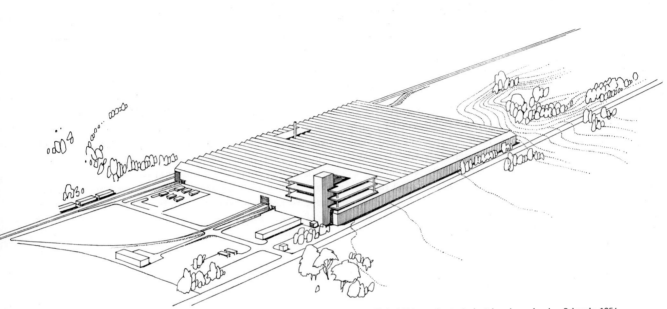

Einheitlich geplante Industrieanlage in der Schweiz 1954

und eindeutig umgrenzt werden kann, wie es vielleicht den Anschein haben könnte. Das gilt nicht nur für die Gesamtanlage mit ihrer maschinellen Ausrüstung, sondern auch für die einzelnen Bauwerke. Denn selbst wenn die Baukosten und späteren Betriebskosten für ein Bauwerk im einzelnen zuverlässig angegeben werden können, ist die vergleichsweise Untersuchung verschiedener Lösungen im Industriebau deshalb schwierig durchzuführen, weil die fundamentale Überlegung, über welchen Zeitraum hinweg die Betriebskosten gegenüber den einmaligen Baukosten anzusetzen sind, zu sehr von der persönlichen Erfahrung und Beurteilung abhängig sind. In diesem Zusammenhang muß erwähnt werden, daß es sich im Industriebau stets um große Bausummen handelt. Diese Kapitalinvestitionen sind während der Bauzeit unproduktiv im Sinne des Betriebes; die natürliche Folge ist, daß stets so schnell wie möglich gebaut werden möchte. Auch das verlangt andere Baumethoden als bisher. Neue Baustoffe und neue Bauverfahren, die zu einer Verkürzung der Bauzeit beitragen, finden daher im In-

und ihre Beziehung zu den einzelnen Bauwerken ist der Inhalt des „lay-out", für das es im einzelnen keine festen Regeln gibt. Selbst die zeichnerische Darstellung, wie z. B. der Maschinenbesatzpläne, der Installationspläne, der Heizungsanlage sind von Fall zu Fall verschieden, je nachdem, welche Bedeutung der betreffenden technischen Ausrüstung im einzelnen zukommt. Es handelt sich dabei im Industriebau oft auch um die Ordnung und Klarlegung von Vorgängen und zeitlichen Abläufen, insbesondere bei Transportproblemen, die zeichnerisch nur unvollkommen wiedergegeben werden können.

Entwicklungsgeschichtlich gesehen ist das Streben nach Konzentration der Arbeitskräfte und Energien im Industriebau schon sehr früh zu erkennen. Die Reiseskizze, die Schinkel von den Textilfabriken in Manchester im Jahre 1826 machte, hat das Wesen des Industriebaues bereits in seiner ganzen Problematik erfaßt. Aber erst heute findet diese Konzentration bis in die letzten Auswirkungen hinein ihren baulichen Ausdruck.

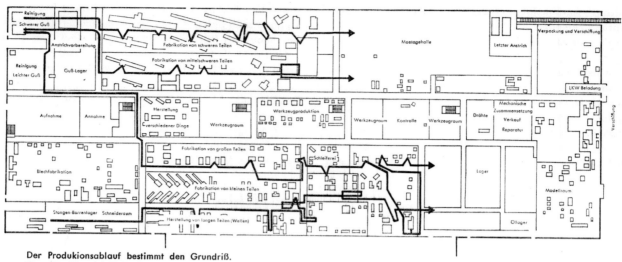

Der Produkionsablauf bestimmt den Grundriß.
Eine Maschinenfabrik in den USA 1952

Zu Beginn unseres Jahrhunderts war die Differenzierung eines Betriebes an der Vielzahl der Einzelbauwerke abzulesen. Bauwerk setzte sich neben Bauwerk, weil vor allem die Überdachung großer zusammenhängender Flächen noch technische Schwierigkeiten bereitete, und die Industrie selbst noch in ständiger Entwicklung war, so daß der Anbau und die Erweiterung geradezu zum Kennzeichen der Industrieanlagen wurde. Differenzierung und Vielgestaltigkeit sind für den Industriebau auch heute noch kennzeichnend; trotzdem trat ein deutlicher Wandel im Aufbau und in der Erscheinung der Industrieanlagen ein. Ein Merkmal der neuzeitlichen Industrie ist die Rationalisierung der Fertigung. Jeder unnütze oder überflüssige Weg der Rohstoffe, der Materialien und auch der Menschen soll vermieden werden. Mit einem Minimum an Aufwand sucht man ein Maximum an Erfolg zu erreichen. Das Fließband ist ein Ergebnis solcher Überlegungen. Auch die veränderte Art der Aufstellung der Maschinen macht das deutlich. Man reiht die Bearbeitungsmaschinen z. B. nicht mehr starr in einer Reihe auf, wie es früher durch den Antrieb über Transmissionen notwendig war, sondern man nützt die Beweglichkeit aus, die der elektrische Einzelantrieb zuläßt, und ordnet die Maschinen – inzwischen meist zu Automaten weiterentwickelt – so an, daß ein Arbeiter häufig gleichzeitig mehrere Maschinen beaufsichtigen und bedienen kann. Gefordert wird außerdem, daß die Wege des Materials und der Halbfabrikate so kurz wie möglich werden.
Wie die Maschinen im Grundriß zusammenrücken und sich verschränken, so rücken auch die Gebäude, die früher für sich standen, zusammen und werden zu Räumen die ineinandergreifen. Das Ergebnis ist ein geschlossener und konzentrierter Betriebsablauf, der alles unter einem Dach vereinigt und – soweit sich nicht aus der Produktion selbst vertikale Transporte ergeben – der Übersichtlichkeit wegen alles in einer Ebene anzuordnen versucht. Der bauliche Ausdruck dafür sind besonders die

großen Flachbauten mit einer Nutzfläche von 100 000 m² und mehr unter einem Dach. Sie nehmen nicht nur die eigentlichen Produktionsstätten auf, sondern ebenso alle Lager, Versandräume, Büros; ja selbst das Kraftwerk wird mitten in den Flachbau hineingestellt.
Wie bisher an jedem Bauwerk als allgemeiner Grundsatz festgestellt werden konnte, ist seine Lebensdauer größer als die seiner Einrichtungen. Das gilt auch für den Industriebau. Die Produktionsmethoden und Maschinen verändern sich schneller als die zugehörigen Bauwerke. Da aber in der Industrie der Grundsatz der Wirtschaftlichkeit auch für die Bauwerke gilt, so ergeben sich daraus zwei Folgerungen: Entweder darf sich ein Bauwerk nicht auf die augenblickliche Produktion abstellen, sondern muß so gebaut sein, daß es Veränderungen innerhalb des Betriebes, ja selbst einen vollständigen Wechsel in der Produktion, ohne weiteres zuläßt; oder das Bauwerk muß sich ganz und gar der speziellen Produktion anpassen, indem es so leicht wie möglich gebaut

Früher: Transmissionen verlangen starre Anordnung der Maschinen
Heute: Einzelantriebe erlauben die Aufstellung nach dem Materialfluß

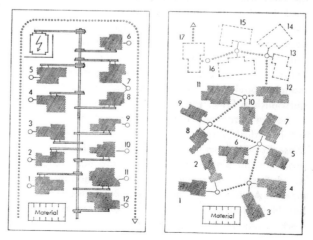

wird und nur noch eine enganliegende Hülle für die Maschinen und Apparate abgibt, die mit diesen ausgewechselt werden kann.

Natürlich ist hierbei die spezielle Art des Betriebes stets ausschlaggebend. Die erste Überlegung kommt den Bauten entgegen, die alles unter einem Dach zu vereinigen suchen. Ist der Betriebsvorgang dagegen nicht in eine Ebene zu legen oder unter einem Dach zu vereinigen, oder sind zur Produktion Maschinen und Geräte notwendig, die im wirklichen Sinne des Wortes aus dem Rahmen fallen, dann entfernen sich die zugehörigen Bauwerke von den überkommenen Formen und werden selbst zum Apparat, Gerät, Behälter oder zur Freiluftanlage. Die bauliche Hülle wird ganz auf die beson-

dere Aufgabe abgestellt und mit einem Minimum an Aufwand ausgebildet. Das kann so weit führen, daß von einem »Bauwerk« im gewohnten Sinn nichts mehr übrigbleibt. Manche Bauten der chemischen Industrie, Kraftwerke u. ä. neigen zur zweiten Lösung; Maschinenfabriken, insonderheit feinmechanische Betriebe, Textilbetriebe zur ersten. Dazwischen liegen Werke, wie z. B. die Papierfabriken, Gummifabriken, die sich nach beiden Richtungen hin entwickeln lassen.

Für die Bauwerke, die weitgehend unabhängig von der augenblicklichen Produktion errichtet werden, hat sich im anglo-amerikanischen Sprachgebiet der Begriff »flexibility building« eingebürgert. Man kann ihn am besten mit »Mehrzweckbau« übersetzen. Bei solchen

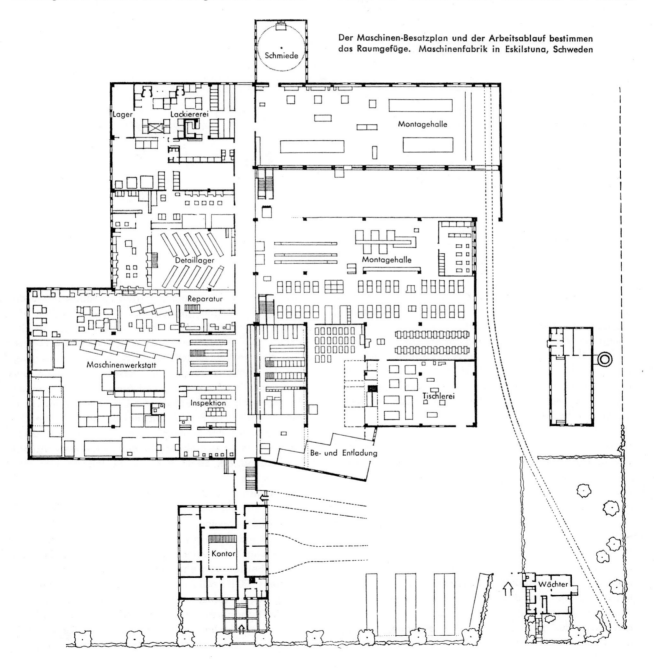

Der Maschinen-Besatzplan und der Arbeitsablauf bestimmen das Raumgefüge. Maschinenfabrik in Eskilstuna, Schweden

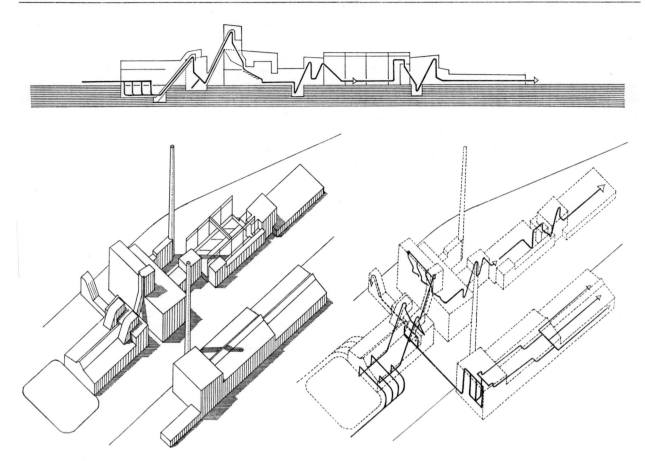

Gliederung und Formen der Baukörper ergeben sich aus
dem Betriebsvorgang. Müllverwertungsanlage in Köln

Bauten kann sich in dem vom Bauwerk abgesteckten
Rahmen, der im wesentlichen durch die Stützenabstände,
die Geschoßhöhen und die Belichtungsverhältnisse festgelegt ist, der Arbeitsvorgang verändern. Die Untersuchung über die zweckmäßigen Abmessungen derartiger
Bauwerke führt von selbst, da sie nicht auf einen Einzelfall abgestellt sind, zur Normung der Einzelteile und zur
Typung der Bauelemente. Ihr charakteristisches Kennzeichen ist die Reihung.

Wenn sich aber die Anforderungen an eine Produktions-
stätte innerhalb weniger Jahre so verändern können, daß
eine Industrieanlage, obgleich sie noch nicht einmal
Spuren der Abnutzung aufweist, schon nach kürzester
Zeit überholt ist, so verlieren die Bauwerke im Industriebau ganz allgemein ihren „bleibenden Wert". Sie werden nicht mehr für Jahrhunderte gebaut, sondern besten-
falls für Jahrzehnte.

In dem Maße, wie die Bauwerke immer mehr die aufgezeigten baulichen Forderungen der Industrie erfüllen
konnten, stellten sich andere Probleme ein. Die konstruktiven Aufgaben im Industriebau, die sich aus den besonderen Forderungen hinsichtlich Spannweite und Beanspruchung der einzelnen Bauteile ergeben, bereiten
heute keine grundsätzlichen Schwierigkeiten mehr. Zum

besonderen Problem sind dagegen im Industriebau die
Planungsgrundlagen geworden. Darunter fallen die
Fragen des Standortes, der Beschaffung von Arbeitskräften, der Wasserversorgung, der Abwasserverwer-
tung, der Verkehrsanschlüsse, der Energieversorgung.
Von der richtigen Beurteilung dieser Grundlagen und
ihrer sinnvollen Auswertung und Anwendung hängen die
Standortwahl, die wirtschaftliche Größe einer Industrieanlage hinsichtlich Produktion und Belegschaft, die Gestehungskosten der Bauwerke und die Wirtschaftlichkeit
der später in ihr sich abwickelnden Produktionsvorgänge
entscheidend ab. Somit geht es im Industriebau stets
auch um die Ordnung des menschlichen Lebensraumes,
seiner Rohstoffe und seiner Energien.

Damit greift der Industriebau immer mehr über seinen
eigentlichen Rahmen hinaus und löst im Städtebau und
in der Landesplanung Wechselwirkungen aus, deren
Entwicklung sehr verschieden beurteilt wird. Für den
kleinen Betrieb von ehedem mit einer Belegschaft von
höchstens 500 bis 600 Arbeitern und Angestellten war das
Einzugsgebiet seiner Arbeitskräfte kein Problem. Die
wirtschaftliche Größe neuer Industrieanlagen liegt heute
bei einer durchschnittlichen Belegschaftsstärke von 4000
Mann. Diese Belegschaft muß aber in Wohnungen unter-

Kurt Dummer
Bauing.
Berlin-Pankow
Retzbacher Weg 6
19

Verschiedenartige Räume mit unterschiedlicher Nutzung fügt der Produktionsablauf zu einer geschlossenen Anlage zusammen. Gummifabrik in Brynmawr, England (siehe auch Seite 26)

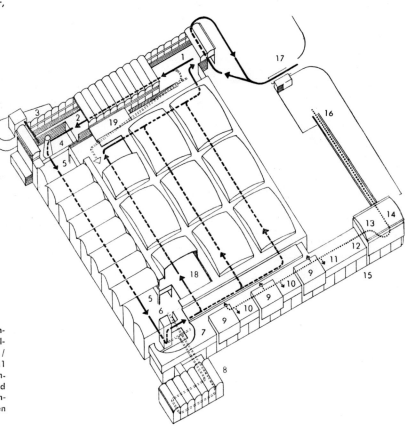

1 Wareneingang / Warenversand · 2 Chemikalienlager · 3 Kohlenvorrat · 4 Banbury Mixer · 5 Mahlräume · 6 Aufzug · 7 Waschraum · 8 Drucken / Strecken · 9 Umkleideräume · 10 Waschraum · 11 Sanitätsraum · 12 Betriebsleiter · 13 Stechuhr · 14 Eingangshalle · 15 Büroräume · 16 Angestellten- und Besuchereingang · 17 Wareneingang, Lieferanten-Einfahrt · 18 Hauptproduktionsbereich · 19 Zu den Souterrainlagern

gebracht werden, die verkehrsgünstig zur Arbeitsstätte liegen. Damit wird die Industrie über ihre eigene Werksanlage hinaus in einem Umfang städtebildend, der nicht immer positiv zu werten ist. Das organische Wachstum einer Stadt oder eines Landschaftsraumes kann durch neue Industrieanlagen oft so einschneidend und so schnell verändert werden, daß das in langer Entwicklung gewordene Gefüge der Lebensräume sich der neuen Situation nicht mehr anpassen kann.

Schließlich hat die Ausweitung einzelner Industrien an einem Ort auch soziologische Folgen, die nicht immer begrüßenswert sind. So beherbergte z. B. die Stadt Zlin, die nach dem ersten Weltkrieg im Anschluß an die Schuhfabriken des tschechischen Großindustriellen Batà entstanden war, fast nur Schuhmacher. Das Gedeihen und das Gesicht einer Stadt sind in diesem Falle zu eng mit einem einzelnen Industriewerk verbunden.

Architekt und Bauingenieur haben sich bisher um diese Zusammenhänge vielleicht zu wenig bemüht und sie dem Betriebsingenieur oder Volkswirtschaftler allein überlassen. Neuerdings hat sich die Landesplanung dieser Fragen angenommen. Aber selbst wenn in diesen übergeordneten Stellen eine Klarstellung der Planungsgrundlagen im Industriebau im Laufe der Zeit erreicht werden

sollte, so müssen Architekt und Bauingenieur doch mehr als bisher an diesen Fragen interessiert sein, denn die Verflechtungen zwischen den genannten Problemen werden immer zahlreicher und die Rückwirkungen auf die einzelnen Bauwerke immer größer.

Mit diesen Hinweisen kann das Wesen des neuzeitlichen Industriebaues nur unvollkommen umrissen werden. Es bedürfte eingehender Untersuchungen, um die komplexe Natur des Industriebaues darzulegen. Zur Einführung mögen aber diese Andeutungen genügen.

Man klagt gern darüber, daß unserer Zeit die großen Bauherren fehlen und erklärt damit zum Teil den Niedergang unserer Baukultur. Das mag für viele Bereiche des Bauwesens zutreffen. Der Industriebau nimmt auch hier eine Sonderstellung ein, denn die Industrie ist einer der großen Auftraggeber unserer Zeit.

Sie wird durch sehr selbstbewußte Persönlichkeiten vertreten, die ihre Forderungen präzise und klar formulieren. Natürlich bleibt die Frage offen, die in unserer Gegenwart immer wieder gestellt werden muß, inwieweit wirtschaftliche Prinzipien, die in der Industrie vorherrschend sind, tragende Ideen ersetzen und zu kulturellen Leistungen führen können.

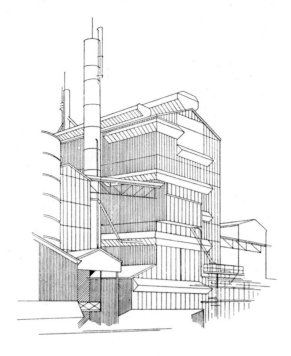

Apparathafte Erscheinung eines produktionsbestimm-
ten Bauwerkes. Karbidfabrik in Calvert City, USA

Destillationskolonnen ohne jede bauliche
Hülle. Chemiewerk in Ludwigshafen

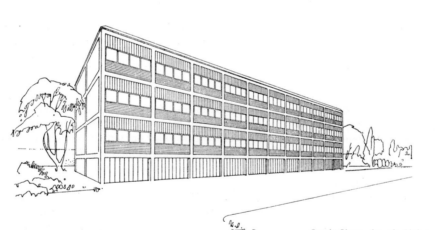

Geschoßbau, der als Mehrzweckbau die spezielle Nutzung nicht erkennen läßt. Optikwerk in Braunschweig

Der Industriebau darf sich daher in dem wirtschaftlichen Prinzip nicht erschöpfen. Die physischen und psychischen Belange des Menschen müssen ebenfalls im Industriebau berücksichtigt werden. Man hat erkannt, daß es nicht allein auf den Wirkungsgrad der Maschinen ankommt, sondern ebensosehr auf die Leistungsfähigkeit der Arbeitseinheit Mensch und Maschine. Jeder Arbeiter und Angestellte soll sich in seinem Werk wohl fühlen und mit Freude an die Arbeit gehen. Für den reinen Wirtschaftler mag der Hinweis genügen, daß durch eine angenehme Umgebung die Leistungsfähigkeit jedes Menschen gesteigert wird und somit die Forderung nach einer vor-

bildlichen Gestaltung des Industriebaues nicht im Widerspruch mit dessen wirtschaftlichen Aufgaben zu stehen braucht.

Wie in der übrigen Baukunst muß der Wille vorhanden sein, die Form zu gestalten. Dort aber, wo der Wille zur Form im Industriebau vorhanden ist, kann das Zweckmäßige allein nicht mehr ausschließlicher Grundsatz bleiben. Die Gestaltung der Industriebauten muß vielmehr im Bewußtsein der Verantwortung dem Menschen gegenüber erfolgen. Auch der Industriebau hat letzten Endes in seiner Anlage wie in allen Einzelheiten nur die Aufgabe: dem Menschen zu dienen.

Zur Geschichte des Industriebaues

Obgleich der Industriebau ein Kind unserer Zeit ist, findet man in der Geschichte der Baukunst durchaus Bauwerke, die man als Industriebauten – natürlich mit den Einschränkungen, die in den jeweiligen Zeitverhältnissen begründet sind – ansprechen kann. Es sind in erster Linie die reinen Zweckbauten zur Güterfertigung und Güterlagerung, die jede Zeitepoche benötigte. Zu ihnen gehören die Speicher des Mittelalters ebenso wie die Manufakturbauten des 18. Jahrhunderts oder die ersten Eisenwerke des vorigen Jahrhunderts.

Diese Bauwerke sind zu ganz verschiedenen Zeiten entstanden und dienten unterschiedlichen Aufgaben; doch eines ist ihnen allen gemeinsam: Sie sind sehr schön! Allerdings haben wir ihre Schönheit erst entdeckt. Vergangene Zeiten haben ihnen keine Bedeutung beigemessen; deshalb sind sie auch in so geringer Zahl auf uns überkommen.

Was wir an ihnen schätzen, ist ihre Zweckmäßigkeit, ihr klarer konstruktiver Aufbau und ihre Einfachheit. Trotzdem erschöpfen sich diese alten »Industriebauten« nicht nur im Funktionellen. Immer ist die Konstruktion mit einem sicheren Gefühl für den Maßstab und die Proportion bewußt im Sinne der jeweiligen Zeit gestaltet. Es ist den alten Baumeistern überhaupt nie möglich gewesen, sich außerhalb ihrer Zeit und ihrer Formensprache zu stellen.

Obwohl diese alten Zweckbauten so vorbildlich in ihrer äußeren Erscheinung sind, können sie für den neuzeitlichen Industriebau nur wenig Anregungen geben. Die Beziehungslosigkeit zwischen den alten Bauwerken und unseren gegenwärtigen Industriebauten liegt in dem Wandel der Technik, den diese selbst durchgemacht hat. Die Technik, die es schon so lange gibt, wie Menschen auf dieser Erde leben, hat ihre entscheidende Veränderung Mitte des vorigen Jahrhunderts erlebt. Bis zum 19. Jahrhundert war alle Technik – mit geringen Ausnahmen – handwerklich bestimmt. Dem Handwerk aber ist die Bindung an den Menschen eigen, an seine Körperkraft und an seine Körperabmessungen. Das Werkzeug des Handwerkers ist nur eine Verlängerung des menschlichen Armes.

Daraus erklärt sich, daß alte Bauten der Technik immer den »menschlichen« Maßstab in sich haben. Sie stehen in enger Beziehung zu den Wohnbauten. Die alte Werkstatt ist aus denselben Elementen wie die Wohnung der Menschen geformt. Raumhöhe, Raumgröße, Fenster und Türen mögen zwar oft etwas größer oder anders als bei den Wohnbauten gewesen sein, sie waren aber immer auf den Menschen bezogen. Auch die ersten Fabrikbauten, die nicht mehr dem Handwerker im ursprünglichen Sinne dienten, bezeugen noch diese Überlieferung. In vielem gleichen sie abgewandelten Wohnbauten, und selbst die ersten Eisenwerke muten wie Bauernhöfe an. Hinzu kommt, daß bei diesen frühen »Industriebauten« die landschaftlich und örtlich bedingten Gepflogenheiten

Tuchfabrik in Luckenwalde 1756

Hammerwerk in Eberswalde 1806

Garnfärberei im Erzgebirge 1836

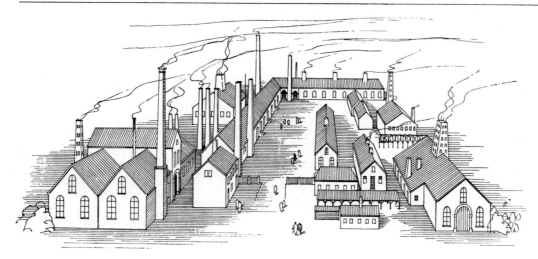

Gußstahlfabrik in Mitteldeutschland 1850

Kraftwerkshalle einer Maschinenfabrik 1891

Heizkraftwerk in Bad Nauheim 1912

in der Art der Anlage, der Bauform und der Gestaltung berücksichtigt wurden, so daß sich derartige Zweckbauten bis zu Beginn des 19. Jahrhunderts in der Regel gut in die nähere und weitere Umgebung einfügten.

Auch die Tatsache, daß bis dahin als größere Kraftquelle nur das Wasser zur Verfügung stand, ist nicht bedeutungslos, denn die Nutzung der Wasserkraft verlangt Rücksichtnahme auf die Gegegebenheiten der Natur. Schließlich folgten aus der Bindung an den noch nicht mechanisierten und motorisierten Verkehr auf den Landstraßen und auf den Flüssen entsprechende Beziehungen zu dem natürlich gewachsenen Gefüge einer Landschaft. Bis dahin war alles Bauen maßvoll, organisch und einheitlich. Dann aber kam der große Umbruch in der Technik. Er wurde zu Beginn des vorigen Jahrhunderts durch die Dampfmaschine eingeleitet und gegen Ende des Jahrhunderts durch die Elektrizität vollendet.

Mit der von James Watt (1736–1819) entwickelten Dampfmaschine hat sich die Technik unabhängig vom Menschen und auch von der Natur gemacht; nicht nur, daß die Technik freizügig wurde und nicht mehr an örtliche Energiequellen gebunden war, sondern daß sie auch die Zusammenballung an Energie ins Grenzenlose zu steigern ermöglichte. Heute ist offenkundig, daß sich die Technik in vielen ihrer Bereiche von allen unmittelbar menschlichen Bindungen ganz gelöst hat.

Daraus hat sich aber zwangsläufig ergeben, daß mit dem Übergang vom Werkzeug zur Maschine, d. h. zum Apparat, der aus sich selbst tätig ist, auch im zugehörigen Bauwerk, im Industriebau, die äußeren Bindungen an den Menschen als Maßstab aufgegeben werden mußten. Das unterscheidet den heutigen Industriebau grundsätzlich von den anderen Bauwerken. Ein Wohnhaus, auch wenn es zum Hochhaus mit 20 Geschossen wird, muß noch die Beziehung zum Menschen haben. Ein Krankenhaus darf die menschlichen Proportionen nicht aufgeben, sofern sich der Kranke darin erholen soll. Ein Industriebau hat dagegen wenig Bindungen an die menschlichen Maße; nicht daß diese Beziehungen be-

Kurt Dummer
Bauing. 23
Berlin-Pankow
Retzbacher Weg 6

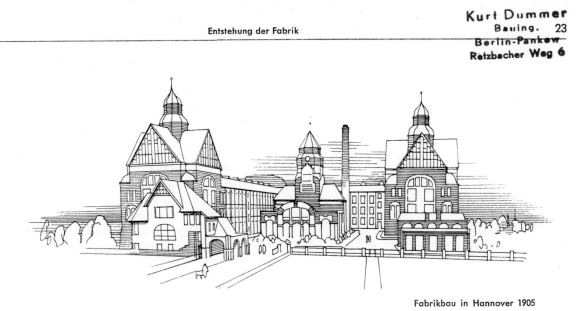

Fabrikbau in Hannover 1905

wußt vermieden werden sollen, ganz im Gegenteil, dort wo sie sich einstellen, sind sie stets willkommen, aber man kann sie nicht entgegen den technischen Notwendigkeiten durchsetzen oder erzwingen.

So vollzog sich die Entwicklung des Industriebaues zwischen zwei Polen:

Auf der einen Seite die Bindung an die gewohnten Maße des Menschen und auf der anderen Seite die Forderung der sich rasch entwickelnden neuen Technik.

Der Übergang von den alten Werkstätten zur Fabrik und weiter zur Industrieanlage im heutigen Sinne erfolgte dabei nur allmählich. Ein kurzer Überblick an Hand einiger beispielhafter Bauten mag dieses vergegenwärtigen:

Als Vorläufer industrieller Bauten sind die alten Bergwerksanlagen und Eisenhammer (Frohnauer Hammer im Erzgebirge 1436) und die Lager- und Speicherbauten (Salzspeicher in Lübeck 1524) zu bewerten. Die im 18. Jahrhundert entstandenen Manufakturen (Porzellanmanufakturen Meißen 1713) sind dagegen schon als erste Fabrikbauten anzusehen. Bestimmend für diese Art von »Industrie« war die Konzentration von Arbeitskräften. Der Fertigungsprozeß selbst war jedoch noch handwerklicher Art. 1784 sollen in Wien 117 derartige Fabriken mit etwa 50 000 Beschäftigten gezählt worden sein.

Gasreglergebäude in Köln 1908

Mit der Einführung der Maschinen (1775 erste Fabrik mit Spinnmaschinen; 1785 erste Dampfmaschinen in Deutschland) kam dann zu der eingeleiteten Konzentration von Arbeitskräften jene Konzentration maschineller Arbeitsmittel, die zum eigentlichen Merkmal der neuzeitlichen Industrie wurde. Nun erst entstehen mit der »Fabrik« neuerer Art der »Fabrikant« und der »Fabrikarbeiter«. Dieser Prozeß vollzog sich gleichzeitig mit der jetzt möglich gewordenen Ablösung der Fabrikstandorte von den natürlichen Energiequellen (Wasserkraft) und der Orientierung nach dem günstigen Markt. Wenn auch, im großen gesehen, die handwerksmäßige Erzeugung noch etwa ein halbes Jahrhundert lang vorherrschend blieb, so waren die entstandenen Fabriken doch schon recht

Möbelfabrik in Dresden-Hellerau (Deutsche Werkstätten) 1912

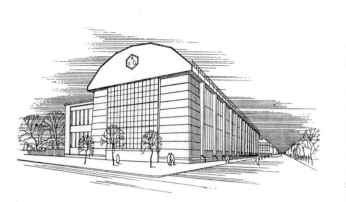

AEG-Turbinenhalle in Berlin 1910

Schuhleistenfabrik in Alfeld 1911

Chemische Fabrik in Luban 1912

ansehnlich geworden. Die Kattunfabrik Pflugbeil & Co. in Chemnitz zählte z. B. gegen Ende des 18. Jahrhunderts 1200 Beschäftigte.

Die ältesten auf uns überkommenen Anlagen solcher Art stammen aus dem Ende des 18. Jahrhunderts und vom Anfang des vorigen Jahrhunderts. Sie sind noch ganz wie Wohnbauten oder landwirtschaftliche Bauwerke behandelt. So ist die auf Seite 21 gezeigte Garnfärberei aus dem Erzgebirge nicht etwa ein umgebauter alter Bauernhof, sondern ein Bau, der von vornherein (1836) als Garnfärberei errichtet worden ist.

Auch dort, wo sich das Industrielle am ersten zu entfalten begann, in den Hammerwerken und Eisenhütten, hielt man sich zunächst an altgewohnte Vorbilder und Maßstäbe. Das Hammerwerk in Eberswalde auf S. 21 könnte nach Anlage und Aussehen auch das Stallgebäude eines großen Gutshofes sein; nur der Giebel verrät etwas von dem neuen Wirken, das sich in diesen Hallen abspielt.

Aus dieser anspruchslosen, einfachen Art zu bauen sind bis zur Mitte des vorigen Jahrhunderts eine ganze Reihe sehr schöner Industriebauten entstanden. Sie sollten ursprünglich gar nicht schön sein, sondern nur zweckmäßig; aber es steckte noch so viel sicheres Formgefühl in den Baumeistern und Ingenieuren dieser Zeit, daß diese Zweckbauten von vornherein zugleich schön wurden. Auch da, wo man anspruchsvoller war und Formen aus anderen Bereichen des Bauens entlehnte, war die Erscheinung immer gut und anständig. Alte Fabrikbauten aus dem Raum Aachen oder aus dem Erzgebirge lassen in ihrem streng symmetrischen Aufbau die Bindungen an Barock und Klassizismus erkennen.

Dann kam eine Zeit, in der man bewußt »schön« bauen wollte und doch nicht mehr den selbstverständlichen Zusammenhang mit der Vergangenheit hatte. Was dabei in dem Bemühen um eine »schöne« Form in der Technik herausgekommen ist, erkennt man heute noch auf Schritt und Tritt. Die Geschichte der Baukunst mußte aus ihren verschiedenen Epochen die Vorbilder liefern, und die Dekorationen mit beliebig entliehenen Stileinzelheiten waren wichtiger als der klare Baugedanke.

Die Reaktion auf diesen Schwulst von Formen und Dekorationen trat nach der Jahrhundertwende ein. Sie fand ihren Ausdruck im Industriebau kurz vor dem ersten Weltkrieg. Einzelne starke Persönlichkeiten erkannten die Bedeutung, die dem Industriebau zukommt, und den Reiz, der in ihm liegen kann. Sie führten jene ersten neuartigen Industriewerke aus, die in ihren einfachen, klaren Formen den Beginn des modernen Industriebaues einleiteten.

Eine Gruppe von Architekten versuchte dabei die Fabrik zu »vermenschlichen«. Man glaubte in bester Absicht damit einen Beitrag zur Lösung der sozialen Spannungen zu liefern, die durch den raschen Anstieg der Industrie entstanden waren. So beeindrucken uns noch heute z. B. die Deutschen Werkstätten von Riemerschmidt in Hellerau bei Dresden durch ihren menschlichen Maßstab.

Auch der »Heimatschutz« nahm sich in bester Absicht des

Siemens-Fabrikhochhaus in Berlin 1928

Lebens- und Genußmittelwerk in Rotterdam 1932

Drogenfabrik in England 1929

Industriebaus an und glaubte, durch eine mehr oder minder landschaftsgebundene Bauart und Bauweise der Technik das Gewalttätige zu nehmen.

Trotzdem können diese Bemühungen nur als ein Durchgangsstadium für den Industriebau angesehen werden. Die Industrie läßt sich nicht in alte oder ihr sonst nicht angemessene Gewänder stecken. Das Kesselhaus etwa mit der Form eines Gutshauses zu umkleiden ist eben keine echte Lösung, und über die manchen erschreckende Exaktheit der Technik kann man nicht dadurch hinwegtäuschen, daß bewußt auf alle rechten Winkel verzichtet wird, wie das im Lageplan der Deutschen Werkstätten in Hellerau geschehen ist. Es zeigt sich hier letzten Endes eine falsche Romantik. Aber rückschauend muß man das ehrliche Streben und Bemühen anerkennen, der neuen Situation im Industriebau gerecht zu werden.

Für jede neue Zeit im Bauen gibt es stets Vorläufer. Ihr eigentlicher Beginn ist dort zu suchen, wo die alten Vorbilder verlassen und die Formen ganz aus den neuen Gegebenheiten heraus entwickelt werden. Am Anfang dieser Entwicklung stehen im Industriebau die Fabrikbauten von Poelzig, Behrens und Gropius.

In Luban schuf Poelzig eine für die damaligen Verhältnisse vorbildliche chemische Fabrik. Behrens baute in Berlin für die AEG jene Turbinenhalle, die Eingang in die Geschichte der Baukunst gefunden hat. Am weitesten in die Zukunft stieß wohl Gropius vor mit der Schuhleistenfabrik in Alfeld. Dort ist erstmalig mit den neuen Baustoffen souverän umgegangen worden.

Nach dem ersten Weltkrieg machte sich der Industriebau vollkommen frei von überholten Bindungen. Es entstanden Industrieanlagen, die ohne jedes Vorbild in der Geschichte der Baukunst mit neuen Baustoffen zu neuen Bauformen führten. Damit mußte in weiten Bereichen der Industriebau die Beziehung zum Menschen im gewohnten Sinne aufgeben.

In Berlin entstand 1928 durch Hertlein für die Siemenswerke das erste Fabrikhochhaus in Europa, in England wurde eine Drogenfabrik ganz aus Stahlbeton und Glas errichtet und in Holland die Tabakfabrik Van Nelle, die für Jahrzehnte ein Vorbild im Industriebau abgab.

Nach dem zweiten Weltkrieg traten in großem Umfange neue Baustoffe und Bauarten in Erscheinung, und die Schalenbauart des Stahlbetons führte zu neuen Dach- und Bauformen, deren Entwicklung noch nicht abgeschlossen ist. Trotz der neuen Bauarten und Bauformen, die in rascher Folge im Industriebau Eingang gefunden haben, ist die Entwicklung doch nicht sprunghaft, sondern stetig vor sich gegangen.

Was den Industriebau unserer Zeit vielleicht am meisten kennzeichnet, ist die Tatsache, daß die Leistung des Einzelnen zurücktritt vor der Gesamtleistung einer Arbeitsgemeinschaft, die sich aus vielen Berufen zusammensetzt. Während die Enwicklung der freien Künste in den letzten hundert Jahren sich in einem Aufbäumen des Individums gegen die Masse erschöpft, hat der Industriebau den Schritt in die Zukunft getan. Er ist der sichtbare Ausdruck für die Leistung des Einzelnen im Dienst der Gemeinschaft.

Vielleicht ist es die letzte und höchste Aufgabe, die dem Industriebau unserer Tage zugefallen ist, die Auseinandersetzung zwischen dem Individuum und der Masse zu einer echten Synthese zu führen und damit der neuen Gesellschaftsordnung einen baulichen Ausdruck zu geben.

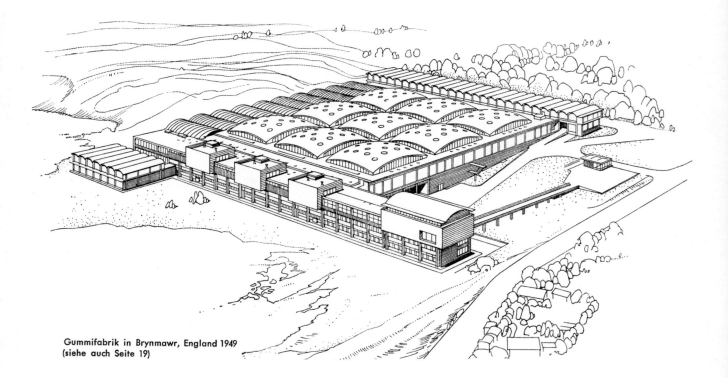

Gummifabrik in Brynmawr, England 1949
(siehe auch Seite 19)

Die Gestaltung von Industriebauten

Wenn auch der Industriebau an den Produktionsablauf gebunden bleibt und sich dem wirtschaftlichen Prinzip unterzuordnen hat, so gilt es doch, den Spielraum aufzuspüren, den jede Konstruktion, auch wenn sie noch so zweckmäßig ist, offen läßt. Diesen Spielraum in der Baukunst schlechthin von den Überwucherungen einer Pseudoarchitektur befreit und ihn wieder einer echten Gestaltung zugänglich gemacht zu haben, ist das bereits geschichtlich gewordene Verdienst des Industriebaus. Außerdem folgt eine technische Konstruktion oder Anlage nicht zwangsläufig aus einer Berechnung, sondern will ebenso entworfen, und damit auch gestaltet sein, wie jede andere Form.

Es ist eine müßige Frage, die aber häufig gestellt wird, inwieweit der Industriebau wegen seiner wirtschaftlichen und konstruktiven Bindungen zur Baukunst gerechnet werden kann. Die Erörterung dieser Frage läuft auf die Entscheidung hinaus, ob die Technik im letzten einer künstlerischen Gestaltung, die immer zum Symbolischen und Typischen drängt, überhaupt zugängig ist. Diese Erörterung liegt außerhalb des Rahmens dieses Buches. Die vielen als vorbildlich zu bezeichnenden Industriebauten der letzten Jahre haben den Beweis geliefert, daß auch eine Industrieanlage bewußt und einheitlich gestaltet werden kann. Darüber hinaus ist festzustellen, daß eine Industrieanlage weder im großen noch im kleinen aus dem Aneinanderfügen technischer Einzelheiten entsteht, sondern eine schöpferische Gesamtplanung voraussetzt, die – auch wenn sie sich auf rein technische Bereiche erstreckt – dem künstlerischen Schaffen nicht so wesensfremd ist, wie es oft den Anschein hat.

Es ist eine der Hauptaufgaben in der Architektur, Räume oder Körper zu schaffen und diese zu gliedern. Die überkommenen Vorstellungen in der Architektur und die sich daraus entwickelnden Gesetze reichen allerdings für die Bauten der Industrie nicht aus: Im Industriebau finden sich vielmehr neue Baukörper, die ohne Vorbild sind. Nicht nur ihre Form überrascht, sondern auch ihre Größe ist oft ungewohnt. Ein Kühlturm ist fürs erste immer ein Fremdkörper, dem man mit den bisherigen Betrachtungen über Architektur nicht beikommt. Wenn er darüber hinaus zum gebauten Hyperboloid wird, dann sprengt seine Erscheinung jeden Rahmen und ist mit den all-

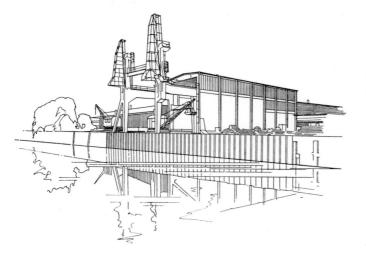

Apparathafter Industriebau · Ladeanlage in Pinneberg

Kontrast: Leitungen und Bauten

Hülle der Produktion

gemein gewohnten Maßstäben nicht mehr zu erfassen.

Auch in anderer Richtung erfährt der Industriebau eine Erweiterung. Seine Bauwerke sind vielfach keine »Gehäuse« mehr, die Räume umschließen, sondern die einzelnen Bauwerke werden oft selbst zum Apparat. Ihre Erscheinung kann dann ganz den Charakter einer Maschine haben, die entsprechend belüftet, beheizt, beleuchtet, gestrichen und an den Platz gestellt ist, den ihr der Produktionsablauf zuweist. Dadurch erhalten die Bauten der Industrie charakteristische, dem Wesen der Technik entsprechende Merkmale. Sie sind von knapper Form, präzise konstruiert, von eindeutiger Oberfläche und in die Einzelelemente optisch zerlegbar.

Man kann dann nicht mehr von einer Architektur des Industriebaus schlechthin sprechen, wohl aber von einer Gestaltung, denn auch ein Apparat will und muß gestaltet sein.

Das ist wohl das Entscheidende im Industriebau: Er hat die bisher gültigen architektonischen Begriffe überwunden und steht mit der neuen Aufgabe, eine »Hülle« für die Produktion zu schaffen, vor der Notwendigkeit, eigene Formen für die speziellen Forderungen der Industrie zu finden, zu gestalten und aufeinander abzustimmen.

Neue und ungewohnte Formen hat ferner der »Behälter« in den Industriebau gebracht. Die Auswirkung dieser Formen sind größer als man auf den ersten Blick vermutet. Die Wasserbehälter schließen sich am ehesten noch an überkommene Formvorstellungen an. Dagegen verlassen die gereihten Silos, die Scheibengasbehälter, die »Kolonnen« und Wärmeaustauscher der chemischen Großindustrie alle bisherigen Maßstäbe und führen über die Gas-, Wasser- oder sonstigen Behälter aus Stahl oder Stahlbeton zum Gerüst und Apparat hin.

Schließlich sind Industrieanlagen ohne Schornstein nicht denkbar. Wenn sie einzeln auftreten, ist es oft schwierig, ihnen innerhalb der Baumassen optisch denjenigen Platz zuzuweisen, der auch technisch richtig ist. Treten sie in großer Zahl auf, so können sie in ihrer Erscheinung so anspruchsvoll werden, daß es wiederum schwierig ist, sie ins richtige Gleichgewicht zu den übrigen Bauten zu bringen. Durch die Entwicklung der Feuerungstechnik, den Einbau von Saugzuganlagen und von Staubfiltern hat sich im übrigen die Größe und Form der Schornsteine im letzten Jahrzehnt stark verändert. Der hohe gemauerte Schornstein weicht dem kurzen konischen Stahlblechstutzen, der sich einem Bauwerk leichter zuordnen läßt. Ungelöst ist noch immer die Verbindung von Behälter und Schornstein geblieben. Die stählernen Wasserbehälter, die man oft an Schornsteinen anbringt, erscheinen dem Auge verschieblich, und deshalb überzeugt ihre Verbindung mit dem Schornstein nicht.

Behälter in ungewohnten
Formen und Maßstäben

Auch die modernen Baustoffe haben neue Bauformen geschaffen. So haben die Stahlbetonschalen zu einer Dachform geführt, die ohne jedes bisherige Vorbild ist. Diese Formen der neuzeitlichen Betonschalen sind nicht aus irgendwelchen Formvorstellungen des Bauingenieurs oder des Architekten entstanden, sondern »Gestalt gewordene Differentialgleichungen«. Die Mathematiker haben den Anstoß zu diesen Formen gegeben, die sich sehr schnell eingeführt haben und zu einer charakteristischen Erscheinung unserer Zeit geworden sind. Nur wenige Zentimeter dick erlauben die Stahlbetonschalen die stützenfreie Überdeckung sehr großer Flächen und lassen das Dach, dessen Bedeutung für den äußeren Ausdruck eines Bauwerkes durch die flache und ebene Ausbildung stark zurückgedrängt war, in sehr eigenwilliger Form wieder in Erscheinung treten.

Über die Fragen der Architektur im allgemeinen und der Gestaltung im Industriebau im besonderen lassen sich sehr weitausholende Betrachtungen anstellen. Vielleicht genügen für die Erörterungen dieses Abschnittes folgende Feststellungen:

Gestaltung im Industriebau heißt zunächst immer Ordnung; und zwar nicht nach äußeren Merkmalen, sondern auf Grund einer geistigen Konzeption. Zwangsläufig führt die Ordnung zur Klarheit, der alles Zusätzliche wesensfremd ist. Deshalb bevorzugt der Industriebau die geometrischen Grundformen von eindeutiger Gestalt. Die Bauformen im Industriebau müssen weiterhin, sofern sie der Industrie gerecht werden sollen, wahrhaftig bleiben. Damit ist dem hohlen Pathos der Zutritt verwehrt. Wo die Formen wahrhaftig bleiben, stellt sich das Schöne leichter ein; aber es bdarf doch der Pflege und Achtung.

Während die verschiedenen geometrischen Grundformen im Industriebau, sofern sie nur eindeutig in ihrer Erscheinung sind, als Einzelkörper zwar oft sehr eigenwillig anmuten, aber doch grundsätzlich zu klar gestalteten Lösungen führen können, ist ihr Zusammenfügen, ja oft schon allein ihre räumliche Nähe, schwierig, wenn nicht gar unmöglich. Da alle

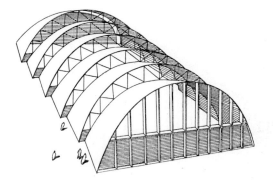

Neue Formen durch neue Bauarten (Betonschalen)

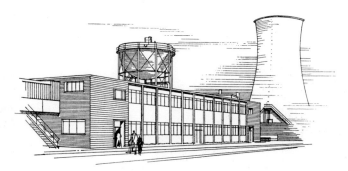

Ungelöste Zuordnung von Bauwerk und Behälter

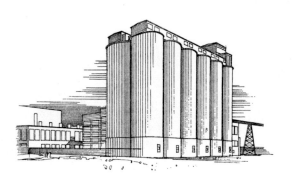

Reihung im Silobau

Reihung von Stahlbetonschalen

Reihung im Hallenbau

Bauwerke im Industriebau durch die Produktion miteinander irgendwie in Verbindung stehen, kommt es nicht nur auf die Durchbildung der einzelnen Baukörper an, sondern ebenso auf ihre gegenseitige Zuordnung. Der Industriebau kann sich nicht mit der einfachen Addition baulich verschiedener Einzelformen begnügen, sondern muß zu einer gestalteten Einheit der vielfältigen Formen vordringen.

Wirkungsvoll ist immer die Reihung. Sie folgt aus der Verwendung gleicher Bauelemente oder Baukörper und stellt eine sehr strenge Gliederung dar. Mindestens drei Glieder sind die Voraussetzung für eine Reihe. Ihr Anfang und Ende ist im Industriebau selten besonders gekennzeichnet. Die Reihe beginnt meist unmittelbar und endet ebenso unmittelbar. Bei Geschoßbauten kann sich vor Beginn oder am Schluß des Skelettes noch die sichtbare, schmale Giebelscheibe setzen, ein äußerst knapper Hinweis dafür, daß hier die Reihe der Stützen beginnt und dort das Ende ist. Abwegig ist es jedoch, die Begrenzung, wenn sie sich nicht aus den baulichen Gegebenheiten herleiten läßt, trotzdem optisch erreichen zu wollen. Überzeugender wirkt dann der einfache Schnitt in der Reihe.

Einer rhythmischen Gliederung gegenüber ist der Industriebau schwer zugänglich, weil sie nicht seinem Aufbau entspricht. Ebensowenig Bedeutung hat die Symmetrie oder Axialität. Der Industriebau steht in seinen Gesamtlösungen trotz der strengen geometrischen Einzelformen der organischen Bindung näher, als man zunächst vermutet. So hat die Aufstellung der Maschinen (s. S. 16) durchaus etwas Fließendes und vermittelt den Eindruck eines natürlichen Weges. Das wird auch für die Gesamtanordnung bei manchen Industrieanlagen offensichtlich.

Jeder Körper wird von einer Oberfläche begrenzt. Sie kann sich völlig zurückhalten und den Körper um so stärker hervortreten lassen. Sie kann aber auch zum Selbstzweck werden und den Körper vergessen lassen.
An einem Silo im Industriebau ist die Oberfläche nur Begrenzung des Körpers. Bei der in Glas aufgelösten Wand einer Halle können der Materialreiz und die Gliederung so stark werden, daß der Zusammenhang mit den anderen Flächen des Körpers bewußt aufgegeben wird. Stets muß die Oberfläche ihre praktische Aufgabe erfüllen. Sie kann nicht um ihrer selbst willen gestaltet werden. Aus praktischen Gründen strebt man die glatte Oberfläche an, weil sie der Witterung und Verschmutzung die wenigsten Ansatzpunkte bietet; gleichzeitig wird dadurch die Form eines Baukörpers um so stärker betont.

In etwas unterscheidet sich der Industriebau grundsätzlich von der übrigen Baukunst, nämlich in seinem Verhältnis zum Raum. Während für die meisten Bauwerke die Raumfolge bestimmend ist, tritt der Raum im Industriebau als selbständiges Element zurück. Man kann beim Betrachten eines neuzeitlichen Werkgrundrisses nicht von einer Raumfolge im herkömmlichen Sinn sprechen; dafür wird der Produktionsablauf zum alles bestimmenden Faktor. Um ihn gruppieren sich die Räume, die oft nur durch die in ihnen arbeitenden Maschinen Sinn und Berechtigung erhalten. Es sollen nicht Räume geschaffen werden, die nach einer vorgefaßten Idee einen bestimmten Eindruck vermitteln, sondern die »zweckmäßigen« Raumabmessungen stehen im Vordergrund. Die konstruktiven Möglichkeiten, die Größe und Anordnung der Fenster nach belichtungstechnischen Überlegungen, die Kranausrüstung, die Produktions- und die Verkehrsfläche bestimmen den Raum.

Wie der Industriebau im Inneren dem Raum nur eine untergeordnete Bedeutung beimißt, so schafft er auch nach außen hin keine Räume. Die einzelne Industrieanlage liegt in einer »splendid isolation«, auch äußerlich durch eine nicht zu übersehende Einfriedigung abgegrenzt. Bei dem Betrachter kommt daher gar nicht das Verlangen auf, das er sonst bei anderen Bauwerken verspürt, nämlich in das Bauwerk hineinzugehen. Dafür spricht eine andere Wirkung bei der Gestaltung von Industriebauten sehr stark mit, das ist ihre Fernwirkung. Die Silhouette eines Werkes kann zum charakteristischen Merkmal werden.

Neben den Formen der Baukörper ist ihr Maßstab, ihre Beziehung zum Menschen und ihre Beziehung untereinander wichtig. Bisher galt der Mensch als das Maß aller Dinge, für den Industriebau ist oft die Maschine ausschlaggebend. Da sie alle Größen annehmen kann, sind auch für die Bauwerke keine Grenzen gesetzt. Jede Form kann im Industriebau in allen Größen und Abmessungen auftreten. Damit wird aber der Maßstab der Baukörper in Frage gestellt.

So hat ein Kühlturm aus Stahlbeton, da an ihm nichts an den Menschen erinnert oder auf ihn Bezug nimmt und seine Oberfläche nur geometrische Form ohne jede Gliederung ist, keinen Maßstab an sich. Wenn derartige Körper dann noch in einer Reihung oder Anhäufung auftreten, erschlagen sie jedes andere Bauwerk, ja selbst die Landschaft wird von ihnen erdrückt.

Alte Bauwerke waren aus kleinen Bauelementen zusammengefügt, dem einzelnen Werkstein oder Ziegelstein, und wiesen in den Türen und Fenstern ebenfalls kleine überschaubare Teile auf. Beim neuzeitlichen Industriebau muß man diese Elemente oft bewußt hervorholen, damit ein solches Bauwerk für den Menschen überhaupt erfaßbar wird. So kann eine Stahltreppe oder ein Austritt an einem Silo oder Wasserturm zum Maßstab für das Bauwerk werden.

Nicht nur untereinander und zum Menschen müssen die Bauten in der Industrie den richtigen Bezug haben, sondern auch zur Landschaft. Jeder Baukörper steht zur Landschaft in einem bestimmten Verhältnis, zur Landschaft im Großen und zur umgebenden Natur im Kleinen.

Der Industriebau kann zwar keine innige Verbindung mit der Natur eingehen, wie sie oft an alten Bauernhöfen oder Mühlen zu finden ist, weil er sich nicht mehr der

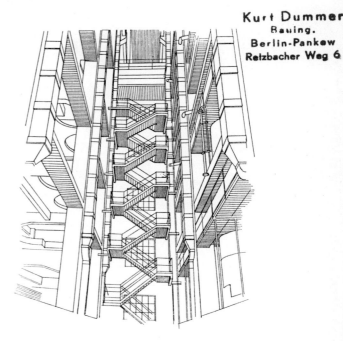

Kurt Dummer
Bauing.
Berlin-Pankow
Retzbacher Weg 6

Ungewohnte Innenräume im Industriebau

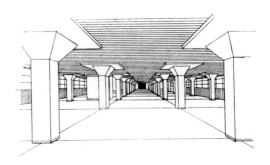

Zweck und Konstruktion bestimmen das Raumbild im Industriebau

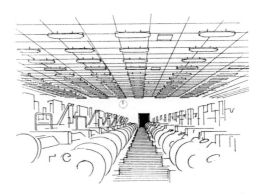

Die maschinelle Ausrüstung beeinflußt den Raumeindruck

Industriebauten als große Maschinen

alten natürlichen Baustoffe bedient, und weil seine Bauformen zu streng geometrisch sind. Aber trotzdem sollen der Industriebau und die Natur nicht voreinander fliehen; im Gegenteil, ihre Polarität bekommt erst die fruchtbare Spannung, und ein Industriebau wird oft überhaupt erst gestalterisch wirksam, wenn er in Verbindung mit der Natur gesehen wird. Der Kontrast zwischen den gereihten geometrischen Formen des Industriebaues und den organischen Formen der Natur steigert den Ausdruck beider Erscheinungen. Hat erst eine Industrieanlage ihre überzeugende Lösung gefunden, dann wird sie auch der Landschaft jene Akzente geben, wie sie in früheren Zeiten bewußt als Ausdruck einer gegebenen Ordnung hingestellt und empfunden worden sind.

Diese Betrachtungen über die Gestaltung lassen sich für den Industriebau zu keinen allgemein gültigen Gesetzen verdichten, ja nicht einmal in feste Regeln einschließen. Dafür ist der Industriebau zu vielseitig und zu vielgestaltig. Im Grunde genommen stellt jeder neue Entwurf im Industriebau jedesmal eine grundsätzlich neue Aufgabe dar. Aber das Ziel muß es bleiben, Ordnung zu schaffen in der Vielfalt der technischen Erscheinungen und damit letzten Endes die Technik dem Menschen unterzuordnen.

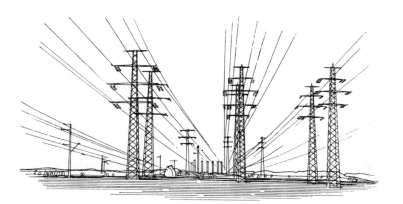

Die »Industrielandschaft«

Die Industriebauformen sprengen die natürliche Landschaft

Sulfatzellulosefabrik in Sunila/Finnland

Grundlagen der Planung

Eine neuzeitliche Industrieanlage ist entweder allmählich aus einer bestehenden älteren Anlage durch Umbauten und Erweiterungen hervorgegangen, oder sie wird als in sich abgeschlossene Neuanlage geplant und gebaut. Zweifellos ist eine vollständige Neuplanung für alle Beteiligten die reizvollere Aufgabe; oft hat man es jedoch mit Betrieben zu tun, die sich im Laufe der Zeit aus einer bestehenden älteren Industrieanlage entwickelt haben. Dieser Wachstumsprozeß ist in der äußeren Erscheinung solcher Werke klar erkenntlich. Es fehlt derartigen Anlagen die großzügige Linie: Sie sind meist eingeengt und bestehen aus einzelnen Teilen, die nach den jeweiligen Forderungen zusammengesetzt wurden und sich infolgedessen keiner übergeordneten organischen Planung einfügen. Derartig „gewachsene" Werke sind vielfach überaltert, kaum erweiterungsfähig und in ihrer Wirtschaftlichkeit stark beeinträchtigt.

L. Rostas hat 1943 im „Economical Journal" interessante Vergleichszahlen über die Arbeitsproduktivität von alten, gewachsenen Industriewerken und von ganz neu angelegten Werken veröffentlicht. Nach dieser Untersuchung beträgt die Produktivität je Arbeiter in Werken, die von Grund auf neu geplant worden sind, das Zwei- bis Vierfache der Produktivität in alten Werken, wobei die Bezeichnung „altes Werk" sich nicht etwa auf die maschinelle Ausrüstung bezieht, sondern auf das Alter des gesamten Werkes, das inzwischen wiederholt umgebaut, und mit genauso modernen Maschinen ausgerüstet sein kann wie ein neues Werk. Die geringere Produktivität eines solchen „alten Werkes" ist eine Folge der Bindung an alte Einrichtungen, an den überholten Betriebsablauf und an die in manchen Punkten im wahrsten Sinne des Wortes „festgefahrene" Betriebsorganisation. Auch durch weitgehende Umbauten kann dies alles nicht restlos beseitigt werden.

In neuerer Zeit werden daher große Industriewerke oft unabhängig von schon vorhandenen Anlagen und deren Erweiterungsmöglichkeit geplant und gebaut.

Was ist nun bei der Planung einer neuen Industrieanlage zu untersuchen und zu berücksichtigen?

a) Der Standort im Sinne der Landes- und Ortsplanung.
b) Die Geländeauswahl im engeren Sinn.
c) Die Gliederung der Industrieanlage im einzelnen.

Voraussetzung für alle drei Überlegungen ist eine genaue Erfassung und Abgrenzung der Produktion, der das Werk dienen soll, wobei von vornherein Klarheit über die zweckmäßige Größe des Werkes (Raumprogramm, Belegschaftsstärke) und über die für die betreffende Produktion geeignete Gebäudeform und Bauart geschaffen werden muß.

Die Planung von Industrieanlagen, insbesondere moderner Gesamtanlagen, verlangt die Berücksichtigung zahlreicher Einzelforderungen und macht außergewöhnlich viele Einzelüberlegungen notwendig, deren gegenseitige Abhängigkeit nur schwer systematisch dargelegt werden kann. Eine solche Aufgabe muß von mehreren Seiten gleichzeitig in Angriff genommen werden, wobei den einzelnen Faktoren in den verschiedenen Stadien der Planung und des Entwurfs ganz verschiedenes Gewicht zukommt. Z. B. beeinflußt ein Eisenbahnanschluß bereits den Standort, dann besonders die Geländeauswahl, und er kann schließlich die Grundlage für den Bebauungsplan eines Grundstückes abgeben. Die Bedeutung der einzelnen Faktoren ist aber nur dann richtig zu erkennen, wenn der gesamte Fragenkomplex überschaut wird. Um sich dabei nicht in der Vielzahl der Betrachtungen zu verlieren und stets eine dem jeweiligen Bearbeitungsstand entsprechende Kontrolle zu haben, hält man sich am besten an eine Aufstellung, wie sie als Beispiel im Abschnitt über Standortfragen erläutert ist.

Die im folgenden aufgeführten Planungsgrundlagen stehen in der Regel bei der Aufstellung der Planung niemals in vollem Umfang zur Verfügung. Sie werden je nach dem Bearbeitungsstand der Planung und des Entwurfs weiterentwickelt, korrigiert, verfeinert und präzisiert. Trotzdem kann auf die Notwendigkeit, diese Unterlagen so früh und so vollkommen wie möglich der Planung zugrunde zu legen, nicht eindringlich genug hingewiesen werden. Viele Fehler in der Planung von Industrieanlagen sind darauf zurückzuführen, daß man sich zunächst auf allzu überschlägig ermittelte Unterlagen oder auf Erfahrungswerte stützt oder verläßt, die sich bei der genauen Entwurfsbearbeitung als unvollkommen oder falsch herausstellen. Die Folgerungen aber, die aus solchen unzureichenden Unterlagen gezogen worden sind (z. B. Wahl des Grundstückes), lassen sich oft nicht mehr rückgängig machen.

Betriebsdiagramm und Produktionsablauf

Unter dem Betriebsdiagramm versteht man die schematische Darstellung des Produktionsablaufes innerhalb eines Werkes. Das Betriebsdiagramm ist der Angelpunkt der gesamten Planung. Es wird vom Werksleiter aufgestellt und soll Auskunft geben über den Betriebsvorgang, und zwar sowohl über den Materialverkehr als auch über den Bearbeitungsverlauf.

Am einfachsten werden die Lager, Werkstätten und Werkplätze durch Rechtecke gekennzeichnet, und durch Verbindung der einzelnen Rechtecke wird der Vorgang im Werk selbst dargestellt. Zu unterscheiden ist zwischen der Anlieferung des Roh- bzw. Bearbeitungsmaterials,

wobei auch die Bereitstellung der Energiemenge zu berücksichtigen ist, dem eigentlichen Betriebsablauf innerhalb des Werkes selbst und dem Abtransport von Fertig- oder Teilfabrikaten und von Abfallstoffen.

Bei einer Fließbandproduktion ist eine andere Form der Darstellung zweckmäßiger; hier sind der Verlauf des Fließbandes mit den einzelnen Montagepunkten und die seitlichen Zubringerwege von Rohteilen, Zubehör und Teilfabrikaten zu kennzeichnen.

Man darf ein derartiges Betriebsdiagramm nicht mit dem Schema der Betriebsstruktur identifizieren, wenn auch viele gegenseitige Beziehungen bestehen, und andererseits dürfen die als Rechtecke gekennzeichneten Bearbeitungsstätten nicht als Darstellung der Gebäude angesehen werden. Das Betriebsdiagramm ist zunächst nur als Schema aufzufassen, das im Laufe der Planung nach zwei Seiten weiterentwickelt werden muß. Einmal muß es den Betriebsvorgang innerhalb der einzelnen Bauwerke immer differenzierter erkennen lassen, damit sich daraus schließlich das Raumprogramm entwickeln kann; zum anderen muß aus dem Betriebsdiagramm allmählich ein Bebauungsplan hervorgehen, der die Darstellung des Betriebsvorganges mit einschließt.

Aus dem Betriebsdiagramm können einzelne Gruppen herausgenommen und für sich allein weiter bearbeitet werden, um zu gegebener Zeit wieder in den großen Zusammenhang gestellt zu werden.

Für die Fragen des Standortes genügt es mitunter, nur das Produktionsprogramm zu kennen. Späterhin, bei der Geländeauswahl im engeren Sinne, muß man sich Klarheit über den zweckmäßigsten Betriebsvorgang verschafft und ihn in einem Betriebsdiagramm niedergelegt haben.

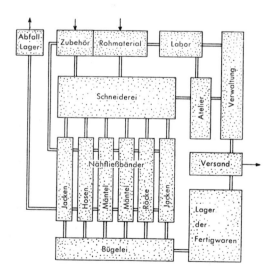

Betriebsdiagramm einer Bekleidungsfabrik

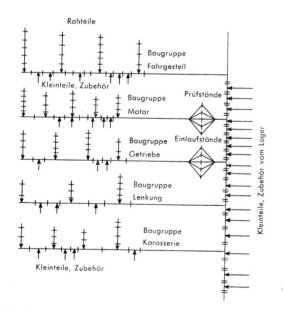

Betriebsdiagramm einer Autofabrik mit Fließband

Größe des Werkes

Die Größe eines Werkes wird von der Menge der Erzeugnisse und der Art der Produktion bestimmt. Die erforderlichen Flächen können in erster Näherung, je nachdem, um welchen Industriezweig es sich handelt, nach dem vorgesehenen Produktionsumfang, nach der Zahl der beschäftigten Arbeitskräfte oder auch nach dem angestrebten Kapitalumsatz überschlagen werden. Daß sich derartige Erfahrungswerte in Abhängigkeit von den jeweiligen Fabrikationsmethoden in weiten Grenzen bewegen, versteht sich von selbst, ganz abgesehen davon, daß sich die daraus gebildeten Mittelwerte im Laufe der Entwicklung der einzelnen Industriezweige stark verändern. Die auf dieser Grundlage ermittelten Flächen können also nur als Anhalt dienen.

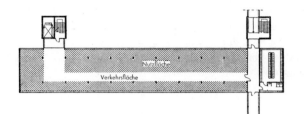

Verhältnis von Nutzflächen und Verkehrsflächen in einem Geschoßbau

BEISPIELE

a) Überschlägiger Flächenbedarf nach der Jahresproduktion:
Für Brückenbauanstalten mit einer Jahresverarbeitung von über 10 000 t kann man (nach Bleich) annehmen:

Richten	0,03 bis 0,04 m²	
Schmieden	0,03 bis 0,04 m²	
Anzeichnen	0,06 bis 0,08 m²	
Maschinen	0,12 bis 0,15 m²	Überbaute Fläche
Zulage	0,30 bis 0,35 m²	je 1 t Jahresverarbeitung
Lager für Kleineisen	0,10 bis 0,15 m²	
Gesamtwerkstatt	0,64 bis 0,81 m²	

b) Überschlägiger Flächenbedarf nach der Zahl der beschäftigten Arbeitskräfte:
Nach Hertlein können für Werkstätten und Büros feinmechanischer Betriebe in mehrgeschossigen Bauten folgende Werte in m² pro Kopf angenommen werden:

Nutzfläche

in den am dichtesten besetzten Räumen . . .	4,0 bis 5,0 m²
Zuschlag für weniger dicht besetzte Räume, wie	
Lager, Einzelzimmer usw.	2,0 bis 2,5 m²
gesamt	6,0 bis 7,5 m²

Nebenfläche

Treppen	0,3 bis 0,6 m²
Aborte	0,2 bis 0,4 m²
Umkleideräume	0,5 bis 1,0 m²
Flure	0,5 bis 1,5 m²
Aufzüge	0,0 bis 0,2 m²
Außen- und Zwischenwände	0,5 bis 0,8 m²
gesamt	2,0 bis 4,5 m²

Gesamtfläche

Nutzfläche	6,0 bis 7,5 m²
Nebenfläche	2,0 bis 4,5 m²
Gesamtfläche	8,0 bis 12,0 m²
durchschnittlich	10,0 m²

Diese Zahlen geben die Mindestwerte für Werkstätten mit dichter Besetzung und für Verwaltungsgebäude, die neben einigen wenigen Einzelzimmern hauptsächlich große, zusammenhängende Büros und Zeichensäle umfassen.
Je größer die Maschinen und je geringer die Zahl der Bedienungsmannschaften bzw. je größer die Anzahl der Einzelzimmer im Bürogebäude sind, um so mehr steigt der Aufwand pro Kopf im Verhältnis zu Nutzfläche und Nebenfläche wie Treppen, Aufzüge und Wände. Dagegen bleibt der Anteil an Toiletten und Umkleideräumen bei gleichbleibender Belegschaftszahl unverändert. Der Anteil der Flure ist veränderlich, er ist davon abhängig, ob große Säle und Räume ohne abgetrennte Flure, oder ob umgekehrt viele Einzelräume mit durchgehenden Fluren vorgesehen sind.

Liegen gar keine Erfahrungswerte vor, so muß der Betriebsingenieur auf Grund des Maschinenbesetzungsplanes und der sonstigen Betriebseinrichtungen den Bedarf an Nutzfläche ermitteln. Zu diesen Nutzflächen ist ein Zuschlag für Nebenflächen, die von vornherein niemals voll erfaßt werden können, zuzurechnen (Verkehrsfläche, Treppen, Toiletten, Aufzüge, Mauerwerksfläche usw.). Für gewöhnlich wird dieser Zuschlag zu gering angesetzt. Er liegt bei Geschoßbauten zwischen 30 und 70%, mit einem Zuschlag von 50% hat man selten zu hoch gegriffen. Bei Hallen und Flachbauten liegt er in der Größenordnung von 10 bis 15%.
Wenn man vom Flächenbedarf der Produktion auf die Grundstücksgröße schließt, muß der Ausnutzungsgrad des Grundstückes berücksichtigt werden. Er ist in den örtlichen Bauvorschriften niedergelegt. Dazu sind gewisse Überlegungen über die einzelnen Gebäude notwendig. Wenn die Gebäudeform aus betriebstechnischen Gründen von Anfang an eindeutig festliegt, lohnt es sich stets, den Gesamtflächenbedarf bereits auf die einzelnen Bauwerke aufzugliedern, um daraus Rückschlüsse auf die erforderliche Größe des Grundstückes ziehen zu können. Schließlich müssen die Außenanlagen und etwaigen Lagerplätze in ihrer Größe abgeschätzt werden. Eine Gleisentwicklung innerhalb des Werkes z. B. kann oft größere Flächen erfordern, als für die Produktion selbst notwendig sind.
Außerdem muß von vornherein zwischen den einzelnen Bauabschnitten und dem Endausbau immer eine Idealvorstellung des Gesamtplanes zugrunde liegen; sie muß allerdings manchmal bereits nach der ersten Baustufe abgewandelt werden, weil die Produktionserfahrungen, Betriebsgrundsätze und ebenso die Maschinen im einzelnen sich schneller verändern und veralten als die zugehörigen Gebäude.
Die zukünftige Entwicklung eines Werkes muß deshalb nicht nur bei der Baugliederung (z. B. Größe, Gebäudeabstand usw.), sondern auch schon bei der Standortfrage berücksichtigt werden.

Raumprogramm

Zuverlässige Unterlagen für den Flächenbedarf eines Betriebes können nur auf Grund eines genauen Raumprogrammes abgegeben werden. Entsprechend der oft sehr unterschiedlichen Anforderungen an die einzelnen Räume muß das Raumprogramm sehr differenziert angelegt werden. Dazu wird folgendes Schema als Unterlage empfohlen:

1. Bezeichnung der einzelnen Räume hinsichtlich:

   a) Benutzungsart (z. B. Schmiede, Lager, Büro)
   b) Raumgröße (in m²)
   c) Raumhöhe (in m)
   d) Anzahl der Beschäftigten (Fluchtweg), getrennt nach Geschlechtern (Lage der Toiletten)
   e) Maschinenbesatzplan
   f) Nutzlasten

2. Besondere Anforderungen:

   a) Gefahren (Brand, giftige und explosive Stoffe, insbesondere Gase)
   b) Lärm (Motorenprüfstände)
   c) Erschütterungen (Stanzerei, Kraftmaschinen)
   d) Einzellasten, Stoßzuschläge
   e) Schutz gegen Einflüsse von außen (Prüfräume, Zeichenräume, Nordlage)
   f) Raumtemperaturen (klimatisierte Räume)
   g) Entlüftung
   h) Geforderte Zuordnung bestimmter Räume oder Lage in bestimmten Geschossen
   i) Ausgänge unmittelbar ins Freie
   j) Erweiterungsmöglichkeit

3. Energieanschlüsse:

   Gas, Strom (hoch- und niedergespannt)
   Wasser, Dampf, Luft (Preßluft und Saugluft).

An erster Stelle muß überlegt werden, ob eine Zusammenfassung aller Räume in einem Gebäude möglich ist, oder ob aus den besonderen Betriebserfordernissen eine Aufteilung auf mehrere Gebäude notwendig wird.

Normalerweise ist es von seiten des Betriebes erwünscht, daß alle Räume unter ein Dach zu liegen kommen, weil sich dann kurze Wege und geringe Transportkosten ergeben; außerdem ergeben sich niedrige Bau-, Unterhaltungs- und Heizungskosten.

Gegen die Zusammenfassung vieler Räume in einem Gebäude können folgende Gründe sprechen:

Feuerschutz (Brand, Explosion)
Lärm, Geruch (chemische Industrie)
Erschütterung (Metallindustrie)
Unterschiedliche Raumhöhen und Nutzlasten
Schutz gegen Beeinträchtigung von außen (Laboratorien, Prüfräume, Büroräume)
Erweiterungsmöglichkeiten für bestimmte Raumgruppen – Unebenes Gelände.

BEISPIEL für ein Raumprogramm: Zentralwerkstatt mit einer Belegschaft von 32 Personen

Montagehalle und Blechwerkstatt, lichte Höhe etwa 7,00 m
mit 2,5 t Handlaufkran in etwa 6,00 m Höhe   150 m²
   1 Walzmaschine 3,00 m lang   1 Formhammer
   1 gr. Abbiegebank 3,00 m   1 Richtplatte 1,00/2,00 m
   1 Blechschere

Grobmechanische Werkstatt und Schlosserei, lichte Höhe 3,50 m, ungefähr in der Hälfte unterteilt durch zweiflügeliges Schiebetor 3,00 m hoch   200 m²

Grobmechanische Werkstatt
   4 Werkbänke   1 Schleifmotor
   2 Drehbänke   1 kl. Abbiegebank 1,00 m
   1 gr. Fräsmaschine   1 gr. Ständerbohrmaschine
   1 kl. Fräsmaschine   1 Kaltsäge

Schlosserei
   4 Werkbänke   1 kl. Schleifbock
   1 Drehbank (Leitspindel) 3,00 m 1 Hobelmaschine
   1 Schleifscheibe mit Abzugsvorrichtung   1 Amboß

Werkzeugausgabe und Kleinmateriallager mit abgetrenntem Ölraum, 10 m² groß, in Nähe der Grobmech. Werkstatt und Schlosserei: 50 m²

Feinmechanische Werkstatt   30 m²
   4 Werktische (mit 8 Schraubst.) 2 Ständerbohrmaschinen
   4 kl. Drehbänke   2 Tischbohrmaschinen
     Schleifstein   Sickmaschine
     mech. Metallsäge

Schweißerei, elektro und autogen   30 m²
Flaschenraum, abgetrennt von Schweißerei, von außen zugängig 10 m²

Schmiede   40 m²
   2 Feuerstellen   1 Härteofen
   2 Ambosse   1 Horn
   1 Schleifbock

Tischlerei   80 m²
   2 Hobelbänke   1 Kreissäge
   1 Handsäge   1 Fräsmaschine
   1 Hobelmaschine   1 Bohrmaschine

Nebenräume
Eingang
Kleines Büro
Abortanlagen für Männer und Frauen
Verteilerraum für Versorgungsleitungen
Versorgungsanlagen
Elektrische Energie: 100 kw
Gas, Wasser- und Abwasserleitung: keine besond. Forderungen
Heizung: Radiatoren, evtl. Lufterhitzer
                                  zusätzlich zum Aufheizen
                                  Temperaturen:
                                  Werkstätten   15—18°
                                  Feinmechanische Werkstatt
                                  und Nebenräume   20°
Be- und Entlüftung: Anlage vorsehen
Lagerbedarf
Im Gebäude: siehe oben
Im Hauptlager für Eisen, Blech, Holz   400 m²

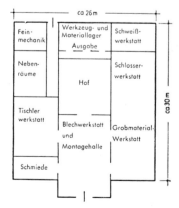

Schematische Darstellung des obigen Raumprogramms einer Zentralwerkstatt

Gesamtkosten

Wenn auch die Berechnung der Kosten einer Gesamtanlage nicht zu den Grundlagen der Planung gehört, so spielen doch schon bei den ersten Überlegungen die voraussichtlichen Gesamtkosten eine wesentliche Rolle. Man kann noch nicht auf die Erfahrungswerte, die sich auf den umbauten Raum oder die überbaute Fläche beziehen, zurückgreifen, weil gerade der Entwurf der einzelnen Bauwerke erst den umbauten Raum klarlegen soll. Einen ersten Anhaltspunkt für die Gesamtkosten gibt jedoch die Anzahl der Arbeitsplätze. Vor dem letzten Kriege setzte man im Durchschnitt die Kosten für einen neu zu schaffenden Arbeitsplatz mit RM 10 000.— bis RM 20 000.— an. Der obere Wert galt für die kapitalintensiven Betriebe, wie sie die chemische Großindustrie darstellt, der untere für arbeitsintensive Anlagen, wie z. B. für feinmechanische Werke. Heute liegen die Werte entsprechend höher, etwa zwischen DM 15 000.— und DM 40 000.—; sie streuen stärker, weil sich der Aufwand für die maschinelle Ausrüstung in den einzelnen Industriezweigen sehr unterschiedlich entwickelt hat.

Neben den Kosten für die eigentliche Werksanlage sind die Kosten für die Errichtung geeigneter Unterkünfte der Belegschaft und ihrer Familien nicht zu unterschätzen. Wenn diese Wohnungen auch in der Regel nicht von dem Werk selbst errichtet zu werden brauchen, so müssen doch gegebenenfalls kommunale oder staatliche Stellen in der Lage sein, die Mittel dafür bereitzustellen. Bei vollständiger Neuplanung liegen diese Aufwendungen bei etwa 75% der eigentlichen Werkskosten.

Als Ergänzung zu den vorstehenden Abschnitten ist in der untenstehenden Tabelle die Aufteilung der Nutz-, Verkehrs- und Nebenflächen für mehrere Industriewerke zusammengestellt worden. Die zum Teil großen Schwankungen der einzelnen Flächenanteile haben ihren Ursprung einmal in der verschiedenen Produktionsart der aufgeführten Betriebe. So ist in allen Betrieben, in denen die Produktionsfläche verhältnismäßig gering ist, der Anteil an Lagerfläche oder an Laborfläche besonders groß. Zum anderen lassen sich die einzelnen Flächenanteile in einer so vereinfachten Tabelle nicht immer genau und eindeutig gegeneinander abgrenzen, so daß die Zahlen nur einen ungefähren Anhalt für die Aufteilung der Nutz- und Verkehrsflächen geben können.

Aufteilung der Nutz-, Verkehrs- und Nebenflächen in verschiedenen Industrien

	Produktion		Verwaltung Labors		Lager Versand Annahme		Verkehrsfläche Installation		Toiletten Personal Soziale Räume Garderoben		Garagen Fahrradräume Nebenräume	
	m²	%	m²	%	m²	%	m²	%	m²	%	m²	%
Geschäftsbücherfabrik Bühler A.G./Basel	433,92	67,1	70,70	10,9	72,88	11,3	38,88	6,2	29,29	4,5	—	—
N. V. Radiofabrik Van der Heem/Den Haag	975,00	65,0	35,00	2,3	20,00	1,4	410,00	27,3	60,00	4,0	—	—
Minen-Sicherheitseinrichtungen Johannesburg/S.A.U.	345,52	30,0	216,47	18,8	368,02	32.0	160,40	14,0	59,96	5,2	—	—
Sikkens' Lackfabrik Sassenheim/Holland	2 345,00	46,2	680,00	13,3	1 310,00	26,0	305,00	6,0	295,00	5,8	140,00	2,7
Holländische Chemische Werke Rotterdam	160,00	63,9	62,8	25,0	—	—	13,90	5,5	14,1	5,6	—	—
Turmac Zigarettenfabrik Zevenaar/Holland	5 115,00	73,4	—	—	1 595.00	22,7	275,00	3,9	—	—	—	—
Van Nelle Tee- und Kaffeefabrik Rotterdam (Kontor und Fabrik)	23 400,00	67,55	2 885,00	8,32	320,00	0,94	4 720,00	13,66	2 815,00	8,13	510,00	1,42
Alta Stahlfensterfabrik Den Haag	635,00	63,5	65,5	6,55	86,2	8,62	45,3	4,53	111,5	11,15	56,5	5,65
Sigmund Pumps Ltd. Gateshead/England	7 860,00	61,8	1 275,00	10,0	1 860,00	14,6	355,00	2,8	990,00	7,8	380,00	3,0
Arzneimittelfabrik Dr. W. Schwabe G.m.b.H. Karlsruhe/Baden	3 860,50	42,8	2 164,00	24,0	811,62	9,0	1 299,00	14,4	893,00	9,8	—	—
Volkswagenwerk G.m.b.H. Wolfsburg*	322 914,00	50,7	60 436,00	9,5	165 790,00	26,0	—	—	88 050,00	13,8	—	—
Molkerei „Leerdam" Den Haag/Holland	1 900,00	70,5	235,00	8,6	—	—	355,00	13,1	40,00	1,5	170,00	6,3
Industrieflat Goudsesingel Rotterdam**	17 532,00	81,3	169,00	0,8	—	—	1 697,00	7,8	1 836,00	8,5	344,00	1,6
Nationales Luftfahrtlaboratorium Amsterdam***	970,00	39,8	800,00	32,9	100,00	4,1	500,00	20,7	60°00	2,5	—	—

* Zu der Produktionsfläche wurden die Hilfsbetriebe zugezählt. Verkehrsflächen wurden nicht ausgewiesen, da es sich um einen reinen Flachbau handelt und die Verkehrsfläche in einem solchen nur sehr ungenau festgelegt werden kann.
** Ein „Industrieflat" ist ein flexibler Geschoßbau, dessen Nutzflächen je nach Bedarf an einzelne kleinere Industriebetriebe vermietet werden. Die unter Produktion angeführten Flächen sind die zur Vermietung freistehenden Flächen.
*** Unter „Produktion" sind hier Werkstätten, Zeichenräume und Labors zusammengefaßt, unter „Verwaltung" Büros, Konferenzräume, Archive.

Gebäudeformen

Für jeden Industriezweig und für jedes Produktionsverfahren muß die geeignete Gebäudeform ermittelt werden, von deren Wahl die Gliederung der Gesamtanlage entscheidend abhängt. Der Betriebsingenieur strebt meist an, alles zu ebener Erde in einem Geschoß unterzubringen. Diesem Bestreben stehen oft bautechnische und wirtschaftliche Überlegungen entgegen. Betrachtet man die einzelnen Bauwerke für sich, so sind folgende, ganz allgemeine Grundsätze zu beachten:

1. Jedes einzelne Bauwerk hat auch im Industriebau den elementaren Zweck zu erfüllen, Menschen und Betriebseinrichtungen gegen Witterungseinflüsse zu schützen.
2. Darüber hinaus müssen die einzelnen Bauwerke so beschaffen sein, daß die Produktion des Werkes in jeder Hinsicht unterstützt wird.

Die Bauformen der Industrie-Einzelbauten müssen sich also in erster Linie dem Verwendungszweck anpassen, wobei jedoch stets zu überlegen ist, ob ein Bauwerk ganz auf die speziellen Forderungen eines einzigen Verwendungszweckes abzustellen ist oder ob es wirtschaftlicher ist, eine Form für das Bauwerk zu entwickeln, die später auch anderen Zwecken dienen kann. Man hat zu unterscheiden:

> Fabrikations- oder Bearbeitungsräume
> Lagerräume
> Kraftversorgungsräume
> Verwaltungsräume.

Trotz dieser verschiedenen Verwendungszwecke kann man auch wegen ihrer grundsätzlich anders gearteten baulichen Ausbildung folgende Unterteilung treffen:

> Geschoßbauten
> Hallenbauten
> Flachbauten
> Sonderbauten.

Diese Gliederung soll den weiteren Betrachtungen zugrunde gelegt werden, weil sie zu typischen Bauformen führt, die sich konstruktiv und architektonisch klar gegeneinander abgrenzen lassen.

Hallenbauten, Flachbauten und Mehrgeschoßbauten kommen einzeln, vielfach aber auch in einer Kombination dieser drei Gebäudeformen vor. Die Gesichtspunkte für die Wahl der einen oder anderen Gebäudeart sind so mannigfaltig wie die Herstellungsverfahren in den einzelnen Industrien selbst.

Zu den Sonderbauten gehören die Behälter, Türme, Schornsteine und Brücken. Nimmt der Behälter eine bestimmte Größe an, so erscheint er im Industriebau als selbständiges Bauwerk, losgelöst von allen bisherigen Bindungen und Formen. Er kann eine einfache geometrische Form haben (Wasserbehälter, Bunker), aber auch zum komplizierten Apparat werden (Kolonnen der Chemischen Großindustrie). In die Gruppe der „losgelösten" Bauwerke sind auch alle Arten von Masten für die Fortleitung von elektrischer Energie, die Rohrleitungen außerhalb der Gebäude und die Rohrbrücken einzureihen.

Geschoßbauten

Mehrgeschossige Hochbauten sind dort angebracht, wo auf beschränktem Grundriß viele Arbeitsplätze untergebracht werden sollen, und wo der vertikale Transport von Materialien oder Fabrikaten über Aufzüge keine allzu großen Erschwernisse im Betriebsvorgang mit sich bringt. Weiterhin dürfen wegen der Belastbarkeit der Decken und der Ableitung der Lasten über mehrere Geschosse die Verkehrslasten nicht zu groß sein (leichte und mittelschwere Betriebe).

Geschoßbauten werden als Skelettbauten in Stahl oder Stahlbeton errichtet. Sie sind sowohl in der Erstellung als auch in der Unterhaltung besonders wirtschaftlich und zeichnen sich durch eine gute Wärmehaltung aus, so daß die Heizungskosten geringer als bei den anderen Gebäudeformen sind. — Die Arbeitsplätze in der Nähe der Fenster erhalten ein sehr gutes Seitenlicht.

Auf Grund dieser Eigenschaften sind Geschoßbauten besonders geeignet für Werke folgender Industrien:

> Feinmechanische und optische Industrie (optische Geräte, Photoindustrie, Büromaschinen)
> Lebens- und Genußmittelindustrie (Konservenfabrik, Schokoladenfabrik)
> Bekleidungsindustrie
> Elektrogeräteindustrie.

Außerdem gibt es Betriebe, für die übereinanderliegende Arbeitsflächen günstig sind, z. B. dann, wenn die Güter im Fabrikationsprozeß verschiedene Maschinen oder Behälter vertikal oder schräg mit natürlichem Gefälle durchlaufen (chemische Industrie, Mühlenbetriebe).

Besonders geeignet sind Geschoßbauten für Anlagen flexibler Art, da sie wegen der Verteilung ihrer Nutzfläche auf verschiedene Geschosse besonders leicht unterteilbar sind und in ihrer Bauform am wenigsten auf einen bestimmten Produktionsprozeß abgestimmt sein müssen. Der Nachteil der Geschoßbauten besteht darin, daß die einzelnen Geschosse nur über Treppen, Schrägrampen oder Aufzüge zu erreichen sind. Dadurch geht die Übersichtlichkeit verloren, und der Anteil der Neben- und Verkehrsflächen wird hoch. Die Anordnung der Treppenhäuser und der Aufzüge ist deshalb in allen Geschoßbauten besonders wichtig. Andererseits ist die Lage der Toiletten zu den Arbeitsplätzen günstig und die Eingliederung von Büro-, Zeichen-, Laboratoriums- und sonstigen Nebenräumen leichter möglich als bei Hallen- und Flachbauten.

Bei räumlich beschränkter Grundstücksfläche, hohem Grundstückspreis (in oder in der Nähe einer Stadt), ferner bei Erweiterungen u. ä., müssen Geschoßbauten häufig auch dann gewählt werden, wenn damit gewisse Unzulänglichkeiten, wie mangelnde Übersicht und erschwerte Transportverhältnisse verbunden sind.

Geschoßbauten treten in der Regel als klare rechteckige Baukörper in Erscheinung. Die Abdeckung erfolgt mit einem flachen Dach, das äußerlich nicht in Erscheinung tritt. Wenn es die Betriebsverhältnisse erfordern, kann die Anlage durch Anbauten erweitert werden.

Kurt Dummer
Bauing.
Berlin-Pankow
Retzbacher Weg 6

Hallenbauten

Hallen sind eine für den Industriebau typische Gebäudeform, die immer dann notwendig wird, wenn aus betriebstechnischen Gründen große Breiten- und Höhenabmessungen mit einer ausgesprochenen Längsentwicklung (Hallenschiff) gefordert werden. Hallen setzen sich aus einzelnen Bindern zusammen, über die sich die Pfetten mit der Dachhaut legen. Die Dachfläche wird in Abhängigkeit der Dachhaut nur so weit geneigt, wie es zur Entwässerung notwendig ist.

In den Hallen werden Maschinen bearbeitet oder zusammengebaut, deren Abmessungen oder deren Gewicht so groß sind, daß sie in anderen Bauwerken nicht untergebracht werden können. Fast alle Hallen müssen daher eine Kranausrüstung haben, durch die im wesentlichen die Höhenabmessungen bedingt werden.

Beispiel: Waggonbau
      Lokomotivbau
      Dieselmotoren
      Stahlindustrie.

Auch für die Aufstellung schwerer Maschinen (Hämmer, Pressen), die ihrer großen Lasten wegen auf dem gewachsenen Boden aufgestellt werden sollen, ist die Halle die geeignete Gebäudeform, wenn auch die Produktion dieser Maschinen auf kleine Teile abgestellt sein kann. Weitgespannte Hallen ohne Kranausrüstung kommen im Flugzeugbau vor, außerdem als Ausstellungs-, Lager- oder Verkehrshallen.

Mit Rücksicht auf den Transport, das Einfahren von Wagen oder das Hineinführen von Eisenbahngleisen liegt der Fußboden von Hallen ungefähr in Geländehöhe. In leichten und mittelschweren Betrieben kann die Halle unterkellert werden.

Ohne Kranausrüstung gehen die Hallenbauten meist in Flachbauten (mehrschiffige, niedrige Hallen) über.

Oft reicht die seitliche Befensterung einer Halle zur Belichtung nicht aus, so daß die Dachhaut mit Oberlichtern durchbrochen werden muß. Ihre Anordnung und Ausbildung im einzelnen bedarf eingehender Untersuchungen. Außer den einschiffigen Hallen gibt es zahlreiche Ausbildungen mehrschiffiger Hallen. In vielen Fällen werden die Seitenschiffe niedriger als das Mittelschiff gehalten und in ihnen Werkstätten, Lagerräume, Nebenräume, Meisterstuben, Waschanlagen, Toiletten usw. untergebracht.

Für den statisch konstruktiven Aufbau der Hallen sind außer der Kranausrüstung die zur Verwendung kommenden Baustoffe und der Baugrund von Bedeutung.

Besondere Probleme ergeben sich für große Hallen mit Krananlagen im Bereich der Bergsenkungsgebiete. Um die verschiedenen Setzungen ausgleichen zu können, müssen die Hallen sowohl im Querschnitt als auch im Längsschnitt samt den Krananlagen so aufgebaut sein, daß sie „justiert" werden können.

Nachteilig ist bei Hallen die große Abkühlungsfläche des Daches und der Fenster. Auch das von oben einfallende Licht ist nicht für jeden Betrieb geeignet.

Flachbauten

Durch Flachbauten werden große ebenerdige Arbeitsräume geschaffen, deren lichte Höhe gering sein kann (geringe Betriebshöhe), weil keine großen Krananlagen erforderlich sind. Belichtung erfolgt durch Oberlichter. Ihr Gepräge erhalten Flachbauten durch die Dachausbildung; die begrenzenden Außenwände spielen für ihre Erscheinung eine geringere Rolle. Anzustreben sind große, wenig verbrochene Dachflächen, deren Größe mehr durch die Dachhaut und die Möglichkeiten der Entwässerung begrenzt wird als durch die Tragkonstruktion. Eine Sonderform der Flachbauten stellen die Shedbauten dar, bei denen die Oberlichter nur nach Norden geöffnet sind und dem Dach eine sägeförmige Umrißlinie geben.

Beispiele für Flachbauten: Textilfabriken
      Kabelwerke
      Maschinenfabriken
      Automobilbau.
      Druckereien.

Die Tragkonstruktionen der Flachbauten haben nur das Eigengewicht der Dachhaut und etwaige Schneelasten aufzunehmen. Die begrenzten Stützenabstände lassen daher sehr leichte und wirtschaftliche Konstruktionen zu. Außerdem ergeben sich nur geringe Belastungen des Untergrundes (kleine Fundamente, deshalb auch für schlechten Baugrund geeignet).

Durch neue Konstruktionsgedanken (Stahlbetonschalen und Stahlleichtträger), die zu besonders wirtschaftlichen Lösungen führen, hat sich der Anwendungsbereich der Flachbauten in den letzten beiden Jahrzehnten stark erweitern können. Der Vorteil der Schalen aus Stahlbeton liegt darin, daß sie zugleich die tragende und raumabschließende Funktion erfüllen. Die Stahlleichtkonstruktionen zeichnen sich, wie ihr Name ausdrückt, durch geringes Gewicht und damit auch leichte Montage aus. Durch die Vergrößerung der Stützenentfernungen und der lichten Raumhöhen und durch den Einbau von mittleren Kränen können Flachbauten zu Hallenbauten werden. Dadurch haben insbesondere die Shedbauten Eingang in Produktionszweige gefunden, für die früher nur Hallenbauten geeignet waren (Fabriken für Schwermaschinenbau).

Die Vorteile der Flachbauten liegen in den übersichtlichen, großen, zusammenhängenden Arbeitsflächen mit gleichmäßig guter Belichtung. Alle Räume können ohne Benutzung von Rampen, Treppen oder Aufzügen erreicht werden. Flachbauten sind jedoch ungeeignet zur Aufteilung in kleine Räume.

Der Nachteil der Flachbauten besteht in ihrer großen Dachfläche, die die Wärmehaltung stark beeinträchtigt. Die Heizungskosten liegen daher höher als bei den Geschoßbauten, aber doch noch niedriger als bei Hallenbauten, weil der umbaute Raum je m² Nutzfläche kleiner ist.

Flachbauten benötigen große Grundstücke. Bei hohen Grundstückspreisen kann dadurch der wirtschaftliche Vorteil ihrer Konstruktion wieder aufgehoben werden.

Übersicht über Baustoffe, Bauarten und Bauelemente

Eine Unterscheidung der üblichen Bauarten kann nach
der Art der verwendeten Baustoffe getroffen werden:
Massivbau (Ziegelbau), Holzbau, Stahlbetonbau und
Stahlbau. Die zweckentsprechende Auswahl erfolgt nach
wirtschaftlichen und betriebstechnischen Überlegungen.
Vielfach wird auch einer gemischten Bauweise der Vorzug zu geben sein.

Ganz allgemein läßt sich feststellen, daß sich im Industriebau für alle Bauarten und Bauwerke die Forderung
durchgesetzt hat, eine Trennung von Tragkonstruktion
und raumabschließenden Elementen vorzunehmen. Die
Tragkonstruktion soll mit der sonstigen Ausrüstung des
Werkes nicht in Verbindung stehen, um bei den meist
beträchtlichen Lasten klare statische Verhältnisse zu erzielen, und um sich ferner die Möglichkeit der Erweiterung oder der Umstellung nicht zu verschließen.

Aus diesem Grunde werden ungern Zwischenwände
aus Mauerwerk zum Tragen herangezogen, denn diese
sind beim Umbau hinderlich und können meist schwer
ersetzt werden. Der reine Massivbau (Ziegelbau)
kommt für Verwaltungsgebäude in Frage, sonst im
allgemeinen nur für untergeordnete Bauten, wie für
Pförtnerhäuser, Kleinwerkstätten, Schuppen usw. Andererseits hat die Entwicklung des Bauwesens gezeigt, daß
der Massivbau in Zeiten des Stahlmangels vorüber-
gehend wieder auflebt (tragende Außenwände von Hallen und Geschoßbauten) und damit seine Bedeutung nie
ganz verlieren wird.

Der Holzbau hat sich durch neuzeitliche Konstruktionen (genagelte und geleimte Ausführungen, Fachwerkbinder mit Dübelverbindungen) bis heute in Hallen- und
Flachbauten behaupten können.

Vorteile: Schnelle Bauzeit,
geringes Gewicht,
widerstandsfähig gegen Säuren und Gase
(Lokomotivschuppen, Lagerhallen von Chemi-
kalien, chemische Industrie),
leichter Abbruch oder Umbau,
geringe Wärmeausdehnung.

Nachteile: Erhöhte Feuergefahr,
beschränkte Dauerhaftigkeit (Lebensdauer),
große Formänderungen bei Belastungen und
infolge des „Arbeitens" des Holzes (Feuchtigkeit). Deshalb ist der Holzbau für Geschoßbauten und für Hallen mit Kranausrüstung
nicht geeignet.

Der Stahlbetonbau ist für alle drei Gebäudearten
(Hallen, Flachbauten, Geschoßbauten) geeignet, sofern
Umbauten unwahrscheinlich sind. Darüber hinaus kommt
der Stahlbetonbau besonders für Lagerräume, Speicher
und Silobauten in Frage, weil er bei großen Lasten den
anderen Bauarten etwas überlegen ist. Die großen Vorzüge des Stahlbetons liegen in seinem monolithischen
Zusammenhang und in der Möglichkeit, sich jeder Form
anzupassen. Die Überlegenheit der Stahlbetonbauart

Sichtbarer Stahlbetonrahmen in der Giebelwand einer Halle

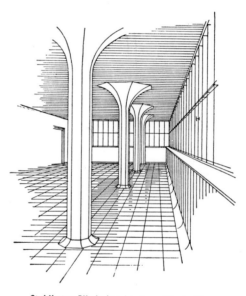

Stahlbeton-Pilzdecken in einem Geschoßbau

gegenüber anderen Konstruktionen wird jedoch erst richtig offenbar bei den Flächentragwerken, die den Hallen-
und Flachbauten in den letzten beiden Jahrzehnten ganz
neue Entwicklungsmöglichkeiten gegeben haben.

In Zukunft wird die Anwendung des Stahlbetons im großen Umfang von der Frage der Schalung abhängen, denn
der Holzbedarf ist für Schalungszwecke bei größeren
Bauten ganz erheblich. Um an Verschnitt zu sparen, verzichtet man immer mehr auf die Balkenschrägen oder

Vouten und wählt einfache Schalungsformen, die man
mehrfach verwenden kann. Für die Stahlbetonbauart ist
deshalb die Normung und Typung der Einzelformen ganz
besonders wichtig. Außerdem versucht man das Schalholz durch andere Baustoffe oder durch Stahlbleche zu
ersetzen. Stahlschalung kann aber nur dort verwendet
werden, wo der Beton unverputzt bleiben soll, weil er,
mit Stahlschalung hergestellt, zu glatte Oberflächen ergibt, an denen der Putz nicht haftet. Bei rechteckigen
Säulen ist die Stahlschalung ohne Abschrägung oder Ab-
rundung unzweckmäßig, weil beim Ausschalen sehr leicht
die Kanten abplatzen.

Die Anordnung von Leitungen und Transporteinrichtungen muß in Stahlbetonbauten möglichst frühzeitig geplant werden. Bei nachträglichem Einbau derartiger Anlagen ergeben sich sonst sehr kostspielige Stemmarbeiten.

Um die Nachteile der Stahlbetonbauart, die in der langen Bauzeit, dem hohen Schalholzbedarf und in der Abhängigkeit von der Witterung liegen, zu beheben,
ist man zur fabrikmäßigen Herstellung einzelner Bauelemente übergegangen, die auf der Baustelle nur montiert zu werden brauchen. Der Industriebau ist bei seiner
Bevorzugung gleicher Bauelemente für diese Bauart besonders geeignet.

Die Tragfähigkeit des Stahlbetons ist durch die Anwendung der Vorspannung in letzter Zeit wesentlich gesteigert worden. Damit ist der Stahlbeton auch für Spannweiten wirtschaftlich geworden, die bisher dem Stahl
allein vorbehalten waren.

Vorteile: Große Feuersicherheit,
           geringe Formänderungen,
           keine Unterhaltungskosten.
Nachteile: Lange Bauzeit (neuerdings gemildert durch
           Verwendung von Stahlbeton-Fertigteilen),
           Umbau oder Abbruch meist kostspielig,
           Verstärkungen umständlich,
           bei größeren Stützweiten dem Stahl unter-
           legen. (Jedoch bei vorgespannten Konstruk-
           tionen neuerdings wieder wettgemacht.)

Der S t a h l b a u ist die bevorzugte Bauart im Industriebau. Bei großen Höhen und Spannweiten ist er am wirtschaftlichsten.

In Deutschland kommen Stahl St. 37 (Bruchfestigkeit
37 kg/mm²) und St. 52 (Bruchfestigkeit 52 kg/mm²) zur
Verwendung. Beide Stahlsorten zeichnen sich durch
gleichmäßige Beschaffenheit aus und setzen einer Beanspruchung auf Zug, Druck oder Schub nahezu gleichen
Widerstand entgegen. Die Werkstoffeigenschaften der
Stähle bleiben auch nach dem Einbau erhalten und sind
praktisch unabhängig von der Zeit. Sie lassen sich schon
im Anlieferungszustand, also vor der Verwendung, genau überprüfen, so daß etwaige Mängel frühzeitig erkannt werden.

Innerhalb der zulässigen Spannungen ist Stahl vollkommen elastisch. Dieser Bereich wird durch die Fließgrenze
bestimmt, bei deren Erreichen der Stahl große plastische

Hallengiebel mit sichtbarem Stahlrahmen

Vollwandige Rahmenkonstruktion aus Stahl

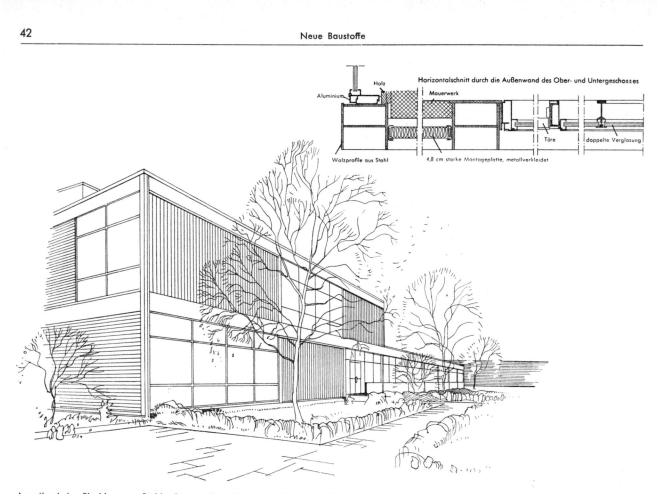

Amerikanischer Flachbau aus Stahl mit neuartigen Baustoffen (Bisquitfabrik in Chikago)

Dehnungen erfährt. Infolge dieser hervorragenden Eigenschaften geht ein überbelastetes Stahlbauwerk in der Regel nicht plötzlich zu Bruch (Gewaltbruch), sondern erfährt vorher große Verformungen, die zu einer Spannungsumlagerung führen. Erst bei übermäßiger Beanspruchung erfolgt ein langsam beginnender „Dauerbruch".

Für den Stahlbau ist die Trennung von Werkstattarbeit und Montage auf der Baustelle typisch, die Bauzeit kann dadurch wesentlich verkürzt werden, und der Baufortschritt wird unabhängig von der Witterung.

Als Verbindungsmittel der einzelnen Bauelemente kommen Nietung und Schweißung in Frage. In Sonderfällen können Stahlbauteile auch verschraubt werden. Während die Nietung für Baustelle und Werkstatt in gleicher Weise geeignet ist, unterliegt das Schweißen auf der Baustelle gewissen Einschränkungen. Man stellt daher Verbindungen an demselben Bauteil in der Werkstatt durch Schweißen und auf der Baustelle durch Nietung her. Diese Kombination empfiehlt sich z. B., wenn die Montage in kalte Wintermonate fällt.

Stahlkonstruktionen können aus vollwandigen Blechträgern, Stützen oder Rahmen bestehen oder auch als Fachwerk aus einzelnen Stäben ausgebildet werden.

Die Neigung des Stahles zur Rostbildung und die Tatsache, daß er bei höheren Temperaturen seine Festig-

keit verliert, erfordern im Industriebau besondere Vorkehrungen. So müssen beispielsweise alle Stahlteile einen rostschutzsicheren Anstrich erhalten, der in regelmäßigen Zeitabständen zu erneuern ist.

Werden über Stahlträger massive Stahlbetondecken gelegt, so können durch einen entsprechenden Verbund beide Bauelemente zu gemeinsamer Tragwirkung gebracht werden. Derartige Verbundkonstruktionen sind wirtschaftlich nur von Vorteil, wenn genügend Konstruktionshöhe zur Verfügung steht.

Der Stahl legt dem entwerfenden Ingenieur und Architekten keine Beschränkung in der Gestaltung der einzelnen Baukörper auf. Oft ist daher die Verwendung des Stahles aus einer gewissen Bequemlichkeit heraus zu erklären.

Neben den bewährten Baustoffen Holz, Mauerwerk, Beton und Stahl haben im Industriebau eine Reihe weiterer Baustoffe Eingang gefunden. Besonders Glas findet nicht nur in der alten Form der Fensterscheibe, sondern auch als Glasbaustein in Wänden und Decken sowie als Spezialglasscheibe, z. B. kombiniert mit Isolierglasfaser, Verwendung. Als Dachdeckung und Außenhaut hat das Wellblech und der Wellasbestzement weite Verbreitung gefunden. Die Dachpappe und die bituminösen Baustoffe haben revolutionierend auf die Dachform gewirkt. Es werden neue Platten (Holzwolle, Holzfaser- und Torfplatten) für den Innenausbau oder als Wärmedämmplatten hergestellt. Auch die großformatigen neu entwickelten Steine aus Gas-, Schaum-, Schlacken- und Splittbeton werden im Industriebau verwendet.

Neuerdings setzen sich die Leichtmetalle immer stärker durch. Sie sind nicht nur als Dachhaut, sondern auch als Außenhaut und zur Verkleidung im Inneren der Gebäude geeignet. Schließlich haben die vielen Kunststoffe, ehe sie ganz allgemein im Bauwesen Eingang gefunden haben, ihre ersten Anwendungen im Industriebau erfahren.

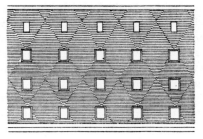

Massive Ziegelwand mit Einzelfenstern

Im Hinblick auf die Gestaltung haben jeder Baustoff und jede Bauart ihre besonderen Reize und ihre formalen Eigenarten, die es zu erfassen und für die architektonische Durchbildung auszunutzen gilt. Aus dem Zusammentreffen der verschiedenartigen Bauarten innerhalb einer Anlage können sich Kontraste von besonders ansprechender Wirkung ergeben. Der Wechsel der Baustoffe und der Bauarten kann Zusammenfügungen von Baukörpern zulassen, die bei gleichem Material unerträglich wirken würden.

Der Massivbau fordert die große Wandfläche mit sparsamen Öffnungen, der Stahl das Gerüst, das von einer Haut umspannt wird, und der Stahlbeton läßt sich als Skelett genau so überzeugend verwenden wie als flächenhafte Schale. Daneben kann überall Holz auftreten, sei es als Gerüst, als Schalung oder als Verkleidung.

Im Gegensatz zu manchen anderen Bauaufgaben ist es im Industriebau abwegig, die Baustoffe in ihrer Außenhaut veredeln zu wollen. Es ist in den meisten Fällen richtiger, einen Massivbau als Ziegelrohbau zu zeigen als ihn zu verputzen. Für den Beton lohnt es oft nicht, ihn in der äußersten Schicht mit einem Sichtbeton zu versehen, oder den Beton nachträglich zu bearbeiten. Nur für reine, nicht schmutzende Betriebe und für Bauteile, die keiner großen mechanischen Beanspruchung ausgesetzt sind, sind derartige Feinheiten möglich.

Stärker als bisher sollte man im Industriebau die Farben verwenden. Sie können die verschiedenen Baustoffe in ihrer Erscheinung und Wirkung steigern und wesentlich zur Gestaltung der Gesamtanlage beitragen. Davon abgesehen müssen die Farben im Industriebau auch gewisse Ordnungsaufgaben (Kennzeichnung von Rohrleitungen und Maschinen, Gefahrenquellen, Unfallverhütung) übernehmen.

In neuerer Zeit haben die gemischten Bauarten wieder an Bedeutung gewonnen. Stahlbeton wird als Unterbau für schwere Lasten gewählt, der Überbau dagegen, insbesondere das Dach, wird aus Stahl oder Holz erstellt.

Dem Aufbau nach hat man bei einem Bauwerk zwischen der eigentlichen Tragkonstruktion und den nur raumabschließenden Bauelementen zu unterscheiden. Zu den letzteren gehören im Industriebau die unbelasteten Wände, Fenster, Türen und Tore. Auch Zwischendecken können oft nur als Raumabschluß dienen.

Die Tragwerke haben ganz allgemein die Aufgabe, alle

Skelettbau mit massiver Ausfachung und Fensterbändern

Skelettbau mit verglaster Außenwand

Geschlossene Wand eines Silos

auftretenden Lasten über die Fundamente in das Erdreich abzuleiten. Die Tragkonstruktionen können sich aus sehr verschiedenartigen Elementen zusammensetzen. Im einfachsten Fall bestehen sie aus Stützen und Unterzügen, über die sich die Decken spannen; sind jedoch Stützen und Unterzüge biegungssteif miteinander verbunden, so spricht man von Rahmen.

Im Grunde genommen stellt jedes Tragwerk ein räumliches System dar. Im Industriebau ist auf diese räumliche Tragwirkung großer Wert zu legen, weil neben den horizontalen Windkräften räumliche Kräfte an den Kranbahnen auftreten. Trotzdem kann man, von den Ausnahmen der Schalen und räumlichen Fachwerke abgesehen, die Bauwerke zur Vereinfachung der Berechnung in senkrecht zueinander stehende ebene Tragwerke zerlegen. Werden diese ebenen Tragwerke durch Kräfte, die in ihrer Mittelebene liegen, beansprucht, so sind sie als Scheiben, Träger oder Stützen zu bezeichnen; stehen die Kräfte senkrecht zur Mittelebene, so spricht man von Platten oder Decken. Bei den ebenen Trägern unterscheidet man nach der Zahl der Auflager, der Gelenke und nach dem Aufbau mehrere Trägerarten: Balken, Stützen, Bogen, Gelenkträger, Hängewerk usw. Nach dem Verlauf der Begrenzung oder der Achse ist zu unterscheiden zwischen: Parallelträger, Dreiecksbinder, Parabelbinder usw. Schließlich kann die Gliederung eines Tragwerkes zur Unterteilung dienen: Vollwandträger, Fachwerkträger, Gitterträger, Filigranträger, Vierendeelträger.

Alle Tragwerksysteme können je nach der Anzahl der Auflager und ihrer Verbindungen untereinander statisch bestimmt oder unbestimmt sein. Statisch unbestimmte Tragwerke können nur unter Berücksichtigung der Gesetze ihrer elastischen Formänderungen berechnet werden.

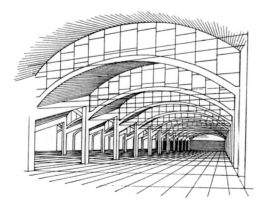

Halle aus konischen Schalensheds

Eine Sonderstellung nehmen die Stahlbetonschalen ein. Sie bestehen aus einfach oder doppelt gekrümmten Flächen, die sich durch eine räumliche Tragwirkung auszeichnen. Bei stetig verteilter Last sind in der Schale Gleichgewichtszustände allein aus Normal- und Schubkräften möglich. Man nennt diesen Gleichgewichtszustand, da er ohne Biegemomente möglich ist, den Membran-Spannungszustand. Die Schalen brauchen demzufolge theoretisch, da keine Biegungsmomente auftreten, keine Biegungssteifigkeit, können also sehr dünn ausgeführt werden. Sie haben nur eine Dicke von 4 bis 10 cm, im Durchschnitt 6 cm. Die Krümmung der Schalen muß jedoch so geformt sein, daß der Membranzustand möglich ist. Dazu ist nicht nur erforderlich, daß die Schale im Verhältnis zum Krümmungsradius genügend dünn ist, sondern, daß Schalendicke und Krümmungsradius auch keine Unstetigkeiten aufweisen. Außerdem müssen die Randstörungen, die sich aus den Auflagebedingungen der Schalen ergeben, so klein bleiben, daß sie als Nebenspannung betrachtet werden können.

Die geringe Dicke der Schalen führt zu besonders wirtschaftlichen Konstruktionen. Hinzu kommt, daß die Schalen außer der Tragfunktion auch noch die raumabschließende Funktion der Dachhaut übernehmen. Ganz im Gegensatz zum Skelett, wo beide Funktionen getrennt sind, gehen diese bei den Schalen ineinander über. Die Schalenbauart hat sich deshalb im Industriebau schnell als eine ideale Dachkonstruktion durchgesetzt. Allein die Tatsache, daß die Stahlbetonschalen unter allen Konstruktionen die geringste Stahlmenge benötigen – in der Regel nur etwa 20 kg/m² Grundfläche – hebt ihre Bedeutung genügend hervor. Hinzu kommt der ebenfalls geringe Betonaufwand für die Schalen selbst, deren Eigengewicht deshalb auch bei größeren Spannweiten verhältnismäßig klein bleibt und Säulen und Fundamente weniger belastet als andere Konstruktionen.

Über die einzelnen Schalenformen und ihre Anwendungsbereiche sind im Abschnitt über Flachbauten (S. 127) und im Lexikonteil (S. 176) weitere Angaben zu finden.

·

Der Architekt, der im Industriebau tätig sein will, muß die Eigenschaften und Eigenarten der verschiedenen Bauarten kennen, besonders auch ihre Gestehungskosten unter den jeweiligen örtlichen Verhältnissen, die z. B. bei Stahlbeton sehr verschieden ausfallen können, je nachdem, ob Kies und Sand in der Nähe zur Verfügung stehen. Man darf nicht die Mühe scheuen, die oft sehr umfangreichen Berechnungen in finanzieller Hinsicht durchzuführen und genaue Überlegungen anzustellen, welcher Bauart unter Abwägung aller Einflüsse der Vorzug zu geben ist. Überschlagsrechnungen nach dem umbauten Raum oder nach der überdachten Fläche bei Hallen und Flachbauten geben meist schon einen ersten Anhalt.

* Auskunftsstellen für die Hauptbaustoffe:
Deutscher Betonverein, Wiesbaden, Bahnhofstraße 61
Deutscher Stahlbauverband, Köln, Ebertplatz 1
Deutsche Gesellschaft für Holzforschung, Stuttgart .

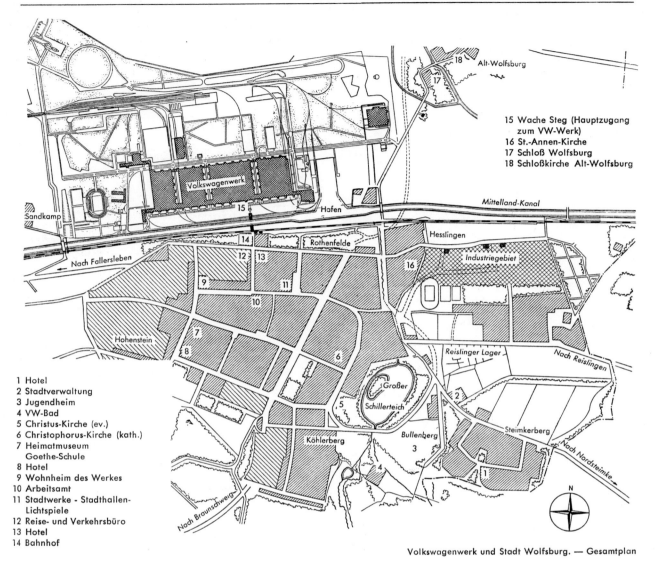

15 Wache Steg (Hauptzugang
   zum VW-Werk)
16 St.-Annen-Kirche
17 Schloß Wolfsburg
18 Schloßkirche Alt-Wolfsburg

1 Hotel
2 Stadtverwaltung
3 Jugendheim
4 VW-Bad
5 Christus-Kirche (ev.)
6 Christophorus-Kirche (kath.)
7 Heimatmuseum
  Goethe-Schule
8 Hotel
9 Wohnheim des Werkes
10 Arbeitsamt
11 Stadtwerke - Stadthallen-
   Lichtspiele
12 Reise- und Verkehrsbüro
13 Hotel
14 Bahnhof

Volkswagenwerk und Stadt Wolfsburg. — Gesamtplan

Der Standort

Während in den zurückliegenden Jahrzehnten oft neue Industriewerke ohne Rücksicht auf tiefere Zusammenhänge angelegt wurden, geht man heute systematischer und gewissenhafter vor. Es gilt folgende grundsätzliche Fragen zu klären:

1. Wo ist die Rohstoffbasis und welche Zubringerwerke sind vorhanden? (Rohstoffgebundene Industrie).
2. Auf welche Energiequellen muß sich das Werk stützen? (Kohle, Wasser, Elektrizität, Gas).
3. Welchen Wasserbedarf hat das Werk und welche Abwässer fallen an?
4. Wie werden die Rohstoffe und die Halbfabrikate herangeführt? (Verkehrsnetz).
5. Wie werden die Halb- oder Fertigfabrikate weggeführt? (Verkehrsnetz, Absatzmarkt).
6. Wie groß ist die Belegschaft und wieweit erstreckt sich das Einzugsgebiet des Werkes bezüglich der Arbeitskräfte? (Berufsverkehr).

7. Ist die Industrie aus irgendwelchen Gründen orts- oder landschaftsgebunden? (Geeignete Arbeitskräfte, Lage von Sprengstoffabriken außerhalb von Siedlungen; Schiffsbau).
8. Stellt das Werk besondere Forderungen, die schon bei der Standortwahl berücksichtigt sein wollen? (Staubfreiheit, Wasserbeschaffenheit, großer Flächenbedarf)

Diese Fragen hängen meist miteinander zusammen und lassen sich deshalb nicht als Einzelfragen getrennt behandeln. Um die grundsätzlichen Zusammenhänge zu klären, müssen die einzelnen Gesichtspunkte zunächst in schematischer Form Punkt für Punkt untersucht werden. Die Bedeutung der einzelnen Fragen für die Planung eines Werkes wird immer abhängig sein von der Art der Industrie, ob es sich um eine arbeitsintensive, eine energiegebundene oder eine rohstoffgebundene Industrie handelt.

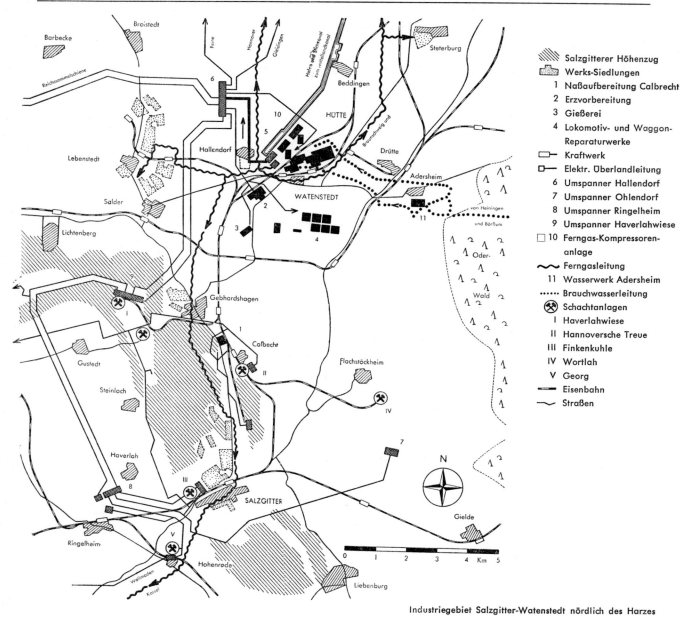

Industriegebiet Salzgitter-Watenstedt nördlich des Harzes

Legende:

- Salzgitterer Höhenzug
- Werks-Siedlungen
- 1 Naßaufbereitung Calbrecht
- 2 Erzvorbereitung
- 3 Gießerei
- 4 Lokomotiv- und Waggon-Reparaturwerke
- Kraftwerk
- Elektr. Überlandleitung
- 6 Umspanner Hallendorf
- 7 Umspanner Ohlendorf
- 8 Umspanner Ringelheim
- 9 Umspanner Haverlahwiese
- 10 Ferngas-Kompressoren-anlage
- Ferngasleitung
- 11 Wasserwerk Adersheim
- Brauchwasserleitung
- Schachtanlagen
- I Haverlahwiese
- II Hannoversche Treue
- III Finkenkuhle
- IV Wortlah
- V Georg
- Eisenbahn
- Straßen

Rohstoffe und Energie

Bei der Standortwahl eines Werkes unter Berücksichtigung der Hauptrohstoffe sind für den Vergleich mehrerer Rohstoffe in erster Linie deren Menge und Gewicht ausschlaggebend.

Diese Frage ist z. B. bei der Metallerzeugung sehr einfach zu formulieren: Was ist billiger heranzuführen, Kohle oder Erz? Bei einem Dampfkraftwerk spielt die Bereitstellung des erforderlichen Kühlwasserbedarfs eine erhebliche Rolle. Ist diese in jedem Falle gesichert, so wird die Wahl des Standorts hinsichtlich der Rohstoffe wesentlich abhängen von der Frage: Was ist billiger zu transportieren, Strom oder Kohle? Dagegen werden bei der Planung eines Zellstoffwerkes die Kosten des Holztransportes und die Kosten für die Bereitstellung des Betriebswassers gegeneinander abzuwägen sein.

Aus dem Produktionsprogramm, den übergeordneten volkswirtschaftlichen Erwägungen und den Gesichtspunkten der Landesplanung ergibt sich die notwendige Eingliederung einer Industrie in das Verkehrsnetz und die Energiequellen des Landes.

Diese Untersuchungen sind Aufgaben des Volkswirtschaftlers, des Betriebsingenieurs, des Energiefachmannes und des Landesplaners. Aber trotzdem kann sich der Industriearchitekt nicht früh genug in derartige Überlegungen einschalten, wobei unter der Bezeichnung Architekt nicht mehr allein der künstlerisch Gestaltende zu verstehen ist, sondern ganz allgemein der Industrieplaner unserer Tage.

Mit der Entwicklung der neuzeitlichen Energiewirtschaft sind viele Industrien (Papierindustrie, Textilindustrie,

Kurt Dummer
B.-Ing.
Berlin-Pankow
Retzbacher Weg 6

Holzindustrie) ortsbeweglicher geworden. Im vorigen Jahrhundert waren sie an die Flußtäler der Mittelgebirge (Erzgebirge, Harz, Thüringer Wald, Schwarzwald) gebunden, weil das Wasser für sie die Energiequelle darstellte. Für diejenigen Industrien, die sehr große elektrische Energien erfordern (sog. „Energiefresser"), ist heute eine Lage unmittelbar neben der Erzeugungsstätte der Elektrizität das erstrebenswerte Ziel.

Deshalb sind z. B. Aluminium- oder Karbidwerke, die auf elektrischer Energie basieren, an die Nähe der Kraftwerke gebunden (Aluminiumwerke Lauta bei Senftenberg und Töging a. Inn, Karbidwerk neben dem Großkraftwerk Hirschfelde/Sa. und Alex. - Wacker - Werke, Burghausen a. d. Salzach). Ebenso sind die modernen Elektrohochöfen nur dann rentabel, wenn sie im Zusammenhang mit einem Kraftwerk errichtet werden können (Elektrohochöfen in Norwegen und Schweden neben den Wasserkraftwerken).

Die Kosten für die Gewinnung einer Kilowattstunde betragen in Braunkohlenkraftwerken etwa 1,5 bis 2,0 Pf. Der im Vergleich zu diesen Gestehungskosten unverhältnismäßig hoch erscheinende Verkaufspreis der Kilowattstunde resultiert zum überwiegenden Teil aus der Anlage und Unterhaltung des Verteilungsnetzes.

Erheblich geringer werden die Kosten für das Leitungsnetz, wenn im Betrieb selbst ein eigenes Kraftwerk vorhanden ist. Auch die Verwertung von Nachtstrom aus weiter abgelegenen Gebieten kann wirtschaftlich sein oder der Bezug von Nachtstrom aus dem öffentlichen Netz zu einem Sondertarif. So stellt z. B. die BASF Ludwigshafen Karbid mit Nachtstrom aus dem Ruhrgebiet her.

Wasserbedarf

Im Gegensatz zu den Rohstoffen und zur Energie, die bis zu gewissen Grenzen in wirtschaftlich vertretbarer Weise transportiert werden können, ist der Transport von Wasser sehr teuer und auf längere Strecken überhaupt unmöglich, wenn nicht ein entsprechendes Gefälle zur Verfügung steht. Es kommt der Frage nach dem Wasserhaushalt unserer Industriewerke eine immer größere Bedeutung zu. Der Wasserbedarf einzelner großer Werke hat die Größe des Wasserbedarfs von Großstädten erreicht. Nicht an jedem Standort können diese Wassermengen bereitgestellt werden, und so bedeutet jede neue Industrieanlage einen schwerwiegenden Eingriff in den Wasserhaushalt der Natur.

Es wird sich die Industrie im mitteldeutschen Raum um Leipzig, Halle und Magdeburg nur weiterentwickeln können, wenn in Zukunft deren Wasserversorgung sichergestellt wird. Man geht deshalb jetzt daran, dieses Gebiet mit einer Großringwasserleitung zu erschließen. Weitere besonders wasserarme Gebiete sind: Das nördliche Harzvorland, die Pfalz, die oberrheinische Ebene und Main-Franken. Ein regelrechtes Notstandsgebiet entwickelte sich in den letzten 20 Jahren nördlich des Harzes. Hier entstand ein Industriegebiet, welches Watenstedt umfaßt und bis nach Magdeburg reicht. In diesem Raum ist in einzelnen Bezirken die Bevölkerungsdichte innerhalb weniger Jahre von 120 auf 430 je km² angewachsen. Da dieses Gebiet von der Wasserscheide zwischen Elbe und Weser durchzogen wird, ist sein Wasservorrat von vornherein begrenzt.

Der Standort des Volkswagenwerkes wurde im Hinblick auf eine sehr günstige Verkehrslage ermittelt. Mittellandkanal und Eisenbahn sichern An- und Abtransport der Rohstoffe und Fertigwaren. Hinsichtlich der Wasserversorgung ist die Lage des Volkswagenwerkes jedoch sehr unglücklich gewählt worden. Da das Grundwasser wegen seines Salz- und Eisengehaltes nicht als Betriebswasser zu verwenden ist, aus der benachbarten Aller wegen des geringen Wasserstandes ebenfalls kein Wasser entnommen werden kann, und auch der Mittellandkanal nur in geringem Maße zur Wasserversorgung beitragen kann, ist das Volkswagenwerk gezwungen, seinen Wasserbedarf aus folgenden Quellen zu decken: Frischwasser (2 Mill.m³/Jahr) aus der Eckertalsperre des Harzes, Brauchwasser (14 Mill.m³/Jahr), aus dem örtlichen Niederschlagsgebiet, — die Niederschläge werden in Rückstaubecken gesammelt, — und 50 Mill.m³/Jahr aus dem Mittellandkanal, die lediglich zur Kühlung der Kondensationsturbinen des werkseigenen Kraftwerks genutzt und dem Kanal in gleicher Menge wieder zugeführt werden. Außerdem besteht zur Reserve ein Grundwasserwerk. Sämtliche Abwässer werden regeneriert und wieder verwendet, bevor sie in den Vorfluter abgegeben bzw. auf dem Rieselfeld der Stadt Wolfsburg verregnet werden (s. S. 65).
Für die Reichswerke in Salzgitter lag ein Brauchwasserbedarf von 2 m³/s vor. Er konnte durch 88 Tiefbrunnen gedeckt werden. Außerdem war noch ein Reservewasserwerk mit einer Leistung von 1 m³/s zu erstellen. An Trinkwasser mußten 0,85 m³/s durch drei Wasserwerke gefördert werden. Mit diesen Gesamtmengen von fast 3,0 m³/s könnte man den Wasserbedarf einer Großstadt mit rund 1,5 Millionen Einwohnern decken.
Den größten Wasserverbraucher Deutschlands stellt z. Z. die Badische Anilin- und Sodafabrik (BASF) in Mannheim-Ludwigshafen dar. Der Gesamtwasserbedarf der BASF beträgt im Durchschnitt 12,5 m³/s. Eine Veranschaulichung dieses Wertes zeigt der Vergleich mit dem Wasserbedarf der Großstädte Hamburg, München, Essen, Köln und Frankfurt, die zusammen nur ¾ des Wasserbedarfs der BASF benötigen. Die Bereitstellung der erforderlichen Wassermengen erfolgt zum größten Teil aus dem Rhein.

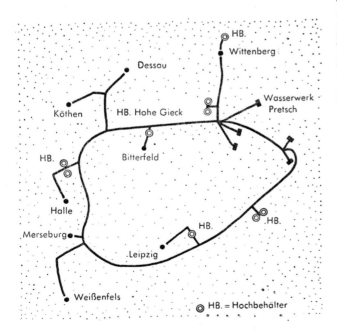

Großring-Wasserleitung im mitteldeutschen Raum

Auch die Zahlen des Ruhrgebietes sprechen eine deutliche Sprache. Der Wasserbedarf dieses Industriegebietes liegt jetzt bei 1,1 Milliarden m³ Wasser jährlich. Davon benötigt die Bevölkerung trotz ihrer großen Dichte nur 20%, während 80% die Industrie verbraucht. Dieser Umstand hat im Ruhrgebiet zur Gründung von Wasserwirtschaftsverbänden geführt, ohne deren Wirken die Industrieballung im Ruhrgebiet undenkbar ist.

Das beste Beweismittel für die lebenswichtige Bedeutung des Wassers im Ruhrgebiet ist die Tatsache, daß das Wasser der Ruhr vom Eintritt ins „Revier" bis zur Einmündung in den Rhein siebenmal gebraucht wird!

Aus den aufgeführten Beispielen ist zu ersehen, daß es für die Zukunft weder im Interesse der Versorgungsbetriebe selbst noch in dem der Wasserwirtschaft im allgemeinen liegt, wenn jede Industrieanlage unabhängig von der anderen aus einer eigenen selbständigen Wasserquelle wirtschaftet, so angenehm eine solche Selbständigkeit auch in mancher Hinsicht sein mag. Der Schutz und die Unverwundbarkeit des Wasserhaushaltes unserer Industriegebiete verlangen jedoch, daß wir auch auf dem Gebiete der Wasserversorgung zu einer Art Verbundbetrieb kommen, wie wir ihn z. B. in der Elektrizitätswirtschaft kennen.

Zwangsläufig folgt aus diesen Erkenntnissen, daß jeder Landschaftsraum mit seinem eigenen Wasser auskommen muß. Daraus ergeben sich einerseits wichtige Forderungen für den künftigen Standort neuer Industriewerke, zum andern darf der Wasserverbrauch bei Industrieanlagen nicht ins Uferlose steigen. Der Maschinen- und Betriebsingenieur muß wissen, daß das Wasser in Zukunft kostbar werden wird, und daß man es rationeller verwenden muß. Das heißt, man wird bestrebt sein müssen, das Wasser mehrfach auszunützen, es zu regenerieren und so einen ständigen Kreislauf zu schaffen, der nur einen Bruchteil von Frischwasserzufuhren benötigt.

Neben der erforderlichen Wassermenge ist die Beschaffenheit des Wassers von wesentlicher Bedeutung. Mitunter müssen an das Fabrikationswasser schärfere Anforderungen gestellt werden als an das Trinkwasser. So ist Wasser mit einem Eisen- und Mangangehalt für Trinkzwecke durchaus zulässig, für die Papierindustrie aber nicht geeignet, da das Papier gelblich gefärbt wird. Ebenso ist für die photochemische Industrie reines Wasser unerläßlich. Diese Forderungen können den Standort einer Industrieanlage von vornherein beeinflussen.

Prüß, M.: „Probleme der Wasserversorgung des Ruhrgebietes", Allg. Forstzeitschrift 1954, Nr. 2. — M. Prüß: „Wasserwirtschaft an der Ruhr", Straße und Verkehr 1953, S. 99/122.
Zimmermann, F.: Wasserwirtschaftliche Generalplanung neuer Industriegebiete, Deutsche Wasserwirtschaft, 38. Jahrg. (1943).
A. Thienemann: „Wasser und Gewässer in Natur und Kultur." Jahrbuch 1952 der Max-Planck-Gesellschaft zur Förderung der Wissenschaften e. V. S. 185/221. — „Wasser — die Sorge Europas." Inst. f. Raumforschung, Bonn 1951, Heft 2.
Imhoff, K.: Die Abwasserlast der deutschen Flüsse, Gesundheitsingenieur 68 (1947) S. 108.
Gässler, W.: Die Industrie braucht Wasser, Der Volkswirt, 1955, Beilage zu Nr. 18, S. 17.

Abwässer

In einer Industrie mit hohem Wasserverbrauch fällt natürlich eine entsprechend große Abwassermenge an. Die Ableitung der Abwässer bereitet mitunter mehr Sorge als die Zuführung der Frischwässer. Während es bislang üblich war, die Abwässer einfach in die Bäche und Flüsse zu leiten, ist das für die Zukunft nur noch in ganz beschränktem Maße möglich, denn die meisten unserer Flüsse sind bereits überlastet; sie sind nicht mehr in der Lage, die ihnen zugeführten Abwässer abzubauen und sich selbst zu reinigen. Für die zukünftige Standortwahl unserer Industrien kommt dieser Tatsache eine viel größere Bedeutung zu als bisher. Grundsätzlich müssen in der Frage der Abwasserbeseitigung neue Wege beschritten werden. Die Industrie muß die Abwässer dort, wo sie anfallen, sofort unschädlich machen. Die Abwasserreinigung wird somit zu einem Teil der Produktionskosten.

In England ist dieser Grundsatz durch die Public Health Act (1937) zum Gesetz erhoben. Dort müssen die Industrieabwässer so vorgereinigt werden, daß sie den öffentlichen Abwasseranlagen nicht schaden.

In Deutschland fehlt es an einer einheitlichen Gesetzgebung auf dem Gebiet der Wasserwirtschaft. Ohne sie ist es nicht möglich, der Verschmutzung der Wasserläufe wirksam zu begegnen. Die Zusammenfassung aller Interessenten zu Wasserwirtschaftsverbänden dient ebenfalls der Behebung der Schäden und der gerechten Umlegung der dafür anfallenden Kosten.

In Amerika hat man Versuche gemacht, die Verschmutzung der Flüsse durch künstliche Belüftung zu beheben. Die von der Industrie aus Gründen der Kostensenkung vielfach angestrebte Versickerung der Abwässer, wie sie vor allem auch von der chemischen Großindustrie im mitteldeutschen Raum angewendet wird, kann nicht als Ideallösung betrachtet werden; denn im Gegensatz zum offenen Gewässer geht die Selbstreinigung im Grundwasser sehr langsam vor sich, weil der Zutritt des Sauerstoffes geringer ist. Die Folge davon ist, daß unser Grundwasser verseucht wird, und daß dann wiederum unverhältnismäßig hohe Aufbereitungskosten bei der Wassergewinnung anfallen.

Ob die bisher bekannten Methoden für die Reinigung der Industrieabwässer ausreichen, ist eines der vordringlichsten Probleme. Insbesondere macht die ständig zunehmende „Versalzung" unserer Gewässer große Sorgen. So transportiert der Rhein gegenwärtig bei Konstanz 500 t Salz/Tag, bei Emmerich 15 000 t Salz/Tag.

Wahrscheinlich muß sich die Industrie auch im Abwasser zu einer Verbundwirtschaft zusammenschließen, indem sie die Abwässer in besonderen Abwasserkanälen sammelt und sie an zentralen Stellen aufbereitet.

Der hohe Wasserverbrauch und die Abwasserlast haben durch die Tendenz der Industrie zur Zusammenballung ein fast unerträgliches Ausmaß angenommen.

Meinck, F.: Kritische Betrachtung zur Belastbarkeit der Gewässer, Gesundheitsingenieur 71 (1950), S. 216.

Verkehrsnetz

Das Verkehrsnetz in Deutschland ist so gleichmäßig entwickelt worden, daß jedes Gelände an eine Straße angeschlossen werden kann. Auch das Eisenbahnnetz ist so dicht, daß grundsätzliche Schwierigkeiten für die Standortwahl – solange es um die großen Entscheidungen geht – nicht bestehen. Für größere Betriebe kann jedoch die Bedeutung einer Eisenbahnstrecke wichtig sein, weil die Lage an einer Nebenbahn schon mit einer Verzögerung der Zustellung und Abholung verbunden ist. Außerdem spielen Tariffragen eine nicht unbedeutende Rolle. Für Massengüter wie Roheisen, Kohle und Steine ist der Anschluß an einen Wasserweg vorteilhaft, denn der Transport auf dem Wasserweg ist besonders billig und die Rentabilität eines Werkes kann wesentlich verbessert werden. Die Möglichkeit, Industriegelände an Wasserstraßen zu wählen, ist aber begrenzt.

Die Frage, ob und wie ein Werk an eine Wasserstraße angeschlossen werden kann, ist deshalb bereits grundsätzlich im Zusammenhang mit der Standortwahl zu klären. Die Anlage eines eigenen Werkhafens kann für Großbetriebe (Kraftwerke, Eisenhütten und chemische Industrie) erstrebenswert und rentabel sein, besonders auch deshalb, weil das Ent- und Verladen unmittelbar frei Bunker und Werkslager durchgeführt werden kann. Kostspielig ist immer ein Umschlagen auf Zwischentransportmittel, ganz abgesehen davon, daß bei Schüttgütern wie z. B. Kohle oder Erz jeder Umschlag mit einem Substanzverlust verbunden ist, der oft 2% und mehr je Umschlag ausmacht.

Andererseits erfordert jeder Wasseranschluß und jeder Werkhafen verhältnismäßig hohe Baukosten. Bei der Planung bzw. bei der Auswahl des Geländes ist zu berücksichtigen, daß

1. die Güter rasch entladen werden müssen,
2. Werkshäfen vor allem der Zufuhr von Rohstoffen und Kohle dienen und weniger der Abfuhr von Fertigfabrikaten,
3. Fertigfabrikate nur dann auf dem Wasserwege abtransportiert werden, wenn es sich um besonders sperrige oder schwere Güter handelt.

Die Anlegestellen als Verbreiterung eines Kanals, an den Ufern eines Flusses oder besondere Stichkanäle als Werkhafen bedürfen bezüglich ihres Ausmaßes genauer Untersuchungen über den zu erwartenden Güterumschlag. Zum Wenden der Schiffe sind Wendemöglichkeiten vorzusehen. Die Einfahrt zu Häfen ist an Flüssen stets stromabwärts zu legen, bei Kanälen ist die Richtung der Hafeneinfahrt bedeutungslos. Die Hafenplattform liegt zwei bis drei Meter über dem Kanalwasser. Die Uferstrecke ist zu befestigen. Als Transportmittel zwischen Hafen und Werk müssen vielfach Verladebrücken und Krananlagen eingeschaltet werden. Industriehäfen mit einem Umschlag bis zu 1,5 Millionen t im Jahr benötigen nur eine ausgebaute Kaistraße am Fluß. Werden mehr als 1,5 Millionen t jährlich umgeschlagen, so sind besondere Stichbecken nötig.

Anzahl der Beschäftigten

Für die Standortfrage ist die Anzahl der Beschäftigten deshalb von Bedeutung, weil für viele Industriezweige die Gewinnung und Güte der Arbeitskräfte oft das schwierigste Problem darstellt. Die für den geplanten Ausbau des Werkes benötigten Arbeitskräfte sollen möglichst in der Nähe des Werkes wohnen oder dort angesiedelt werden. Wenn auch unser Verkehrsnetz so dicht ist, daß sich der tägliche Berufsverkehr selbst über größere Entfernungen hin reibungslos abwickeln kann, so ist damit dieses Problem nur sehr bedingt gelöst. Denn jeder unnötige Verkehrsaufwand im täglichen Berufsverkehr ist in volkswirtschaftlicher Hinsicht ein Nachteil. Alle Aufwendungen hierfür sind unproduktiv und belasten damit die Volkswirtschaft. Außerdem werden infolge langer Anfahrtstrecken die Belegschaftsmitglieder unnötig beansprucht, und es treten während der Arbeitszeit Ermüdungserscheinungen auf.

Bei der Errichtung von großen Industrieanlagen muß die zukünftige Belegschaftszahl auf Grund des voraussichtlichen Produktionsumfanges überschlägig ermittelt werden. Die einzelnen Industriezweige verfügen in der Regel über derartige Erfahrungswerte. Zu der reinen Belegschaft müssen die Familienangehörigen hinzugerechnet werden. Das Verhältnis liegt zwischen 1:3 und 1:4. Außerdem muß ein Anteil von 20 bis 25% für die übrigen zu einer Lebensgemeinschaft gehörenden Berufe wie Ärzte, Lehrer, Juristen, Lebensmittelhändler, Gastwirte, Verkehrspersonal und Sozialbetreuer im weitesten Sinne des Wortes (einschl. Kirche) usw. zugeschlagen werden.

Beispiel: Planung des Hüttenwerkes Salzgitter-Watenstedt (1938). Der Erfahrungswert für die Belegschaft der deutschen Hüttenwerke liegt für je 1000 t Rohstahl/Jahr zwischen 3 und 10 Köpfen. Er wurde für Salzgitter bei einer vorgesehenen Jahresproduktion von 1 Mill. t Rohstahl zu 6000 Köpfen geschätzt. Für die sich vermutlich im Gefolge der Hüttenanlage ansiedelnde weiterverarbeitende oder Fertigindustrie wurde abermals eine Belegschaft von 6000 Köpfen angenommen. Außer dieser Gesamtbelegschaft von 12 000 Köpfen ergaben sich unter Zugrundelegung der oben genannten Erfahrungswerte die Familienangehörigen zu 36 000 und die anderen Berufsgruppen zu 12 000, so daß nach einigen Jahren durch die Errichtung des Hüttenwerkes mit einer Bevölkerungsansiedlung von 60 000 Köpfen im Raum Salzgitter-Watenstedt gerechnet werden mußte.

Die früher übliche Form von Werksiedlungen kann weder in ihrer Kapazität derartigen Zahlen gerecht werden, noch entsprechen ihr Äußeres und ihr Aufbau unseren inzwischen gewonnenen Erkenntnissen von solchen Industriesiedlungen.

Für die Aufstellung von Flächennutzungsplänen kann eine Zusammenstellung von Reichow über die Anzahl der Beschäftigten auf 1 ha Industrie- und Großgewerbefläche von Nutzen sein. Derartige Angaben geben natürlich nur Anhaltswerte als allgemeine Vergleichszahlen. Trotzdem kann der Städtebauer oder Landesplaner danach feststellen, wieviel Beschäftigte ein bestimmtes Gebiet, das für die in dieser Stadt vorherrschende Industrie vorgesehen ist, aufnehmen kann, wie groß das entsprechende Wohngebiet sein muß und welche Verkehrsmittel nötig sein werden, um den Berufsverkehr zwischen Industrie- und Wohngebiet zu ermöglichen.

Beschäftigte auf 1 ha Industrie- und Großgewerbeflächen nach Reichow

Die Bemühungen, die Industrie dort zu entwickeln, wo sie wegen der bestehenden Siedlungen erwünscht ist, stößt immer wieder auf größte Schwierigkeiten. Auch die Begrenzung eines Werkes auf eine bestimmte Größe bleibt meist ein unerfüllbarer Wunsch. Daraus ergeben sich Folgen, die soziologisch und bevölkerungspolitisch schwierig zu meistern sind.

Daß nicht nur die Anzahl der Belegschaftsmitglieder in der Standortwahl eine wesentliche Rolle spielt, sondern auch die Qualität dieser Arbeitskräfte, zeigt das Beispiel der Enkalon-(Nylon-)Spinnerei in Emmen/Holland. In der Frage der Standortwahl spielte das Problem der Belegschaft eine besondere Rolle. In genauen Untersuchungen wurden mit Hilfe der Arbeitsämter die für den Betrieb in Frage kommenden Arbeitskräfte erfaßt. Nicht nur die zur Verfügung stehenden Facharbeiter wurden berücksichtigt, sondern auch die für den Nachwuchs geeigneten Jugendlichen sowie Fachschulen und sonstige Ausbildungsmöglichkeiten und das Vorhandensein von Arbeitslosen. Das Ergebnis dieser Untersuchungen war mit dafür entscheidend, daß das Werk in Emmen errichtet wurde.

Nach dem zweiten Weltkriege sind nahezu alle Industrieanlagen wieder an ihrer alten Stelle errichtet worden, auch wenn sie sehr stark zerstört waren, oder wenn viele Gründe gegen ihren bisherigen Standort sprachen. Die Wiederaufbaugesetze der einzelnen Länder haben zwar besondere gesetzliche Handhaben für die Verlegung der Industrien geschaffen, eine Anwendung dieser Gesetze ist aber gewöhnlich an der Frage der Entschädigung gescheitert. Der betreffende Abschnitt im Wiederaufbaugesetz des Landes Niedersachsen vom 9. 5. 1949 lautet:

§ 57 Verlagerung eines Gewerbebetriebes.
(1) Die Gemeinde kann anordnen, daß ein gewerblicher Betrieb nicht oder nicht in der Art auf dem bisherigen Grundstück weitergeführt wird, wenn dies nach dem Durchführungsplan erforderlich ist und die Betriebsanlage (Gebäude oder andere wesentliche Bestandteile des Betriebsgrundstücks) so weitgehend beschädigt ist, daß für eine Wiederaufnahme des Betriebes im früheren Umfange erhebliche bauliche Maßnahmen erforderlich wären.
(2) Den Betroffenen ist angemessene Entschädigung zu gewähren. Ein Anspruch auf Entschädigung besteht nicht, wenn der Betrieb im Widerspruch zu den gesetzlichen Bestimmungen errichtet worden ist oder betrieben wird. Die Vorschrift im § 17 Abs. 2 Satz 3 findet entsprechende Anwendung.
(3) Errichtet der Betroffene seinen Betrieb der Planung gemäß auf einem anderen Grundstück wieder, so hat ihm die Gemeinde hierbei behilflich zu sein.

Daß derartige Verlagerungen trotz aller Schwierigkeiten möglich sind, haben die Kriegs- und Nachkriegsverhältnisse in allen den Fällen überzeugend bewiesen, wo unter dem Druck der militärischen und politischen Verhältnisse ganze Industriezweige zum Verlassen ihres bisherigen Standortes und zum Umsiedeln gezwungen waren.

Bei dem Bestreben, die Industrie aufs Land zu verlagern, muß man bedenken, daß das oft zu einer Verstädterung der Landschaft führt. Nur einzelne Industriezweige eignen sich dafür. Inwieweit sich die Industrie in die Stadtlandschaft des neuzeitlichen Städtebaues eingliedern lassen wird, muß die Zukunft lehren. Bei derartigen Untersuchungen hat man Beziehungen aufgedeckt, deren Ursachen noch nicht überzeugend geklärt sind. So sind alle Versuche, die Uhrenindustrie im Flachland ansässig zu machen, fehlgeschlagen. Anscheinend kann sich die Uhrenindustrie aus noch nicht geklärten Gründen nur im Mittelgebirge voll entfalten (Glashütte/Erzgebirge, Schwarzwald, Ruhla im Thüringer Wald, Schweiz). Besonders wichtig sind diese Fragen bei der Errichtung neuer Industrien für die Umsiedler.

Auch wenn die angeschnittenen Fragen im einzelnen gewissenhaft untersucht worden sind, wird sich doch daraus der Standort einer Industrie niemals eindeutig festlegen lassen. Die Industrie hat die Tendenz zur Zusammenballung; ihr wirksam entgegenzutreten ist eine staatspolitische Aufgabe, die bisher noch nirgends mit überzeugendem Erfolg gelöst worden ist. Denn letzten Endes haben große Industrieanlagen ihre eigene Gesetzmäßigkeit, und die zu den Industriewerken gehörenden Siedlungen müssen entsprechend gestaltet oder ganz neu geplant werden. Man mag dieses große Übergewicht der Industrie als Schaden für unsere Städte und für unsere Kulturlandschaft ansehen – die Tatsache als solche läßt sich aber nicht beseitigen.

Neben den sachlichen Gründen sind die Imponderabilien, die in der Persönlichkeit des Unternehmers begründet sind, nicht zu unterschätzen oder zu verkennen. Sie geben mitunter den Ausschlag für die Standortwahl eines Werkes.

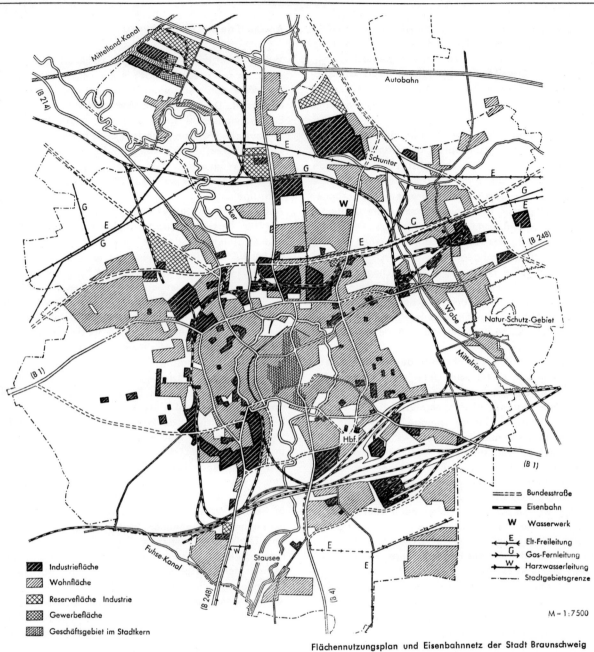

Legende:

▨ Industriefläche
▨ Wohnfläche
▨ Reservefläche Industrie
▨ Gewerbefläche
▨ Geschäftsgebiet im Stadtkern

==== Bundesstraße
▬▬ Eisenbahn
W Wasserwerk
←E← Elt-Freileitung
→G→ Gas-Fernleitung
←W→ Harzwasserleitung
—·—·— Stadtgebietsgrenze

M ~ 1:7500

Flächennutzungsplan und Eisenbahnnetz der Stadt Braunschweig

Geländeauswahl im engeren Sinne

Die verlockende Lösung bei einem Neubau scheint immer zu sein, die ganze Anlage „auf die grüne Wiese" zu stellen, wobei aber vielfach mit der Auswahl der grünen Wiese bereits eine Entscheidung über die Wirtschaftlichkeit des Betriebes gefallen ist, bevor zum ersten Mal der Schornstein raucht.

Während es für die Standortwahl im allgemeinen genügt, das Produktionsprogramm zu kennen, ist es für die Geländeauswahl im engeren Sinne stets notwendig, daß über den zweckmäßigsten Betriebsvorgang Klarheit geschaffen und dieser in einem B e t r i e b s d i a g r a m m niedergelegt worden ist.

Auf Grund des Betriebsdiagramms muß sich der Industrieplaner für die Geländeauswahl folgende Fragen vorlegen, die zum Teil bereits für die Standortwahl Bedeutung hatten:

1. Wie groß ist der erforderliche Flächenbedarf?
2. Welche Verkehrsanschlüsse sind notwendig?
3. Wie groß ist die Anzahl der Beschäftigten?
4. Wie liegt das Industriegelände zum Wohngebiet (Berufsverkehr, Windrichtung, Belästigungsgrenze).
5. Verlangt das Fabrikationsprogramm des Werkes Berücksichtigung bestimmter Forderungen, wie z. B. Staubfreiheit, besondere Wasserbeschaffenheit?

6. Welche wirtschaftlichen Einzelbetrachtungen sind im besonderen anzustellen? (Grundstückspreis, Abfindung, Baugrund, Grundwasser, Vorflut, Energienetz)
7. Wie ist eine Erweiterung vorzusehen? (Produktionsablauf, Anschluß an vorhandene Bauwerke, Festpunkte)
8. Lage der Verwaltungsgebäude (Verkehrsabwicklung, Repräsentation).
9. Welche behördlichen Vorschriften müssen beachtet werden? (Flächennutzungsplan, Bebaubarkeit).

Anzustreben ist immer ein möglichst ebenes Gelände, weil Höhenunterschiede den Betriebsablauf innerhalb eines Werkes behindern und andererseits Planierungen sehr kostspielig sind. Die Grundrißform sollte rechteckig und nicht zu schmal sein.

Auf die Ermittlung des Flächenbedarfs ist schon bei den Planungsgrundlagen eingegangen worden. Für die Geländeauswahl sollte zweckmäßig der Flächenbedarf bereits durch ein Raumprogramm für die einzelnen Gebäude belegt sein. Das Raumprogramm braucht trotzdem noch nicht in allen Einzelheiten ausgearbeitet zu sein, darf aber keine grundlegenden Änderungen mehr erfahren.

Der Anschluß an das Verkehrsnetz des Landes muß in jedem Fall gewährleistet sein. Unter sonst gleichen Bedingungen ist demjenigen Gelände der Vorzug zu geben, das die besten Verkehrsanschlüsse zuläßt. Grundsätzlich verlangt jede Industrieanlage Anschluß an eine gut ausgebaute öffentliche Straße.

Auf den Ausbau von Straßen ist rechtzeitig Rücksicht zu nehmen, weil Verbindungsstraßen zwischen dem Werk und öffentlichen Verkehrswegen zu Lasten des Werkes gehen, sofern nicht das Land aus Gründen übergeordneter Art die Kosten dafür übernimmt. Bei größeren Betrieben sollten diese Anschlußstraßen in Fahrbahn, Radfahrweg und Fußwege getrennt werden. Die Breite der Fahrbahn wird aus der Anzahl der Fahrspuren je nach Verkehrsart und Verkehrsdichte entwickelt.

Die Mindestbreite einer Fahrspur beträgt 3 m, so daß sich die Breite einer zweispurigen Straße zu 6 m ergibt. Für Zufahrtstraßen ist ein einseitiger, zweispuriger Radfahrweg vorteilhafter als einspurige Radwege beiderseits der Straße, weil dadurch der Stoßverkehr bei Arbeitsbeginn und Arbeitsende leichter aufgenommen werden kann. Stets ist auf eine klare Trennung von Radwegen und Fahrbahn zu achten.

Auf alle Fälle ist die Anlage eines Werkes beiderseits einer öffentlichen Straße zu vermeiden, da in diesem Fall zur Überbrückung des Verkehrs und zur Erzielung einer organischen Einheit der beiden Werksteile ein Tunnel oder eine Brücke gebaut werden müssen. Dieser Nachteil läßt sich allerdings oft bei der Erweiterung bestehender Anlagen nicht vermeiden (z. B. Fabriken in den Tälern des Erzgebirges und des Thüringer Waldes). Die Errichtung eines solchen Überganges erfordert jedoch nicht nur hohe Baukosten, sondern es ergeben sich daraus auch erhöhte Betriebskosten. Außerdem ist die Betriebsabwicklung in allen diesen Fällen sehr unbequem.

Anschluß an das Eisenbahnnetz

Wenn auch der Transport mit Lastkraftwagen immer mehr um sich greift, ist doch in der Regel für ein größeres Werk der werkseigene Anschluß an die Eisenbahn erwünscht. Der finanzielle Aufwand für einen solchen Eisenbahnanschluß lohnt sich nur, wenn täglich mindestens ein Waggon zugestellt oder abgeholt wird.

Große Werke haben einen Zulauf bzw. Abgang von 100 bis 150 Waggons am Tage. Im Ruhrgebiet haben einzelne Zechen sogar weit über 1000 Waggons am Tag abzufertigen.

Auch wenn die Möglichkeit gegeben ist, den Wasserweg, der für Massentransport (Kohle, Erze, Baumaterialien und Massengüter aller Art) besonders geeignet und billig ist, als Transportweg auszunutzen, steht der Schienenanschluß an erster Stelle, weil man bei unseren klimatischen Verhältnissen immer mit einem Ausfall der Wasserstraßen einerseits durch Frost, der sich oft auf Wochen und Monate erstrecken kann und andererseits auch durch die Einschränkungen, die sich in trockenen Jahren ergeben, rechnen muß. In diesem Fall muß die Eisenbahn den gesamten Transport übernehmen können. Dementsprechend ist ihre Leistungsfähigkeit zu bewerten und der Anschluß auszubilden. Entweder muß ein Eisenbahnanschluß für An- und Abtransport aller Materialien, auch bei der Möglichkeit des Wassertransportes, vorgesehen werden, oder man muß entsprechend große Lagerplätze in der Planung berücksichtigen.

Die übliche Anordnung der Industriegebiete in Baublöcken, wie sie der Städtebauer mit Vorliebe in Wohnvierteln plant, ist für den Gleisanschluß höchst ungünstig. Es liegt im Wesen des Eisenbahnverkehrs, daß schräge Abbiegungen gegenüber rechtwinkligen vorzuziehen sind. Darum ist von Reichow eine Aufgliederung der Industriegebiete in schräge Grundstücke angeregt worden. Es muß der Gleisplan von vornherein für das gesamte Gelände einschließlich späterer Erweiterungen entwickelt werden, denn nachträgliche Verlegungen sind nicht nur kostspielig, sondern oft gar nicht mehr durchzuführen.

Für den Eisenbahnverkehr ist es wünschenswert, die Anschlüsse auf die einzelnen Vorortbahnhöfe zu verteilen. Städtebaulich sind in der Vergangenheit damit oft höchst unerwünschte Folgen verbunden gewesen, insofern nämlich, als sich die Industrie vielfach in einem Ring um die Stadt ansiedelte. Braunschweig (S. 51) ist ein typisches Beispiel dafür.

Bei der Eisenbahn unterscheidet man zwischen einem Anschluß und einem Abzweig. Ein Anschluß ist dadurch gekennzeichnet, daß das Streckengleis für andere Züge gesperrt bleiben muß, solange der Anschluß befahren wird. Bei einem Abzweig kann durch Einbau von Sicherungsanlagen das Streckengleis freigegeben werden. Um aber die Streckengleise so wenig wie möglich durch die Benutzung eines Anschlusses oder eines Abzweiges zu blockieren, ganz gleich, ob für längere oder kürzere Zeiten, ist jede Eisenbahnverwaltung bemüht, die Industrieanschlußgleise wenn irgend möglich an die Verkehrsgleise eines Bahnhofes anzubinden. Indem ein Anschluß oder Abzweig auf offener Strecke vermieden wird, entfällt auch das Befahren der Streckengleise in falscher Richtung, das sich bei Anschluß an eine zweigleisige Strecke – sofern nicht unwirtschaftliche Fahrten über den nächsten Bahnhof in Kauf genommen oder Kreuzungsweichen eingebaut werden – nicht vermeiden läßt.

Anschlüsse an Streckengleise von Hauptbahnen erteilen die Eisenbahndirektionen nur noch in Ausnahmefällen. Diese Anschlüsse müssen durch besondere Schutzweichen mit Verriegelung und durch Entgleisungsvorrichtungen gesichert werden. Ein Gelände in der Nähe vom Bahnhof ist daher für Industriegleisanlagen stets vorteilhaft. Für die Lage des Werkes in Beziehung zum Güterbahnhof ist es wichtig, ob die Bedienung des Anschlußgleises nur mit Kreuzung und Benutzung des durchgehenden Hauptgleises möglich ist. Eine solche Berührung des Hauptgleises ist betrieblich von Nachteil und kann Verzögerungen in der Zustellung mit sich bringen. In der Regel ist dem Gelände auf der Seite des Güterbahnhofes – sofern auf schnelles Zustellen und Abholen Wert gelegt wird – der Vorzug zu geben.

Wenn auch im Rahmen der Geländeauswahl die Möglichkeit eines werkseigenen Eisenbahnanschlusses geprüft worden ist, so muß doch das Gleisnetz innerhalb des Werkes bereits im Grundsätzlichen geklärt werden, obwohl diese Fragen bereits zur Gliederung der Industrieanlagen im einzelnen gehören.

Für die Gleisentwicklung innerhalb eines Werkes sind die Vorschriften der Bahn zu beachten, weil nur unter der Voraussetzung genauer Einhaltung dieser Vorschriften Eisenbahnwagen auf das werkseigene Gleisnetz übergeben werden dürfen. Im wesentlichen handelt es sich dabei um Vorschriften für Lichtraumprofile, Gleisabstände, Krümmungshalbmesser, Längsneigungen und Weichen. Sonderbauwerke wie Drehscheiben, Schiebebühnen, Gleiswagen und Wagenkipper müssen ebenfalls den Bedingungen der Bahnverwaltung entsprechen. Für die Aufteilung des Grundstücks entscheidend sind die Krümmungshalbmesser, die eingehalten werden müssen, und die Neigungswinkel der Weichen zwischen durchgehendem und abzweigendem Gleis. Durch diese Bindungen wird der Gleisplan starr und wenig anpassungsfähig, so daß von ihm aus oft der gesamte Bebauungsplan entwickelt werden muß. Trotzdem müssen manchmal einzelne Gebäude verlegt werden, da sie mit den üblichen Weichen und Radien nicht angeschlossen werden können. Bei Neuanlagen sollen Halbmesser unter 100 m vermieden werden. Diese Forderung bedingt große Grundstücksflächen und ist selbst dann nicht immer erfüllbar. In Ausnahmefällen sind Krümmungshalbmesser bis herunter zu $\geq$ 35 m zulässig, sofern Auflaufgleise verwendet werden. Bei ihnen rollt das Rad nicht mit dem Kegelmantel der normalen Lauffläche, sondern auf dem Spurkranz ab.

Die Erschließung eines Industriegebietes in Chikago (Bedford Park) USA.
Das Gelände ist in Einheiten von 40-acre aufgeteilt, die jeweils an drei Seiten von Straßen umschlossen sind. An der vierten Grundstücksseite erfolgt die Zuführung der Eisenbahn diagonal unter 45°. Dadurch wird jede Kreuzung von Straße und Schiene vermieden. Das Industriegelände längs des Eisenbahnanschlusses ist über 5 km lang.

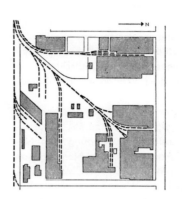

Erschließung und Bebauung eines einzelnen Grundstückes

Bei einer neueren Geländeaufschließung mit ähnlichen Ausmaßen wurden die Grundstücke schmäler gewählt und dadurch eine noch bessere Abwicklung sowohl des Straßen- als auch des Eisenbahnverkehrs erreicht.

Bei Verwendung von Auflaufbogen und Auflaufweichen muß ein Grundstück, dessen Grenzen senkrecht zum Hauptgleis verlaufen und das mit zwei Gleisen angeschlossen werden soll, eine Mindestbreite von rd. 117 m (s. S. 142) haben. Außerdem ist ein besonderes Übergabegleis notwendig, weil die Lokomotiven der Bundesbahn die Auflaufbogen nicht befahren dürfen. Bei beschränktem Platz ist ohne Drehscheiben oder Schiebebühnen oft nicht auszukommen, obgleich diese betrieblich höchst unerwünscht sind. Derartige Anlagen eignen sich nur für geringen Verkehr und sind in Übergabeanlagen, Verbindungsgleisen zum Werk und Verkehrsgleisen im Werksbahnhof auf alle Fälle zu vermeiden.

In Amerika sind auch für Güterwagen mit Achsabständen von 4,50 m kleinere Halbmesser als in Deutschland zulässig, weil die amerikanischen Wagen mit drehbarem Achsgestell ausgerüstet sind.

Bei geneigtem Gelände oder zum Überwinden von Geländesprüngen sind Längsneigungen bis zu 6% (1:25) zulässig, entsprechend der zulässigen Neigung von Nebenbahnen mit Reibungslokomotiven. Die Neigung von Gleisen zum Abstellen von Wagen darf nur bis zu 2,5% (1:400) betragen, damit sich die Wagen nicht von selbst in Bewegung setzen können. Die maximalen Fahrtgeschwindigkeiten dürfen 15 km/Std. nicht überschreiten, weil sonst eine Überhöhung der Kurven notwendig wird.

In den Anschlüssen dürfen 120 Achsen gezogen oder 50 Achsen gedrückt werden, in den Auflaufbogen müssen gekoppelte Wagen stets gezogen werden; nur Einzelfahrzeuge dürfen gedrückt werden.

Bei der Entwicklung des Gleisplanes sollte man bestrebt sein, einen durchlaufenden Ringverkehr zu erreichen, damit sich der Betrieb flüssiger abwickeln kann (s. S. 139). Neben der zweckmäßigen Auslegung der Gleise im Rahmen der Gesamtbebauung ist die Durchbildung der einzelnen Ladestellen wichtig.

Je nachdem, ob man an hintereinanderliegenden Ladestellen einzelne Wagen für sich auswechseln will, wird der Einbau zusätzlicher Weichen notwendig. Ebenso ist von Bedeutung, ob bei Bunkern, Becheranlagen, Silos, die immer nur einen Wagen beladen können, der Zug auseinandergenommen werden muß (s. S. 141).

Flugverkehr

Für bestimmte Industriezweige (Zeitungsdruckereien, pharmazeutische Industrie), deren Erzeugnisse regelmäßig oder in bestimmten Fällen auf schnellstem Wege versandt werden müssen, kann die Nähe eines Flugplatzes von Vorteil sein.

Wasserstraßen

Die Frage des Anschlusses an eine Wasserstraße wurde schon im Zusammenhang mit dem Standort behandelt.

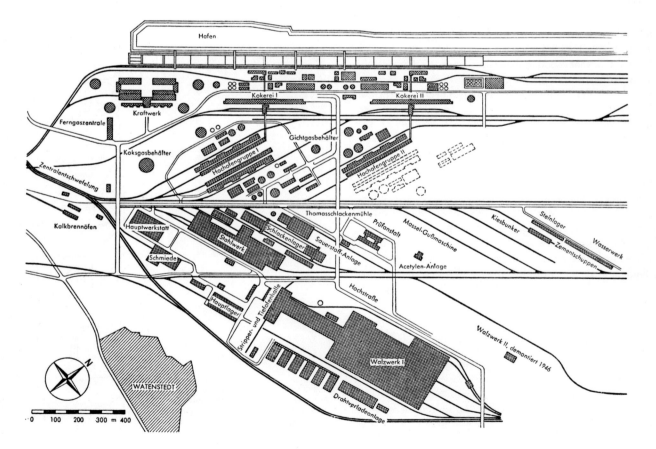

Gleisplan des Werkes Watenstedt-Salzgitter

Kurt Dummer
Bauing.
Berlin-Pankow
Retzbacher Weg 6

Lage zum Wohngebiet

Genauso wie die Anzahl der Beschäftigten Einfluß auf die Wahl des Standortes hat, ist ihre Bedeutung für die Auswahl des Geländes im einzelnen nicht minder wichtig. Ein Betrieb mit nur wenig Arbeitskräften, z. B. eine Mühle, kann in größerer Entfernung von einer Siedlung errichtet werden, dagegen ist für einen Betrieb mit größerer Belegschaft seine Lage zu einem Wohngebiet immer von wesentlicher Bedeutung.

Über die Lage der Industriegebiete zum Wohngebiet ist außerordentlich viel geschrieben und diskutiert worden. Eine Zeitlang galt eine klare Trennung von Industriegebiet und Wohngebiet als der Weisheit letzter Schluß, wobei die Industriegebiete an der windabgelegenen Seite vorgesehen werden sollten. Für unsere Städte mit den meist vorherrschenden Winden aus West und Nordwest sind also die Ostviertel die für die Industrie prädestinierten Gebiete. Nun merkte man aber, daß sich aus dieser scharfen Trennung ein sehr großer Berufsverkehr entwickelte, der technisch nicht leicht zu bewältigen ist. Außerdem wiesen Volkswirtschaftler darauf hin, daß dieser unnötige Berufsverkehr die Volkswirtschaft belastet, da er unproduktiv und unrentabel ist.

Als neue Theorie wurde dann der Begriff der „Bandstadt" geschaffen, bis man entdeckte, daß diese Städte keine räumlichen Gebilde sind, sondern eben – wie der Name sagt – nur Bänder, die nicht gestaltungsfähig sind. Zur Stadt gehört nun einmal ein Kern, die „city", ohne die sich kein Handel und Wandel entfalten kann.

Aus den vielen Veröffentlichungen läßt sich im Grunde nur der Schluß ziehen, daß es keine allgemein gültige Lösung für alle Fälle gibt, sondern daß jede Stadt aus ihren Gegebenheiten heraus den Standort für ihre Industrie festlegen muß.

Grundsätzlich soll der Belegschaft die Möglichkeit gegeben sein, den Weg zur Arbeitsstätte zu Fuß zurückzulegen. Ob jedoch die Wohnsiedlungen so nahe an das Werk heranreichen sollen, daß sie unmittelbar auf dem Werksgelände liegen, wie es bei den Batja-Schuhfabriken in Möhlin/Schweiz geschehen ist, muß der Entscheidung von Fall zu Fall überlassen bleiben.

Weiterhin sollen die Wohngebiete durch die Industrie keiner Belästigung durch Rauchgase, Flugasche, Gerüche, Staubentwicklung, Geräusche und Erschütterungen ausgesetzt sein. Die Hauptwindrichtung muß daher auf alle Fälle berücksichtigt werden. Abgesehen von den vielen Unannehmlichkeiten, die Ruß und Staub in einer Wohngegend verursachen, sind auch die gesundheitlichen Schädigungen nicht zu vernachlässigen. Außerdem führt die mit Ruß und Staub angereicherte Luft zu einer viel schnelleren Verwitterung aller Gebäude und einer geringeren Haltbarkeit von Maschinen und Verkehrsmitteln. Die moderne „Großstadtverwitterung" hat an unseren historischen Bauwerken innerhalb der letzten 50 Jahre mehr Schaden verursacht als bislang mehrere Jahrhunderte anzurichten vermochten. Man erklärt es sich durch einer Anreicherung der Luft mit schwefliger Säure, die

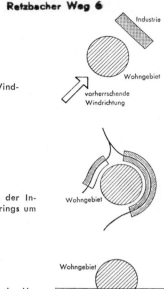

Ideale Lage der Industrie im Windschatten der Stadt

Städtebaulich ungünstige Lage der Industrie entlang der Eisenbahn rings um die Stadt

Industriegebiet durch die Lage des Hafens bestimmt. Trennung von der Stadt durch die Wasserstraße

Bandstadt mit Trennung von Industrie und Wohngebiet durch Grüngürtel

Belästigungsarten der Industrie nach Reichweiten geordnet (nach Reichow)

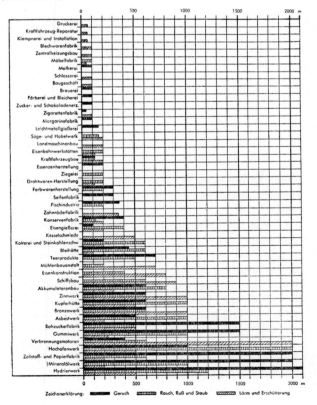

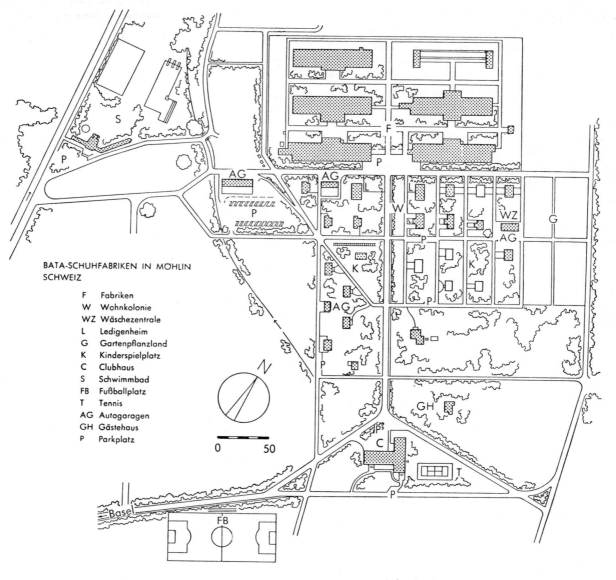

BATA-SCHUHFABRIKEN IN MÖHLIN
SCHWEIZ

F   Fabriken
W   Wohnkolonie
WZ Wäschezentrale
L   Ledigenheim
G   Gartenpflanzland
K   Kinderspielplatz
C   Clubhaus
S   Schwimmbad
FB Fußballplatz
T   Tennis
AG Autogaragen
GH Gästehaus
P   Parkplatz

0   50

Industrieanlage mit eigener Werksiedlung

infolge Verbrennung von schwefelhaltiger Kohle entsteht. Dagegen benutzte man früher nur Holz als Brennmaterial.

Das bisher übliche Mittel, die Rauchgase durch sehr hohe Schornsteine unschädlich abzuführen, ist nur bedingt von Vorteil, denn der Staub wird nicht vernichtet, sondern nur weitergetragen und auf größere Flächen verteilt. Neuzeitliche Entstaubungsanlagen, die aus mechanischen oder elektrischen Filtern bestehen, können einen Niederschlag von 90% und darüber erreichen. Trotzdem bleibt noch eine beträchtliche Staubmenge übrig, die nicht sich selbst überlassen und unbeobachtet der Atmosphäre übergeben werden darf.

Man hat sich bemüht, ähnlich wie die Abwasserlast der Flüsse, auch den Staubgehalt und die Staubniederschläge

rechnerisch zu erfassen und zu messen*. Das Ergebnis dieser Untersuchungen ist folgendes:

Auch aus reiner Landluft, die weder durch Rauch noch durch irgendwelche Fremdstoffe städtischer oder industrieller Herkunft verunreinigt ist, fällt dauernd eine gewisse Menge Staub aus, die zwar nicht erheblich zu sein braucht, aber doch schon mit groben Meßmethoden nachgewiesen werden kann. Eine solche ist die Regenwasseranalyse, bei der das aufgefangene Regenwasser hinsichtlich seines Staubgehaltes untersucht wird. In der Nähe von Siedlungsgebieten und in diesen selbst pflegt der Staubniederschlag mehr oder weniger stark anzu-

* Löbner, A.: 10 Jahre Regenwasseranalyse — ein Beitrag zur Ortsüblichkeit von Staubniederschlägen. Gesundheitsingenieur, 70. Jahrg. (1949), S. 196.

steigen. Er wächst mit der Größe der Siedlungsgebiete und mit der Dichte ihrer Bebauung, mit der Stärke seiner Einwohnerschaft sowie mit der Größe und Art der Industrie. Folgende Tabelle zeigt den mittleren monatlichen Staubniederschlag je 100 m².

Monatliche Staubniederschläge an verschiedenen Orten Deutschlands
(Mittelwert aus langjährigen Messungen)

Meßort	Charakter des Meßortes	Untersuchungszeitraum	Mittlerer monatl. Staubniederschl. g/100 m²
Müncheberg (Markt)	Ländliche Gegend	1935/44	317
Berlin-Dahlem	Villenvorort	1935/45	476
Berlin-Mitte	Großstadt	1935/45	1 135
Dortmund	Industriestadt	1935/45	1 364
Essen	Industriestadt	1935/45	1 888

Die einzelnen Angaben sind natürlich abhängig von der Lage der Meßstelle; so ist in Berlin-Dahlem der monatliche Staubniederschlag nur deshalb nicht viel höher als in ländlichen Gegenden – z. B. Müncheberg –, weil die Meßstelle, bezogen auf die vorherrschende Windrichtung, v o r dem Stadtgebiet von Berlin (Luv-Seite) liegt. Bei Winden von der Stadt zur Meßstelle hin konnten auch hier Staubniederschläge in derselben Höhe wie in Berlin-Mitte gemessen werden. Der beträchtlich größere Staubanfall in Essen ist mit der sehr viel größeren Industriedichte in diesem, gegenüber Berlin, verhältnismäßig kleinen Stadtgebiet zu erklären. In Dortmund kam die Wirkung der Industrie auf die Staubfallhöhe nicht voll zur Geltung, weil die Meßstelle am Südrand von Dortmund lag und demzufolge bei den vorherrschenden Westwinden der Staub aus dem Stadtinnern nicht mitgemessen wurde.

Welche Ausmaße der Staubniederschlag in der Umgebung von Industriegebieten annehmen kann, zeigt die nebenstehende Tabelle.

In dieser Tabelle sind die Staubniederschlagsmessungen in der Umgebung verschiedener Industriegebiete aufgezeichnet. Daß der monatliche Staubniederschlag bis zu 16 kg/100 m² beträgt, ist eine Tatsache, an der man nicht ohne weiteres vorübergehen kann. Noch größere Staubniederschläge sind unter dem Wind von Zementfabriken gemessen worden.

Für das Hüttenwerk in Watenstedt wurde folgende Untersuchung durchgeführt:

Nach Passieren der Filteranlagen fielen noch Staubmengen an in der Größenordnung von:

1000 kg/h oder 7200 t/Jahr.

Durch hohe Kamine nimmt man eine Verteilung dieser großen Staubmenge auf einen Umkreis von 16 km Durchmesser an. Es ergeben sich somit:

Jährliche Staubmenge auf 1 km²	7200 t/Jahr 55,6 t/km²/Jahr
oder je 1 m²	56 g/m²/Jahr
oder je 1 m² und Tag	0,2 g/m²/Tag

Diese theoretische Betrachtung unter Annahme gleichmäßiger Ablagerung kann sich in der Praxis erheblich ändern, wenn man die vorherrschende Windrichtung und

die dadurch bedingte ungleichmäßige Staubablagerung berücksichtigt. Auch hierüber liegen Messungen vor, welche die Abweichungen deutlich erkennen lassen.

Im Ruhrgebiet hat die Verschmutzung der Luft durch Flugasche und Rauchgase in den letzten Jahren mit der Umstellung von der Rost- auf Staubfeuerung und mit dem Einbau von Gebläsen immer mehr zugenommen. Leider hat die Staubbekämpfung nicht damit Schritt gehalten. So beziffert man jetzt den jährlichen Staubniederschlag zwischen Duisburg und Dortmund auf 1 Million t Staub. Damit ist die Grenze von monatlich 3000 g/100 m², die von den Lufthygienikern noch als zumutbar angesehen wird, überschritten.

Als Ergebnis vorstehender Überlegungen sollte man festhalten:

Werke mit Staubentwicklung, starkem Geruch oder großem Lärm sind hinter die Wohngebiete zu legen. Wenn das nicht möglich ist, sollte man wenigstens gewisse Belästigungsgrenzen, über die man sich im Einzelfall noch schlüssig werden muß, einhalten. Als Anhalt dient die Aufstellung nach Reichow auf Seite 55.

Bei Rechtsstreitigkeiten ist es schwer, den Nachweis der Verunreinigung zu führen, weil sich hierfür noch keine eindeutigen und einheitlichen Bewertungsmaßstäbe herausgebildet haben. Wertvoll für diese Frage ist eine Veröffentlichung von Heller, die die rechtlichen Grundlagen zusammenstellt, die nach dem BGB und nach der Reichsgewerbeordnung angezogen werden können, wenn von irgendeiner Seite die Luft übermäßig verunreinigt wird*.

Monatliche Staubniederschläge in der Umgebung von Industriebetrieben

Art des Betriebes	Ursache der Staubentwicklung	Untersuchungszeitraum	Entfernung des Auffanggerätes	Monatl. Staubniederschlag g/100 m²
Kraftwerk (Hürth-Köln)	Kesselfeuerung, ungenügende Entstaubungsanlage	1935/40	1 500	14 242
Kraftwerk (A)	Gemischte Feuerung, ungenügende Entstaubungsanlage	1936/45	1 000	16 788
Kraftwerk (B)	Rostfeuerung (Mitteldeutsche Braunkohle)	1936/45	1 000	5 581
Kraftwerk (C)	Gemischte Feuerung Rost- und Mühlenfeuerung	1936/45	1 000	3 919
Kraftwerk (D)	Mühlenfeuerung mit Beruhigungskammern für Rauchgase	1937/45	1 000	3 066
Kraftwerk (E)	Rostfeuerung (Braunschweiger Braunkohle)	1942/45	1 100	2 686
Kraftwerk und Schwelerei	Kesselfeuerung mit ungenügender Entstaubungsanlage Schwelerei keine Staubquelle	1939/44	800	14 206
Schwelerei	Als Feuergastrocknung ausgebildete Kohlegastrocknung	1938/45	1 200	2 344
Stahlwerk	Anfallender Staub ist spezifisch schwer und wenig flugfähig. Staub fällt in kürzerer Entfernung aus.	1936/38	1 000	1 658

---

* Dr. A. Heller: Die Planung neuer und die Erweiterung bestehender Industrieanlagen im Hinblick auf die Reinhaltung der Luft. Gesundheitsingenieur, 71. Jahrg., S. 156—159.

Sonderforderungen und wirtschaftliche Einzelbetrachtungen

Hierunter sind Anforderungen zu verstehen, die über das normale Maß hinausgehen, z. B. Staubfreiheit in der photochemischen Industrie. Sie kann entweder erreicht werden durch eine staubfreie Lage inmitten eines Grüngürtels, oder indem alle Werkstraßen gepflastert werden, oder noch besser mit einem bituminösen Belag versehen und alle freien Flächen mit Sträuchern bepflanzt werden, die den Staub binden.

Zu den besonderen Anforderungen, die manche Industrien stellen, gehören auch die Anforderungen an die Wasserbeschaffenheit (z. B. Brauereien und Papierfabriken). Bei den Brauereien beeinflußt schlechtes Wasser den Geschmack des Bieres erheblich. Die Papierindustrie, um ein anderes Beispiel zu nennen, ist besonders empfindlich gegen irgendwelche Spuren von Eisen oder Mangan, weil dadurch die Reinheit des Papiers beeinträchtigt wird und eine Verfärbung in einen gelblichen Ton zu befürchten ist.

Der Bodenpreis des in Erwägung gezogenen Geländes soll möglichst niedrig sein, da Industrieanlagen einen verhältnismäßig großen Flächenbedarf haben. Umgekehrt drängt ein hoher Bodenpreis zur vollen Ausnützung des Geländes. Die Folge ist vielfach eine zu enge Bebauung.

Viel zu wenig werden immer noch die Untergrundverhältnisse rechtzeitig berücksichtigt. Frostsicherer Untergrund (Sande, Kiese) kann eine außerordentliche Verbilligung des Rohbaues mit sich bringen, weil dann die Forderung nach bestimmten Gründungstiefen entfällt. Man hat in diesen Fällen schon Fabrikbauten ohne die sonst übliche Gründung auf den blanken Boden gestellt, und zwar dann, wenn größere gleichmäßige Setzungen des Bauwerkes in Kauf genommen werden konnten.

Je tragfähiger der Untergrund ist, um so besser ist er geeignet für den Industriebau. Daher ist die Frage der Belastung des Baugrundes äußerst wichtig. Bei verschiedenartigen Untergrundverhältnissen kann die Aufgliederung einer Anlage unter Berücksichtigung der Lasten der einzelnen Bauwerke erfolgen, falls dies die betrieblichen Erfordernisse ermöglichen. Auf den besseren, tragfähigeren Boden setzt man schwere Gebäude, Hochbauten und besonders schwere Betriebsanlagen (schwere Hämmer, Pressen); auf weniger guten Boden leichte Bauten (Flachbauten, Hallen), die jedoch als statisch bestimmte Systeme ausgebildet sein müssen, oder es bleiben hier freie Flächen für Lager, Grünflächen u. dgl.

Weiterhin gehört zu den ersten Maßnahmen bei der Auswahl eines Bauplatzes die Untersuchung der Grundwasserverhältnisse. Die Höhe des Grundwasserspiegels beeinflußt die Höhenlage der Gebäude, macht mitunter die Anlage von Kellern unmöglich oder erfordert hohe Dichtungskosten. Besonders gefährlich sind aggressive Wässer (kohlensäurehaltig), durch welche die Betonfundamente angegriffen werden. Der Grundwasserstand soll möglichst unter — 2 m liegen, da sonst besondere Absperrungen notwendig werden. Die verschiedenen Gründungsarten sind bereits bei der Auswahl des Bauplatzes zu überlegen und zu überschlagen: Flachgründungen, Brunnengründungen, Pfahlgründungen. Weiterhin ist eine Beobachtung des Grundwasserstandes über mehrere Jahre wichtig, um den höchsten möglichen Grundwasserstand zu erfahren.

Bei Betrieben mit hohem Wasserverbrauch lohnt sich eine eigene Wassergewinnung, sofern nicht übergeordnete wasserwirtschaftliche Gesichtspunkte andere Maßnahmen erfordern. Der Wasserpreis in den Städten liegt zwischen 0,05 und 0,50 DM je m³ und kann bei Industrien mit großem Wasserbedarf die Kalkulation bereits fühlbar beeinflussen.

Werke mit hohem Wasserverbrauch haben dementsprechend auch starken Anfall von mehr oder weniger verunreinigtem Abwasser, dessen Konsistenz stark schwanken kann (von „ganz flüssig" bis „fast fest"). Bei der Lage eines Betriebes im Randgebiet einer Stadt ist der Anschluß an das Kanalisationsnetz oft schwierig, wenn nicht sogar unmöglich. In diesem Fall muß unmittelbar Anschluß an einen Vorfluter gesucht werden. Bei starker Verschmutzung wird jedoch eine eigene Reinigungsanlage hinter dem Anfall des Abwassers notwendig.

Lage der Verwaltungsgebäude und Erweiterungsmöglichkeiten

Verwaltungsgebäude sollen hinsichtlich der Windrichtung vor dem Industriewerk (Luvseite) liegen, andererseits darf die Verkehrsabwicklung nicht vernachlässigt werden. Im Lageplan sollte sich das Verwaltungsgebäude am besten zwischen der Hauptzufahrtsstraße und dem Betrieb eingliedern, damit der Zugang zu den Verwaltungsräumen unmittelbar von der Straße aus möglich ist und andererseits eine gute Verbindung zwischen Verwaltung und Werk besteht. Innerhalb eines Werkes sind Verwaltungsgebäude möglichst zu vermeiden.

Ein wesentlicher Unterschied des Industriebaues gegenüber anderen Bauaufgaben liegt darin, daß Industriebetriebe oft schon nach kürzester Zeit erweitert oder umgestellt werden müssen. Diese Forderung nach einer Erweiterungsmöglichkeit liegt im Wesen der Technik selbst begründet, in dem dauernden Streben nach Vervollkommnung des Produktionsvorganges. Sobald sich ein Fabrikationsprozeß als technich besser oder billiger herausgestellt hat, verdrängt er das bisherige Arbeitsverfahren. Im Gefolge davon sind meist Umbauten und Erweiterungen nötig.

Eine solche Berücksichtigung eventueller Erweiterungen beeinflußt wiederum von vornherein nicht nur die Wahl der Baustoffe und Bauarten, sondern auch die gesamte Planung muß von Anfang an auf Erweiterungsmöglichkeiten abgestellt werden, auch wenn zunächst solche Forderungen im einzelnen noch nicht erhoben oder vorausgesehen werden können.

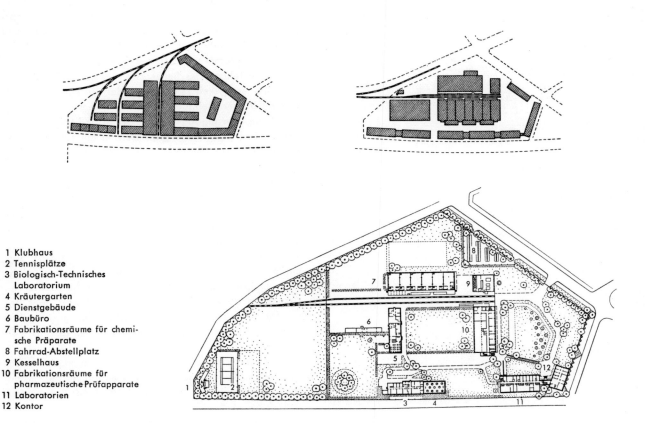

1 Klubhaus
2 Tennisplätze
3 Biologisch-Technisches
   Laboratorium
4 Kräutergarten
5 Dienstgebäude
6 Baubüro
7 Fabrikationsräume für chemische Präparate
8 Fahrrad-Abstellplatz
9 Kesselhaus
10 Fabrikationsräume für
   pharmazeutische Prüfapparate
11 Laboratorien
12 Kontor

Untersuchungen über die Gliederung einer chemischen Fabrik in Schweden

Gliederung der Industrieanlagen im einzelnen

Jede Industrieanlage umfaßt eine Summe von Einzelbauwerken, die für sich allein entworfen und durchgebildet sein wollen, die sich andererseits aber auch betriebstechnisch und architektonisch in die Gesamtanlage einfügen müssen. Es ist daher der Grundkonzeption der Gesamtanlage der Vorzug zu geben, für die der aus dem Produktionsablauf des Werkes entwickelte innerbetriebliche Verkehrsplan die Grundlage bildet. Nur allzuoft betrachtet der Architekt leider seine Aufgabe allein in der baulichen Durchführung der einzelnen Bauwerke und nimmt zu wenig Einfluß auf die Gestaltung der ganzen Anlage, die letzten Endes auch für die architektonische Gesamterscheinung der Einzelgebäude entscheidend ist. So wie der Städtebau die übergeordnete Planung im Bauwesen allgemein, also nicht nur eine Angelegenheit des Verkehrs oder des Städtischen Tiefbaues ist, sondern eine

hohe künstlerische Leistung umschließt, so ist die Planung der Gesamtanlage eines Industriewerkes auch für den Architekten die übergeordnete künstlerische Aufgabe, von der er sich nicht ausschalten lassen darf. Allerdings erfordert diese Aufgabe Erfahrungen und Kenntnisse, die über das übliche Maß im Bauwesen hinausgehen. Der Architekt muß um die besonderen Bauarten im Industriebau Bescheid wissen, er muß sich in die einzelnen Produktionsabläufe einarbeiten können und darf auch den rein technischen Problemen, wie z. B. den Fragen der Gleisanschlüsse, der Verkehrsabwicklung, der Wasserversorgung und der Abwasserbeseitigung nicht aus dem Wege gehen, denn ohne Kenntnis dieser mit dem Betrieb so eng verbundenen Forderungen ist eine sinnvolle Entwurfsarbeit kaum möglich, wenn das neuerrichtete Werk wirklich seinen Zweck voll erfüllen soll.

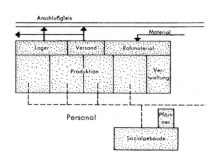

Beispiel für die schematische Entwicklung des Bebauungsplanes auf Grund des Betriebsdiagrammes (Textilfabrik)

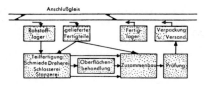

Ausarbeitung des Betriebsdiagrammes einer Maschinenfabrik zum Bebauungsplan

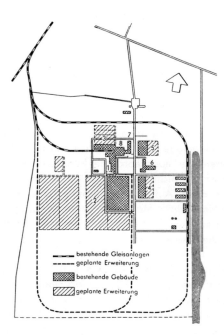

Bebauungsplan für ein Kunststoffwerk in Holland mit Anschluß an eine Wasserstraße und an die Eisenbahn

Bebauungsplan und behördliche Vorschriften

Grundlage für die Ausbildung der Gebäude im einzelnen nach Grundriß und Querschnitt ist der Bebauungsplan des Grundstücks. Er muß allmählich erarbeitet und immer mehr verfeinert werden. Ausgangspunkt ist das Betriebsdiagramm (s. S. 34), das zunächst in eine schematische Darstellung des Betriebsablaufes umgeformt wird. Aus ihm entwickelt sich dann der Verkehrsplan und schließlich der Bebauungsplan, bei dem vom Großen ins Kleine übergegangen wird. Dabei sind folgende Fragen zu überlegen: Wie groß werden die einzelnen Gebäude, wie weit der gegenseitige Abstand, welche Forderungen des Feuerschutzes sind einzuhalten, welche Erweiterungsmöglichkeiten müssen bestehen, welche Verkehrsentwicklung ist zu erwarten. Es müssen bereits auch Erwägungen angestellt werden, welche Gebäudeform, welcher Hallentyp, welche Kranausrüstung in Frage kommen. Schließlich müssen sogar im Anfangsstadium gewisse Detailfragen untersucht werden. Wichtig ist, Spezialräume, deren Eingliederung Schwierigkeiten macht, früh genug einzuplanen, weil andernfalls derart klar umrissene Sonderwünsche einen ganzen Entwurf über den Haufen werfen können, wenn ihre Anordnung nicht schon bei Beginn der Planung im Grundsätzlichen geklärt worden ist.

So wie der erfahrene Architekt im Wohnungsbau nach den Möglichkeiten, die sich für die Bebauung des Grundstücks bieten, jeweils den Wohnungsgrundriß entwickelt und dabei auch schon Detailfragen wie Treppenhaus, Fensterausbildung usw. untersucht, so muß der Industriearchitekt im großen Maßstab den Bebauungsplan, die Gebäudeform und die Verkehrsentwicklung aufeinander abstimmen. Ebenso muß bereits beim Bebauungsplan eine eventuelle Erweiterung berücksichtigt werden.

Da jede neue Industrieanlage große Auswirkungen auf die Umgebung und die dort ansässigen Menschen zur Folge hat, sind zum Schutze der Allgemeinheit behördliche Vorschriften über die Lage der industriell genutzten Grundstücke und über deren Bebaubarkeit erlassen worden.

In der Regel werden die einzelnen Gebiete einer Stadt durch Bauverordnungen in reine Wohngebiete, gemischte Gebiete und Gewerbegebiete aufgeteilt und in Flächennutzungsplänen ausgewiesen. Je nach der Größe der Stadt oder Gemeinde und nach Eigenart der dort ansässigen Industrie können die einzelnen Gebiete weiter unterteilt werden. So unterscheidet z. B. die Stadt Braunschweig in ihren Bebauungsplänen folgende Gebiete:

    Wohngebiete
        Reines Wohngebiet
        Klein-Siedlungsgebiet
        Landwirtschaftliches Wohngebiet
        Mischgebiet
    Geschäftsgebiet
    Gewerbegebiete
        Handwerksgebiet
        Industriegebiet

Unbeschränkte Ansiedlungen von Industrieanlagen sind nur in den Industriegebieten möglich, wobei einzelne Werke mit besonderen Gefahrenquellen oder Belästigungen (Erschütterungen, Geruch usw.) auf bestimmte Teile des Industriegebietes verwiesen werden können.

Stets ist eine Trennung der Industriegebiete von Wohn- oder Geschäftsgebieten durch Grünstreifen anzustreben. Der Bau von Wohngebäuden oder der Einbau von Wohnungen ist in Gewerbe- oder Industriegebieten unzulässig, sofern die Wohnungen nicht aus betrieblichen Gründen als Zubehör zur Industrieanlage notwendig sind.

In den „gemischten" oder „geschützten" Gebieten sind bis zu einem gewissen Umfang nur solche handwerklichen oder gewerblichen Betriebe zugelassen, die den Wohncharakter nicht stören und keine Schädigungen oder auch nur Belästigungen der Nachbarschaft durch Geruch, Rauch, Staub, Erschütterungen und Lärm mit sich bringen. In den reinen Wohngebieten dürfen grundsätzlich keine Industrieanlagen errichtet werden. Bei der Zulassung der gewerblichen Betriebe in den gemischten Gebieten richtet man sich häufig nach der Reichsgewerbeordnung, indem man alle gewerblichen Anlagen für unzulässig erklärt, die nach § 16 der Reichsgewerbeordnung genehmigungspflichtig sind (z. B.: Brauereien, Kaffeeröstereien, Wäschereien, Holzbearbeitungsanlagen mit großem Geräusch usw.). Als Standort für derartige Betriebe, deren Verteilung über das ganze Stadtgebiet volkswirtschaftlich notwendig ist, sind mitunter besondere Handwerksgebiete ausgewiesen. Außerhalb der Ortsbaugebiete bedarf die Errichtung von Industrieanlagen einer Genehmigung.

Neben der Lage von industriell genutzten Grundstücken ist deren Bebaubarkeit von größter Bedeutung. Das Ausmaß der baulichen Nutzung wird in den einzelnen Städten verschieden gehandhabt. Von der sehr starren Vorschrift, die die Gebäudehöhe in m und unabhängig davon die Bebaubarkeit eines Geländes mit z. B. 5/10 be-grenzt, geht man mehr und mehr ab. Man bestimmt in den meisten Städten neuerdings die bauliche Nutzung durch folgende Angaben:

    Bebauungsregel,
    Flächenregel,
    Ausnutzungsziffer,
    Geschoßregel,
    Abstandsregel.

Nach der Bebauungsregel wird zwischen einer Bebauungsweise mit seitlichem Grenzabstand (offene Bebauung) und ohne seitlichen Grenzabstand (geschlossene Bebauung) unterschieden. Neue Industrieanlagen sollen nur noch in offener Bebauung angelegt werden.

Die Flächenregel legt die bebaubare Fläche eines Grundstückes fest. Bislang strebte man einen Wert von 3/10 an. Darüber glaubte man nur in Ausnahmefällen bei geschlossener Bebauung bis zu 0,5 und bei Eckgrundstücken bis zu 0,7 gehen zu können. Die zunehmende Zahl der Flachbauten im Industriebau hat jedoch dazu geführt, den bebaubaren Flächenteil von Industriegrundstücken ganz allgemein auf 0,7 heraufzusetzen, sofern der Rauminhalt der Gesamtbebauung über Gelände im Durchschnitt 6 m³ je m² der Grundstücksfläche nicht überschreitet.

Die bebaubare Fläche erfährt darüber hinaus eine weitere Einschränkung durch die Ausnutzungsziffer, die das Produkt aus der Anzahl der Geschosse und der bebaubaren bzw. bebauten Fläche ist. Wird also ein Grundstück auf 0,5 der Gesamtfläche überbaut, und sind drei volle Geschosse vorhanden, so beträgt die Ausnutzungsziffer 1,5. Die zulässige Ausnutzungsziffer ist nach den einzelnen Baugebieten gestaffelt. In den Industriegebieten geht man bis zu einem Wert von 2,5. Dieser Wert kann jedoch wegen der zuvor angegebenen Beschränkung des Rauminhaltes der Gesamtbebauung nur in seltenen Fällen ausgenutzt werden.

Über die Anzahl der Geschosse können in Industriegebieten wegen der abweichenden Raumhöhen im In-

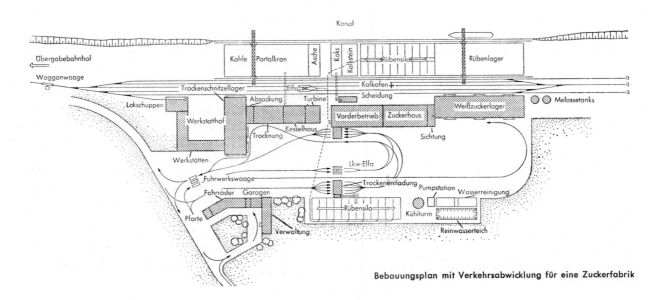

Bebauungsplan mit Verkehrsabwicklung für eine Zuckerfabrik

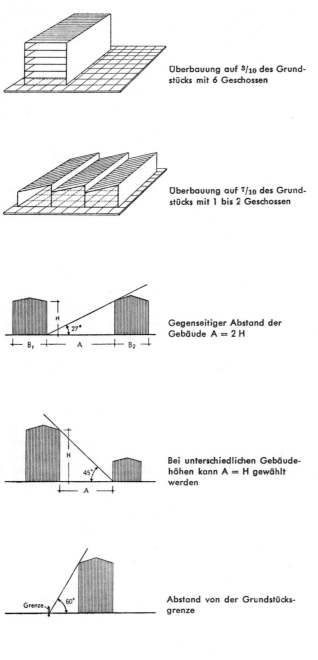

Überbauung auf 3/10 des Grundstücks mit 6 Geschossen

Überbauung auf 7/10 des Grundstücks mit 1 bis 2 Geschossen

Gegenseitiger Abstand der Gebäude A = 2 H

Bei unterschiedlichen Gebäudehöhen kann A = H gewählt werden

Abstand von der Grundstücksgrenze

Beispiele:
1. Ein Grundstück soll auf 5/10 der Gesamtfläche überbaut werden. Vorgesehen sind 3 Vollgeschosse mit je 3,50 m Geschoßhöhe und Sockel von 1,0 m Höhe.
Umbauter Raum auf 1 m² überbautem Gelände:
1,0 m² · (3 · 3,50 m+1,0 m)=11,5 m³
Durchschnittliche Bebauung des Gesamtgrundstücks:
11,5 · 0,5=5,75 m³/m²   6,0 m³/m²
Ausnutzungsziffer: 3 · 0,5=1,5 2,25
2. Ein Grundstück soll auf 7/10 der Gesamtfläche überbaut werden.
Zulässige Zahl der Vollgeschosse auf Grund der Ausnutzungsziffer: 3 Geschosse.
Umbauter Raum auf 1 m² überbautem Gelände unter Berücksichtigung einer durchschnittlichen Gesamtüberbauung des Grundstückes mit 6,0 m³m² Grundfläche jedoch nur: 6,0/0,7=8,6 m³
Bei einer Bauhöhe von 8,6 m können also 3 Vollgeschosse nicht vorgesehen werden.

dustriebau keine bindenden Vorschriften gegeben werden. Nur für nichtgewerbliche Gebäude innerhalb eines Gewerbegebietes kann die Zahl der Vollgeschosse begrenzt werden. Wichtig ist die absolute Höhe eines Gebäudes, die durch die Möglichkeit der Feuerbekämpfung (Druckhöhe der Motorspritze) eingeschränkt werden kann.

Schließlich erfährt die Bebauung eines Grundstückes verschiedene Bindungen durch die einzuhaltenden Abstände der Gebäude untereinander und zu den Grundstücksgrenzen.

Die seitlichen Grenzabstände werden unterschiedlich zwischen 2,50 m und 4,00 m vorgeschrieben. In manchen Bauverordnungen wird außerdem die Forderung gestellt, daß eine unter 60° von der Grenze nach oben gezogene Linie das Gebäude nicht schneiden darf. Untereinander müssen die Gebäude einen solchen Abstand haben, daß der Lichteinfall für Hauptfenster (Büros, Werkstätten, Aufenthaltsräume) bis zum Einfallswinkel von 45° durch gegenüber befindliche Gebäude nicht behindert wird. Bei Nebenfenstern erhöht sich dieser Wert auf 60°.

Normalerweise wird der Abstand gleich der doppelten Traufhöhe gewählt. In diesem Fall ergibt sich noch ein Lichteinfall von 27° im Erdgeschoß.

Aus Gründen der Belichtung und des Feuerschutzes sind oft größere Abstände zweckmäßig (Minimum 20 m).

Liegen kleine Gebäude vor der Südseite höherer Gebäude, kann der Abstand gleich der größeren Traufhöhe gewählt werden. Dieser Wert sollte aber auf keinen Fall unterschritten werden.

Zur Anwendung der Bauvorschriften gilt allgemein der Grundsatz, daß ein städtebaulicher Einzelplan, der von den Vorschriften der allgemeinen Bauordnung abweicht, Vorrang hat. Oft wird es auch nicht möglich sein, alle Vorschriften zu erfüllen, besonders dann, wenn bereits unabänderliche Gegebenheiten vorliegen. In diesen Fällen können Anträge auf Befreiung (Dispens) gestellt werden. Es empfiehlt sich stets, vor Beginn der Planung die Verbindung mit den örtlichen Bauaufsichtsämtern aufzunehmen und mit ihnen die einzelnen Vorschriften abzusprechen. Die Ausnutzung der verschiedenen Angaben führt zu wenig überzeugenden Bauwerken, wenn kein anderes Ziel verfolgt wird, als die Vorschriften „auszunutzen".

Aus Gründen der Brandbekämpfung muß die Feuerwehr an alle Bauwerke unmittelbar heranfahren können. Dazu sind Zufahrten von mindestens 3,25 m Nutzbreite und 3,50 m lichter Höhe notwendig. Außerdem ist auf die Wendemöglichkeit der Feuerwehren (Wendekreis-Halbmesser 18 m) zu achten. Bei allen Industrieanlagen empfiehlt es sich, die Feuerwehr früh genug zu den Entwürfen zu hören, weil von ihr, je nach der Feuergefährdung des Betriebes, bestimmte Auflagen gegeben werden können. Inwieweit Fragen des Luftschutzes bei einer Industrieanlage zu berücksichtigen sind, ist von Fall zu Fall zu entscheiden.

Verkehrsnetz innerhalb einer Industrieanlage

Neben dem Produktionsvorgang in den einzelnen Bauwerken ist die Verkehrsentwicklung innerhalb einer Industrieanlage entscheidend für deren Wirtschaftlichkeit. So wird die Aufteilung eines Grundstückes und die Verteilung der Bauwerke von der Straßen- und Gleisentwicklung maßgeblich bestimmt, zumal Straßen und besonders Gleise an die Festpunkte des öffentlichen Verkehrsnetzes gebunden sind.

Die Entwicklung des Eisenbahngleisnetzes wurde bereits im Abschnitt über die Geländeauswahl im engeren Sinne behandelt.

Straßen und Kraftwagenverkehr

Da ein großer Teil des Kraftwagenverkehrs nicht in den Betrieb hineingeführt wird, sondern sich vor dem Eingang abspielt – insbesondere der Verkehr mit Personenkraftwagen – muß für entsprechende Parkplätze, Wendeplätze und gegebenenfalls auch für Tankstellen und Reparatureinrichtungen vor dem Werk gesorgt werden. Welche Ausmaße solche Parkplätze für die Werksangehörigen annehmen können, zeigen Beispiele in Amerika.

Für die werkseigenen Straßen gelten allgemein die gleichen Grundsätze wie für die öffentlichen Straßen, gegebenenfalls können Fahrbahnen und Fußwege schmaler angelegt werden. Radwege innerhalb eines Werkes werden selten gefordert.

Das Straßennetz muß von vornherein mit einer gewissen Großzügigkeit unter Beachtung eventuell späterer Erweiterungen angelegt werden. Grundsätzlich muß jedes Bauwerk von einer Straße aus zugänglich sein, schon um den Transport von Maschinen leicht durchführen zu können. Außerdem muß das Straßennetz so angelegt werden, daß die Feuerwehr an jedes Gebäude leicht heranfahren kann. Es empfiehlt sich, die Straßen an einen Ring anzuschließen, so daß sich ein zügiger Verkehr ohne Wendeplätze und Zurückstoßen abwickeln kann. Wichtige Straßen innerhalb des Werkes müssen so breit angelegt werden, daß sie beim Be- oder Entladen von Lastkraftwagen nicht versperrt werden.

Wenn viele Zufahrten oder Kreuzungen vorhanden sind und Schienen im Straßenkörper liegen, ist es ratsam, das Gefälle der Straßen so gering wie möglich zu halten. Neben einer Hauptzufahrt sollen eine oder mehrere Nebenzufahrten vorgesehen werden, für den Fall, daß die Haupteinfahrt durch besondere Umstände (z. B. Straßenarbeiten) blockiert ist. Auch innerhalb eines Werkes ist es notwendig, an den Straßen Verkehrszeichen aufzustellen und zur Orientierung alle Werkstraßen mit Namen oder Nummern zu versehen.

Wenn es das Grundstück erlaubt, sollte man die Werkstraßen durch Rasenstreifen von den Gebäuden trennen, nicht zuletzt auch, um in dem Grünstreifen die Leitungen unterzubringen. Sind nämlich die Leitungen im Straßenkörper untergebracht, so können bei Reparaturen und Erweiterungen lästige Verkehrsstörungen entstehen.

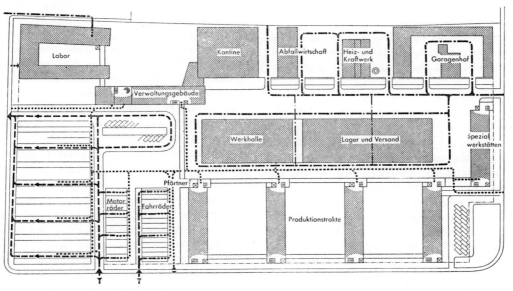

——— Fahrzeuge (P.K.W., Motorräder, Fahrräder)
—·— Lastenverkehr
······· Fußgänger

M = 1 : 3000

Bebauungsplan für ein Werk der Elektro-Industrie mit Eintragung der externen und internen Verkehrsabwicklung. Trennung des Lasten- und des Personenverkehrs durch 2 Eingänge. Parkfläche für 400 PKW, 500 Krafträder u. 2000 Fahrräder.

Wasserversorgung

Schon bei den Fragen des Standortes eines Industriewerkes ist auf diesen wichtigen Punkt hingewiesen worden. Das Wasser wird künftighin als einer der wertvollsten Rohstoffe angesehen werden müssen, der nicht unbegrenzt zur Verfügung steht. Es ist deshalb wichtig, den Wasserbedarf eines Werkes genau zu ermitteln und danach den Wasserhaushalt im einzelnen festzulegen. Zuerst ist das benötigte Frischwasser zu gewinnen und zu fördern, danach zu reinigen und zu verteilen. Nach Gebrauch muß das Abwasser wieder gesammelt und geklärt werden, ehe es in den Vorfluter abfließt.

Voraussetzung aller Betrachtungen über die Wasserversorgung ist die Ermittlung des Wasserbedarfs nach dem durchschnittlichen Tagesbedarf und nach dem Spitzenwert, wobei zu unterscheiden ist zwischen:

1. Verbrauch für die Belegschaft (Trinkwasser, Werkküche, Wasch- und Badezwecke. Klosettspülung).
   Der Verbrauch ist abhängig von der Art des Betriebes (sauberer oder schmutziger Betrieb) und schwankt zwischen 30 und 80 l pro Tag und Kopf.
   Im gesamten Wasserhaushalt spielt dieser Bedarf eine untergeordnete Rolle, es sei denn, daß Rohwasser für Trinkzwecke besonders aufbereitet werden muß.

2. Verbrauch für Feuerlöschzwecke
   Aus der Anzahl der Hydranten, aus denen gleichzeitig bei Ausbruch eines Feuers Wasser entnommen wird, ist der Spitzenbedarf zu ermitteln. Die Hydranten können an die allgemeine Versorgungsleitung angeschlossen sein. Bei besonders gefährdeten Betrieben oder für sehr hohe Gebäude können die Leitungen für Feuerlöschzwecke auch getrennt angelegt werden.

3. Verbrauch für die Produktion
   Es ist die Aufgabe der Betriebsingenieure, den Wasserhaushalt für die Produktion festzulegen und zahlenmäßig zu erfassen. Immer mehr strebt man in Betrieben mit hohem Wasserbedarf auf einen Kreislauf zu (Regeneration oder Rückkühlung).

Neben der Größe des Wasserbedarfs ist die Wasserbeschaffenheit wichtig.

Die Anforderungen, die von den zuständigen Behörden an die Güte des Trinkwassers gestellt werden, seien als bekannt vorausgesetzt. Für die Fabrikation können die Anforderungen sehr unterschiedlich sein (industrielles Brauchwasser). Verhältnismäßig „unrein" kann z. B. das Kühlwasser in den thermischen Kraftwerken sein; immerhin muß es so beschaffen sein, daß Rohrleitungen und Pumpen nicht angegriffen werden und allzu schnell verschmutzen.

Die höchsten Anforderungen werden heute wohl an die Reinheit des Speisewassers für Vorschalt-Dampfturbinen (bis 300 at und 600° Überhitzung) gestellt. Dieses Speisewasser muß völlig salzfrei sein und hat höhere Reinheit als handelsübliches destilliertes Wasser.

Wasser mit größerem Salzgehalt ist für viele Industrien, die es als Lösungsmittel benutzen (Zellstoff, Papier, Leder) ebenfalls unbrauchbar; dasselbe gilt von Eisen und Mangan. Es müssen also vorher für den jeweiligen Fabrikationsprozeß die Ansprüche an das Wasser geklärt und das dafür in Aussicht genommene Wasser untersucht werden. Wenn auch die Möglichkeiten der modernen Wasseraufbereitung nahezu jeden Qualitätsanspruch auf künstlichem Wege erreichen lassen, so sind doch die Kosten hierfür oft ganz erheblich.

Liegt der Bedarf fest, gilt es die Frage zu lösen, wie das Wasser am billigsten und besten zu beschaffen ist. Ist der Anschluß an ein vorhandenes öffentliches Versorgungsnetz möglich, so sollte er stets hergestellt werden, auch wenn eine eigene Wassergewinnungsanlage errichtet wird. Bei irgendwelchen Reparaturen oder Ausfällen des eigenen Wasserwerkes kann dann auf einen Fremdbezug zurückgegriffen werden.

Bei eigenen günstigen Wasserverhältnissen und großem Wasserbedarf oder hohem Wasserpreis des öffentlichen Versorgungsnetzes lohnt sich der Bau einer eigenen Wasserversorgungsanlage. Ihre Errichtung wird künftighin besonders streng überwacht und geregelt werden müssen, um den Wasserhaushalt der einzelnen Landschaften nicht noch stärker als bisher zu stören. Denn jede Wasserentnahme bedeutet einen Eingriff in den Wasserhaushalt, der nicht ohne Folgen für die sehr weitreichende Nachbarschaft bleibt und sich erst nach Jahren in seiner ganzen Tragweite bemerkbar macht.

Man unterscheidet zwischen einer Entnahme aus dem Oberflächennetz (Flüsse, Teiche) und aus dem Grundwasser. Für die Entnahme aus öffentlichen Gewässern waren bisher die Wasserbauämter zuständig, für die Entnahme aus dem Grundwasser in den einzelnen Ländern verschiedene Regierungsstellen. Es ist dringend zu wünschen, daß diese Fragen in absehbarer Zeit einheitlich geregelt werden.

Die Entnahme aus dem Oberflächenwasser ist billiger als die aus dem Grundwasser, dafür ist das Oberflächenwasser mehr oder minder stark verunreinigt und kann ohne Aufbereitung nur als Kühlwasser verwendet werden. In diesem Zusammenhang kommt dem Bau von Talsperren für Trinkwasser und Fabrikationswasser immer größere Bedeutung zu.

Bei einer Fassung des Grundwassers müssen oft ausgedehnte Freiflächen für die Anlage der Brunnen ausgewiesen werden.

Der Bau von Wassergewinnungsanlagen ist ein Spezialgebiet, das große Erfahrung voraussetzt. Die entsprechenden Fachleute sind früh genug, und zwar schon bei der Auswahl des Grundstückes, heranzuziehen.

Zum Ausgleich zwischen Wasserförderung und Wasserbedarf sowie für Reservezwecke müssen Hochbehälter oder Druckbehälter eingeschaltet werden. Aus betriebstechnischen Gründen (Sicherheit, Betriebskosten) werden Hochbehälter vorgezogen. Ihre Mindestgröße soll etwa einem Drittel des mittleren Tagesbedarfes entsprechen. Bei feuergefährdeten Anlagen sind die Hochbehälter

A. a. O. (Prüß, Zimmermann, Thienemann, Gäßler).

Kreislauf des Betriebswassers

Kurt Dummer
Bauing.
Berlin-Pankow
Retzbacher Weg 6

65

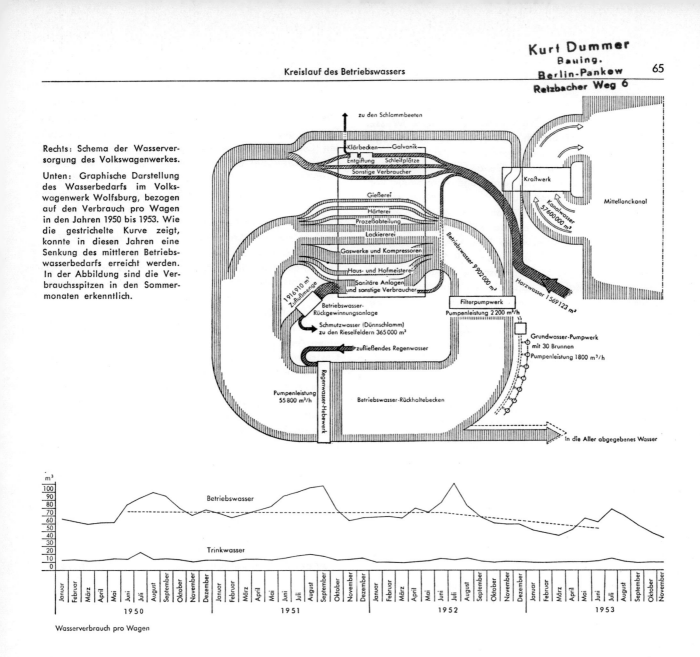

Rechts: Schema der Wasserversorgung des Volkswagenwerkes.

Unten: Graphische Darstellung des Wasserbedarfs im Volkswagenwerk Wolfsburg, bezogen auf den Verbrauch pro Wagen in den Jahren 1950 bis 1953. Wie die gestrichelte Kurve zeigt, konnte in diesen Jahren eine Senkung des mittleren Betriebswasserbedarfs erreicht werden. In der Abbildung sind die Verbrauchsspitzen in den Sommermonaten erkenntlich.

Wasserverbrauch pro Wagen

auch noch auf den Löschbedarf abzustellen, gegebenenfalls sogar gesondert dafür zu planen.

Die Unterbringung der Hochbehälter im Gelände selbst (Hügel, Talhänge) wird nur selten möglich sein, in der Regel muß ein Wasserturm aus Stahl oder Stahlbeton vorgesehen werden.

In Einzelfällen können bei geringem Bedarf (bis etwa 300 m³) oder für Sonderzwecke auch Stahlbehälter an Schornsteinen aufgehängt werden.

Die Verteilung des Wassers innerhalb des Betriebes erfolgt in Rohrleitungen. Aus Gründen der Betriebssicherheit und des Feuerschutzes sind grundsätzlich die Leitungen zu mehreren Ringleitungen zusammenzuschließen, so daß bei einem Wasserrohrbruch oder bei sonstigen Unterbrechungen jedes Gebäude über einen zweiten Strang versorgt werden kann. Durch leicht zugängliche Schieber müssen die einzelnen Stränge unterteilt und abgeschaltet werden können.

Die Leitungen, an denen Hydranten für Feuerlöschzwecke angeschlossen sind, sind nicht nur nach der Durchflußmenge zu bemessen, sondern ihre Wandstärke ist auch so zu wählen, daß die Rohre einem bestimmten Wasserdruck (einschließlich Druckstoß) standhalten.

Die Verlegung der Rohrleitungen erfolgt außerhalb der Bauwerke in den Straßen, besser unter den Fußwegen oder daneben in einem unbefestigten Streifen. Das gesamte Leitungsnetz muß großzügig ausgelegt werden, für spätere Erweiterungen bemessen sein, und sollte kein Freigelände, das später einmal bebaut werden kann, kreuzen, sondern den Straßenzügen folgen, auch wenn sich dadurch zunächst ein Mehraufwand an Material und Arbeit ergibt.

Die Verlegung muß in frostfreier Tiefe (1,50 m) erfolgen, oder die Rohre müssen entsprechend durch Ummantelung geschützt werden. Die Unterbringung in gemeinsamen Rohrkanälen ist möglich, sofern keine Dampf- oder Kondensationsleitungen mit untergebracht sind, die das Frischwasser erwärmen.

Abwässer

Das dem Betrieb als Frischwasser zugeführte Wasser wird nach dem Gebrauch wieder als Abwasser abgeführt. Hinzu kommen die Regenwässer der Dächer, befestigten Straßen und Höfe. Genau so wie eine Stadt ihre Abwässer sammelt und reinigt und dann einem Vorfluter zuleitet, so müssen grundsätzlich die Abwässer der Industrie entweder in das öffentliche Kanalisationsnetz eingeleitet oder durch eigene Kläranlagen gereinigt werden. Viele Industriezweige haben Abfallstoffe, die sich nur schwer „vernichten" lassen (z. B. Sulfitablauge in Zellulosefabriken u. ä.). Ungelöst ist heute noch das Problem, wie man mit radioaktiven Abfallstoffen aus Krankenhäusern und später aus Atomkraftwerken auf die Dauer fertig werden kann.

Die Forderungen an die Industrie nach Sauberhaltung unserer Bäche und Flüsse müssen überall und ohne jedes Zugeständnis erhoben werden.

Der Anschluß an das öffentliche Kanalisationsnetz ist bei der Lage vieler Industrien in den Randgebieten der Städte nicht immer möglich. Meist befindet sich die Kläranlage unterhalb einer Siedlung in der Nähe des Vorfluters. Eine oberhalb der Siedlung liegende Industrie kann wegen der geringen Höhendifferenz des Kanalnetzes nicht angeschlossen werden, so daß sie ihre Abwässer mehr oder minder ungereinigt in den Vorfluter leitet, der daraufhin die Siedlung durchfließt. Aus diesem Grunde ist der Standort einer Industrie an Flüssen unterhalb einer Siedlung vorzuziehen.

Während in den Städten, gleichgültig, ob es sich um ein Mischsystem oder ein Getrenntsystem handelt, die Abführung der Regenwässer ebenfalls in einem Kanalnetz erfolgen muß, ist in Industrieanlagen die Abführung des Regenwassers in offenen Gräben anzustreben, und zwar nicht nur, weil dadurch das Kanalisationsnetz entlastet wird (das gerade wegen der stoßweisen Belastung durch die Niederschläge unverhältnismäßig groß bemessen werden muß), sondern auch, weil der Grundwasserstand durch offene Gräben oder Bäche eher im Gleichgewicht gehalten wird. Das bedrohliche Absinken des Grundwasserspiegels in der Umgebung von Großstädten hat seine Ursache mit darin, daß das Regenwasser nicht dem Boden zugeführt, sondern über Kanäle zu schnell den einzelnen Vorflutern zugeleitet wird.

Die Behandlung der Industrieabwässer ist heute ein umfangreiches Spezialgebiet für die Abwasseringenieure geworden.

Auf Grund ihrer Untersuchung ist jeweils das günstigste Kanalisationsnetz (getrenntes System oder Mischsystem) und die zweckmäßigste Aufbereitung zu wählen. Außerdem ist man heute schon dabei, besondere Abwasserapparate zu entwickeln. An und für sich steht für jede Verunreinigung ein entsprechendes Reinigungsverfahren zur Verfügung, nur sind die wirtschaftlichen Aufwendungen oft so hoch, daß es nicht angewendet werden kann.

Die Abwasserleitungen sind ebenso wie die Zuleitungen des Frischwassers außerhalb der Gebäude in den Straßen zu verlegen und von vornherein großzügig zu planen. Die Rohrleitungen werden außerhalb des Gebäudes als Steinzeugrohre verlegt. Unter stark beanspruchten Stellen (Gleise, Fahrbahnkreuzungen) sind gußeiserne Rohre vorzuziehen. Bei Größen über 500 mm I. W. verwendet man Zementrohre. An den Übergängen von Gußeisen- zu Steinzeugrohren und von Steinzeug- zu Betonrohren werden Steigschächte angeordnet, um von dort aus die Leitungen überwachen und reinigen zu können.

Auch in geraden Strecken sind in Abständen von 50 m Steigschächte vorzusehen, ebenso in den Knickpunkten. Die Schächte werden in Klinkermauerwerk oder in Beton ausgeführt. Für die Abdeckung kommen gußeiserne Deckel oder Stahlbetonplatten in Frage.

Für die Entwässerung der Straßen und Höfe dienen Sinkkästen. Man rechnet auf 400 m² Entwässerungsfläche einen Anschluß.

Um gewisse Verunreinigungen nicht erst in das Kanalnetz einfließen zu lassen, müssen an den Stellen, an denen mit dem Zufluß von Benzin oder Öl zu rechnen ist (z. B. Leitungen, die Garagen oder deren Vorplätze anschließen), Öl- und Benzinabscheider eingebaut werden. Für Betriebe, in denen Fett in das Abwasser gelangen kann (Molkereien, Seifenfabriken) müssen Fettabscheider eingeschaltet werden.

Die Kläranlage kann nicht an beliebiger Stelle liegen, sondern muß der Fließrichtung der Abwässer entsprechend angeordnet werden. Man legt sie wegen der gelegentlichen Geruchsbelästigung etwas abseits von der Werksanlage. Der Platzbedarf hängt von der Wahl des Systems ab. Bei großen Abwassermengen kann dieser recht beträchtlich werden, wie die folgende Tabelle zeigt:

Täglich anfallende Abwassermenge m³/Tag	Mechanische Anlagen einschl. Schlammtrockenplätze m²	Tropfkörper-anlagen[1]) m²	Belebt-schlammanlagen m²
50	75	125	125
200	300	500	500
500	750	1250	1250
1000	1500	2500	2500

Bemerkung: [1]) Einschließlich mechanischer Vorklärung und Schlammtrockenplätzen.

Falls es nicht möglich ist, die Abwässer einem Vorfluter zuzuleiten, müssen sie im Boden versickern. Es besteht dann allerdings die Gefahr, daß das Grundwasser verunreinigt wird. Daher sollten folgende Mindestbedingungen eingehalten werden:

Oberkante der Versickerungsfläche wenigstens 2 m über dem Grundwasserspiegel, Einschalten von Zwischenpausen von etwa 6 Stunden, 1 ha Bodenfläche reicht für 250 bis 500 m³ Abwasser pro Tag.

Barocka, E.: Kläranlagen und Industrie, Gesundheitsingenieur 76 (1955), S. 109.
Viehl, K.: Die Behandlung der gewerblichen Abwässer, Gesundheitsingenieur 71 (1950), S. 212.
Wagner, H.: Die Bewertung von Abwassereinleitungen, Gesundheitsingenieur 71 (1950), S. 73.

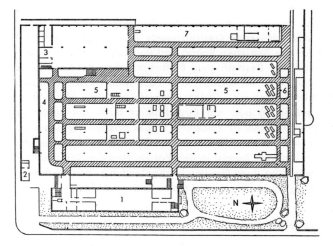

Die schraffierten Flächen kennzeichnen die Verkehrsflächen, die ausgesparten die Produktionsflächen: 1 Pförtner · 2 Betriebsbüro · 3 Frühstücksraum · 4 Endmontage · 5 Werkstätten · 6 Lager · 7 Reparaturen.

Grundriß einer Shedhalle für eine Maschinenfabrik mit eingetragenen Nutz- und Verkehrsflächen

Feuer- und Blitzschutz

Durch Feuer werden jährlich Millionenwerte vernichtet. Abgesehen von dem unmittelbaren Schaden ist der dadurch verursachte Produktionsausfall zahlenmäßig gar nicht erfaßbar. Es müssen deshalb alle Maßnahmen getroffen werden, um sowohl die Gebäude als auch ihre Einrichtungen und nicht zuletzt die beschäftigten Personen vor Feuer zu schützen. Da die baulichen Aufwendungen für den Feuerschutz einen Bau verteuern, müssen durch Verordnungen die zu erfüllenden Mindestforderungen im einzelnen festgelegt werden. Auf Grund der verheerenden Wirkung großer Schadenfeuer sind die meisten unserer älteren Baugesetze entstanden. So haben alle unsere Städte ihre Baugesetze nach großen Bränden erhalten. Diese Tatsache muß berücksichtigt werden, weil sonst gewisse Vorschriften nicht zu verstehen sind.

Mit den allgemeinen baupolizeilichen Gesetzen und Vorschriften, die in erster Linie für den Wohnungsbau und für die öffentlichen Bauten erlassen worden sind, kommt man dem neuzeitlichen Industriebau mit seinen ganz anders gelagerten Problemen nicht mehr bei. Im Laufe der Jahre hat man zwar eine Vielzahl von Ergänzungen und Sondervorschriften erlassen, trotzdem, oder gerade deshalb, ist es an der Zeit, den baulichen Feuerschutz für den Industriebau neu zu regeln.

Man muß unterscheiden:

    Feuerverhütung (vorbeugender Brandschutz)
    Feuerhemmung (passive Feuerbekämpfung)
    Feuerbekämpfung (aktive Feuerbekämpfung)
    Sicherungsmaßnahmen für den Menschen.

Der vorbeugende Brandschutz soll das Entstehen von Bränden verhindern. Dazu gehören Vorschriften für: Blitzschutz, elektrische Leitungen, Feuerstätten, Schornsteine, Tankanlagen und Betriebe mit besonders feuerempfind-lichen Materialien (z. B. Zellhorn, Benzol), ferner Rauchverbot für bestimmte Räume.

Die passive Feuerbekämpfung (Feuerhemmung) soll die Ausdehnung eines Brandes beschränken. Die hierfür geltenden Vorschriften betreffen: Brandabschnitte, Abstand der Gebäude, Brandmauern, Dachdeckung, feuerbeständige Türen, feuerbeständige Ummantelung von tragenden Bauteilen (z. B. Stützen im Stahlbau) und feuerhemmende bzw. feuerbeständige Bauarten.

Die aktive Feuerbekämpfung ist die Aufgabe der Feuerwehr. Es genügt jedoch nicht die Tatsache, daß eine Feuerwehr überhaupt vorhanden ist, sondern die baulichen Voraussetzungen müssen außerdem so beschaffen sein, daß die Feuerwehr im Ernstfall wirksam eingesetzt werden kann. Voraussetzungen dazu sind: Durchfahrten für Löschzüge, Wendemöglichkeiten in Höfen oder Sackstraßen, genügend Hydranten und Löschteiche.

Zur Feuerbekämpfung im kleinen dienen Handfeuerlöscher und Sprinkleranlagen.

Schließlich müssen außer der Verhütung, Eindämmung und Bekämpfung des Feuers weiterhin Maßnahmen zur Rettung von Menschen, die durch ein ausbrechendes Feuer bedroht sind, getroffen werden. Dazu gehören: sichere Fluchtwege (u. U. Fluchtstangen und Fluchtleitern), Begrenzung des Abstandes der Treppenhäuser, feuerbeständige Bauart der Treppen und Vorkehrungen, die dem Verqualmen von Räumen und Treppenhäusern entgegenwirken.

Da die einzelnen Maßnahmen des Feuerschutzes und der Feuerbekämpfung nicht für sich getrennt betrachtet werden können, und es andererseits abwegig ist, eine schematische Anwendung ohne Rücksicht auf die tatsächliche Feuersgefahr zu fordern, erscheint es zweckmäßig, mehrere Gefahrenklassen im Industriebau einzuführen. Für die Einteilung in derartige Klassen müssen alle Gefahrenmomente berücksichtigt werden. Aus ihrer Gesamtbewertung muß man einen Mittelwert bilden, der für die jeweils zu treffenden Sicherheitsmaßnahmen bestimmend ist. Im einzelnen können zur Beurteilung der Gefahrenklasse folgende Gesichtspunkte herangezogen werden: Art des Betriebes, Bauart und Bauweise der Anlage, Anzahl der Beschäftigten, Entflammbarkeit des Lagergutes und die Schlagkraft der Feuerwehr. Wahrscheinlich kommt man mit 3 Gefahrenklassen (schwach, mittel, stark gefährdet) aus, auf Grund derer dann die baulichen Forderungen im einzelnen vorgeschrieben werden können. Es ist zu hoffen, daß derartige Gedankengänge, die im Ausland bereits in den Vorschriften der Bauaufsichtsbehörden ihren Niederschlag gefunden haben, auch bald Eingang in unsere Baugesetze finden werden*.

Feuerhemmung

Oberster Grundsatz muß sein, daß alle Anlagen feuerbeständig oder zumindest feuerhemmend auszuführen sind. In DIN 4102 (Widerstandsfähigkeit von Baustoffen und Bauteilen gegen Feuer und Wärme) ist im einzelnen festgelegt, welche Bauarten als hochfeuerbeständig, feuerbeständig oder feuerhemmend gelten können.

Da die Stützen für den statischen Bestand eines Bauwerkes entscheidend sind, müssen besonders an ihre Feuerbeständigkeit höchste Ansprüche gestellt werden. Stahlbetonstützen gelten nur dann als feuerbeständig, wenn sie eine Mindestabmessung von 20×20 cm haben und mit einem Putz von mindestens 1,5 cm Dicke versehen sind. Der Putz soll durch Einfügen eines Drahtgewebes so versteift werden, daß er bei Feuer nicht abplatzen und von der Stahlbetonkonstruktion abfallen kann.

---

* Henn, W.: Feuerschutz im Industriebau, Bauwelt, 45. Jahrg. (1954), S. 253. Graßberger, R.: Ursachen von Großbrandschäden in Industriewerken und Vorschläge für den vorbeugenden Brandschutz, VFDB-Zeitschrift (Vereinigung zur Förderung des deutschen Brandschutzes) 3. Jahrg. (1954), S. 8.

Stahlstützen verlieren bei Temperaturen über 300° bis 400° C ihre Tragfähigkeit, sie müssen deshalb vor Hitzeeinwirkungen besonders geschützt werden. Für ihre Ummantelung gelten die Vorschriften der DIN 4102. Außerdem ist darauf zu achten, daß etwaiges Brandgut nicht um die Stützen herum gestapelt wird.

Die sonst im Bauwesen übliche Anordnung von Brandmauern in bestimmten Abständen läßt sich im Industriebau nicht immer durchführen. Lange Hallen mit durchgehendem Produktionsablauf können nicht durch Brandmauern unterteilt werden. In solchen Fällen muß man sich mit Brandschürzen helfen, die von der Dachhaut bis tief in den Hallenraum herunterreichen, oder es müssen Berieselungsanlagen vorgesehen werden, mit deren Hilfe im Gefahrenfall einzelne Hallenabschnitte durch einen Wasserschleier voneinander getrennt werden können.

Oft ist es nicht zu umgehen, daß eine vorhandene Brandmauer nachträglich durchbrochen werden muß. Die dabei zu treffenden Vorkehrungen müssen mit der zuständigen Feuerwehr zusammen festgelegt werden. Alle irgendwie gefährdeten Räume sind mit feuerbeständigen Türen abzuschließen, wobei darauf zu achten ist, daß die Zargen dieser Türen genügend tief im Mauerwerk oder im Beton verankert sind.

Für die Standsicherheit eines Bauwerkes im Feuer kann auch die richtige Anordnung und Ausbildung von Dehnungsfugen entscheidend sein. Derartige Dehnungsfugen sollen weder mit Asphalt noch mit Leichtbauplatten ausgefüllt werden, sondern offen bleiben, damit sich die Formänderungen des Bauwerkes im Brand ungehindert auswirken können (s. S. 202).

Feuerbekämpfung

Unabdingbare Vorschrift: Verlegung von Druckwasserleitungen mit entsprechenden Zapfstellen bis in die obersten Geschosse. Ob derartige Leitungen „trocken" stehen dürfen oder stets unter Druck gehalten werden müssen, ist mit der örtlichen Feuerwehr zu vereinbaren. Die Hy-

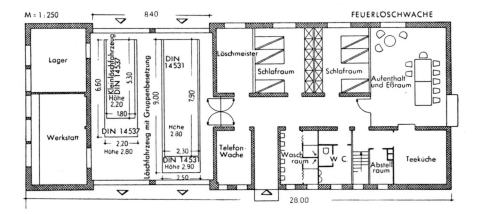

Grundriß einer Werks-Feuerlöschwache für zwei Löschfahrzeuge mit Werkstatt, Lager und Personalräumen

dranten-Steigleitungen sind am besten in die Treppenhäuser zu legen und in jedem Geschoß durch angeschlos-
sene Schläuche in Glaskästen einsatzbereit zu halten.

Fest eingebaute Löschbrausen (Sprinkleranlagen) haben
sich nur bedingt bewährt. Dagegen setzen sich moderne
Schaumbekämpfungsmittel und Kohlensäurelöscher immer
mehr durch.

Eine Kraftspritze der Feuerwehr benötigt 800 bis 1500
Liter Wasser in der Minute. Aus der Wasserleitung ist
dieser Bedarf nicht immer zu decken, weshalb die Anlage
besonderer Löschteiche notwendig werden kann. Der
Wasserspiegel darf nur bis 6 m unter den Aufstellungsort
absinken, sonst besteht die Gefahr, daß die Pumpen nicht
mehr ansaugen.

Brände sind besonders im Winter gefährlich, weil nicht
immer genügend Löschwasser zur Verfügung steht (ein-
gefrorene Wasserleitungen und Löschteiche).

Größere Werke verfügen über eine eigene Werkfeuer-
wehr, die mit den besonderen Gefahrenstellen und Gefahrenquellen vertraut ist.

Wie wichtig derartige Maßnahmen zur Feuerhemmung und -bekämp-
fung sind, hat das Livonia-Feuer der General Motors in Detroit im
Jahre 1953 bewiesen. Es war der bisher größte Industriebrand der
USA. Er hat zu einer Überprüfung der Feuerschutzmaßnahmen in fast
sämtlichen amerikanischen Industrieanlagen geführt.
Durch Funken aus einer Schneidemaschine war ein Gefäß mit Rost-
schutzfarbe in Brand geraten. Die Hitze entzündete den gesamten
Anstrich des Daches, und die unter den Dächern entlanglaufende
Flamme brachte die Dachpappe und die Asphaltauflage zum Schmel-
zen. Der brennende Asphalt floß in die Hallen und entzündete nicht
nur die verölten Maschinen, sondern darüberhinaus mehrere 1000
Liter Öl.
Das Feuer war in einem Bau ohne Sprinkler-Anlage ausgebrochen.
Als es den besprinklerten Teil der Gebäude erreichte, waren die Lei-
tungen durch Einsturz der Dächer und Mauern bereits außer Betrieb
gesetzt.
Das Ausmaß dieses Brandes ist durch die Tatsache zu erklären, daß
der bebaute Komplex entgegen den Vorschriften, die nur eine bebaute
Fläche von 8000 m² zulassen, 500 000 m² umfaßte.
Der Schaden an zerstörten Werten belief sich auf 300 Mill. DM, der
Produktionsausfall wurde auf über 3 Milliarden DM berechnet*.

Rettungswege

Jeder Raum sollte grundsätzlich über zwei Treppen verlassen werden können. Nach den geltenden Vorschriften
darf der Fluchtweg bis zur nächsten Treppe nicht größer
als 25 m sein. Bei Geschoßbauten von großer Länge kann
die Anordnung der Treppen auf den zwei gegenüberliegenden Längsseiten aus Gründen des Feuerschutzes erwünscht sein.

Nottreppen können auch als Außentreppen vorgesehen
werden. Sie haben jedoch nur Sinn und Zweck, wenn sie
im einzelnen richtig durchgebildet sind; dazu gehört, daß
sie von einem festen Podest aus besteigbar sind. Außerdem müssen Nottreppen bis auf den Erdboden herabge-
führt werden und dürfen nicht einige Meter über dem
Gelände enden, weil die Flüchtenden sonst im Falle einer
Panik hinunterstürzen und sich gegenseitig erdrücken.

Die Anlage einer Nottreppe braucht kein notwendiges
Übel zu sein, sie kann im einzelnen so gut durchgebildet

* VFDB-Zeitschrift (Vereinigung zur Förderung des deutschen Brandschutzes) 4. Jahrg. (1955), Seite 27.

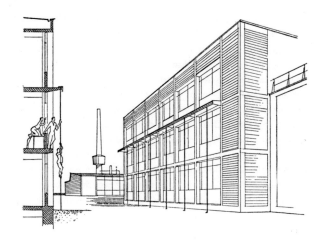

Fluchtstangen an einem Laborgebäude

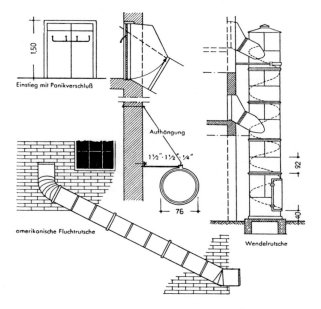

Einstieg mit Panikverschluß

Aufhängung

1½"·1½"·¼"

amerikanische Fluchtrutsche

Wendelrutsche

Fluchtrutsche aus dem oberen Stockwerk eines Geschoßbaus

Fluchtleitern an einem Geschoßbau

werden, daß sie architektonisch reizvoll ist und zur maßstäblichen Wirkung des Gebäudes beiträgt.

Räume mit besonders gefährlichen Stoffen (organisch-chemische Labors, Lackiererein, Spritzereien) sind am besten im Erdgeschoß anzuordnen. Liegen sie im ersten Obergeschoß, können vor den Fenstern Fluchtstangen vorgesehen werden, ähnlich wie sie die Feuerwehr bei Alarm benutzt. Die Fenster müssen dann entsprechend groß und ihre Flügel leicht zu öffnen sein. An den Ausgängen sollen Duschen angeordnet werden, damit Personen, deren Kleidung oder Haare Feuer gefangen haben, möglichst schnell abgebraust werden können.

Der Fluchtweg soll stets feuersicher gebaut sein; ganz besonders gilt dies für die Treppenhäuser. Umstritten sind die Maßnahmen, die ein Verqualmen von Treppen vermeiden sollen, denn die am oberen Abschluß eines Treppenhauses polizeilich vorgeschriebenen Lüftungsöffnungen, die vom Erdgeschoß aus durch Kettenzug bedienbar sein müssen, können — wenn sie vorzeitig gezogen werden — das Treppenhaus in einen Kamin verwandeln und somit erst recht zu einer Gefahr für die Benutzung der Treppe werden.

Explosionen

Neben der Gefahr von Bränden besteht in manchen Betrieben die Gefahr von Explosionen. Abgesehen von Dampfkesseln, die deshalb durch technische Überwachungsvereine (TÜV) laufend kontrolliert werden, neigt Staub zur Explosion.

Außer Kohlenstaub (z. B. in Kesselhäusern mit Kohlenstaubfeuerung) sind alle Staubarten aus brennbaren, z. T. auch aus üblicherweise nicht als brennbar bezeichneten Stoffen mit einer Zusammensetzung von Staubteilchen von 0,2 mm Durchmesser und kleiner hochexplosiv. Hierzu gehören besonders Getreide-, Holz- und Textilstaub. Der Staub ist nicht gefährlich, solange er in Ruhe lagert, erst durch die Vermengung mit Luft wird er zu einem explosiven Gemisch.

Die einfachste und beste Verhütung solcher Staubexplosionen liegt in der Vermeidung von Staubansammlungen. Daher sind alle Absätze, auf denen sich Staub ablagern kann, zu vermeiden oder regelmäßig zu reinigen. In Kesselhäusern sollen deshalb die Fußböden der einzelnen Bühnen als Gitterroste ausgebildet werden.

Für alle Räume oder Bauwerke, in denen mit Explosionen zu rechnen ist, gilt der Grundsatz: Genügend Fensterflächen und leichte Füllwände vorsehen, damit sich die Druckwelle ausbreiten kann, ohne daß tragende Bauteile in Mitleidenschaft gezogen werden. In Kesselhäusern wird deshalb eine leichte Dachdeckung empfohlen. Die Erfahrung hat jedoch gelehrt, daß Explosionen sich nicht nach allen Seiten gleichmäßig ausbreiten, sondern unterschiedliche Druckrichtungen erkennen lassen.

Für Hochdruckdampfkessel besteht die Vorschrift, daß über ihnen keine Räume vorgesehen werden dürfen, in denen sich Menschen aufhalten. Derartige Kessel werden am besten in eigenen Bauwerken untergebracht.

Blitzschutz

Jedes Bauwerk im Industriebau muß eine Blitzschutzanlage erhalten. Der Blitz stellt physikalisch eine atmosphärische elektrische Entladung dar, die zu Zerstörungen führen kann (Aufreißen von Schornsteinen, Zersplittern von Holz) und, wenn der Blitz auf leicht entzündliche Stoffe trifft, zu Bränden Anlaß gibt.

Nach statistischen Untersuchungen gibt es Gebiete, in denen Gewitterbildungen besonders häufig auftreten. Diese Tatsache ist mitunter durch eine bestimmte Zugrichtung der Gewitterfronten zu erklären. Im allgemeinen aber lassen sich Richtlinien über die örtliche Einschlagsgefahr nicht aufstellen. Der Blitzeinschlag kann also nicht durch eine besondere Lage des Gebäudes vermieden werden.

Weiterhin ist es eine irrige Auffassung, daß nur höhere Bauteile vom Blitz getroffen werden und z. B. ein hoher Fabrikschornstein die in der Nähe stehenden Kessel- oder Maschinenhäuser schützt. Die häufigen Beschädigungen niedriger gelegener Bauteile durch Blitzeinschläge haben das Gegenteil bewiesen. Der Schutzbereich erstreckt sich nur soweit, als der zu schützende Gebäudeteil selbst mit Blitzschutzanlagen versehen ist. Der Grund hierfür liegt in der starken Verästelung des Blitzes.

Der sicherste Schutz vor Blitzschlag wäre ein gut geerdeter, über das Bauwerk gesetzter Metallkäfig. Technisch läßt sich nur ein weitmaschiges Netz anbringen, das die markanten Punkte des Bauwerkes anschließt.

Die Blitzschutzanlage selbst besteht aus der Auffangvorrichtung, den Gebäudeleitungen und der Erdung. Von der früher üblichen Ausbildung der hohen Auffangstangen ist man abgekommen. Man verlegt Firstleitungen und ordnet nur kurze Auffangstangen an. Die Gebäudeleitungen können unter Putz verlegt werden, so daß nach außen hin eine Blitzschutzanlage kaum in Erscheinung tritt. Die Erdung wird am günstigsten im ständigen Grundwasser versenkt; je trockener das Erdreich ist, desto verzweigter ist die Übergangsleitung auszubreiten.

Metallene Gebäudeteile und größere Metallmassen in und an einem Gebäude, wie z. B. Stahldächer, Oberlichter, Stahlskelettkonstruktionen sind zu erden; ebenfalls muß jede Gas-, Wasser-, Heizungs-, und andere Rohrleitung mit den Erdleitungen der Blitzschutzanlage verbunden sein. Um die Blitzschutzanlage zu ergänzen und zu erweitern und um ihre Kosten zu verringern, sollten bei Entwurf und Ausführung eines neuen Gebäudes die metallenen Bauteile und Rohrleitungen zur Abführung des Blitzes in das Erdreich mit herangezogen und mit der Blitzschutzanlage verbunden werden.

Die Blitzschutzanlage erfüllt nur dann ihren Zweck, wenn sie in leitfähigem Zustand erhalten bleibt. Andernfalls kann sie sogar zu einer Gefahr werden, weil Blitzableiter, die von Stellen mit großem Widerstand unterbrochen sind (korrodierte Stellen, schlechte Anschlüsse), zur Funkenbildung neigen. Aus diesem Grunde ist es erforderlich, daß die Anlage etwa alle ein bis zwei Jahre durch Sachverständige geprüft wird. Einzelheiten s. S. 203.

Normung und Typung

Die Notwendigkeit der Normung und Typung im Industriebau steht außer Zweifel. Einmal sind es wirtschaftliche Überlegungen, die zur Normung führen, zum andern auch Fragen der Gestaltung. Unsere Baukultur leidet unter der Vielzahl und dadurch Unübersichtlichkeit ihrer Einzelerscheinungen. Vom Bautechnischen her ist nahezu alles möglich. Wenn daher durch eine sinnvolle Normung und Typung wieder eine gewisse, alles verbindende Einheitlichkeit in die Bauwerke käme, so scheint das zwar zunächst über die eigentliche Zielsetzung der Normung hinauszugehen, würde aber vielleicht einen die Zeiten überdauernden Gewinn bedeuten. Die wohltuende Wirkung vieler alter Bauwerke gründet sich mit auf die Anwendung einer Art von Normung, die man früher als „Modul" bezeichnete.

Es soll hier nicht auf die allgemeinen Probleme der Normung im Bauwesen eingegangen werden. Um aber die besonderen Aufgaben der Normung im Industriebau aufzuzeigen, sind einige allgemeine Betrachtungen doch notwendig.

Während man im Maschinenbau über die Produktion bestimmter Typen zur Normung mehr oder weniger zwangsläufig kommt, ist der Weg im Bauwesen genau umgekehrt. Hier muß die Normung die Voraussetzung zu einer Typenbildung schaffen. Im Maschinenbau drängen die Fertigung und der Austauschbau zur Normung, im Bauwesen dagegen können sich die Gedanken neuzeitlicher Fertigungsverfahren nur langsam durchsetzen, weil die Normung nachhinkt. Weiter ist zu bedenken, daß die Normung im Maschinenbau in weitem Umfang eine geometrische Normung ist, eine Frage des Zusammenpassens verhältnismäßig kleiner Teile mit geringen Toleranzen. Im Bauwesen jedoch genügen die geometrischen Bestimmungen nicht, denn die Formänderungen infolge der wirksamen Kräfte spielen eine wesentliche Rolle.

Im Industriebau ist ein differenziertes Bewerten aller den Entwurf beeinflussenden Einzelfragen ganz besonders wichtig; das Abstimmen eines Bauwerkes auf die maschinelle Ausrüstung und den Betriebsablauf bringt hier ganz neue Bindungen mit sich. Um aber alle Teile im Industriebau aufeinander einstellen zu können, ist eine Maßordnung notwendig. Es ist das Verdienst von Neufert, die Grundlagen dazu erarbeitet zu haben. Die Gedankengänge von Neufert haben ihren Niederschlag in dem Normblatt 4171 „Einheitliche Achsenabstände für Werksbauten, Industrie- und Unterkunftsbauten", das 1942 veröffentlicht wurde, gefunden. Diese Maßordnung für den Industriebau, die von dem Grundmaß 2,50 m bzw. 1,25 m ausgeht, hat sich so gut bewährt, daß sie bei einer Neufassung 1955 nur in Einzelheiten ergänzt zu werden brauchte. Die neue Überschrift lautet: „Industriebau, Achsenabstände und Geschoßhöhen." Wegen seiner grundsätzlichen Bedeutung ist dieses Normblatt im Auszug auf S. 136 abgedruckt.

Es ist manche Stimme laut geworden, die sich für ein anderes Grundmaß als 2,50 m entscheiden möchte. Die chemische Großindustrie z. B. ist für das Maß von 3,00 m, weil ihre Behälter nicht immer mit dem Achsenabstand von 2,50 m zusammenpassen. Andere Industriezweige wiederum haben auf die Zweckmäßigkeit der Maßreihe 1,20 – 2,40 – 3,60 – 4,80 m hingewiesen, die in ihrer großen Teilbarkeit (2, 3, 4) begründet ist. Es wird kaum möglich und auch nicht notwendig sein, ein Achsmaß zu finden, das allen Anforderungen gerecht wird; um so mehr sollte man sich für die normalen Fälle auf das Grundmaß von 2,50 m einstellen.

Die Maßordnung von Neufert im Industriebau stand auch Pate zu der Maßordnung für den allgemeinen Hochbau. Sie ist im Normblatt 4172, „Maßordnung im Hochbau", niedergelegt und hat ebenfalls grundsätzliche Bedeutung für den Industriebau. Das neue Ziegelmaß mit $7,1 \times 11,5 \times 24$ (bisher $6,5 \times 12 \times 25$) ist bereits auf die neuen Grundmaße abgestellt worden. Die Maßordnung schafft die Voraussetzung, daß sich die Baueinzelteile im Bauwerk selbst ohne Verschnitt und Verhau zusammenfügen lassen. Es ist kein Zweifel, daß sich eine Maßordnung – ganz gleich, welches Grundmaß man wählt – im gesamten Bauwesen einführen und durchsetzen wird.

Die richtige Handhabung der Maßordnung ist abhängig von der allgemeinen Einführung der Begriffe Nennmaß und Richtmaß und von der Klarstellung der Toleranzen. Die gesetzmäßige Erfassung der Toleranzen im Bauwesen ist aber weitaus schwieriger als im Maschinenbau, weil neben den Herstellungstoleranzen (z. B. Mauerziegel, Stahlbetonfertigteile) auch die Ausführungs- oder Montagetoleranzen von Bedeutung sind*.

Ein weiteres wichtiges Normblatt für den Industriebau ist das Blatt 18 223 „Türen und Tore im Industriebau" (Öffnungsgrößen). Unter Anwendung der erwähnten Maßordnung sind alle Türöffnungen sowohl der Breite als auch der Höhe nach auf das Grundmaß von 12,5 cm abgestellt worden. Die Maße stellen Rohbaumaße dar, die lichten Durchgangsmaße ergeben sich jeweils aus der Türkonstruktion und schwanken nur um wenige Zentimeter.

Schließlich ist die Normung der Dachneigung im Industriebau zu erwähnen. Sie hat zwar für den Produktionsablauf kaum irgendwelche Bedeutung, wirkt sich aber auf Entwurf und Ausführung der Industriebauten aus. Ihre eigentliche Bedeutung wird sie erst dann erhalten, wenn man im Industriebau zu einer Typung bestimmter Konstruktionsteile (z. B. Dachbinder) oder sogar ganzer Gebäude (z. B. Hallen) übergeht. In DIN 18 222 (Entwurf) sind folgende Dachneigungen vorgesehen:

5 %,	1 : 20	(3°)	33¹⁄₃%,	1 : 3	(18°)
8 %,	1 : 12,5	(4,5°)	50%,	1 : 2	(27°)
10 %,	1 : 10	(6°)	75%,	3 : 4	(37°)
12,5%,	1 : 8	(7°)	100%,	1 : 1	(45°)
25 %,	1 : 4	(14°)	125%,	5 : 4	(52°)

An weiteren Normblättern für den Industriebau, die in Angriff genommen worden sind, seien erwähnt: 18 225

---

* Henn, W., u. Krell, K.-H.: Die Toleranzen bei Stahlbetonfertigteilen, Baupl. u. Bautechnik, 8. Jahrg. (1954), Seite 2.

(Entwurf) »Verkehrswege in Bauten« und 18 226 (Entwurf) »Überbaute Flächen von Hallen«.

Das Blatt über Verkehrswege ist deshalb notwendig, weil beim Entwurf von Fabrikbauten Begriffe wie Bedienungsfläche einer Maschine, Lagerfläche und Verkehrsfläche innerhalb eines Bauwerkes geklärt sein müssen, und für die Verkehrswege Mindestabmessungen in Abhängigkeit von dem zu erwartenden Personen-, Material- und Güterverkehr festzulegen sind.

Die eindeutige Definition der überbauten Fläche von Hallen hat sich als zweckmäßig erwiesen, um beim Vorentwurf verschiedener Bauarten Vergleiche hinsichtlich des Materialverbrauchs und der Kosten durchführen zu können, die bei Hallen, im Gegensatz zu Geschoßbauten, auf die überbaute Fläche bezogen werden. Da man für die Spannweite und die Binderabstände meist runde Maße nach DIN 4171 wählt, erscheint es vorteilhaft, die überbaute Fläche von Hallen nicht nach den Außenflächen der umgrenzenden Mauern festzulegen, wie es sonst im Hochbau nach DIN 277 (umbauter Raum) üblich ist, sondern als überbaute Fläche diejenige Grundfläche anzusetzen, die von den Verbindungslinien der Systemachsen umschlossen wird. Diese Überlegungen haben in dem Normblattentwurf DIN 18 226 ihren Niederschlag gefunden.

Der Versuch, die Fenstergrößen im Industriebau zu vereinheitlichen, hat bisher zu keinem Erfolg geführt. Ein im Jahre 1942 erschienenes Normblatt über Scheibengrößen ist wieder zurückgezogen worden. Es war seinerzeit auf die Maschinen der Glasindustrie abgestimmt. Inzwischen sind diese Bindungen als überholt anzusehen, so daß von Seiten der Glasindustrie keine Einschränkungen mehr bezüglich der Fenstergrößen gemacht werden.

Zu zahlreichen Normblättern hat die Vereinheitlichung der Profile für Stahlfenster geführt (DIN 4440 bis 4449). Davon haben für den eigentlichen Industriebau nur die einfachen Profile Bedeutung. Die Formgebung und die Wei-

terentwicklung der Spezialprofile ist noch im Fluß, so daß mit Neukonstruktionen und Änderungen gerechnet werden muß.

Die Normen im Industriebau sollen nicht, wie im sozialen Wohnungsbau, Pflichtnormen sein, sondern immer nur — soweit es sich nicht um Normblätter des Ausschusses für einheitliche technische Baubestimmungen (ETB) und damit um Richtlinien für die Bauaufsichtsbehörde handelt — Empfehlungen darstellen. Von den Normen im Bauwesen, die für den Industriebau Bedeutung haben, sind auf Seite 230/231 die wichtigsten angeführt.

Nachdem sich die Normung im Bauwesen immer mehr durchsetzt und sich ihre Vorteile wirtschaftlich auszuwirken beginnen, führt der Weg zwangsläufig weiter zu einer Typenbildung. Die Rationalisierung der Bauarbeiten verlangt die wiederholte Verwendung gleicher Bauelemente nicht nur an demselben Bauwerk, sondern im gesamten Industriebau. Das trifft für den Stahlbetonbau und für den Stahlbau in gleicher Weise zu. Im Stahlbetonbau neigt besonders die Schalenbauart wegen des Holzaufwandes für die gekrümmten Schalenflächen zu einer Typung (s. S. 179).

Im Stahlbau ist es der Stahlleichtbau, der zur Vorfertigung ganzer Hallen drängt. Für Shedbauten sind manche Stahlbaufirmen dazu übergegangen, bestimmte Typen auf Lager zu arbeiten. Für Hallen mit Kranausrüstung dagegen hat sich trotz vieler Vorarbeiten noch kein einheitlicher Typ herausgebildet. Die Abstimmung der Tragfähigkeit der Kräne, ihrer Hubhöhe und Spannweite auf die Querschnittsabmessungen der Hallen stößt immer wieder auf Schwierigkeiten.

Auf die äußere Gestaltung eines Industriebaues bleibt eine Typung natürlich nicht ohne Einfluß. Die Möglichkeit der Fassadenausbildung wird durch die Anwendung gleicher Elemente begrenzt, und durch die Rasterung des Grundrisses und der Fassaden ergibt sich eine verhältnismäßig strenge Gliederung der Außenwände.

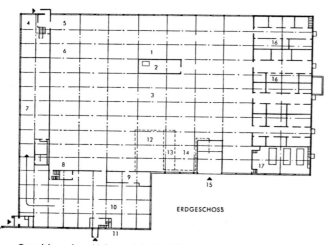

ERDGESCHOSS

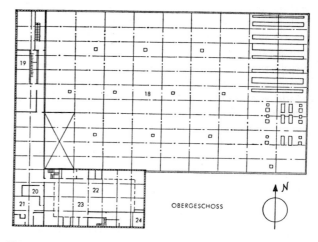

OBERGESCHOSS

Grundrisse eines Mehrzweck-Industriebaus in den USA. Der Grundriß wurde auf einem Raster entwickelt, sämtliche Bauelemente sind genormt
1 Betriebsmaterial · 2 Farbendepot · 3 Lagerhalle · 4 Personal · 5 Vorzimmer · 6 Erste Hilfe · 7 Konstruktionsbüro · 8 Tresor · 9 Labor ·

10 Ingenieurbüro · 11 Regendach · 12 Rohmateriallager · 13 Inspektion · 14 Empfangs- und Versandabteilung · 15 Zulieferung · 16 Schreibzellen · 17 Kesselraum · 18 Werkhalle · 19 Waschräume · 20 Eßraum · 21 Küche · 22 Hauptbüro · 23 Lager · 24 Rechnungsbüro

Natürliche Belichtung

Die Beleuchtungsstärke muß so groß sein, daß sie mühelos und dauernd das Erkennen aller nötigen Vorgänge, die mit dem Arbeitsprozeß zusammenhängen, erlaubt. Die Beleuchtung soll nur in geringen Grenzen schwanken und gleichzeitig eine Schattigkeit hervorrufen, die alle Formen und Einzelheiten der Oberflächen gut erkennen läßt. Die Leuchtdichte soll aber noch unterhalb der Blendungsgrenze liegen.

Bislang galt die Forderung, daß jeder Arbeitsplatz genügend Tageslicht erhalten muß. Das hat zur Folge, daß nur geringe Gebäudetiefen möglich sind. Außerdem liegt ein Nachteil der natürlichen Belichtung durch Fenster darin, daß die Außenwand oder die Dachhaut durchbrochen werden müssen. Nicht nur, daß die Anschlüsse der Fenster konstruktive Schwierigkeiten mit sich bringen, und daß die Fensterflächen teurer als die Wand- oder Dachfläche sind, sondern die Fenster stellen auch Abkühlungsflächen dar, die den Heizaufwand erhöhen und die für manchen Betrieb geforderte Gleichmäßigkeit der Temperatur oder Feuchtigkeit unmöglich machen. Deshalb werden neuerdings immer mehr Fabriken errichtet, die ausschließlich mit künstlichem Licht arbeiten.

Normalerweise reicht die Beleuchtung durch Tageslicht im Freien und in Innenräumen, die genügend befenstert sind, auch für sehr feine Arbeiten aus. Bei der Beurteilung des künstlichen Lichtes wird daher das Tageslicht als Norm zugrunde gelegt.

Die Begriffe wie Lichtstärke, Blendung, Schattigkeit werden subjektiv verschieden aufgefaßt. Daher ist eine klare Definition und ihre physikalische Meßbarkeit unerläßlich. Unter Beleuchtungsstärke versteht man den Quotienten aus dem auffallenden Lichtstrom und der Größe der Fläche. Die Einheit der Beleuchtungsstärke ist das Lux (1 lx), definiert als die Beleuchtungsstärke einer Fläche von 1 m², auf die ein Lichtstrom von 1 Lumen (1 Lm) fällt. Da sich das Tageslicht in sehr weiten Grenzen innerhalb weniger Sekunden in vielerlei Hinsicht (Farbe, Stärke, Zusammensetzung) ändern kann, hat die Angabe von Beleuchtungsstärken zur Kennzeichnung der Beleuchtungsverhältnisse in einem Raum nur Sinn, wenn gleichzeitig die Art des vorhandenen Tageslichtes im Zeitpunkt der Messung mit angegeben wird. So kann z. B. aus einer Angabe der Beleuchtungsstärke von 150 lx in einem Raum bei trübem Wetter gefolgert werden, daß der Raum jederzeit gut mit Tageslicht versehen ist. Dieselbe Angabe von 150 lx bei hellem Sonnenschein besagt aber, daß der Raum bei bedecktem Himmel nicht mehr genügend belichtet sein wird.

Es hat sich deshalb als praktisch erwiesen, nicht die absolute Beleuchtungsstärke in einem Raum anzugeben, sondern das Beleuchtungsverhältnis relativ auf die gleichzeitig herrschende Außenbeleuchtung zu beziehen. Der Quotient aus der Beleuchtungsstärke an einer bestimmten Raumstelle und der horizontalen Beleuchtungsstärke im Freien wird als Tageslicht-Quotient bezeichnet.

Geht man von einer mittleren Horizontal-Belichtung im Freien von 3000 lx bei bedecktem Himmel aus – für unsere Breiten die vorherrschende Belichtung – so ergeben sich die Tageslicht-Quotienten für bestimmte Beleuchtungsstärken im Raum wie folgt:

Lux	Tageslicht- Quotient	Art der Arbeit
40	1,33	grob
80	2,66	mittelfein
150	5	fein
300	10	sehr fein

Für die Einordnung der verschiedenen Arbeitsarten hinsichtlich der notwendigen Beleuchtungsstärke kann folgende Aufstellung dienen:

Grobe Arbeit

Gießerei	Eisengießen, Gußputzen
Metallbearbeitung	Grobwalzen und -ziehen, Schmieden am Amboß und im Gesenk, Schruppen
Keramische Industrie	Arbeiten im Ofenraum der Glashütte und Ziegelei
Gerberei	Arbeiten an den Gruben und Fässern

Mittelfeine Arbeit

Gießerei	Spritzguß, einfaches Formen
Metallbearbeitung	Arbeiten an Revolverdrehbänken (ausgenommen Einrichten), Pressen und Stanzen, Grobmontage
Holzbearbeitung	Sägen, Hobeln, Fräsen, Zusammenbau
Papierherstellung	Zellulose- und Holzstoffbereitung, Arbeiten an Papiermaschinen
Lebensmittelbetriebe	Bäckereien, Metzgereien, Mühlen, Küchen

Feine Arbeit

Gießerei	Schwieriges Formen
Metallbearbeitung	Feinwalzen und -ziehen, Einrichten von Revolverdrehbänken, Feindrehen, feine Preßarbeit, Feinmontage
Holzbearbeitung	Feine Sägearbeiten, Polieren
Papierherstellung und Verarbeitung	Zurichten und Fertigmachen
Gewebeherstellung und Verarbeitung	Spinnen, Weben und Bearbeiten von hellem Gut, Färben, Zuschneiden, Nähen
Lederbearbeitung	Färben, Zuschneiden und Nähen
Druckerei	Maschinensatz, Drucken
Büroarbeit	Maschinenschreiben, Lese- und Schreibarbeit

Sehr feine Arbeit

Metallbearbeitung	Gravieren, alle Arbeiten im Prüflaboratorium, feinmechanische Arbeiten, Zusammenbau von Meßinstrumenten, Uhren
Glasbearbeitung	Schleifen und Polieren optischer Gläser
Gewebeherstellung und Verarbeitung	Spinnen, Weben und Bearbeiten von dunklem Gut, Zuschneiden, Nähen
Druckerei	Zurichten von Druckmaschinen, Handsatz, Litographieren, Papierprüfen
Büroarbeit	Zeichnen

Auch die Definition des Tageslicht-Quotienten läßt noch keine einwandfreie Vorausberechnung der Beleuchtungsverhältnisse zu, weil sie eine Vergleichsmessung voraussetzt, die erst am fertigen Bauwerk möglich ist. Um bei dem Entwurf von Bauwerken die Beleuchtungsverhältnisse vorher abschätzen zu können, hat man noch weitere Vereinfachungen getroffen:

Man geht davon aus, daß die Belichtungsstärke im Innern eines Raumes im wesentlichen von dem direkten Himmelslicht herrührt, und vernachlässigt den indirekten Anteil, der durch Reflexion von gegenüberliegenden Bauten und von den Wänden im Raum selbst herrührt. Nach DIN 5034 „Leitsätze für Tagesbeleuchtung" kann der direkte Anteil geometrisch durch den räumlichen Winkel der an der betreffenden Stelle des Raumes sichtbaren Himmelsfläche erfaßt werden, indem der „direkte Tageslicht-Quotient" als Verhältnis der Projektion dieses Raumwinkels auf die Arbeitsfläche (reduzierter Raumwinkel) zur Raumwinkelprojektion der Himmelshalbkugel auf die horizontale Fläche definiert werden kann.

Auch ohne physikalische Messungen und Bezugsgrößen kann man diese Überlegungen zu der Forderung zusammenfassen: Von jedem Arbeitsplatz aus soll der Himmel zu sehen sein. Aus dieser Forderung ergeben sich die einzelnen Baumaßnahmen.

In Geschoßbauten soll die Raumtiefe für die Arbeitsplätze höchstens doppelt so groß sein wie der Abstand zwischen Fenstersturz und Tischhöhe. Unter diesen Bedingungen bildet die Verbindungslinie vom ungünstigsten Arbeitsplatz zum Fenstersturz mit der Waagerechten einen Winkel von mindestens 27°. Daraus folgt weiter für den Abstand der Gebäude ein Maß von B = 2 h (h = Gebäudehöhe), das auch aus Gründen des Feuerschutzes eingehalten werden muß.

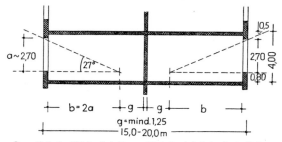

Raumtiefe in Abhängigkeit vom Einfallswinkel des Tageslichtes

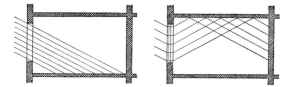

Verglasung mit Klarglas und mit lichtstreuenden Gläsern

Die richtige Ausleuchtung eines Raumes setzt eine Mindestgröße der Fenster voraus. Es genügt nicht, diese Größe allein nach den Grundflächen des Raumes festzulegen, weil die Form der Fenster, ihre Verteilung in der Wand, ihre Konstruktion, die Art der Verglasung und auch die Form und Gliederung des Raumes von nicht minderer Bedeutung sind. Zur ersten Abschätzung der Größenordnung für den Flächenbedarf der Fenster können derartige Verhältniszahlen aber herangezogen werden. Sie liegen je nach Raumart zwischen $1/10$ und $1/2$ der Bodenfläche. Als Mindestgrößen sind anzusetzen für:

Neben- und Lagerräume	$1/10$
Werkstätten mit Grobarbeit	$1/8$
Werkstätten mit Feinarbeit	$1/5$

Allerdings nimmt die Belichtung bei Fenstergrößen über $1/10$ bis $1/8$ der Bodenfläche nicht mehr direkt proportional der Fenstergröße zu. So beträgt z. B. bei einer Fenstervergrößerung um 100% von $1/6$ auf $1/3$ der Bodenfläche der Helligkeitszuwachs nur rund 60%. Deshalb ist bei Fenstergrößen über $1/8$ der Bodenfläche die Wirtschaftlichkeit in jedem Fall zu prüfen.

Bei einer Belichtung durch Seitenfenster läßt sich nicht vermeiden, daß sich die Belichtungsverhältnisse nach der Raumtiefe hin schnell verschlechtern. Der Übergang von der direkten Sonneneinstrahlung zur Zone, die nur durch Reflexion erhellt wird, ist sehr schroff. Durch hellen Anstrich des Raumes kann der Übergang gemildert werden, gleichzeitig soll damit erreicht werden, daß die Beleuchtungsstärke im Schlagschatten noch 20% der ohne Abschattung an dieser Stelle vorhandenen Beleuchtungsstärke beträgt. Starke Schattigkeit durch direktes Sonnenlicht kann durch Vorhänge oder Jalousien gemildert werden. Auch horizontale oder vertikale Sonnenblenden können eine direkte Sonneneinstrahlung verhindern.

In letzter Zeit haben sich zur besseren Ausleuchtung von Räumen mit Seitenlicht lichtstreuende Gläser eingeführt. Sie brechen die Lichtstrahlen, so daß durch Reflexion an der Decke eine gleichmäßige Beleuchtungsstärke nach der Raumtiefe zu erreicht wird. Derartige Gläser, die undurchsichtig sind, dürfen jedoch nicht die gesamte Fensterfläche einnehmen, weil sonst der in dem Raum Beschäftigte von der Außenwelt abgeschlossen ist. Er hat keine Beziehung zur Außenwelt mehr und merkt erst beim Verlassen seiner Arbeitsstätte, ob der Himmel bewölkt, das Wetter heiter oder trüb ist. Aus psychologischen Gründen ist ein Ausblick aus dem Raum unbedingt erforderlich. Man schaltet deshalb am besten in Augenhöhe Scheiben aus Klarglas ein.

So sehr auch die Berechnungsmethoden für die natürliche Belichtung verfeinert worden sind, können sie doch alle Nebeneinflüsse, die für Belichtungsfragen entscheidend sind, nicht erfassen. Der erfahrene Praktiker wird deshalb auf die Anordnung der Unterzüge und ihre Abmessungen, auf gute Reflexion durch helle Anstriche und auf Ermahnung des Betriebes zur Sauberkeit denselben Wert legen wie auf die theoretische Berechnung der Belichtungsverhältnisse.

Die unangenehme Aufheizung der vom Sonnenlicht getroffenen Räume unter großen Glasflächen kann durch Verwendung wärmeabsorbierender Gläser (Katacalor, Thermolux u. a.) gemildert werden.

Während bei Geschoßbauten, die nur durch Seitenfenster belichtet werden, die einzelnen Einflüsse der Tagesbelichtung verhältnismäßig klar erkannt und beim Entwurf berücksichtigt werden können, liegen die Verhältnisse bei Hallen- und bei Flachbauten mit Oberlichtern nicht so einfach. Hier treffen zu viele Faktoren zusammen, die aufeinander abgestimmt sein müssen. Eine vollständige Gleichmäßigkeit der Belichtung kann nur durch Oberlichter erzielt werden, besonders wenn die Glasflächen wie bei den Shedbauten nach Norden gerichtet sind.

Kurt Dummer
Bauing.
Berlin-Pankow   75
Retzbacher Weg 6

Künstliche Beleuchtung

Bei der Anordnung und Ausbildung der künstlichen Beleuchtung ist von der Grundforderung auszugehen, daß die künstliche Beleuchtung nicht im Gegensatz zur natürlichen Belichtung stehen darf; sie soll sich vielmehr, sofern es sich um Arbeitsräume handelt, in Lichtqualität, Farbe, Richtung und Schattigkeit dem Tageslicht so weit wie möglich anpassen. Aus wirtschaftlichen Gründen läßt sich dies nur unvollkommen erreichen, denn eine künstliche Beleuchtung mit derselben Beleuchtungsstärke, wie sie das Tageslicht aufweist, ist wirtschaftlich kaum tragbar. Das Tageslicht fällt durch große Fenster ein und wird bei direkter Sonneneinstrahlung durch Jalousien, Farbanstriche des Glases oder durch die Glasstruktur entsprechend verteilt. Die künstliche Beleuchtung kann dagegen weder aus technischen noch aus wirtschaftlichen Gründen so großflächig wie die Tageslichtöffnungen angeordnet werden. Außerdem konnte man sie bisher selten dort anbringen, wo das Tageslicht in den Raum eintritt (Fenster). Die Entwicklung der Lichtträger von der punktförmigen Glühlampe zur Fluoreszenzröhre läßt in Zukunft immerhin eine stärkere Angleichung der künstlichen an die natürlichen Beleuchtungsverhältnisse erwarten.

Wenn mitunter von einem tageslichtähnlichen Licht gesprochen wird, so kann sich die Ähnlichkeit nach dem bisherigen Stand der Lichttechnik nur auf einzelne Eigenschaften beziehen. Meist glaubt man, durch ein kontinuierliches Spektrum des künstlichen Lichtes schon eine Angleichung an das Tageslicht zu erreichen. Das Tageslicht ändert sich jedoch nicht nur hinsichtlich seiner Beleuchtungsstärke, sondern auch in seinem Spektrum; der Mensch empfindet das Morgen- und das Abendlicht anders als das Mittagslicht. Dieser Wechsel des Lichtes ist für das menschliche Leben wahrscheinlich unerläßlich. Aus physiologischen Gründen kann der Mensch nicht in einer sich völlig gleichbleibenden Umgebung leben, er bedarf der Reize, die dem Leben den Antrieb verleihen. Die künstliche Beleuchtung aber muß sich auf einen einzigen Wert für die Beleuchtungsstärke festlegen, der aus wirtschaftlichen Gründen an der unteren Grenze der Tagesbelichtung liegt.

Schlüsse über etwaige Schäden, die eine Arbeit in nur künstlichem Licht hervorrufen könnte, sind jedoch nicht ohne weiteres möglich. Bisher konnten bei Untersuchungen von Arbeitern, die schon immer mit künstlichem Licht (photographisch-chemische Industrie, Bergbau) gearbeitet haben, keine Schäden festgestellt werden*.

Für die Wirksamkeit einer künstlichen Beleuchtung sind die Anordnung der Beleuchtungskörper, ihre Intensität und die farbliche Zusammensetzung des Lichtes bestimmend. Grundsätzlich muß unterschieden werden zwischen einer Raumbeleuchtung, deren Aufgabe es ist, einen ganzen Raum möglichst gleichmäßig auszuleuchten, der Arbeitsplatzbeleuchtung und der Verkehrsbeleuchtung, die verhältnismäßig schwach sein kann.

* Schober, H.: Sehbeschwerden bei Beleuchtung mit Leuchtstofflampen und ihre Vermeidung, Gesundheitsingenieur 76 (1955), S. 114.

Die Raumbeleuchtung von Industriehallen ist abhängig von der Höhe der Hallen. In niederen und mittelhohen Hallen bis 8,0 m Höhe genügen Leuchten mit kolbenförmigen oder Fluoreszenzlampen, in hohen Hallen von 8,0 m–12,0 m werden tief- und breitstrahlende Reflektoren mit Glüh- oder Entladungslampen und in sehr hohen Hallen über 12,0 m Kolbenlampen mit Spiegelreflektoren erforderlich. Die Beleuchtungskörper müssen an der Decke über der Krananlage montiert werden. Um die Schattenwirkung der Krane zu vermeiden, können die Leuchten bei mehrreihiger Anordnung versetzt vorgesehen werden. Außerdem ist eine Montage von Direkt-Strahlern am Kran selbst erforderlich, damit der Schlagschatten des Krans die darunterliegenden Arbeitsstätten nicht verdunkelt. Ferner müssen in hohen Hallen Beleuchtungskörper an den Seitenwänden oder Stützen angeordnet werden, um die an den Wänden liegenden Arbeitsplätze genügend zu beleuchten. Bei Blendungsgefahr müssen diese in der Regel tief placierten Leuchten mit lichtstreuenden Gläsern oder Rastern versehen sein. Eine Beleuchtung durch Fluoreszenzlampen in Reihenmontage mit Reflektoren verbessert die Gleichmäßigkeit und bewirkt eine geringe Schattigkeit an den Arbeitsplätzen. Die Herstellungskosten sind jedoch größer als für die bisher üblichen Beleuchtungsanlagen.

In Geschoßbauten können in Räumen bis zu 5,0 m Raumhöhe freistrahlende oder halbdirektstrahlende Leuchten verwendet werden, wenn Decken und Wände hell sind und nicht mit größerer Verschmutzung und Nachdunkelung zu rechnen ist. Dagegen müssen in Arbeitsräumen mit dunklen Wänden und Decken oder in Räumen mit mehr als 5,0 m Raumhöhe direkt strahlende Leuchten vorgesehen werden. Besondere Bedeutung kommt den Fenstern zu. Sie müssen mit lichtreflektierenden hellen Vorhängen oder Sonnenstores zu schließen sein, damit Lichtverluste vermieden werden.

In Flachbauten sind wegen des Vorhandenseins von Oberlichtern, also großen Flächen, die keine Reflexion der Lichtstrahlen zulassen, direkt strahlende Beleuchtungskörper zweckmäßig. Eine freistrahlende Beleuchtungsart kann nur in denjenigen Raumteilen angewendet werden, in denen die Oberlichter fehlen. Auch für Shedbauten kommen nur direkt oder halbdirekt strahlende Leuchten in Betracht. Die Anordnung der Leuchtkörper in Shedbauten geschieht am zweckmäßigsten an den längslaufenden Rinnenunterzügen oder an der geneigten Deckenfläche in Form von Fluoreszenzlampen, die gegen die Fensterfläche durch Reflektoren abgeschirmt werden müssen.

Werden für spezielle Arbeiten besondere Bedingungen an Lichtstärke, Lichtrichtung, Schattigkeit und Lichtfarbe gestellt, so lassen sich kleine Direktstrahler am Arbeitsplatz oder in der Maschine einbauen, die das zu bearbeitende Werkstück direkt beleuchten. Bei Fließbandarbeiten ist eine durchlaufende Fluoreszenzröhre zweckentsprechend. In jedem Fall muß das Licht blendungsfrei sein, um eine Ermüdung der Augen zu verhindern.

Verkehrs- und Transporteinrichtungen

Wie der Gleisplan die Gesamtanlage eines Industrie-
werkes beeinflußt, werden durch Verkehrs- und Transporteinrichtungen, durch Treppen und Aufzüge die Gestaltung und Abmessung der Gebäude bestimmt. Ausschlaggebend sind hierbei wirtschaftliche Überlegungen und
Fragen der Unfallverhütung. Man strebt deshalb eine
klare Trennung des Material- und Personenverkehrs an.
Zu unterscheiden ist zwischen festeingebauten Hebezeu-
gen, Aufzügen, Kränen, Fördereinrichtungen, schienengebundenen Fahrzeugen und frei beweglichen Fahrzeugen. Die schienengebundenen Fahrzeuge werden immer
mehr durch festeingebaute Förderanlagen oder frei bewegliche Fahrzeuge, insbesondere durch Elektrokarren
verdrängt.
Neben den Transportanlagen für die Produktion sind für
den Ein- oder Ausbau schwerer Maschinen Krananlagen
oder einfachere Hebezeuge nötig, die bei der Planung
der Gebäude zu berücksichtigen sind. So werden die Gebäude für Kraftwerke nur deshalb so hoch vorgesehen,
weil die Krananlage für den Einbau und den gelegentlichen Ausbau der Turbinen und Generatoren unterzubringen ist. Die Entwicklung geht dahin, diesen baulichen
Aufwand zu reduzieren, und die Krananlagen als Bock-
kräne auf die abnehmbaren Dächer zu setzen. Die Gebäudehöhe kann dann entsprechend niedriger gehalten
werden. Bei Wasserkraftanlagen ist man noch weiter gegangen, indem man wiederholt auf ein Krafthaus überhaupt verzichtet und den immerhin nötigen Kran seitlich
so ausgefahren hat, daß er das Landschaftsbild möglichst
wenig stört („Verstecken" des Kranes in einem Berghang).
Bei mehrgeschossigen Fabrikanlagen kann man die Hebezeuge im obersten Geschoß anbringen und die Zwischendecken mit abnehmbaren Öffnungen versehen, so daß
ein einfacher Aufzug ohne großen baulichen Aufwand
und ohne eigenen Platzbedarf für gelegentlichen Transport von Geschoß zu Geschoß zur Verfügung steht.
Der in immer höherem Maße bevorzugte gleislose Verkehr mit bereiften Handkarren, Hubstaplern und Elektrokarren erfordert eine planvolle Ordnung der Nutzflächen
in den Produktionsräumen. Die Verkehrsflächen sollten
gegen die Betriebsflächen farbig abgesetzt oder besonders markiert werden, um die Betriebssicherheit zu erhöhen und einen reibungslosen Verkehrsablauf zu gewährleisten. In dem Normblattentwurf DIN 18 225, „Verkehrswege in Industriebauten", ist ein erster Versuch un-
ternommen worden, gewisse Mindestabmessungen festzulegen.
Für die Planung dieser innerbetrieblichen Verkehrswege
sind die Maße der zum Einsatz kommenden Verkehrsmittel ausschlaggebend. Neben dem Platzbedarf in der
Breite sind die Wenderadien der verschiedenartigen
Transportmittel und die Fahrzeughöhe bzw. Ladehöhe
(z. B. bei Gabelstaplern) wegen der Tür- und Toröffnungen zu beachten.
Eine der Voraussetzungen für den innerbetrieblichen
gleislosen Verkehr ist ein in allen Räumen in gleicher

Einfluß der Transporteinrichtungen auf die Erscheinung eines
Sägewerks in Finnland

Höhe durchgehender Fußboden. Etwaige Differenzen
müssen durch Rampen ausgeglichen werden.
Der Anteil der Verkehrsflächen an den Gesamtflächen
eines Bauwerkes darf nicht unterschätzt werden. Er liegt
bei Geschoßbauten in der Größenordnung von 15%, in
Hallen und Flachbauten kann sich der Anteil bis auf 5%
ermäßigen. Geht man beim Entwurf von der reinen Nutzfläche (Produktionsfläche) aus, so ist für Verkehrsflächen
ein Anteil bis zu 30% hinzuzuschlagen.
In den neuzeitlichen Betrieben setzt sich die Fließbandproduktion immer mehr durch. Diese Produktionsart bedingt stetige Fördereinrichtungen, die entweder gleichmäßig oder in gewissen Zeitabständen das durch viele
Hände laufende Werkstück weitertransportieren und die
Zuführung von Materialien und Teilfabrikaten übernehmen. Die Ausbildung dieser Transporteinrichtung ist Aufgabe der Spezialisten auf dem Gebiet der Fördertechnik.
Von dieser Seite müssen alle Einzelforderungen geklärt
sein, ehe die Bauwerke entgültig geplant werden können.
Stetige, fest eingebaute Förderanlagen können die architektonische Gesamterscheinung einer Industrieanlage besonders dann beeinflussen, wenn sich der Produktionsvorgang nicht in einem Baukörper allein abwickeln kann,
sondern mehrere Einzelgebäude umfaßt, die durch Transportbrücken miteinander verbunden werden müssen. In
welchem Umfang die Transportbrücken die Gesamterscheinung bestimmen, zeigen die Bauten der Zechen,
der Brikett-, Zement- und Zellulosefabriken.

Aufzüge

Der vertikale Transport wird in der Hauptsache über Aufzüge abgewickelt. Zu unterscheiden ist zwischen reinen Personenaufzügen, Lastenaufzügen und gemischten Aufzügen. Für den Entwurf sind wichtig:

Abmessungen der Aufzugschächte
Zugang der Aufzüge (einseitig, beidseitig)
Lage des Maschinenraumes

Die besonderen Sicherheitsvorschriften sind in Polizeiverordnungen niedergelegt. Die Aufzugsschächte müssen grundsätzlich durch feuerbeständige Wände und Türen gegen die einzelnen Stockwerke abgeschlossen sein, weil bei einem Brand die Fahrstuhlschächte als Kamin wirken können, wenn sie nicht feuersicher abgetrennt sind; sie würden sonst die Übertragung eines Brandes von Geschoß zu Geschoß begünstigen.

Liegen die Aufzüge im Freien (Außenseite von Gebäuden), in offenen Treppenhäusern, Lichthöfen oder zwischen offenen Galerien, so entfällt die Forderung der feuerbeständigen Wände. Es stehen dann ausschließlich Maßnahmen zur Unfallverhütung im Vordergrund. Für solche offenen Aufzüge ist eine Drahtumkleidung von mindestens 2,50 m Höhe über Fußboden und – falls eine Fahrkorbseite offen ist – selbstverständlich auch eine durchgehende Drahtverkleidung auf dieser Seite unerläßlich.

Für einen bestimmten Fabrikationsablauf können Aufzüge an sehr verschiedenen Stellen notwendig werden, in der Regel wird man die Aufzüge jedoch in Verbindung mit den Treppenhäusern anordnen.

Für die architektonische Erscheinung eines Gebäudes sind Lage und Ausbildung der Aufzüge nicht ohne Einfluß. In den meisten Fällen ist es nötig, den Aufzugschacht über das Dach des Gebäudes herauszuheben, um den erforderlichen Raum für die Aufzugmaschinen zu erhalten. Ein Baukörper erhält dadurch immer einen gewissen Akzent, der in vielen Fällen sehr störend wirken kann, wenn es nicht gelingt, den Aufzug mit einem Treppenhaus auch formal gut zu kombinieren. Aus diesem Grunde wurden sogenannte Flachdachaufzüge entwickelt, die so eingerichtet sind, daß die verhältnismäßig kleine Aufzugmaschine im obersten Geschoß neben dem Aufzug liegt, ein Dachaufbau also nicht mehr nötig ist (s. S. 195).

Krananlagen

Von den zahlreichen Kranen, die im Industriebau Anwendung finden, sollen nur auf die am häufigsten vorkommenden Laufkrane (Werkstattkrane im engeren Sinn) hingewiesen werden. Fast jede Halle ist mit einem Laufkran ausgerüstet und wird in ihrem Aufbau und in ihren Abmessungen von dessen Tragfähigkeit beeinflußt.

Der Kranträger oder die Kranbrücke spannt sich meist über die gesamte Hallenbreite und läuft auf Kranbahnschienen und Kranbahnträgern, die auf die Hallenstützen aufgelagert sind. Über die Kranbrücke rollt in der Querrichtung die Laufkatze mit der Hubvorrichtung für den vertikalen Transport. Aus der geforderten Hubhöhe, der Tragfähigkeit und den Spannweiten ergibt sich die Abmessung der Krananlage. Eine Hubhöhe von 4 m soll aus Gründen der wirtschaftlichen Ausnutzung des Kranes und der Unfallverhütung nicht unterschritten werden. Daraus folgt die Mindesthöhe der Traufe in Hallen mit Kranausrüstung zu rd. 6,5 m. Je größer die geforderte Tragfähigkeit des Kranes ist, um so schwerer ist er naturgemäß selbst, und um so geringer müssen die Formänderungen der Kranbahnträger und der Stützen bleiben. Sehr schwere Krane benötigen daher steife Hallensysteme (Rahmen oder eingespannte Stützen, s. S. 164/165).

Für den Hallenquerschnitt ist das lichte Raumprofil eines Kranes von Bedeutung. Aus Gründen der Unfallverhütung wird zwischen Oberkante Kranbrücke und Unterkante Dachbinder ein lichter Abstand von 1,80 m gefordert (siehe S. 196). Man kann mit Recht bezweifeln, ob es unbedingt notwendig ist, dieses Lichtraumprofil auf der gesamten Kranbreite einzuhalten, wie die Vorschriften verlangen, oder ob man bei gekrümmten Dachkonstruktionen, insbesonders bei Stahlbetonschalen, nicht eine Einschränkung zulassen könnte. Seitlich muß ein Laufkran in jeder Stellung über einen Laufsteg von mindestens 40 cm Breite verlassen werden können. Diese Vorschrift kann die Stützenausbildung beeinflussen.

Die untenstehende Abbildung vermittelt einen Eindruck von der Vielzahl der Krane, die in einer Halle zur Verwendung kommen können. Oft reicht ein Kran allein nicht aus, so daß ein zweiter darüber angeordnet werden muß. Andererseits können zum seitlichen Absetzen von Lasten Schwenkkräne notwendig werden.

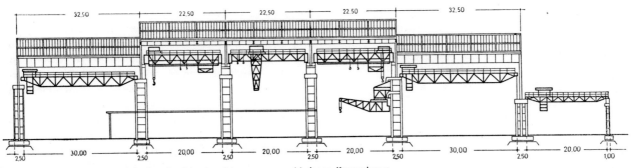

Schnitt durch eine Stahlwerkshalle mit einer Ausrüstung von verschiedenen Krananlagen

Türen und Tore

Die Abmessungen der Türen und Tore richten sich nach dem Durchgangsverkehr. In DIN 18 223, Blatt 1 (s. S. 220) sind die Rohbauöffnungsgrößen für den Industriebau zusammengestellt. Für die normale Tür mit ausschließlichem Personenverkehr genügen Höhen von 2,00 und 2,25 m, wenn jedoch mit einem gelegentlichen Transport von Lasten auf Schultern gerechnet werden muß, darf die Türhöhe 2,25 m nicht unterschreiten. Das Mindestmaß für die Breite beträgt 87,5 cm, die weiteren Abmessungen sind 1,00 m und 1,25 m. Sobald ein Materialtransport durch die Türen erforderlich ist, soll die Breite nicht unter 1,25 m betragen. Die Maße der Tore ergeben sich aus der Art und Größe der Transportmittel (Elektrokarren, Auto, Eisenbahn).

Für Türen, die in Richtung eines Fluchtweges liegen, ist die Breite nach der Anzahl der Personen zu bemessen, die im Katastrophenfall die Tür passieren. Es bestehen hierfür aber keine einheitlichen Vorschriften, festgelegt wurde die Türbreite nur in der Zellhornverordnung, in der eine Mindestbreite von 0,80 m für je 20 Personen gefordert wird. Um überhaupt einen Anhalt für die zu wählenden Türbreiten zu erhalten, kann die Verordnung für Lichtspieltheater als Grundlage dienen, die eine Mindestbreite von 1,25 m vorschreibt. Bei dem Zusammentreffen mehrerer Fluchtwege müssen die Breiten der anschließenden Türen möglichst der Summe der vorhergehenden Türen in den Teilwegen entsprechen, doch hängt das wesentlich von der Art und der Feuergefährlichkeit des Betriebes ab.

In Abhängigkeit von ihrer Breite werden die Türen ein- oder zweiflügelig ausgeführt. Bis zu 1,25 m können einflügelige Konstruktionen gewählt werden, darüber hin-

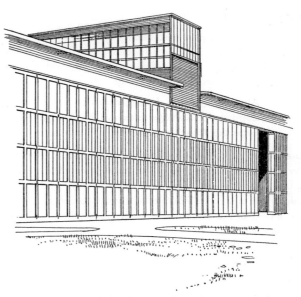

Falttor einer Flugzeughalle. Das Tor nimmt die gesamte Außenwand ein und verliert dadurch den ursprünglichen Charakter eines Tores

aus sind sie zwei- oder mehrflügelig auszubilden, sonst werden die einzelnen Flügel zu schwer und schlagen außerdem zu weit in den Raum hinein. Als zweckmäßig hat sich für zweiflügelige Türen erwiesen, die beiden Flügel ungleich breit zu bemessen: Der bewegliche Flügel nimmt ²/₃ der Türbreite ein, der feststehende ¹/₃. Damit ergibt sich bei knappster Gesamtbreite genügend Durchgangsbreite für den Personenverkehr (einflügelig) und für den Lastverkehr (zweiflügelig).

Als Material für Türen kommen praktisch nur Holz und Stahl in Frage. Dem Vorteil des Holzes, der in seiner guten Wärmedämmung liegt, steht als Nachteil die zu geringe mechanische Festigkeit und die Brennbarkeit gegenüber. Im Industriebau haben sich deshalb immer mehr die Stahltüren in Verbindung mit Stahlzargen durchgesetzt. Sie bestehen aus glatten Stahlblechen, die durch Profile ausgesteift werden, oder aus gepreßten Stahlrahmen, in die Bleche ähnlich den Füllungen bei Holztüren eingenietet oder geschweißt sind. Die Blechstärken liegen zwischen 2 und 4 mm. In ihrer äußeren Erscheinung sind die Stahltüren nur wenig gegliedert.

Türen, die ins Freie oder zu Räumen mit erheblichen Temperaturunterschieden führen, versieht man mit einem Windfang. Er kann aus einem einfachen Vorbau oder aus einem dazwischengeschalteten Raum bestehen. Wichtig ist, daß die Türen nacheinander geöffnet werden, so daß der Zwischenraum als Luftpolster wirkt. Neuerdings werden Windfangtüren als frei drehbare „Gummischürzen" mit einem Sichtloch aus Plexiglas ausgebildet. Sie behindern den Verkehr nur wenig und sind auch nachträglich leicht einzubauen. Türen mit erheblichem beiderseitigen Verkehr werden als Pendeltüren ausgebildet, die auch für Windfang- und Gangabschlüsse geeignet sind. Versieht man die Pendeltüren mit Stoßstangen, können Elektrokarren ungehindert durchfahren.

Schiebetor einer Montagehalle. Die teilweise Verglasung des Schiebetores hält die dahinter liegenden Fenster bei geöffnetem Tor frei. Außenwand und Tor dieselbe Aufteilung und gehen ineinander über

Werden Türen nur gelegentlich geöffnet, oder ist nicht genügend Platz zum Aufschlagen der einzelnen Flügel vorhanden, kann man sie als Schiebetüren ausbilden.

Zum Abschluß von feuergefährdeten Räumen oder für Türen in Brandmauern sind feuerbeständige Konstruktionen notwendig. Die an diese Türen zu stellenden Forderungen sind in dem Normblatt DIN 4102 niedergelegt. Eine Tür, die dieser Forderung entspricht und ohne besonderen Nachweis als feuerbeständig gilt, ist in der DIN 18 081 (feuerbeständige Stahltüren, einflügelig) für die Rohbaurichtmaße von 87,5×200 cm und 100×200 cm zu finden. Derartige Türen müssen besonders gut mit ihren Zargen in das angrenzende Mauerwerk einbinden, weil das Gewicht der Türblätter sehr hoch ist (etwa 130 kg).

Besondere Überlegungen sind für Tore notwendig. Ihre Abmessungen haben sich nach den Geräten und Maschinen, die durch sie transportiert werden sollen, zu richten. Klapptore sind nur bis zu einer bestimmten Größe ausführbar, darüberhinaus müssen Schiebe- oder Falttore verwendet werden. Damit die Schiebetore beim Öffnen dahinterliegende Fensteröffnungen nicht verdunkeln, kann es notwendig werden, in die Schiebetore selbst Lichtbänder einzuschalten. Um durch die großen Tore auch einen Personenverkehr zu ermöglichen, ohne das Tor selbst zu öffnen, baut man Schlupftüren ein. Aus Gründen der Sicherung ist es manchmal angebracht, einzelne Türen farbig herauszuheben, damit sie im Gefahrenfalle von jedermann sofort als Fluchttür erkannt werden. Eine derartige Farbgebung kann man gestalterisch wirksam ausnutzen.

Normale Türen für den Personenverkehr nehmen in ihren Abmessungen Bezug auf den Menschen und können für ein Bauwerk maßstabbildend sein. Bei sehr großen Türen geht dieser Maßstab leicht verloren.

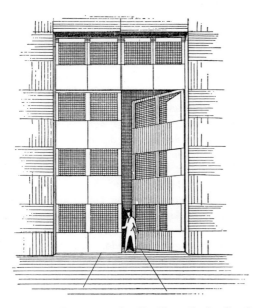

Aluminiumtor zum Transport großer Maschinenteile. Das Tor sitzt wie eine normale Tür in der Außenwand und wirkt dadurch maßstabslos

Treppen

Treppen sind im Industriebau in allen Formen und Ausbildungen anzutreffen und müssen den verschiedenartigsten Anforderungen genügen. Deshalb ist als erstes der Zweck festzustellen, dem die betreffende Treppe dienen soll.

In ihrer Ausbildung wird die Treppe in weitem Umfang vom Steigungsverhältnis bestimmt. Wenn die Treppe für den allgemeinen Verkehr bestimmt ist, soll sie bequem und sicher sein. Wird sie aber nur von einigen wenigen Personen benutzt, etwa als Zugang zu einem Bedienungssteg, dann ist keine Rücksicht auf „Bequemlichkeit" zu nehmen. Sicherheit ist aber in jedem Falle erforderlich, wobei sich der Begriff der Sicherheit bei Treppen verschieden auslegen läßt.

Für die normale Treppe, die dem allgemeinen Verkehr dient, kann man das Steigungsverhältnis (a = Auftritt, s = Stufenhöhe) nach dem menschlichen Schrittmaß bestimmen. Es schwankt zwischen 60 und 66 cm und wird im Mittel auf 63 cm festgelegt.

$$a + 2s = 63 \text{ cm}.$$

Für Treppen mit Massenverkehr kommt ferner folgende Sicherheitsformel in Frage:

$$a + s = 46 \text{ cm}.$$

Und schließlich ergibt sich die bequemste Treppensteigung nach der Formel

$$a - s = 12 \text{ cm}$$

Das Steigungsmaß, das allen drei Bedingungen gerecht wird, ist

$$17 : 29 \text{ cm}.$$

Dieses Maß kann entsprechend abgewandelt werden. Hat man die Geschoßhöhe vorher festgelegt, so muß sich die Treppe mit einer ganzzahligen Steigung einfügen. Das hat zur Folge, daß Auftritt und Steigung sich nicht auf volle cm einstellen lassen.

Bei Treppen mit Massenverkehr oder Treppen, die beim Vorhandensein eines Paternosteraufzuges in erster Linie abwärts begangen werden, ist das Verhältnis 16:30 cm zweckmäßig.

Für Neben- und Nottreppen kann ein steileres Steigungsverhältnis gewählt werden, das bei der Leiter in die Senkrechte übergeht. Das Steigungsverhältnis soll durchgehend in allen Geschossen das gleiche bleiben, bei verschiedenen Geschoßhöhen müssen sich daher die Abmessungen der Treppe im Grundriß nach der Geschoßhöhe richten.

Die Breite der Treppen ist in den wenigsten Bauverordnungen festgelegt. Man kann sich nach der Vorschrift für Lichtspieltheater richten, die für 100 Personen eine Mindestbreite von 1,25 m Breite vorschreibt. Für Industriebauten kann dieser Wert auf 1,00 m vermindert werden. Als Mindestbreite soll unabhängig von der Benutzungszahl eine Breite von 1,25 m eingehalten werden. Die Höchstbreite kann man mit 2,50 m annehmen, da breitere Treppen in Panikfällen (Feuer) zu Massenstürzen führen.

Heizung

Wie alle Räume, die zum dauernden Aufenthalt von Menschen bestimmt sind, müssen auch Arbeitsräume zuträgliche Temperaturen aufweisen.

Die anzustrebende Temperatur hängt von der Art der körperlichen Arbeit ab und schwankt zwischen 15° und 20° C. Werkstätten, in denen sich die Arbeiter ständig bewegen (z. B. Montageräume, Kesselschmieden, Preßwerke, Versandabteilungen, Schmieden), verlangen 15° C, Drehereien und mechanische Werkstätten 15° C bis 17° C und Fabrikationsräume mit sitzender Beschäftigung oder nur geringer körperlicher Arbeit (Feinmechanische Betriebe, Spinnereien) 17° C bis 20° C. Büroräume sollen eine Temperatur von 19° C haben. Nur in Baderäumen kann eine noch höhere Temperatur (20° C bis 25° C) erwünscht sein. Wenn für andere Räume Temperaturen über 20° C gefordert werden (Lackierereien, Tischlereien), dann ist das durch die Art der Fertigung bedingt. Für den Menschen sind diese hohen Temperaturen unerwünscht und müssen durch entsprechende Lüftung oder niedrigen Feuchtigkeitsgehalt ausgeglichen werden.

Auf Grund der gewünschten Temperaturen in Abhängigkeit der für die betreffende Gegend charakteristischen Außentemperaturen im Winter kann der stündliche Wärmebedarf nach DIN 4701, „Wärmebedarf von Gebäuden", errechnet werden. Für überschlägige Ermittlungen können folgende Werte als Anhalt dienen:

Büroräume, allseitig von beheizten Räumen umgeben, mit Doppelfenstern	15–20 kcal/m³/h
Eckräume oder begrenzt von nicht beheizten Räumen	25–35 kcal/m³/h
Besonders freiliegende Räume (Ecken, Dachaufbauten)	40–55 kcal/m³/h
Fabrikationsräume (Maschinensäle, Werkhallen)	15–60 kcal/m³/h
In extremen Fällen (stark verglaste Räume) bis zu	120 kcal/m³/h

Bei der Planung der Heizungsanlage ist zu überlegen, welches System gewählt werden soll, und wo die Wärmeerzeugungs-, die Verteilungs- und Hauptverbraucherstellen liegen. Die verschiedenen Heizsysteme unterscheiden sich vor allem durch die Wärmeträger, ihre Regulierbarkeit, Anheizungsdauer, Wärmekapazität, Auslegung der Heizrohre und Heizkörper. Als Wärmeträger kommen Dampf, Wasser und Luft in Frage. Eine Sonderstellung nimmt die Strahlungsheizung ein.

Die Wahl des Heizungssystems und des Wärmeträgers hängt von der Struktur des Betriebes ab. Bei Betrieben mit Wärmebedarf für die Produktion selbst oder bei Eigenstromerzeugung bildet meist Dampf den Ausgangswärmeträger, zumal wenn er als Abdampf billig anfällt. Einfache Zustandsänderung, schnelles Anheizen, billiges Anlagenetz sind die Vorzüge. Sie wiegen die Nachteile der stets über 100°C liegenden Oberflächentemperatur und die begrenzte Regulierbarkeit soweit auf, daß dieser

Wärmeträger in der Industrie heute noch überwiegend angewendet wird.

Der Übergang auf sehr große Arbeitsräume und das Bestreben, den Arbeitskräften behaglichere Bedingungen zu schaffen, haben dazu geführt, die übliche Dampfheizung durch Mischsysteme zu verdrängen. In Werkstätten grober oder mittelgrober Fertigung und für Anlagen mit kurzzeitiger und wechselnder Benutzungsdauer wird man jedoch auf Dampf nicht verzichten können, ebenso dort, wo die Gefahr des Einfrierens besteht.

Für Großraumheizung hat sich die Wärmeübertragung von Dampf auf Luft durchgesetzt. Die Luft als Wärmeträger wird aber erst an der Bedarfsstelle verwendet. Der Vorteil dieser Luftheizung liegt im schnellen Anheizen und in der Möglichkeit, die Luftführung und Wärmeverteilung im Raum zu lenken. Luftheizung scheidet jedoch in allen Räumen mit Staubentwicklung aus.

Neben dem Dampf spielt das Wasser die Hauptrolle als Wärmeträger. Die Vorteile der üblichen Warmwasserheizung liegen in der guten zentralen Regelbarkeit und den damit verbundenen geringeren Betriebsunkosten. Durch die niedrige Oberflächentemperatur an den Heizkörpern vermindert sich die Staubverbrennung. Außerdem entfallen die Kondenswasser-Ableitungen. Nachteilig sind besonders bei Industrieanlagen das größere Speichervolumen der Warmwasserheizung mit verlängerter Anheizdauer sowie die Gefahr des Einfrierens bei Unterbrechungen im Winter.

Die Heißwasserheizung mit Vorlauftemperaturen im Bereich von 110–220° C verbindet die Vorteile des Wärmeträgers Wasser mit denen eines hohen Temperaturgefälles. Ihr Anwendungsbereich erstreckt sich auf die Wärmezufuhr für Fertigungsverfahren; die Raumheizung selbst muß durch Mischen oder Umformen angegliedert werden. Bei plötzlich notwendig werdenden Reparaturen, wenn z. B. Anlageteile abgeschaltet oder entleert werden müssen, ergeben sich bei diesem System Schwierigkeiten. Die Unterteilung in Gruppen ist bei allen behandelten Systemen von Vorteil. Durch zweckmäßige Lage der einzelnen Lufterhitzer können auch Großhallen gut erwärmt werden, ebenso Hallen mit Transportverkehr nach außen, wobei an den Toren ein Warmluftschleier Zugluft und übergroßen Wärmeverlust verhindert.

Die Strahlungsheizung beruht auf einem vollkommen anders gearteten Prinzip als die bisher gebräuchlichen Systeme, bei denen die Wärmeübertragung von Heizkörpern an die Luft eine ständige Luftbewegung voraussetzt. Bei der Strahlungsheizung wird die Wärme durch Strahlung ohne Vermittlung der Luft abgegeben. In den Wänden oder Decken werden große Heizflächen angeordnet. Sie können aus Heizrohren bestehen, die mit Wasser beschickt werden, oder auch als elektrische Widerstandsheizung ausgebildet sein. Die großen Strahlungsflächen bewirken eine gleichmäßige Erwärmung des Raumes und schränken die Luftbewegung ein. Die Hei-

---

* Kraus, U.: Heizungs- und Klimanlagen im Wärmehaushalt der Fabrik. — Heizung, Lüftung, Haustechnik, 2 (1951),/S. 51.

zung mit Rohrsystemen kann im Sommer als Kühlanlage dienen. In Werkstätten und Hallen wählt man oft aus Rohren bestehende Bandstrahler, die mit einem Strahlungsblech überdeckt sind und so die Wärme nach unten gerichtet abgeben. Sie werden so hoch über dem Fußboden angebracht, daß man mit den Temperaturen auf 180° C gehen kann. Dadurch werden die Installationskosten (kleinere Querschnitte) und die Betriebskosten vermindert.

Die Folgen von Zugluft beim Öffnen von Türen werden hierbei rascher überwunden, weil die Erwärmung durch die Strahlung sofort spürbar wird, sobald die Türen wieder geschlossen sind, während bei den übrigen Heizsystemen die Luft erst wieder auf die entsprechende Temperatur gebracht werden muß.

Das Auslegen der Heizungsanlage ist Sache des Fachingenieurs. Daß dabei eine gute Zusammenarbeit zwischen Architekten und Ingenieuren notwendig ist, darf als selbstverständlich vorausgesetzt werden. Die richtige Anordnung der Installation für die Heizungsanlage soll nicht nur nach wirtschaftlichen Gründen erfolgen, sondern auch die architektonischen Gesichtspunkte berücksichtigen. Eine Heizungsanlage soll nicht den Eindruck erwecken, nachträglich in ein Bauwerk verlegt oder gar eingezwängt zu sein, sondern sie muß vorausschauend in die Gesamtplanung einbezogen werden.

Die Betriebskosten der Heizung hängen nicht nur von der Heizungsanlage selbst ab, sondern auch vom Bauwerk. Jeder bauliche Aufwand, der zu einer Senkung der Heizungskosten führt, ist gerechtfertigt. Die Hauptforderung in baulicher Hinsicht lautet: Die Gebäude sollen wärmedicht sein. Quellen übermäßiger Wärmeverluste sind Fenster, Wände, Dächer, Türen und Tore.

Am besten sind doppeltverglaste Fenster oder Isolierglas mit niedrigem Wärmedurchgang. Doppeltverglaste Fenster sind jedoch im Industriebau selten, um so häufiger sollte man Isolierglas verwenden. Eine weitere Verlustquelle stellen die Falze der Fensterflügel dar, die zum Öffnen eingerichtet sind. Deshalb sind nur wenige Fenster zum Öffnen vorzusehen, sofern die festeingebauten Fensterflächen von außen geputzt werden können. Es haben sich dafür besondere Außenaufzüge eingeführt, die um die gesamte Gebäudefront herumgeführt werden. Dadurch vollzieht man die Reinigung der Außenseiten ohne Störung des Betriebes im Innern.

Für alle Türen und Tore ist ein Windfang erwünscht. Das läßt sich aber nur in seltenen Fällen ermöglichen, am allerwenigsten bei den großen Hallentoren, bei denen der Wärmeverlust besonders groß wird.

Die Wände sollen eine hohe Wärmedämmung aufweisen; das gleiche gilt für Dächer. Jedes Dach muß eine besondere Wärmedämmschicht erhalten. Nach außen ist eine solche Wärmedämmschicht schon deshalb notwendig, um die Wärmespannungen innerhalb des Daches herabzusetzen. Gleichzeitig wird der Wärmedurchgang von innen nach außen vermindert. Außerdem besteht gerade bei Dächern mit ungenügender Wärmedämmung die Gefahr

Heizkraftwerk in Schweden

der lästigen Schwitzwasserbildung. Jede Dämmschicht bedarf aber nicht nur einer Sperrschicht nach außen, um vor Feuchtigkeit (Regen) geschützt zu werden, sondern ebenso einer solchen Sperre (Dampfsperre) nach innen. Wegen des Temperaturgefälles im Winter wandert die Betriebsfeuchtigkeit (Luftfeuchtigkeit) mit der Wärme als Dampf nach außen, schlägt sich leicht in der Dämmschicht nieder und setzt damit deren Wert herab.

Für Industriebetriebe kann der Wärmebedarf für die Heizung oder die Produktion selbst so groß sein, daß ein eigenes Heizkraftwerk notwendig wird. Durch Kopplung mit einer Eigenstromerzeugung (Kraft- und Heizwärme) lassen sich die reinen Heizkosten niedrig halten. Oft stehen sogar die Fragen der Energieerzeugung im Vordergrund, und die Wärme für die Heizung fällt als Abdampf nahezu kostenlos ab. Die Lage eines eigenen Heizkraftwerkes innerhalb des Betriebes wird von der Zufuhr der Kohle, dem Abtransport der Asche und der Rauchbelästigung entschieden. Architektonisch fällt ein Kraftwerk oft aus dem Rahmen der übrigen Bauwerke. Gerade wenn es ganz nach seiner eigenen Gesetzmäßigkeit entwickelt und als Einzelbauwerk gut gestaltet worden ist, ist seine Einordnung in die übrigen Baukörper schwer. Der innere Aufbau führt zu einem eigenwilligen Baukörper, der durch den Schornstein eine Betonung erhält, die ihm im Rahmen der Gesamtanlage meist gar nicht zukommt.

Lüftung

Die Belüftung dient der Regulierung von Wärme und Luftfeuchtigkeit, ferner zur Entfernung von Staub und giftigen Gasen. Heizung und Lüftung dürfen nicht unabhängig voneinander betrachtet werden. Beide sollen für eine staubfreie und geruchfreie Luft mit dem entsprechenden Feuchtigkeitsgehalt und der optimalen Temperatur sorgen. Das Einhalten bestimmter Temperaturen allein schafft noch keine günstigen Arbeitsbedingungen. Der Feuchtigkeitsgehalt der Raumluft ist von gleicher Bedeutung.

Die Beherrschung der industriellen Raumluftfrage setzt in jedem Falle voraus, daß drei charakteristische, unter sich gebundene Grundfragen: die Raumbeschaffenheit, die Betriebseigentümlichkeit und die hygienischen Ansprüche, aufeinander abgestimmt werden müssen. Dabei hat in erster Linie die Rücksicht auf die menschliche Gesundheit die Wahl der zu ergreifenden Maßnahmen zu bestimmen. Der notwendige Luftraum ergibt sich aus dem Sauerstoffbedarf bzw. aus dem Kohlensäuregehalt.

Da eine Person bei mittelschwerer Arbeit etwa 0,036 m³ Kohlensäure stündlich entwickelt und mehr als 0,15% Kohlensäure in der Luft als unangenehm empfunden werden, ergibt sich daraus eine stündliche Frischluftmenge von 0,036:0,0015 = 24 m³ Luft.

Bei geschlossenen Räumen ohne künstliche Lüftung kann mit einem einfachen Luftwechsel pro Stunde gerechnet werden. Demzufolge müßte der Rauminhalt je Arbeiter rd. 30 m³ betragen. In den Vorschriften begnügt man sich mit niedrigeren Forderungen zwischen 10 und 30 m³ je Kopf. Durch den Einsatz einer künstlichen Lüftung sollte ein stündlicher Luftwechsel von 60 m³ je Arbeiter erreicht werden. Treten Geruchsbelästigungen hinzu, so kann der Bedarf an Frischluft auf ein Vielfaches dieses Wertes anwachsen. Dabei sollte der Feuchtigkeitsgehalt nicht unter 40% absinken.

Die natürliche Lüftung erfolgt durch die Fenster oder durch besondere Lüftungsklappen. Man soll jedoch nicht nur Öffnungen zum Austritt der verbrauchten Luft vorsehen, sondern ebensolche zum Eintritt von Frischluft, um Zugluft an den Türen zu vermeiden. Die Abluftöffnungen gehören an die höchsten Stellen eines Raumes, die Zuluftöffnungen in Höhe der Arbeitsplätze. Zu- und Abluftöffnungen sollen einander gegenüber (Querlüftung) angeordnet werden. Die Zuluftöffnungen in Höhe der Arbeitsplätze sind als Kippflügel auszubilden, weil bei den üblichen Drehflügelfenstern leicht Zugluft auftritt.

Bei Hallen kann durch entsprechende Querschnittausbildung die natürliche Lüftung wirksam gefördert werden (Pultdächer). Bei Firstoberlichtern ist die Anordnung von Lüftungsflügeln oder Jalousien besonders vorteilhaft. In Hallen mit starker Rauchentwicklung (Gießereien) hat sich eine Querschnittsform entwickelt, die für eine Rauchabführung auf kürzestem und schnellstem Wege sorgt, andernfalls müssen 10% bis 15% der Grundfläche als Luftein- und -austrittsfläche vorgesehen werden.

In Geschoßbauten kann eine Lüftung durch natürlichen Luftauftrieb in senkrechten Lüftungskanälen erzielt werden. Reicht die natürliche Lüftung nicht aus, so muß sie durch künstliche Maßnahmen verstärkt oder ersetzt werden (Ventilatoren, Exhaustoren). Zentral angetriebene Anlagen erfordern Rohrleitungen, deren Querschnitt nicht zu klein gewählt werden darf, um Geräuschbelästigungen durch die Luftgeschwindigkeit und Kavitation zu vermeiden.

Ohne auf die verschiedenen Möglichkeiten der Lüftung genauer einzugehen, soll als allgemeiner Grundsatz herausgestellt werden, daß Staub, Dämpfe und Gase am Ort des Entstehens abzusaugen sind, um einen Übertritt in die Raumluft zu verhindern. Gleichzeitig ist auch für einen einwandfreien Ersatz der abgesaugten Luft zu sorgen. Zum Absaugen von Staub am Ort der Entstehung ist eine Mindestluftgeschwindigkeit von 2,5 m/sec notwendig.

Räume, aus denen wegen der damit verbundenen Geruchsbelästigung keine Luft abströmen soll, z. B. aus Küchen, Toiletten, Beizräumen u. a., müssen unter Unterdruck stehen, während Räume, in die keine Luft eintreten soll (Windfang, Vorräume u. a.) unter Überdruck gesetzt werden müssen.

In Räumen, in denen wegen genauer Grenzen des Feuchtigkeitsgehaltes auf natürliche Lüftung ganz verzichtet

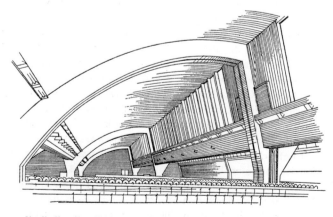

Shedhalle einer Kammgarnspinnerei. Der Rinnenträger nimmt die Klimaanlage auf

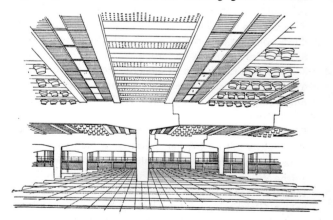

Innenraum einer Enkalonspinnerei. Die Klimaanlage liegt in der Decke

werden muß (z. B. Tabakfabriken, Textilfabriken), oder in fensterlosen Anlagen, in denen die Belüftung ausschließlich künstlich durchgeführt wird, müssen gewisse bauliche Mindestforderungen bezüglich des Luftraumes erfüllt werden:

> Mindestluftraum je Person 5 m³,
> Mindestgrundfläche je Person 2,5 m²,
> Gesamtgrundfläche eines einzelnen Raumes soll 7,5 m² nicht unterschreiten.

Für die Mindesthöhe der Arbeitsräume sind drei Faktoren zu berücksichtigen:

a) die künstliche Lüftung muß zugfrei durchführbar sein. Das ist um so schwieriger, je kleiner die Höhendifferenz zwischen Kopf und Raumdecke ist.

b) eine lichttechnisch einwandfreie Ausleuchtung des Raumes setzt eine Mindesthöhe voraus.

c) der psychische Einfluß eines bedrückend niedrigen Raumes darf bei Räumen mit großer Grundfläche nicht unterschätzt werden. Durch helle Farbgebung der Decken kann der Eindruck gemildert werden.

Die Lösung der Raumluftfrage wird dort schwierig, wo betriebstechnisch bedingte Wärme- und Feuchtigkeitsgrade Einfluß auf die Qualität der Raumluft haben (Wäschereien: feuchtigkeitsgesättigte Luft, Bäckereien: übermäßig warme und trockene Luft). Auch hier gilt der Grundsatz, die betriebsseitig zufließende trockene Wärmemenge (Glasfabikation, Öfen) oder feuchte Dämpfe (Färbereien, Papierfabriken) am Ort des Entstehens einzuschränken. Das kann in feuchten Betrieben mit Dunsthauben erreicht werden, welche die mit Feuchtigkeit gesättigte Luft abführen, und bei örtlichen Wärmequellen durch Abschirmen mit wasserberieselten Drahtgittern. Die Arbeiter selbst können durch Luftduschen, deren Temperatur um 2 bis 3° unter der Temperatur der Umgebung liegt, vor übermäßiger Wärmeeinstrahlung geschützt werden. Die Anblasegeschwindigkeit derartiger Luftduschen kann bis zu 2 m/sec betragen. Solche Maßnahmen erfordern ein umfangreiches System von Luftkanälen, deren Einordnung in den konstruktiven Aufbau schon beim Entwurf überlegt werden muß. Die Schwankungen von Temperatur und Feuchtigkeit in solchen Betrieben sind naturgemäß sehr groß. Außerdem muß die Luft „klimatisiert" werden, d. h. Feuchtigkeit und Temperatur müssen beide regelbar sein.

Die Erfahrung lehrt, daß in warmer Luft körperliche Arbeit in subjektiv erträglicher Form möglich ist, solange der Körper ausreichend Schweiß verdampfen kann. So sind trockene Temperaturen von + 35° (Sommerhitze) noch erträglich.

Die so bedingte dauernde ausschließliche Entwässerung des Körpers auf feuchtem Wege (Verdampfung des Schweißes) ist für den Menschen als Dauerzustand mit Gesundheitsschädigungen verbunden. Die Grenze der Erträglichkeit ergibt sich aus der Überlegung, daß ruhende oder bewegte Luft, die feuchtigkeitsgesättigt ist und Körpertemperatur hat (ungefähr 35°), keine irgendwie geartete Wärmeentlastung des Körpers bietet, weil sie zur

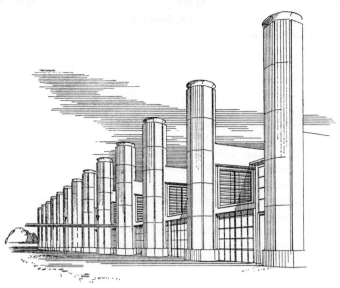

Exhaustoren vor der Längswand einer Spinnereihalle in Holland

Aufnahme von Wasserdampf nicht mehr fähig ist. Der Körper kann sich dann nicht mehr regulieren und reagiert mit Heraufsetzen seiner inneren Körpertemperatur (Wärmestau).

Bei mittleren Feuchtigkeiten werden etwa um 10° C höhere Temperaturen ertragen (max. t=45° C). Das sind aber obere Grenzwerte. Die normalen Grenzbedingungen liegen bei einer Trockentemperatur von t=25° C. Für die relative Feuchtigkeit ist die obere Grenze unabhängig von der Temperatur mit 75% anzusetzen. Als untere Grenze sind 10% Feuchtigkeitsgehalt durchaus erträglich, sofern keine Staubbelastung damit verbunden ist. Der optimale Feuchtigkeitsgehalt liegt bei 40%. Niedrigere Temperaturen als 15° C sind im allgemeinen durch Raumbeheizung auszugleichen.

Neben dem physischen Bedürfnis des Menschen müssen außerdem die Anforderungen des Produktionsvorganges berücksichtigt werden, da für die Produktion bestimmter Güter sehr enge Grenzen hinsichtlich Raumtemperatur und relativer Feuchtigkeit gestellt sind (z. B. Papierfabrikation, Filmerzeugnisse, Textilindustrie, Tabakfabriken, Prüfräume). Für die physischen Bedürfnisse des Menschen genügt es in der Regel, wenn die vorgewärmte Luft der Lüftungsanlage durch eine Feuchtkammer geschickt wird. Der bauliche Aufwand von Luft- und Klimaanlagen kann sehr groß sein und den Raumeindruck stark beeinflussen. Es empfiehlt sich stets, diese Fragen so früh wie möglich mit den Spezialingenieuren abzusprechen. Wie günstig sich eine solche Zusammenarbeit auswirken kann, dafür sind die Stahlbetonsheds ein gutes Beispiel. Man verlegt neuerdings bei dieser Bauart die Klimaanlage in die Rinnenträger und spart dadurch nicht nur lichte Raumhöhe, sondern nutzt gleichzeitig das Gefälle der Rinnen zur Verjüngung der Luftkanäle aus, so daß auf die ganze Länge ein gleichmäßiger Luftaustritt gewährleistet wird.

* Liese, W.: Die Raumluftfrage in der Industrie, Gesundheitsingenieur 73. Jahrg. (1952), Seite 7.

Maschinelle Ausrüstung, Energieleitungen, Installationen

Die Aufstellung der Maschinen hat nach den Erfordernissen der Produktion zu erfolgen. Andererseits legt die Konstruktion eines Bauwerkes der maschinellen Ausrüstung gewisse Bindungen auf. Es empfiehlt sich z. B. nicht, sehr schwere Maschinen, besonders wenn sie nicht erschütterungsfrei laufen, in den oberen Geschossen eines Stockwerkes aufzustellen. Ebenso ist es unwirtschaftlich, wenn die Geschoßhöhe wegen einer einzigen besonders hohen Maschine vergrößert werden muß.

Während früher die Aufstellung der Bearbeitungsmaschinen außer vom Ablauf der Produktion auch von den Antriebsmitteln abhängig war, und man durch die Transmission zu linearer Aufstellung der Maschinen gezwungen wurde, läßt heute der elektrische Einzelantrieb jede beliebige Aufstellung zu.

Aus Gründen der Materialzuführung werden neuzeitliche Werkzeugautomaten oft versetzt aufgestellt, weil die schräge und versetzte Anordnung eine wirtschaftlichere Raumausnutzung zuläßt; z. B. kann für Fräsmaschinen mit seitlichen Tischausfahrten die schräge Aufstellung angezeigt sein.

Jeder Industrieanlage müssen zum Antrieb der Maschinen, zur Beleuchtung und zur Beheizung Energien zugeführt werden. Der erforderliche Strom kann entweder im eigenen Kraftwerk erzeugt, oder er muß von außerhalb bezogen werden. Zur Übernahme aus einem fremden Netz ist ein Transformator notwendig, damit der Strom auf die Spannung innerhalb des Werkes transformiert wird. Die verschiedenen Elektrizitätswerke haben besondere Vorschriften erlassen, die beachtet sein wollen. Am besten sind die Transformatoren an der Grundstücksgrenze unterzubringen. Sie müssen leicht zugängig sein und insbesondere an einer voll ausgebauten Fahrstraße liegen, um den Antransport der schweren Transformatoren zu ermöglichen. Da diese gelegentlich ausgewechselt werden müssen, sind die Transformatorenhäuser mit einer eigenen Krananlage zu versehen. Auf eine gute Belüftung der Transformatorenräume ist Wert zu legen, da in ihnen eine schwache Wärmeentwicklung entsteht. Außerdem müssen sie allseitig feuerfest umschlossen sein, denn bei Überbelastung oder Kurzschluß sind Transformatorenbrände nicht ausgeschlossen.

Neben der Elektrizität können weiterhin Gas und Dampf von außerhalb bezogen werden. Dafür sind besondere Übergaberäume vorzusehen, in denen die Meßuhren untergebracht werden; sie können im Gegensatz zu den Transformatorenanlagen im Keller liegen.

Für die Leitungen innerhalb des Werkes ist oberster Grundsatz: Übersichtlichkeit, leichter Zugang und Aufteilung in einzelne Abschnitte, die für sich abgeschaltet werden können. Das Zusammenlegen der verschiedenen Energieleitungen außerhalb des Gebäudes in begehbaren Kanälen ist immer von Vorteil, auch wenn die Anlage erhebliche Kosten fordert.

1 Elektrischer Anschluß · 2 Verbindungselement
3 Kanaldeckel · 4 Kreuzkanal · 5 Robertson-Q-
Decke · 6 Betonfüllung · 7 Draht-Putzdecke

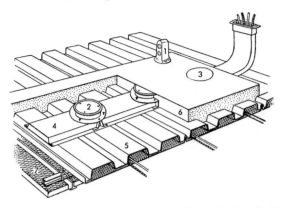

Unterbringung von Installationsleitungen in einer Stahldecke
(amerikanische Ausführung)

Innerhalb der Bauwerke werden die Leitungen meist offen oder in Aussparungen mit abnehmbarer Verkleidung verlegt. Die Steigleitungen sind in durchgehenden Kanälen unterzubringen, die zweckmäßigerweise ins Treppenhaus gelegt werden, oder die Ummantelung von Stahl- und Betonstützen kann für die Rohrleitung ausgenutzt werden. Für die Verteilung in den Geschossen ermöglichen Aufhängeschienen eine gerade Führung der Leitungen unterhalb der Deckenkonstruktion.

Bei Stahlbetonunterzügen empfiehlt es sich, von vornherein entweder Gasrohre einzulegen oder Installationseisen einzubetonieren. Für elektrische Leitungen, Telefon und Schwachstromleitungen kommt eine Verlegung in Blechkästen, die seitlich an den Wänden befestigt sind, in Frage.

Die Zuführung der elektrischen Leitungen an den einzelnen Anschlußstellen erfolgt über den Boden oder über besondere Elt-Leisten, die an jeder Stelle angeschlossen werden können. In Amerika hat sich eine Zuführung durch Hohlräume in den Stahldecken eingebürgert.

Um die Vielzahl der verschiedenen Installationselemente übersichtlicher zu gestalten, hat sich eine farbige Markierung besonderer Rohrleitungen als zweckmäßig erwiesen. Diese Farbe kennzeichnet die Leitungen, Abzweigungen und Armaturen nach ihrem Inhalt, um Instandsetzungen oder Schaltmaßnahmen zu erleichtern. Die Installationsrohre brauchen nicht durchgehend in der betreffenden Farbe gestrichen zu sein, sondern die Farbmarkierung kann aus einzelnen Ringen oder Streifen bestehen. Wichtig ist, daß die Farbgebung vom Platz des Bedienungspersonals aus gut erkennbar ist.

Eine eingehende Behandlung der Fragen der Energieleitungen und Installationen geht über den Rahmen dieser Ausführungen hinaus. In dem anschließenden Faltblatt sind diese Fragen an dem Beispiel des Volkswagenwerkes in Wolfsburg einzeln behandelt und in graphischen Darstellungen zusammengefaßt.

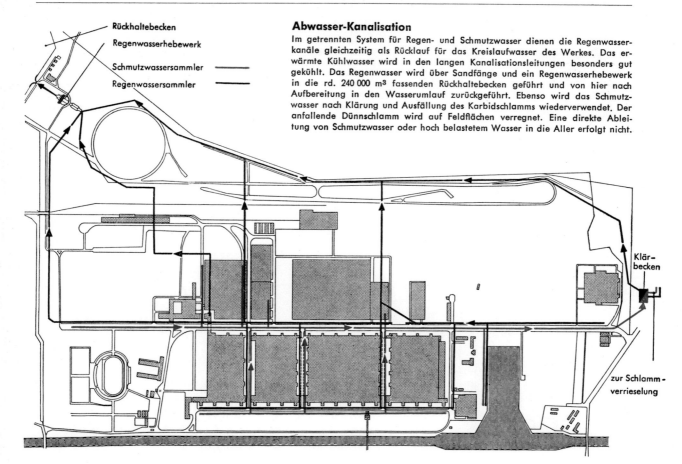

Rückhaltebecken

Regenwasserhebewerk

Schmutzwassersammler   ————

Regenwassersammler   ————

Abwasser-Kanalisation

Im getrennten System für Regen- und Schmutzwasser dienen die Regenwasser-kanäle gleichzeitig als Rücklauf für das Kreislaufwasser des Werkes. Das er-wärmte Kühlwasser wird in den langen Kanalisationsleitungen besonders gut gekühlt. Das Regenwasser wird über Sandfänge und ein Regenwasserhebewerk in die rd. 240 000 m³ fassenden Rückhaltebecken geführt und von hier nach Aufbereitung in den Wasserumlauf zurückgeführt. Ebenso wird das Schmutz-wasser nach Klärung und Ausfällung des Karbidschlamms wiederverwendet. Der anfallende Dünnschlamm wird auf Feldflächen verregnet. Eine direkte Ablei-tung von Schmutzwasser oder hoch belastetem Wasser in die Aller erfolgt nicht.

Klär-becken

zur Schlamm-verrieselung

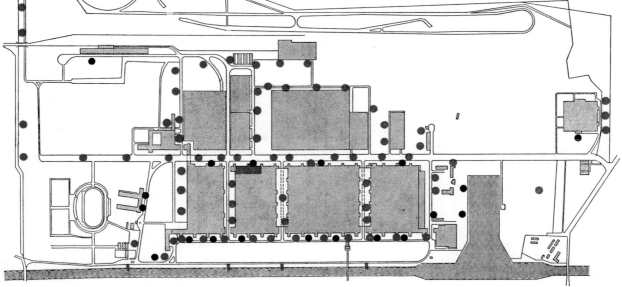

Überflurhydrant ●

Unterflurhydrant ●

Feuerlöschwesen

Getrennte Löschwasserversorgung aus der Betriebswasserleitung, auf der Über-flurhydranten stehen, und aus der Trinkwasserleitung mittels Unterflurhydranten. Die Trinkwasserleitung steht als reine Gefälleleitung immer unter Druck und ist von keinem Pumpwerk abhängig. Ferner feste Entnahmestellen für die Motor-spritzen am Mittellandkanal. Außerdem kann durch Schließen eines Stauschie-bers in der Kanalisation aus jedem Kanalschacht des Netzes Löschwasser ent-nommen werden. Lack- und Trockenanlagen, Farbenmischräume usw. werden durch automatische CO_2-Anlagen geschützt. Innenhydranten mit Schlauchschrän-ken in allen Geschossen. Löschwasser-Steigleitungen zu den Werkstattdächern.

Übersichtsplan des Volkswagenwerkes, Wolfsburg

1 Alte Verladerampe · 2 Kistenlager · 3 Kundendienstwerkstatt · 4 Schnelldienst
5 Fahrradwache · 6 Abstellplatz für Fertigwaren · 7 Technische Entwicklung ·
8 Kundendienst-Ersatzteillager · 9 Holzlager · 10 Blechlager · 11 Werkzeuglager ·
12 Versandhalle I · 13 Versandhalle II · 14 Verladerampe · 15 Halle · 16 Schlamm-
absetzbecken · 17 Beizerei · 18 Werkzeugbau · 19 Warenannahme · 20 Säurelager ·
21 Farblager · 22 Sauerstoffanlage · 23 Azetylenanlage · 24 Gasgeneratoren ·
25 Karbidschlammgrube · 26 Schmutzwasserpumpstation · 27 Leichtmetallgießerei

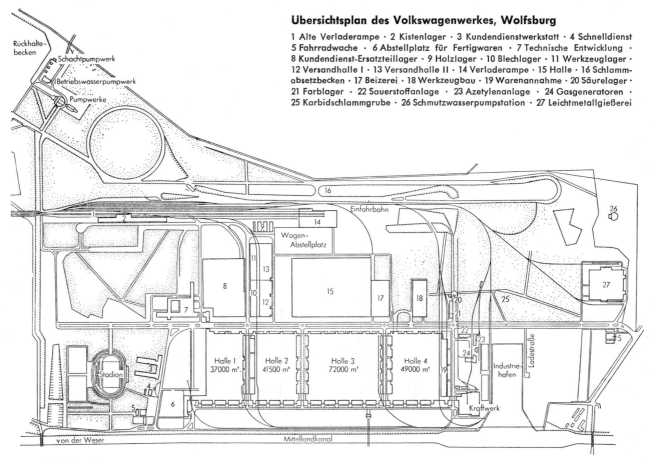

Elektrische Stromversorgung und Generator-Gaserzeugung

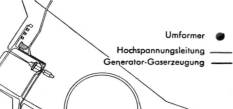

Erzeugung der elektrischen Energien im werkseigenen Heiz-Kraftwerk, von dem
gleichzeitig die Beheizung der Stadt Wolfsburg durch Fernheizung erfolgt. Verteilung der Energien über 6 KV, Umformung an den einzelnen Werkhallen in
Freiluft-Transformatoren außerhalb der Hallen. Je 4 Transformatoren auf 1 Hoch-
spannungskabel. Neuerdings werden Transformatoren mit unbrennbarer Clo-
phen-Füllung auch in den Betriebsräumen aufgestellt. Niederspannungsseits
(380 Volt) ist das Kabelnetz eng vermascht. Durch die verteilte Einspeisung in
der Hochspannungszuleitung und durch die Vermaschung ist eine sichere Be-
triebsweise und die Verteilung etwaiger höherer Belastung gewährleistet.

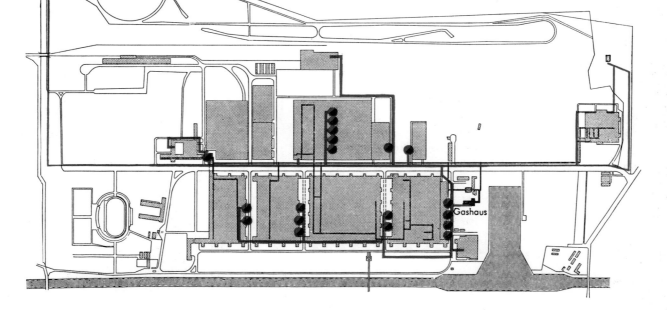

Technische Wärme

Die technische Wärme wird für die Beheizung der Bäder, der Waschmaschinen und für die Warmwasserbeheizung benötigt. Für die Küchen erfolgt eine Umformung des Heißwassers auf Niederdruckdampf, für bestimmte Betriebserfordernisse eine Umformung auf Hochdruckdampf. Der Wärmeverbrauch beträgt pro Jahr 140 000 · 10⁶ WE. Anschlußwert 45 · 10⁶/h. Das Leitungssystem ist in zwei Rohrleitungspaare eingeteilt. Die Vorlauf-Temperatur beträgt 160°, die Rücklauf-Temperatur beträgt 100°. Der Wärmeaustausch erfolgt im Kraftwerk z. T. über Gegenstrom-Apparate. Gegendruckdampf 1,5 atü und Nachwärmung aus Anzapfdampf der Höchstdruckturbine 9 atü.

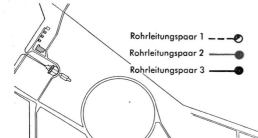

Rohrleitungspaar 1

Rohrleitungspaar 2

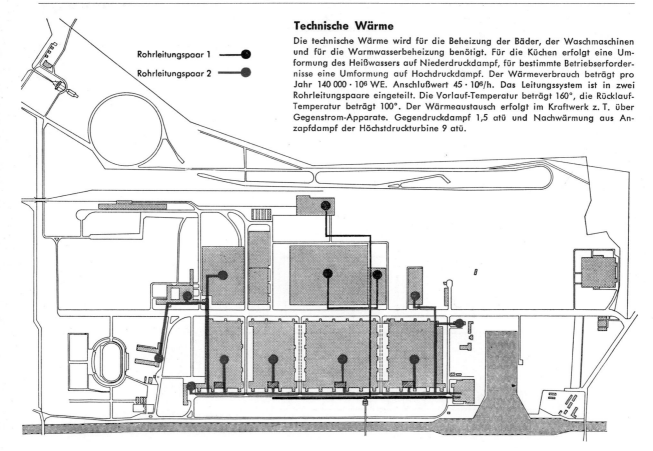

Wärmenetz

Die Beheizung des Werkes erfolgt grundsätzlich mit Heißwasserheizungen. In Gegenstromapparaten wird der Gegendruckdampf der Höchstdruckturbinen mit 1,5 atü Gegendruck auf Heißwasser von 130° C umgeformt. Das gesamte Heizungssystem ist in 3 Rohrleitungspaare eingeteilt, die die verschiedenen Werksabschnitte versorgen. Der Jahresbedarf des Werkes beträgt rund 200 Milliarden WE. Zur Beheizung der Laköfen und als Heiz-Medium für die Gießerei und die Härterei kommt Gas zur Verwendung. Die Gaserzeugung erfolgt in Generatoren im Gashaus, das neben dem Industriehafen des Werkes liegt. Verlegung der Haupt-Gasleitung unter der Werkstraße. (Schema S. 85, untere Abb.).

Rohrleitungspaar 1

Rohrleitungspaar 2

Rohrleitungspaar 3

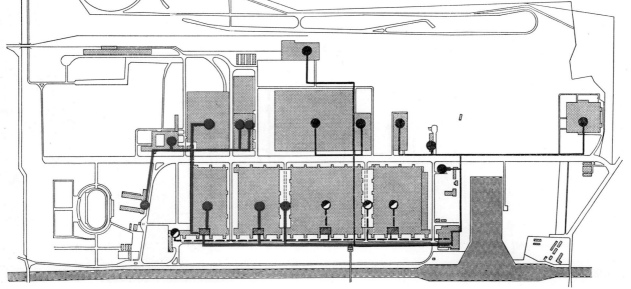

Kurt Dummer
Bauing.
Berlin-Pankow
Retzbacher Weg 6

Betriebswasserversorgung

Die Wasserversorgung des Volkswagenwerkes ist nur auf Oberflächenwasser abgestellt. Eine Grundwasserentnahme erfolgt nicht. Das Betriebswasser wird aus Regenrückhaltebecken entnommen und in ca. 7fachem Kreislauf verwendet. Neben diesem Niederschlagswasser ist eine Trinkwasserzuleitung aus dem Harz Hauptwasserspender. Alle Abwässer werden aufbereitet, Galvanik- und Härterei-Abwässer werden neutralisiert und entgiftet und dem Kreislauf wieder zugeführt. Die Fäkalabwässer werden nach Reinigung und Ausfällung des Karbidschlamms ebenfalls in den Betriebswasserumlauf zurückgeführt. Die gleiche Wassermenge, die aus dem Harz bezogen wird, wird der Aller nach Klärung zugeführt.

Rückhalte- und Speicherbecken

Grundwasserpumpstation

Pumpwerk und Filteranlage

für Entnahme aus dem Rückhaltebecken

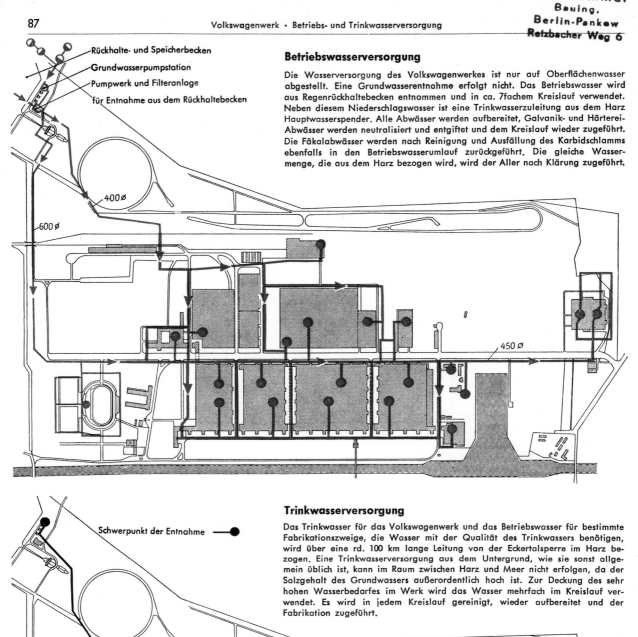

Trinkwasserversorgung

Das Trinkwasser für das Volkswagenwerk und das Betriebswasser für bestimmte Fabrikationszweige, die Wasser mit der Qualität des Trinkwassers benötigen, wird über eine rd. 100 km lange Leitung von der Eckertalsperre im Harz bezogen. Eine Trinkwasserversorgung aus dem Untergrund, wie sie sonst allgemein üblich ist, kann im Raum zwischen Harz und Meer nicht erfolgen, da der Salzgehalt des Grundwassers außerordentlich hoch ist. Zur Deckung des sehr hohen Wasserbedarfes im Werk wird das Wasser mehrfach im Kreislauf verwendet. Es wird in jedem Kreislauf gereinigt, wieder aufbereitet und der Fabrikation zugeführt.

Schwerpunkt der Entnahme

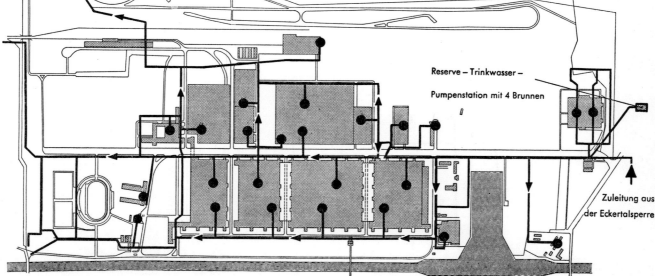

Reserve – Trinkwasser –

Pumpenstation mit 4 Brunnen

Zuleitung aus
der Eckertalsperre

Sonderräume

In jedem Industriebetrieb kommen neben den Fabrikationsräumen, für deren Größe und Ausbildung die Art der Produktion maßgebend ist, eine Reihe von Räumen vor, für die sich unabhängig von der Art des Betriebes gewisse einheitliche Richtlinien aufstellen lassen. Zu ihnen gehören Lagerräume, Material- und Werkzeug-Ausgaben, Prüf- und Meßräume, Dunkelkammern, Zeichenräume, Büroräume u. a.

Für Lagerräume mit schwerem Lagergut kommen die unteren Geschosse und das Kellergeschoß in Frage. Oft werden auch dafür besondere Lagerhallen errichtet. Wichtig ist, daß die Zu- und Abfuhr leicht vonstatten geht. Dazu sind breite Türen und Tore ohne Schwellen notwendig und im Lagerraum selbst genügend breite Verkehrswege. Die Einrichtung der Lager wird am stärksten bestimmt von den zum Einsatz kommenden Transportmitteln. Eine Krananlage kann z. B. die gesamte Anordnung eines Lagers beeinflussen, seine lichte Raumhöhe, den Stützenabstand und seine Zuordnung zu evtl. anschließenden Fertigungsräumen. Ferner wird durch die Kran- und Transporteinrichtungen auch die innere Ausstattung, die andererseits wieder von der Art, Größe und Länge des unterzubringenden Materials abhängig ist, festgelegt. Nutz- und Verkehrsflächen sind in Lagerräumen besonders sorgfältig voneinander zu unterscheiden, damit ein reibungsloser Umschlag des Lagergutes gewährleistet ist.

Wichtig ist immer, daß der Lagerraum übersichtlich bleibt. Bei nicht genügender Tageslichtzuführung muß eine entsprechend ausreichende künstliche Beleuchtung vorhanden sein. Die Fenster legt man hoch unter die Decke, um die Außenwand zur Stapelung von Waren oder Aufstellung von Regalen benutzen zu können. Bei brennbaren Rohstoffen oder Fabrikaten ist eine feuersichere Bauart der Lagerräume notwendig. Zur Begrenzung eines etwaigen Schadenfeuers teilt man die Lagerräume in einzelne Abschnitte ein und trennt sie durch Brandmauern. Alle Türen sind feuerbeständig auszuführen.

Wird das Lagergut unmittelbar auf dem Fußboden abgesetzt, und ist der Raum nicht unterkellert, so ist auf den Feuchtigkeitsschutz und bei bestimmten Waren auch auf eine genügende Wärmedämmung des Fußbodens zu achten.

Mit den Lagerräumen hängen Material- und Werkzeugausgaben zusammen. Ihre Größe und Verteilung im Betrieb muß der Betriebsingenieur angeben. Für den Entwurf ist wichtig, daß vor derartigen Ausgaben genügend Verkehrsraum freibleibt.

Für die Prüf- und Meßräume können die Anforderungen sehr unterschiedlich sein. Je nach dem Grad der vorzunehmenden Messungen oder Prüfungen müssen die äußeren Einflüsse, die das Ergebnis beeinflussen, abgeschirmt werden. So wird man reines Nordlicht anstreben, um die Sonneneinstrahlung zu vermeiden, und bei Wägezimmern wird man eine erschütterungsfreie Lage suchen, die in den unteren Geschossen leichter zu finden ist als in den oberen. Die Meßgeräte stellt man auf gemauerten Konsolen auf, für die die Ecken zweier zusammenstoßender Wände besonders geeignet sind.

Für Räume, in denen bestimmte Temperaturen eingehalten werden müssen, ist die allseitige Abdämmung nach außen notwendig. Dieser bauliche Aufwand kann auf ein Mindestmaß herabgesetzt werden, wenn man die Räume in einem Kellergeschoß einbaut.

Die Lage kleinerer Photolaboratorien mit Dunkelkammer, wie sie oft für einzelne Abteilungen eines Betriebes notwendig sind, ist verhältnismäßig gleichgültig, wichtig ist nur, daß sie an einen Entlüftungsschacht angeschlossen sind. Ein nachträglicher Einbau von Dunkelkammern scheitert oft an der Entlüftungsmöglichkeit.

Zeichenräume müssen besonders gut und gleichmäßig belichtet sein. Eine reine Nordlage läßt das am ehesten zu. Weiterhin sollen sie ruhig und staubfrei liegen. Ihre Einbindung in die übrigen Räume hängt davon ab, ob sie zu einer anderen Abteilung (z. B. Entwicklungsabteilung) enge Beziehungen haben. In die Nähe der Zeichenräume legt man die Lichtpauserei. Außer an die notwendige Größe für die Lichtpausmaschinen, die entsprechenden Ablagetische und eine gute Entlüftung, werden keine weiteren Forderungen gestellt.

Fast in jedem Bauwerk der Industrie kommen Büroräume vor. Für ihre Größe ist die Anordnung und Abmessung der Schreibtische, Ablagen, Regale, Schränke und Büromaschinen ausschlaggebend. Leider fügen sich Büroräume in das Achsmaß von 2,50 m, das sich sonst im Industriebau bewährt, nicht gut ein. Wenn man die Schreibtischbreite mit 80 cm und den Mindestraum für den Stuhl mit 70 cm ansetzt, ergibt sich ein Grundrißmaß von 1,50 m bzw. 3,00 m. Mit Rücksicht auf die Zwischenwände und einen etwaigen Durchgang erhöht sich dieses Maß auf 3,25 m bis 3,50 m. Für Verwaltungsgebäude sind daher eigene Untersuchungen über die beabsichtigte Ausstattung der Räume zur Festlegung des günstigsten Achsmaßes notwendig. Bei der Eingliederung einzelner Büro- und Verwaltungsräume in Gebäude, die in erster Linie der Produktion dienen, ist dagegen die restlose Ausnutzung weniger wichtig.

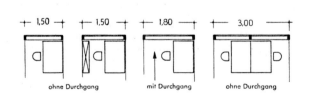

Zweckmäßige Achsenabstände in Büroräumen in Abhängigkeit von der Einrichtung des Arbeitsplatzes

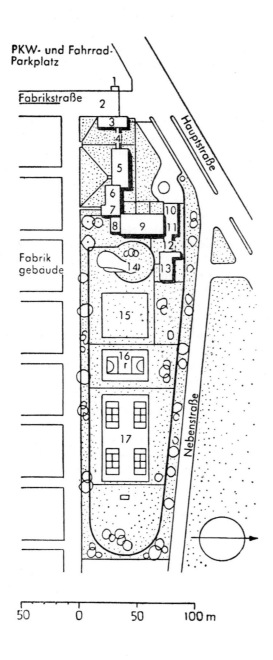

PKW- und Fahrrad-
Parkplatz

Fabrikstraße

Fabrik
gebäude

50   0   50   100 m

1 Auto- und Fahrrad-Parkplatzkontrolle · 2 Brückenwaage · 3 Torhaus,
Auskunft und Warteräume · 4 gedeckter Gang · 5 Medizinische und
Personalabteilung · 6 Kantineneingang · 7 Tagungsräume und Toilet-
ten · 8 Bühne · 9 Kantine · 10 Vorratsräume · 11 Küche · 12 Kantinen-
Verwaltung · 13 Kantine für leitende Angestellte · 14 Teich · 15 Grün
für Rasenspiele · 16 Netzball-Platz · 17 Tennisplätze.

Plan einer großzügigen sozialen Anlage in einer englischen Fabrik

Sanitäre, soziale und medizinische Räume

Da man erkannt hat, daß die Wirtschaftlichkeit eines
Werkes nicht nur vom planmäßigen Funktionieren der
Maschinen abhängt, sondern daß letzten Endes die im
Betrieb tätigen Menschen den Ausschlag für einen reibungslosen Betriebsablauf geben, hat man jede Sorgfalt
walten zu lassen, um die Arbeitsstätten so zu gestalten,
daß alle Betriebsangehörigen mit Freude die Arbeit
verrichten. Es muß eine Betriebsatmosphäre geschaffen
werden, welche die Angehörigen eines Werkes miteinander verbindet. Wenn das auch im wesentlichen eine Frage
der Menschenführung ist, so kann der Industriearchitekt
zum Erreichen dieses Zieles doch viel beitragen. Zu diesen
Aufgaben gehört die Gestaltung der sozialen, sanitären
und medizinischen Räume. Sie müssen so durchgebildet
sein, daß auch bei ihnen die Forderungen nach Wirtschaftlichkeit und Zweckmäßigkeit erfüllt werden. Sie
müssen außerdem innerhalb des Betriebes so gelegen
sein, daß sich keine unnötigen langen Wege ergeben;
im einzelnen aber sollen sie ganz auf den Menschen abgestellt sein und jenes Maß an Verpflichtung dem Mit-
menschen gegenüber erkennen lassen, ohne das ein
Leben in der Gemeinschaft unmöglich ist.
Die sanitären Anlagen dienen der persönlichen Hygiene
der Belegschaft. Man unterscheidet:

> Toilettenanlagen
> Umkleideräume
> Waschanlagen
> Brause- und Wannenbäder (neuerdings auch
> Sauna und medizinische Bäder)

Die sozialen Räume stehen der Belegschaft für die Ar-
beitspausen zur Verfügung. Es kommen in Frage:

> Frühstücksräume
> Kantinen
> Speiseräume mit Werksküchen.

In der medizinischen Abteilung wird die Belegschaft ärzt-
lich betreut. Im einfachsten Fall ist es ein Sanitätsraum,
der hauptsächlich der ersten Hilfe bei Unfällen dient,
in großen Betrieben ein eigenes Gebäude mit Warte-
zimmern, Sprechzimmern und verschiedenen Therapie-
räumen.
Die sozialen Räume hängen zwar nicht unmittelbar mit
dem Fabrikationsprozeß zusammen, können aber trotzdem nicht selbständig für sich entworfen werden, sondern müssen sich sinnvoll in den Betriebsablauf einfügen.
Die in manchen Betrieben vorhandenen Werkbüche-
reien, Leseräume, Werkkinos oder Werktheater liegen
außerhalb der Produktionsstätten, so daß sie nach Feier-
abend auch ohne Betreten des Werkgeländes benutzt
werden können.
Dasselbe gilt für die Sportanlagen und Freibäder eines
Werkes. Sie werden abseits oder außerhalb der eigentlichen Industrieanlage angelegt.
Für große Betriebe, die viele weibliche Arbeitskräfte be-
schäftigen, kann die Anlage einer Kindertagesstätte notwendig werden.

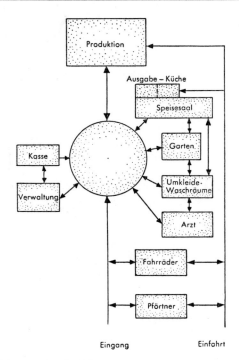

Eingang   Einfahrt

Sozialdiagramm eines Betriebes

Toiletten

An die sanitären Anlagen können je nach Art des Betriebes sehr differenzierte Forderungen gestellt werden. Höchste Ansprüche stellen die Betriebe der Nahrungs- und Genußmittelindustrie sowie infektions- und giftgefährdete Betriebe. Die übrigen Betriebe kann man einteilen in saubere, wenig schmutzende, stark schmutzende, trockene, feuchte, heiße Betriebe und Betriebe des Kohlen- und Erzbergbaues.

Es genügt im übrigen nicht, daß die Zahl der Toiletten ausreichend ist (Erfahrungswerte s. S. 223), sondern sie müssen auch so verteilt werden, daß ihr Höchstabstand vom Arbeitsplatz 100 m nicht überschreitet. In Geschoßbauten sind die Treppenhäuser die geeigneten Stellen für ihre Unterbringung, da deren Abstand von den Arbeitsplätzen aus feuerpolizeilichen Gründen sowieso begrenzt ist. Außerdem lassen sich in den Treppenhäusern die zu den Toiletten gehörigen Steig- und Fall-Leitungen am besten unterbringen. Ob der Zugang zu den Toiletten vom Zwischenpodest oder vom Geschoß selbst erfolgt, hängt von der Durchbildung des Treppenhauses im einzelnen ab, insbesondere von der Lage der Aufzüge.

Bei gleichmäßig gemischter Belegschaft, für die getrennte, nahezu gleichgroße sanitäre Anlagen vorzusehen sind, kann die Anordnung der Toiletten in Höhe des Zwischenpodestes vorteilhafter sein, weil sich dann nicht zwei getrennte Anlagen je Geschoß nebeneinander ergeben, sondern abwechselnd je Geschoß nur eine Anlage für Männer oder Frauen. Jedes Belegschaftsmitglied kann in diesem Fall die entsprechende Anlage entweder ein halbes Geschoß tiefer oder höher finden. Nur im obersten und un-

tersten Geschoß müssen gegebenenfalls für beide Geschlechter getrennte Toiletten geschaffen werden.

In Hallen- und Flachbauten ordnet man die Abortanlagen seitlich in Verbindung mit anderen Nebenräumen an, oder man bringt sie in Anbauten unter. Besonders geringe Entfernungen ergeben sich, wenn die Toiletten in Hallen und Flachbauten in den Kellern, sofern solche vorhanden sind, gleichmäßig verteilt werden, und jede Toilettengruppe durch eine eigene Treppe zugänglich gemacht wird. Voraussetzung hierfür ist eine gute künstliche Entlüftung.

Aus Detroit in USA sind Beispiele bekannt geworden, in denen bei Hallenbauten von 180 000 m² Grundfläche die Toiletten auf das Dach gesetzt worden sind, einerseits um keine wertvollen Fabrikationsflächen zu verlieren, andererseits weil nicht genügend Kellerraum zur Unterbringung der Toiletten zur Verfügung stand.

In Betrieben mit Fließarbeit möchte die Entfernung zwischen Arbeitsplatz und Abort so klein wie möglich gehalten werden (75 m), weil lange Wegstrecken Zeitverluste verursachen, die mit der Fließbandarbeit nicht zu vereinbaren sind.

Bisher galt die Vorschrift, daß grundsätzlich die Toilettenanlagen natürlich belüftet und belichtet sein müssen. Von dieser Forderung nimmt man immer mehr Abstand, weil eine künstliche Belüftung meist besser ist als eine natürliche. Durch Unterdruck in den Toiletten kann bei künstlicher Belüftung ein Übertreten der Gerüche in die Fabrikationsräume wirksamer verhindert werden als bei natürlicher Belüftung.

Aus der betrieblich begründeten Forderung nach einer gleichmäßigen Verteilung der Abortanlagen ergibt sich die Begrenzung der Anlagen in Gruppen von höchstens 10 Zellen fast von allein. Stets muß ein gut belüfteter Vorraum zwischengeschaltet werden, der aber nur dann seinen Zweck erfüllt, wenn er durch eine bis an die Decke reichende Wand von der eigentlichen Abortanlage getrennt ist. Die Außentür muß von selbst schließen.

Die Rastermaße für Klosettanlagen betragen bei nach außen schlagenden Türen mindestens 0,80/1,25, bei nach innen aufgehenden Türen 0,90/1,45. Der Gesamtflächenbedarf ist jedoch bei nach innen schlagenden Türen am geringsten, weil die Gangbreite vor den Zellen kleiner gehalten werden kann. Außerdem wirken nach außen schlagende, offenstehende Türen stets unordentlich.

Bei Männertoiletten sind außer den Sitzbecken noch die gleiche Anzahl Pissoire vorzusehen. Dadurch ergeben sich für Männertoiletten größere Breiten als für Frauentoiletten.

Die Fußböden sind aus Gründen der leichten Reinigung zu fliesen und mit einem Bodeneinlauf zu versehen. Die Wände sind abwaschbar auszubilden – am besten mit hellen Fliesen zu verkleiden.

Im Vorraum soll mindestens ein Handwaschbecken angebracht sein. Ein elektrischer Handtrockner ist dem Rollhandtuch vorzuziehen.

Über die Durchbildung im einzelnen geben die Konstruktionsblätter S. 224/225 Auskunft.

Umkleide- und Waschräume

Die Umkleide- und Waschräume sind in ihrer Lage, Gruppierung und Ausstattung von der Art des Betriebes abhängig. Die Zusammenfassung in große Umkleideanlagen, die am Wege vom Werkseingang zur Arbeitsstätte liegen, ist stets anzustreben, nicht nur weil die Anlagekosten geringer sind, sondern weil auch die Wartung und Überwachung einfacher durchzuführen ist; in Geschoßbauten ist das Kellergeschoß der gegebene Ort. In Hallen- und Flachbauten können neben dem Keller auch niedrige Seitenschiffe oder Anbauten dafür vorgesehen werden.

Jedem Arbeiter soll ein abschließbarer Schrank zur Verfügung stehen. Das Aufhängen der Kleider an offene Kleiderhaken kann nur als Behelf angesehen werden. In stark schmutzenden Betrieben ist die vom Bergbau her geläufige Schwarz-Weiß-Trennung der Garderobeanlage anzustreben, meist sogar in Form der Waschkauen, wo die Kleider an Haken aufgehängt und unter die Decke gezogen werden. Die einzelnen Kleiderzüge können verschlossen werden. Der Vorteil dieser Kauen liegt in der besseren Durchlüftung der Kleider und in der klaren Trennung der schmutzigen Seite der Garderobe von der sauberen. In vielen neuen Betrieben werden sogenannte Theatergarderoben bevorzugt. Die Kleidung wird an einer Garderobe abgegeben und frei an Haken aufgehängt. Dadurch wird etwas an Platz gespart und die Kleidung besser durchlüftet. Allerdings ist hierbei Garderobenpersonal nötig. Die Zweckmäßigkeit einer solchen Anlage wird verschieden beurteilt.

In Lebensmittelbetrieben und in infektions- und giftgefährdeten Betrieben ist aus hygienischen Gründen diese „Schwarz-Weiß-Trennung" ebenfalls durchzuführen. Die Garderobenräume für die Ablage der Tageskleidung sind durch Bade- oder Duschräume von der Ablage der Arbeitskleidung zu trennen. In infektions- und giftgefährdeten Betrieben oder Abteilungen sind die sanitären Anlagen und Umkleideräume außerdem noch so zu legen, daß sie nur durch die in diesen Abteilungen Beschäftigten benutzt werden können.

In heißen Betrieben (z. B. Schmieden, Gießereien, Glasschmelzen) sind die Umkleideräume von den eigentlichen Produktionsstätten durch Flure oder Windfänge abzutrennen.

Die verschiedenen Möglichkeiten der Anordnung von Garderobeschränken und ihren Platzbedarf zeigt die Seite 226.

Wichtig ist noch, daß nicht nur die Garderobenräume selbst gut entlüftbar sein sollen, sondern daß möglichst die einzelnen Schränke an ein künstliches Lüftungssystem angeschlossen sind.

Unmittelbar neben den Umkleideräumen sollen die Waschräume liegen, aber räumlich doch von ihnen getrennt sein. Oberster Grundsatz für die Wasch- und Baderäume ist, daß sie jederzeit einen sauberen Eindruck erwecken, deshalb müssen sie leicht zu reinigen sein, was

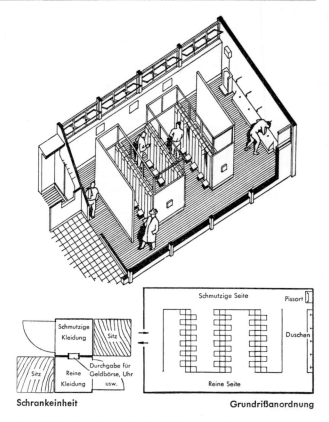

Schrankeinheit   Grundrißanordnung

Isometrische Darstellung eines Umkleideraumes mit strenger Trennung von schmutziger und sauberer Garderobe.

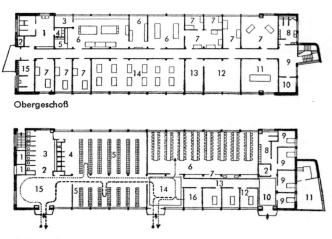

Obergeschoß

Erdgeschoß

Obergeschoß: 1 Männertoilette · 2 Lüftungsschacht · 3 Lager · 4 Wärterraum · 5 Dunkelkammer · 6 Laboratorien · 7 Büros · 8 Chef-Toilette · 9 Halle · 10 Warteraum · 11 Besprechungszimmer · 12 Chefbüro · 13 Sekretär · 14 Haupt-Büro · 15 Frauentoilette · 16 Flur

Erdgeschoß: 1 Lüftungsschacht · 2 Lager · 3 Angestelltentoilette · 4 Duschraum · 5 Umkleideräume · 6 Speisesaal · 7 Teemaschinen und Wärmeschränke · 8 Toiletten für Vorarbeiter · 9 Büros · 10 Büroeingang · 11 Terrasseneingang · 12 Vorarbeiterbüros · 13 Flur · 14 Haupteingang · 15 Waschfontänen · 16 Lohnbüro

Sozialgebäude eines englischen Stahlwerks

am besten durch allseitige Plattenauskleidung in hellen Farben zu erreichen ist. Die Anzahl der Waschgelegenheiten hängt von der Art des Betriebes und besonders vom Schmutzanfall während der Arbeit ab. Man unterscheidet Einzelbecken, Ablaufbecken (Rinnen), Waschfontänen und Halbduschen. Die Ausstattung mit Waschbecken erfordert den größten Platzbedarf, den geringsten Platzbedarf beanspruchen Waschfontänen. Die Benutzungsdauer für das Waschbecken beträgt in schmutzigen Betrieben 10 Minuten. Unter fließendem Wasser (Waschrinnen oder Waschfontänen) verringert sich der Zeitbedarf auf 6 bis 8 Minuten. Da man dem einzelnen Arbeiter für Körperreinigung und Kleiderwechsel nach Arbeitsende nicht mehr als 30 Minuten zumuten soll, kann somit ein Waschplatz in schmutzigen Betrieben nur von 4 bis 5 Mann benutzt werden. In weniger schmutzigen Betrieben rechnet man auf 8 bis 10 Arbeiter mindestens einen Waschplatz. Die Anzahl der Waschplätze ist für die stärkste Schicht aufzustellen.

Bei den Waschbecken werden die Anlagekosten durch die große Zahl der Zu- und Abflüsse besonders hoch. Deshalb sind die Waschrinnen und Waschfontänen nicht nur wegen des geringeren Platzbedarfs, sondern auch wegen der geringeren Anlagekosten vorzuziehen, ganz abgesehen davon, daß sie hygienisch einwandfreier sind, weil sie nicht wie die Becken nach jeder einzelnen Benutzung gereinigt werden müssen. Dem Waschen unter fließendem Wasser ist daher der Vorzug zu geben.

In weniger schmutzigen Betrieben wird von den Arbeitern die Vereinigung von Umkleide- und Waschräumen bevorzugt, weil sich kürzere Wege ergeben und die unverschlossenen Schränke während des Waschens unter Aufsicht des Arbeiters bleiben. Die Waschgelegenheiten sollen dann nach dem Fenster zu angeordnet sein und die richtige Zuordnung zu den Umkleideschränken erhalten, damit sich keine Kreuzungen der Wege ergeben.

Dusch- und Baderäume

Besondere Bade- und Duschanlagen sind nur in stark schmutzenden Betrieben, Lebensmittelbetrieben und Gift- und Infektionsbetrieben notwendig. Wegen des geringeren Platzbedarfs, des geringeren Wasserverbrauchs und der leichteren Reinigung sind Brauseanlagen den Wannen vorzuziehen. Außerdem wird erfahrungsgemäß eine Brause zeitlich kürzer als ein Wannenbad in Anspruch genommen. Die Anlage von Wannen kommt daher nur für Frauen, Körperbehinderte und ältere Personen in Frage. Von den Frauen wird wegen der Frisur die Dusche meistens abgelehnt. Während für die Wannen eigene Zellen vorzusehen sind, die einen verhältnismäßig aufwendigen Platzbedarf haben, können die Duschen auch als Massenduschen eingerichtet werden, die von einer zentralen Stelle aus bedient werden. Wenn die Brauseanlagen nicht unmittelbar neben den Umkleideräumen angeordnet werden können, müssen vor den Brauseanlagen Bänke und Kleiderhaken vorhanden sein.

Die Benutzungsdauer für die Brause beträgt durchschnittlich 7,5 Minuten, so daß eine Brause ähnlich wie ein Waschplatz von höchstens 4 Mann nacheinander benutzt werden kann.

Im Sommer werden die Brausen von etwa $^2/_3$ der Belegschaft benutzt, im Winter nur von etwa $^1/_3$. Eine höhere Beteiligung wird kaum erreicht, weil ältere Arbeiter und Kriegs- oder Unfallverletzte das Waschbecken vorziehen. Den geringsten Platzbedarf beanspruchen gemeinsame Kommandoduschen mit 1,00 m² je Brause.

In giftgefährdeten Betrieben kann ein Wannenbad vorgeschrieben werden, weil hierbei eine volle Reinigung erzielt wird.

Für die Durchbildung der Dusch- und Badeanlagen gibt es zahlreiche Vorbilder, von denen einige auf Seite 226 wiedergegeben sind.

Trinkwasserbrunnen

In heißen oder trockenen Betrieben ist es unerläßlich, in allen anderen Betrieben jedoch nicht weniger erwünscht, daß der Belegschaft genügend Trinkwassergelegenheiten zur Verfügung stehen. Man wählt dafür besondere Trinkbrunnen, deren Strahl schräg nach oben gerichtet ist, so daß man ohne Gefäß trinken kann. Diese Brunnen sollen an gut belichteten und übersichtlichen Stellen angebracht werden.

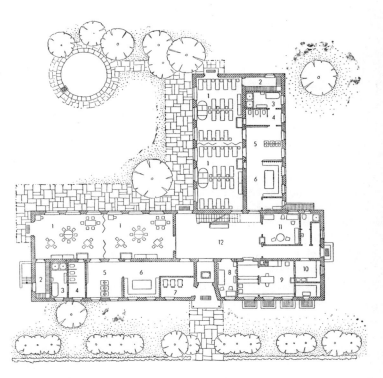

1 Spiel- und Liegeräume · 2 Schuhräume · 3 Bäder · 4 Toiletten · 5 Waschräume · 6 Garderobe · 7 Raum für Kinderwagen · 8 Leiterin · 9 Eßraum · 10 Teeküche · 11 Besprechungszimmer · 12 Halle

Betriebskindergarten eines Werkes in Sachsen

Betriebskindergarten

Da große Industriewerke ohne weibliche Arbeitskräfte nicht auskommen und deshalb auch daran interessiert sind, daß die Frauen sorglos ihrer Arbeit nachgehen können, ist die Errichtung von Kindergärten oft eine betriebliche Notwendigkeit. Derartige Baulichkeiten müssen nicht unbedingt auf dem Werkgelände errichtet werden. Daß sich eine Kindertagesstätte ganz auf die Körpergröße des Kindes und seine Psyche einzustellen hat und baulich dementsprechend durchgebildet sein muß, versteht sich von selbst.

Die Grundeinheit in einer Kindertagesstätte ist die Gruppe von 15 Kindern, die von einer Kindergärtnerin allein betreut werden kann. Je nach den Altersstufen, die aufgenommen werden, müssen entsprechende Nebenräume vorhanden sein.

Küchen

Für den Entwurf von Küchenanlagen müssen Fachleute der betreffenden Spezialgebiete hinzugezogen werden. Diese Fragen hängen im einzelnen mehr mit dem Gaststätten- und Hotelgewerbe zusammen, so daß im Rahmen des Industriebaues nur einige Punkte andeutungsweise erwähnt werden sollen.

Die Größe und Ausstattung der Küchen hängt von der Art und der Zahl der täglich zu verabreichenden Essensportionen ab. In kleinen Küchen ist der Herd das wesentliche Küchengerät. In größeren Küchen kann nur mit Kesseln wirtschaftlich gearbeitet werden.

Man rechnet bis zu 100 Essen mit einer Herdfläche von 0,8 bis 1,6 m². Bei der Ausstattung mit Kesseln geht man davon aus, daß je Belegschaftsmitglied ein Kesselinhalt von 1,2 bis 1,8 l (eingekocht auf 0,75 bis 1,0 l) vorzusehen ist, je nachdem, ob Eintopfgerichte oder getrennte Speisen verabreicht werden. Für ein verabfolgtes Mittagessen muß im Durchschnitt 0,5 bis 0,8 m² Küchenfläche einschließlich aller Nebenräume gerechnet werden.

Jede Küche muß geeignete Neben-, Lager-, Kühl-, Putz- und Reinigungsräume erhalten. Von ihrer richtigen Lage zueinander hängt der wirtschaftliche Betrieb einer Küche entscheidend ab. Für das Küchenpersonal sind eigene Personalräume einzufügen.

Zu jeder Küchenanlage gehört außerdem ein Wirtschaftshof in derselben Größe wie die überbaute Fläche der Küche selbst.

Die Beheizung der Küchen erfolgt mit Gas, Dampf oder Elektrizität. Kohlenheizung ist nicht nur unwirtschaftlich, sondern heute mit der Sauberkeit in der Küche nicht mehr zu vereinen.

Besonderer Wert muß auf gute Belüftung gelegt werden, um das Übertreten von Wrasen und Küchendünsten in den Speiseraum so weit wie möglich zu vermeiden. Die Zuordnung der Küche zu den Speiseräumen richtet sich vor allem nach dem System der Speisenausgabe, ob sie durch Bedienung oder als Selbstbedienung erfolgen soll (Beispiele Seite 227).

Speiseräume

Das Frühstück kann, soweit es die Produktion erlaubt, am Arbeitsplatz verzehrt werden. Besser ist es, wenn hierfür eigene Frühstücksräume oder Kantinen mit einem Verkaufsraum vorhanden sind. Wegen der Kürze der Zwischenpausen dürfen diese Räume nicht zu weit vom Arbeitsplatz entfernt sein.

Für die Hauptmahlzeit ist von einer gewissen Größe des Betriebes ab die Anlage besonderer Speiseräume und einer eigenen Küche unabdingbare Notwendigkeit. In England ist sie in den Betrieben mit mehr als 250 Mann Belegschaft durch Gesetz vorgeschrieben. Ihre Lage, Größe und Ausstattung hängt von sehr vielen Umständen ab. Aus wirtschaftlichen Gründen wird man große zentrale Anlagen anstreben. Bei sehr weitläufigen Betrieben können aber mehrere kleine Speiseräume in Form von Kantinen, die von einer zentralen Küche versorgt werden, angezeigt sein.

Bei zentraler Anordnung eines großen Speiseraumes kann die Belegschaft, damit der Raumbedarf nicht zu groß wird, in 2 oder 3 Schichten essen. Man rechnet je Sitzplatz mit einer Grundfläche von 1,0 m bis 1,5 m². Durch Anordnung langer Tische an Stelle kleiner Einzeltische kann an Platz gespart werden; außerdem lassen sich große Tische leichter in Ordnung halten. Kleine Tische wirken jedoch freundlicher. Auf breite Zugänge und Verkehrswege ist bei der stoßweisen Inanspruchnahme der Räume besonders zu achten.

Wegen des schnellen Ablaufes der Mahlzeiten und aus Gründen der Sauberkeit ziehen viele Betriebe eine Bedienung vor. Nach englischem und amerikanischem Vorbild hat sich jedoch die Selbstbedienung vielerorts eingeführt. Bei Selbstbedienung muß die Ausgabe dafür entsprechend ausgebildet sein.

Zweckmäßigerweise ist in Eingangsnähe ein Verkaufsstand für Zigaretten, Süßwaren und Getränke einzugliedern. Ausreichende Garderobenräume, Toiletten und Waschgelegenheiten sind ebenso vorzusehen.

Es wird immer Betriebe geben, vorwiegend in ländlicher Umgebung, in denen ein Teil der Belegschaft das Essen mitbringt, ganz abgesehen davon, daß oftmals einzelne Belegschaftsmitglieder nach besonderer Diät leben müssen. Zu diesem Zweck müssen Wärmeküchen eingerichtet werden, in denen das mitgebrachte Essen oder die Getränke gewärmt werden können.

Die Lage des Speiseraumes innerhalb des Werkes soll möglichst zentral sein, aber andererseits abseits von lärmenden und schmutzigen Abteilungen. Ein Blick vom Speiseraum in die Natur (Anlage von Rasen, Blumenbeeten) wird stets angenehm empfunden werden. Wegen der Anfuhr der Lebensmittel ist die Lage der Kantine an einem verkehrsgünstigen Platz erwünscht.

Ob eine Trennung des Speiseraumes nach Arbeitern und Angestellten vorzunehmen ist, hängt von der Struktur des Betriebes ab. Für die Mitglieder der Direktion und für Gäste ist stets ein gesonderter Speiseraum anzuordnen.

Medizinische Räume

Der Umfang der ärztlichen Betreuung für die Belegschaft kann in weiten Grenzen schwanken. Demzufolge kann die Anlage und Ausstattung der medizinischen Räume sehr verschieden sein. Zu unterscheiden ist zwischen der „Ersten Hilfe" bei Verletzungen im Betrieb, der Untersuchung von Angestellten und Arbeitern vor ihrer Einstellung, der prophylaktischen Reihenuntersuchung, die der Bekämpfung von Berufskrankheiten, Tuberkulose und Zivilisationsschäden dient, und der regulären Behandlung von Betriebsangehörigen und gegebenenfalls auch ihrer Familienmitglieder.

Im einfachsten Fall ist ein Raum für die erste Hilfeleistung vorzusehen, ausgestattet mit einem Verbandskasten und einer Tragbahre. Der Raum muß nach außen für jedermann kenntlich sein und am besten in der Nähe des Werkeinganges liegen, damit ein etwaiger Weitertransport ins Krankenhaus rasch vorgenommen werden kann. Oft werden deshalb derartige Räume in irgendeiner Weise mit dem Pförtnerhaus in Verbindung gebracht.

Ist die Unfallstation ständig mit einer Schwester oder einem Sanitäter besetzt, die nicht nur bei Verletzungen sondern auch bei Übelkeit und Unpäßlichkeit der Belegschaftsangehörigen in Anspruch genommen werden, so empfiehlt sich eine zentrale Lage des Raumes. Je nach der Besucherzahl kann ein Wartezimmer und ein Ruheraum mit abgetrennten Kabinen hinzugefügt werden. Eine derartig umfangreiche Raumgruppe, womöglich ergänzt durch Bäder, Massageräume, Behandlungsräume, ist stets notwendig, so bald ein Arzt entweder zeitweise oder ständig im Betrieb anwesend ist. Sind weitere soziale Räume (Speiseraum, Leseraum) im Betrieb vorhanden, so kann die medizinische Station mit ihnen zusammengefügt werden. Liegt der Schwerpunkt der ärztlichen Tätigkeit in der Untersuchung der neu Einzustellenden, so kann eine Lage neben der Personalabteilung erwünscht sein. Die Eingliederung der medizinischen Räume im Erdgeschoß oder im 1. Stock ist immer von Vorteil. Im einzelnen ist darauf zu achten, daß die Türen breit genug für den Transport mit Tragbahren sind. Daß die Räume gut belichtet und belüftet sein müssen, leicht zu reinigen und hell im Anstrich sein sollen, also den Begriff der Sauber-

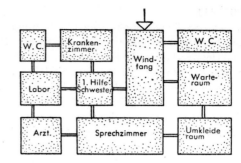

Schema einer kleinen Station eines Betriebsarztes

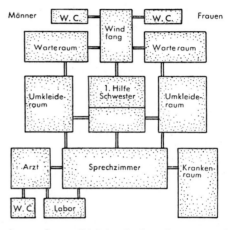

Schema einer großen medizinischen Station mit getrennten Umkleideräumen für Männer und Frauen

keit und Hygiene in jeder Hinsicht verkörpern möchten, ist selbstverständlich.

In großen Betrieben hat es sich eingeführt, die Bewerber vor der Einstellung zu testen, um ihnen den richtigen Arbeitsplatz zuweisen zu können. Auch der Aussprache von Werksangehörigen mit der Personalabteilung legt man immer größeren Wert bei, hat man doch erkannt, daß die richtige Menschenführung eines der wichtigsten Probleme für den Betrieb ist. Man will jedem Angehörigen des Betriebes das größtmögliche Maß an Arbeitsfreude verschaffen, ihn in seiner Entwicklung fördern und ihm eine Chance innerhalb des Betriebes geben. Es kann daher notwendig sein, der Personalabteilung Wartezimmer, Test- und Besprechungszimmer anzugliedern.

Ob sich weitere soziale und medizinische Räume allgemein einbürgern werden, muß der Zukunft überlassen werden. In manchen Fabriken sind eigene Sportplätze zu finden, ferner sind oftmals besondere Unterrichtsräume für die Weiterbildung der Arbeiter und Angestellten vorhanden, ja sogar Tanzräume sind mitunter anzutreffen. Vielfach wird aber der Standpunkt vertreten, daß man niemanden über die vorgeschriebene Arbeitszeit hinaus in irgendwelcher, wenn auch nur losen Form an den Betrieb binden soll. Derartige Einrichtungen sollten sich außerhalb des Betriebes aus eigener Initiative der Betriebsangehörigen entwickeln.

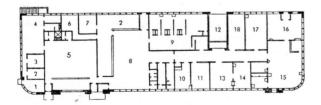

1 Pförtner · 2 Büro · 3 Chef · 4 Personalraum · 5 Aufnahme · 6 Aktenraum · 7 Personalbüro · 8 Untersuchungszimmer · 9 Untersuchungszimmer · 10 Frauen-Bestrahlungszimmer · 11 Frauen-Krankenstation · 12 Ambulanz · 13 Operationssaal · 14 Ärztezimmer · 15 Hauptbehandlungsraum · 16 Wartezimmer · 17 Männerbestrahlungszimmer · 18 Männerstation

Große medizinische Abteilung eines Industrie-Werkes in USA

Farbgebung

Zu den äußeren Einwirkungen, die die Leistung eines Menschen beeinflussen, gehört auch die Farbe. Durch zahlreiche Untersuchungen ist im einzelnen nachgewiesen worden, wie der Mensch auf die verschiedenen Farben reagiert, und welchen Einfluß sie auf ihn haben können. Während die in den vorhergehenden Abschnitten erwähnten Einflüsse auf das Befinden des Menschen wie: Temperatur, Luftfeuchtigkeit, Luftbewegung, Staubgehalt, Geräusche, irgendwie meßbar sind, und für ihre Wechselbeziehungen Maßstäbe geschaffen worden sind (Behaglichkeitsmaßstäbe), ist der Einfluß der Farben, ja schon die eindeutige Kennzeichnung der Farbe selbst, nur sehr schwer anzugeben. Man ist in der Hauptsache auf gefühlsmäßige Wahrnehmungen angewiesen, die nur dann Anspruch auf Allgemeingültigkeit haben, wenn sie an einer sehr großen Zahl von Menschen festgestellt worden sind. Außerdem führen derartige Untersuchungen zu verschiedenen Ergebnissen, je nach der Zusammensetzung der untersuchten Gruppen bezüglich des Alters, des Geschlechtes, der sozialen Stellung, der landschaftlichen Herkunft und der Volkszugehörigkeit. Es ist bekannt, daß der Südländer auf äußere Einflüsse gefühlsmäßig anders reagiert als der Nordländer und demzufolge auch ein unterschiedliches Verhältnis zur Farbe hat. Schließlich braucht der eine menschliche Typ zu derselben Arbeit äußere Anregung, der andere äußere Ruhe. Alle diese Tatsachen muß man von vornherein bedenken, um die Grenzen derartiger Untersuchungen und den Wert ihrer Folgerungen richtig einzustufen.

Eine der Ursachen für den Leistungsabfall des Menschen ist die Ermüdung. Die Frage, welche Bedeutung der Farbe in diesem Zusammenhang zukommt, ist daher besonders wichtig. Man muß neben der körperlichen auch die seelische Ermüdung in den Kreis der Betrachtung ziehen. Außerdem wirkt sich die Ermüdung eines Organes auf den gesamten Körper aus.

Das Auge ermüdet einmal bei mangelnder Beleuchtung, zum anderen bei zu großer Lichtfülle, die Anlaß zur Blendung gibt, und schließlich ermüdet der Wechsel zwischen Hell und Dunkel (starke Kontraste). Deshalb die erste Forderung: Die Helligkeitskontraste am Arbeitsplatz sollen sich in kleinen Grenzen halten (maximal 1:10). Andererseits ermüdet das Auge auch, wenn es lange auf derselben Farbe von gleicher Helligkeit ruht. Das Auge bedarf, wie jedes menschliche Organ, gewisser Reize. Durch den Wechsel der Farbe mit geringen Helligkeitsunterschieden wird das Auge einerseits angeregt, andererseits nicht durch übermäßige Kontraste ermüdet. Daraus folgt, daß das mühelose Erkennen von feinen Arbeitsvorgängen nicht allein durch starke Beleuchtung, die meist zu Kontrasten (Schattigkeit, Blendung) führt, sondern besser durch Farbunterschiede erreicht werden kann. Es ist eine bekannte Tatsache, daß das Auge die Komplementärfarbe sieht, wenn es längere Zeit intensiv auf eine Farbfläche gerichtet war und danach auf eine weiße Fläche blickt. Man kann diese Wirkung abschwä-

chen, wenn man zu dem farbigen Arbeitsgut oder Arbeitsplatz entsprechende Flächen in den Komplementärfarben schafft, von denen sich der Arbeitsvorgang abhebt. Zu einer Konzentration in der Arbeit trägt ebenfalls bei, wenn alle Teile, die außerhalb des eigentlichen Blickfeldes liegen, mit einer einheitlichen Farbe gestrichen werden, und die Teile, die für den Arbeitsprozeß wichtig sind, durch die richtige Wahl der Ergänzungsfarben plastisch hervortreten.

Was für den Arbeitsplatz im einzelnen gilt, ist auch auf den gesamten Raum anzuwenden. Die Tatsache, daß die Operationssäle in Krankenhäusern nicht mehr weiß, sondern getönt gekachelt werden, muß auch in der Industrie zu Überlegungen hinsichtlich der farblichen Ausgestaltung von Arbeitsräumen führen.

Große Arbeitsräume und ihre Einrichtung sollen nicht monochrom gehalten werden, sondern farbig abgestimmt sein. Ist die Arbeitsfläche so groß, daß die Wände nicht mehr als Ruhefläche für das Auge dienen können, wie z. B. in Flachbauten, dann kann es zweckmäßig sein, die Maschinenreihen farbig abzusetzen, um dem Auge sowohl eine Unterbrechung als auch einen optischen Ruhepunkt zu bieten. Durch diesen neuen Maßstab wird der Raum für den Menschen leichter erfaßbar, und er fühlt sich in ihm wohler.

Neben den aufgezeigten Fragen der Ermüdung, der besseren Erkennung des Arbeitsvorganges und der Konzentration bei der Arbeit durch die richtige farbige Gestaltung des Arbeitsplatzes ist schließlich bei der Wahl der Farbe von grundsätzlicher Bedeutung, welcher Eigenwert ihr zukommt.

Man unterscheidet nicht ohne Grund kalte und warme Farben und spricht von aufregenden und beruhigenden Farben. In einem hellen, farbig gut abgestimmten Raum werden Ordnungssinn und Sauberkeit der Belegschaft leichter angesprochen als in einer unfreundlichen, dunklen Umgebung.

Natürlich gibt es für die Farbgebung in dieser Richtung auch Grenzen. So kann der Anstrich einer Maschine nicht allein von Stimmungswerten abhängig gemacht werden, denn der Farbe kommt neben der physischen und psychischen Bedeutung auch die Aufgabe als Erkennungs- und Unterscheidungsmittel für wichtige Betriebseinrichtungen zu. In DIN 4118 (Sicherheitsfarben) sind die Farben in ihrer Bedeutung für Gefahrenstellen, Sicherheitseinrichtungen und wichtige Hinweise festgelegt. Auch für Rohrleitungen, Behälter, Leitungen, Maschinen, Geräte, Bedienteile enthalten die DIN 5381, 2403 und 2404 entsprechende Kennfarben.

Im Rahmen dieses Abschnittes ist es nicht möglich, den vielen Fragen im einzelnen nachzugehen. Es muß vielmehr auf die vorhandene Literatur* verwiesen werden.

---

* Hänsel, H., Die Farbe in der Arbeitsraumgestaltung, Zentralblatt für Industriebau, Jahrg. 1 (1955), Seite 11. —
Hufland, Fr., Über den Einfluß der farbigen Gestaltung von Räumen und Maschinen auf den Arbeitenden, Textilpraxis 1950, Seite 501.
The Functional Approach to the Painting of Industrial Buildings, Building Digest, 13 (1953), Seite 127.

Kurt Dummer
Bauing.
Berlin-Pankow
Retzbacher Weg 6

GESCHOSSBAUTEN

Mehrgeschoßbau für Laboratorien eines chemischen Betriebes

Produktionsablauf in Geschoßbauten

Geschoßbauten dienen in erster Linie der Aufnahme von Betrieben, die keine besondere Anforderung an die Raumform oder Raumanordnung stellen und die in mehreren, übereinanderliegenden Geschossen untergebracht werden können. Die Belichtung erfolgt – im Gegensatz zum Hallen- und Flachbau – nur durch Fenster von der Seite her und nimmt nach der Raumtiefe hin stark ab. Der Flächenbedarf für Geschoßbauten ist geringer als für Hallen- oder Flachbauten. Geschoßbauten werden als massiver Ziegelbau, als Stahlskelett oder Stahlbetonskelett errichtet. Auch eine Kombination von tragenden Ziegelwänden und Stahl- oder Stahlbetonstützen ist möglich. Vereinzelt werden Geschoßbauten im Industriebau aus geschütteten Betonwänden hergestellt. Trotz der verschiedenartigen Baustoffe Stahl und Stahlbeton unterscheiden sich die wirtschaftlichen Stützweiten der Binder und Unterzüge nicht allzusehr. Bei großen Spannweiten ist der Stahl im Vorteil, bei großen Nutzlasten dagegen der Stahlbeton. Durch die Einführung des Spannbetons sind auch im Stahlbeton immer größere Spannweiten möglich geworden. Stützenfreie Gebäudetiefen von 15 m und mehr können neuerdings mit Spannbeton ohne Schwierigkeiten und ohne großen Mehraufwand erzielt werden.

Aus wirtschaftlichen Gründen ist auf eine günstige Verteilung der Nutzlasten zu achten. Schwere Lasten legt man in die unteren Geschosse. Ebenso bringt man alle

Maschinen, die zu Erschütterungen Anlaß geben, nach unten; gegebenenfalls setzt man sie auf eigene, allseits freie Gründungskörper.

Die Abmessungen und die bauliche Gestaltung der Geschoßbauten werden von folgenden Punkten beeinflußt:

Tageslichtzuführung (Befensterung),
Stützenentfernung (Bauart, Lasten),
Produktionsvorgang (Maschinenaufstellung),
Transportmittel (Fließbänder, Kräne, Lastenaufzüge),
Verkehrswege (Treppen, Gänge, Personenaufzüge),
Feuerschutz (Brandabschnitte, Bauart, Fluchtwege).

Soll bei natürlichem Tageslicht gearbeitet werden, so ist die Gebäudetiefe begrenzt. Sie ist in Abhängigkeit von den geforderten Belichtungsverhältnissen und der Geschoßhöhe festzulegen. Geschoßbauten, in denen ausschließlich mit Tageslicht gearbeitet wird, haben eine oder zwei mittlere Stützenreihen. Die Stützenentfernungen hängen dabei von der Ausbildung der Decken, den aufzunehmenden Nutzlasten, der Bauart der Gebäude und insbesondere auch von dem Verwendungszweck des Bauwerkes ab. Es ist deshalb vorher klarzulegen, ob große Säle notwendig sind, oder ob eine Unterteilung der Geschosse zweckmäßig ist.

In den letzten Jahren sind Geschoßbauten als mehrbündige Anlagen mit sehr großen Gebäudetiefen – bis zu 30 m – entwickelt worden. Bei ihnen wird die schlecht belichtete Mittelzone als Lagerfläche und für Nebenräume,

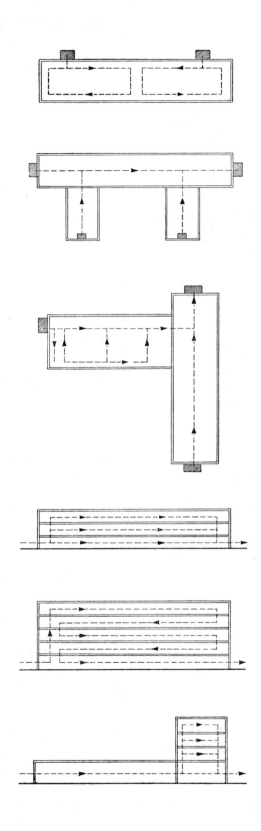

Schema des Produktionsflusses in verschiedenen Geschoßbauten

Toiletten, Umkleideräume u. ä. verwendet. Dadurch ergibt sich eine gute Zuordnung der Lagerflächen zu den Produktionsräumen, und es wird der Wunsch der Belegschaft erfüllt, die ihre Umkleide- und Waschräume unmittelbar neben den Arbeitsplätzen haben möchte.

Die Länge eines Gebäudes wird durch die Abstände und die Anordnung der Treppenhäuser bestimmt. Auch die Höhe der Geschoßbauten hängt eng mit der Durchbildung der Treppenhäuser zusammen. Während früher ein Optimum bei vier bis fünf Geschossen zu liegen schien, geht man heute weit darüber hinaus und setzt bis zu 20 Stockwerke übereinander. Damit dürfte aber die wirtschaftliche Grenze erreicht sein, wobei weniger die in den unteren Geschossen aufzunehmenden Lasten eine Begrenzung geben als vielmehr die Sicherheitsvorschriften und die Anordnung und Durchbildung der Treppen und Aufzüge. Jedes weitere Geschoß verlangt eine Vergrößerung der vertikalen Verkehrsmittel, so daß der Zuwachs an Nutzfläche in den oberen Geschossen durch die Einschränkung der Nutzfläche in den Untergeschossen teilweise wieder aufgehoben werden kann, weil sich die Flächen für die Treppen und Aufzüge in allen Geschossen vergrößern müssen.

Von ausschlaggebender Bedeutung für die Geschoßbauten der Industrie sind letzten Endes der Materialfluß und der Produktionsvorgang. Für den Entwurf von Geschoßbauten muß deshalb von vornherein untersucht werden, welche Maschinenaufstellung zweckmäßig ist. In engem Zusammenhang damit steht die Frage nach den innerbetrieblichen Transportmitteln und Verkehrseinrichtungen (Fließbänder, Elektrokarren, Kräne, Aufzüge, Gänge und Treppen). Im allgemeinen ergibt sich ein günstiger Materialfluß, wenn das Rohmaterial oder die Halbfabrikate in die oberen Geschosse gebracht werden, um von dort dem Arbeitsvorgang entsprechend nach unten abzufließen. Es ist Sache des Betriebes, diesen Arbeitsablauf vorher zu klären und den zugehörigen Plan für die Aufstellung der Maschinen festzulegen.

Durch Änderung des Produktionsverfahrens kann ein solcher Betriebsplan rasch überholt werden. Deshalb ist es nicht zweckmäßig, die bauliche Ausbildung von Mehrgeschoßbauten ausschließlich auf einen ganz bestimmten Materialfluß abzustellen. Die normalen Mehrgeschoßbauten müssen vielmehr baulich so durchgebildet sein, daß sie verschiedenen Produktionsverfahren gerecht werden können. Das kann erreicht werden, wenn man für die Grundrißform ein Rechteck wählt. Winkelbauten, Kammbauten oder spezielle Kombinationen von Geschoßbauten können wohl für ein bestimmtes Produktionsverfahren mit einer bestimmten Maschinenaufstellung das Optimum darstellen, für andere Verfahren aber unliebsame Bindungen aufweisen.

In seiner baulichen Struktur ist der Mehrgeschoßbau für eine solche flexible Verwendung sehr geeignet. Die gleichen Achsenabstände erlauben eine beliebige Unterteilung der Geschosse und leichte Einordnung von Nebenräumen, Laboratorien, Zeichen- und Büroräumen.

Lage

Die Lage der Geschoßbauten innerhalb eines Industriegeländes hängt von verschiedenen Überlegungen und Einflüssen ab. Einmal sind die städtebaulichen Gegebenheiten zu berücksichtigen, zum andern sind der Betriebsablauf, die Bindungen durch den internen und externen Verkehr und die speziellen technischen Forderungen von großem Einfluß. Einerseits muß also eine Zuordnung zur Umgebung, zur Verkehrslage, zu den Geländeverhältnissen und zu etwaigen Grünflächen erfolgen, andererseits sind die für einen reibungslosen Betriebsablauf erforderlichen Voraussetzungen zu schaffen.

Die Geschoßbauten der Industrie stehen selten für sich allein, meist sind sie irgendwie mit anderen Bauwerken verbunden. Von der richtigen Zuordnung der Mehrgeschoßbauten zu den übrigen Bauwerken und von der Verbindung der Geschoßbauten mit niedrigen ebenerdigen Werkstätten, überdachten Lagerflächen und Bürotrakten hängt der Gesamteindruck einer Anlage entscheidend ab. Ein einzelner, hoher Geschoßbau wirkt als starke Betonung, mehrere Geschoßbauten in einer Reihe haben ein solches Übergewicht, daß es oft nicht möglich ist, die übrigen Bauwerke harmonisch anzuschließen.

Die Abmessung der Geschoßbauten und ihre Anordnung auf dem Grundstück sind weiterhin von der zugelassenen Bauweise, dem Ausnutzungsgrad des Grundstückes, den zulässigen Abständen untereinander und von der Lage der Grundstücksgrenze abhängig (siehe Seite 62). Auch die Ausblicke aus den einzelnen Geschossen müssen bei der Planung berücksichtigt werden. Es ist unbefriedigend, wenn der Blick aus den höheren Geschossen nur auf die Dächer der niedrigeren Bauten fällt. Zu einem Mehrgeschoßbau gehört — nicht nur aus feuerpolizeilichen Gründen — eine gewisse Freifläche, die das Gefühl der Enge nimmt und den Blick auf Grünanlagen freigibt. Oft ist ein größerer Vorplatz schon wegen des Verkehrs notwendig.

Wegen der natürlichen Tagesbeleuchtung spielt bei allen Geschoßbauten die Lage zur Himmelsrichtung eine wichtige Rolle. Für große, von Außenwand zu Außenwand durchgehende Arbeitsräume ist die Ost-West-Richtung der Gebäudeachse anzustreben, so daß die eine Fensterfront nach Norden, die andere nach Süden liegt. Die Sommersonne scheint dann nur wenig in die Räume, weil der Einfallswinkel sehr steil ist, und außerdem kann lästiges Sonnenlicht durch Blenden leicht ausgeschaltet werden. Dagegen wird im Winter bei niedrigem Sonnenstand der ganze Raum bis zur Nordseite angenehm durchstrahlt. Das Gefühl der sonnenlosen Nordseite entfällt, da der zusammenhängende Raum stets Sonne bekommt. Außerdem ergeben sich bei Ost-West-Richtung der Gebäudeachse die geringsten Schwankungen in der Tagesbeleuchtung im Gegensatz zur Nord-Süd-Lage.

Ist das Gebäude beiderseits eines Mittelflures in kleinere, voneinander getrennte Räume aufgeteilt, erscheint die Nord-Süd-Richtung zweckmäßiger, sofern keine reinen Nordräume benötigt werden. Der Nachteil dieser Orien-

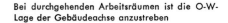

Bei durchgehenden Arbeitsräumen ist die O-W-Lage der Gebäudeachse anzustreben

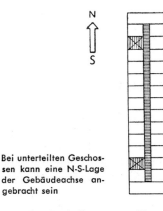

Bei unterteilten Geschossen kann eine N-S-Lage der Gebäudeachse angebracht sein

Lage der Geschoßbauten zur Himmelsrichtung in Abhängigkeit von der Nutzung der Geschosse

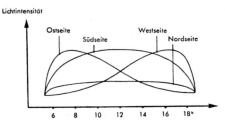

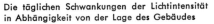

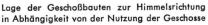

Die täglichen Schwankungen der Lichtintensität in Abhängigkeit von der Lage des Gebäudes

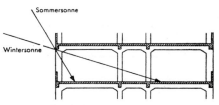

Ost-West-Lage der Gebäude

Der Bereich der Einstrahlung bei Winter- und Sommersonne

tierung ist der, daß die nach Westen gelegenen Räume im Sommer von der Nachmittagssonne sehr stark erwärmt werden, während im Winter die Mittagssonne weder den Ost- noch den Westräumen zugute kommt.

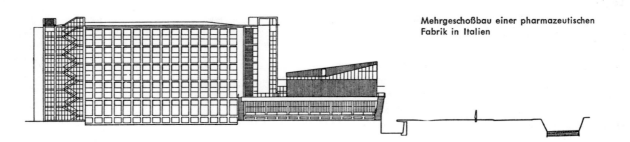

Mehrgeschoßbau einer pharmazeutischen
Fabrik in Italien

Querschnitt und Grundriß

Ein Mehrgeschoßbau wird durch seinen Querschnitt und
durch seinen Grundriß bestimmt. Während der Grundriß
in erster Linie nach den Erfordernissen des Betriebsablaufes zu entwickeln ist, hängt der Querschnitt außer vom
statisch-konstruktiven Aufbau des Bauwerkes von der Zuführung des Tageslichtes ab. Für gewöhnlich verfügt man
über die Geschoßhöhen, die – sofern keine besonderen
Transporteinrichtungen notwendig sind, die höhere
Räume verlangen, – bei 4,0 m liegen. Nach DIN 18 221
»Achsenabstände und Geschoßhöhen im Industriebau«
sollen die Geschoßhöhen nur in Sprüngen von 25 cm
steigen (3,50 m; 3,75 m; 4,00 m usw.). Für die lichte Raumhöhe ist von den Gewerbeaufsichtsbehörden ein Mindestmaß von 3,00 m vorgeschrieben, das im Keller auf 2,50 m
herabgesetzt werden kann. Geschoßhöhen über 5,00 m
wird man im allgemeinen kaum wählen; für derartige
Räume sind Hallen- oder Flachbauten zweckmäßiger.

Die Bautiefe ergibt sich bei festgelegter Raumhöhe aus
den geforderten Belichtungsverhältnissen. Wählt man
den Abstand b des am weitesten vom Fenster abgelegenen Arbeitsplatzes gleich der doppelten lichten Fenster-
höhe a, so folgt daraus die zugehörige Raumtiefe. Wird
eine sehr gute Belichtung gefordert, ist b = 1,5 a zu wählen; dasselbe gilt auch für untere Geschosse. Für minder
gute Belichtung oder für obere Geschosse kann b = 2,5 a
sein. Da die Raumtiefen innerhalb eines Geschoßbaues
normalerweise nicht verändert werden können, wechselt
man mit den Raumhöhen. In diesem Zusammenhang
kommt der Höhe der Fensterstürze große Bedeutung zu.
Bisher wurden bei den Stahlbetonbauten etwa 50 cm dafür angesetzt. Um die Belichtungsverhältnisse zu verbessern, versucht man bei neueren Ausführungen die Fensterstürze so weit wie möglich zu drücken, oder durch Kragkonstruktionen ganz zu erübrigen. In Sonderfällen kann
der Fenstersturz auch als Überzug in die darüberliegende
Brüstung gelegt werden. Diese Ausführung ist jedoch
wirtschaftlich aufwendig, da die Deckenplatte dann nicht
mehr als Druckplatte mitwirkt.

Neben der Höhe des Fenstersturzes ist für die Belichtung
eines Raumes die Richtung und Höhe der Deckenunterzüge von Bedeutung. Unterzüge senkrecht zur Außenwand werfen naturgemäß weniger Schatten als solche,
die parallel zu den Fenstern verlaufen. Lichttechnisch gesehen sind daher Konstruktionen ohne Längsträger oder
mit auskragenden Platten erwünscht. Hierin liegt auch ein
Vorteil der Pilzdecke, da sie mit ebener Untersicht ausgebildet werden kann.

Der Grundriß wird in erster Linie von der Stellung der
Stützen bestimmt. Ihre Abstände hängen von der Art des
Betriebes, von den Nutzlasten und von der Bauart ab.
Ferner sind für die Grundrißentwicklung die Lage der
Treppenhäuser und die Anordnung der Toiletten ent-
scheidend. Auch die Lage der Dehnungsfugen spielt eine
gewisse Rolle.

Die gleichmäßige Durchführung eines Achsenabstandes
innerhalb desselben Bauwerkes ist für den Geschoßbau
im Industriebau charakteristisch. In der Regel fügen sich
die Maschinen dem normalen Achsenabstand gut ein.
Das wirtschaftliche Achsmaß bei normaler Belastung liegt
für Stahl und Stahlbeton zwischen 6 und 9 m. Nach DIN

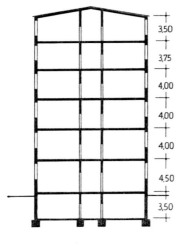

3,50

3,75

4,00

4,00

4,00

4,50

3,50

Schnitt durch einen Geschoßbau mit wechselnden Geschoßhöhen

4171 soll der Achsenabstand ein Mehrfaches des Grundmaßes 1,25 betragen; daraus folgen als Achsmaße 5,00, 6,25, 7,50 m usw. Für Verwaltungsbauten kann ein Achsmaß zwischen 6,50 und 7,00 m wirtschaftlicher sein; es ergibt sich aus den Abmessungen und der Anordnung der Büroausstattung.

Nach außen wirken gleiche Achsenabstände als großzügige Reihung. Ihre Gleichmäßigkeit verbietet leider einen rhythmischen Wechsel. Die Begrenzung des Baukörpers möchte man aber betont wissen, sonst wirken Anfang und Ende zufällig. Im Stahlskelett bringen die Windverbände eine Unterbrechung in die wiederkehrende Erscheinung der einzelnen Felder. Will man im Endfeld die gleichen Momente wie in den Mittelfeldern erhalten, muß man die Endfelder verkürzen. Dadurch können Anfang und Ende eines Bauwerkes ebenfalls herausgestellt werden.

Bei geringer Gebäudetiefe kann man ohne Stützen im Inneren auskommen, bei größeren Gebäudetiefen benötigt man eine oder mehrere Stützen. Im Aufbau des Skelettes werden die Decken als Platten angesehen, die ihre Lasten auf die Unterzüge absetzen. Sind die Stützen mit den Unterzügen biegungssteif verbunden, so ergeben sich Rahmen, die auch horizontale Kräfte aufnehmen können. Betrachtet man die Stützen als an die Unterzüge gelenkig angeschlossen, so können sie nur vertikale Kräfte aufnehmen, und man muß für die Ableitung der horizontalen Windkräfte besondere Maßnahmen treffen. Mit einer Rahmenkonstruktion können größere Spannweiten erreicht werden, weil ein Teil der Biegungsmomente in die Stützen abwandert.

Die Wahl des Achsmaßes steht in engem Zusammenhang mit der Ausbildung der Decken und der Anordnung der Unterzüge. Bei kleinen Nutzlasten (< 1000 kg/m²) und Achsabständen $< 6,25$ m wird man die Decke in der Längsrichtung von Querunterzug zu Querunterzug spannen. Dadurch entfällt ein Randunterzug, und die Fenster können bis zur Unterkante der Decke hinaufreichen. Das letzte Feld muß, wenn die Höhe der Decke in den übrigen Feldern durch die maximalen Feldmomente voll in Anspruch genommen wird, auf 0,80 bis 0,85 der Stützweite verkleinert oder die Decke muß bei gleicher Stützweite entsprechend verstärkt werden.

Bei Stützweiten $> 6,25$ m oder großen Nutzlasten (> 1000 kg/m²) empfiehlt sich die Anordnung von Längsbalken mit quergespannter Decke. Das mittlere Deckenfeld wird wegen des Momentenausgleiches am besten größer als die Randfelder gewählt. Die Spannrichtung der Decke quer zur Gebäudefront hat zur Folge, daß über den Fenstern ein Randunterzug notwendig wird.

Bei einer oder mehreren Mittelstützen kann die Decke sich ebenfalls von Unterzug zu Unterzug in der Längsrichtung des Gebäudes spannen. Dies hat den Vorteil, daß an den Stützen ohne Schwierigkeiten Öffnungen für Steigleitungen vorgesehen werden können.

Bei größeren Achsabständen oder höheren Nutzlasten wird eine Unterteilung der Felder notwendig. Diese Anordnung bringt verschiedene Nachteile mit sich. Die

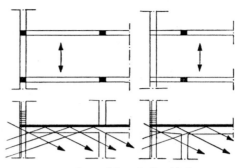

Decke unmittelbar zwischen die Querbinder gespannt. Keine schattenwerfenden Längsunterzüge

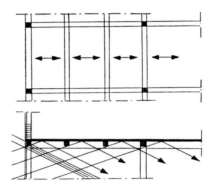

Decke senkrecht zur Außenwand über Längsunterzüge gespannt — starke Schattenbildung

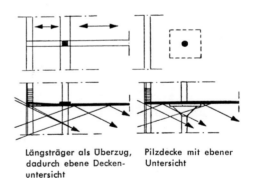

Längsträger als Überzug, dadurch ebene Deckenuntersicht

Pilzdecke mit ebener Untersicht

Lichteinfall und Spannrichtung der Deckenkonstruktion bei Geschoßbauten in Stahlbetonskelett

Längsunterzüge müssen wegen des Einbindens der Querbalken verhältnismäßig hoch gewählt werden und erhalten durch die Querunterzüge jeweils in der Mitte der Stützweite ihre Belastung. Außerdem werden Längsbalken in der Außenwand notwendig, was belichtungstechnisch ungünstig ist. Auf die Längsbalken in der Außenwand kann man nur verzichten, wenn hier eine Zwischenstütze angeordnet wird. Diese Lösung hat architektonisch den Vorteil, daß die Fenster bessere Proportionen bekommen.

Die Endfelder mit den Windverbänden als
geschlossene Felder

Die Windverbände im einzelnen so ausgebildet,
daß die Befensterung durchlaufen kann

In die Felder mit den Windverbänden einzelne
Fenster eingefügt

Die Windverbände hinter der durchgehenden
Befensterung sichtbar gelassen

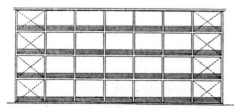

Möglichkeiten der Ausbildung der Windverbände in der Längsrichtung bei Stahlskelettbauten

Stahlskelett

Ein Stahlskelett kann konstruktiv sehr verschiedenartig durchgebildet werden. Grundsätzlich ist zwischen einem biegesteifen und einem gelenkigen Anschluß der Stützen und Unterzüge zu unterscheiden. Die Rahmenkonstruktionen bieten jedoch ungleich mehr Ausbildungsmöglichkeiten. Es brauchen nur die äußeren Knoten biegesteif zu sein, während im Inneren des Gebäudes Gelenke oder Kreuzgelenke angeordnet werden können.

Die Wahl des statischen Systems ist von vielen Einflüssen abhängig, nicht zuletzt auch vom Antransport und von der Montage der einzelnen Bauteile. In der äußeren Erscheinung kann ein Stahlskelett starke Bindungen durch die Windverbände erhalten. Aus wirtschaftlichen Gründen zieht man das Fachwerk dem Rahmen vor. Die Felder mit derartigen Verbänden müssen entweder geschlossen bleiben, oder man läßt die Verbände über die Fenster hinweg durchgehen. Sie lassen sich zwar konstruktiv so ausbilden, daß die Befensterung trotzdem durchgeführt werden kann, architektonisch überzeugt eine derartige Lösung aber nicht. Man möchte auch äußerlich die Lage der Verbände und damit den konstruktiven Aufbau eines Bauwerkes im Industriebau erkennen; ganz abgesehen davon, daß die Felder mit den Verbänden durch ihre andersartige Erscheinung die strenge Reihung eines Geschoßbaues angenehm unterbrechen und gliedern.

Bei der Ausbildung biegesteifer Knoten im Stahlskelett muß man sich im klaren sein, ob die Ecken abgeschrägt werden dürfen, d. h. ob die Bindebleche in den Raum einschneiden dürfen, oder ob die biegesteifen Knoten ohne Schräge durchgebildet werden müssen. Letzteres bringt einen erhöhten Aufwand in der Konstruktion mit sich.

Das Stahlskelett verlangt eine feuersichere Umhüllung oder Verkleidung der tragenden Bauteile, insbesondere der Stützen. Dadurch verliert eine Stahlkonstruktion ihre knappe Form. Auch aus Gründen der Sonneneinwirkung und der damit verbundenen Wärmespannungen ist es angebracht, das Stahlskelett zu ummanteln. Das darf aber nicht zur Folge haben, daß die Ummantelung einen anderen Baustoff oder eine andere Konstruktion vortäuscht.

In letzter Zeit sind Anstriche entwickelt worden, die bei Hitzeeinwirkung eine Schaumschicht erzeugen und dadurch den Stahl schützen. Noch ist aber die Frage der Dauerhaftigkeit derartiger Schutzanstriche nicht einwandfrei geklärt. Wenn sie die Erwartungen erfüllen, die an sie gestellt werden, würde sich das äußere Bild der Stahlskelettbauten künftighin verändern, weil die Tragkonstruktion in Stahl viel klarer als bisher auch nach außen in Erscheinung treten könnte.

Dort, wo der Stahl sichtbar bleibt, muß er durch Farbanstrich vor Rost geschützt werden.

Daß ein Farbanstrich im Stahlbau nicht immer grau zu sein braucht, haben viele Skelettbauten der letzten Jahre bewiesen. Durch eine abgestimmte Farbgebung können sich Stahlskelett, Ausfachung und Befensterung wirkungsvoll gegeneinander absetzen.

Stahlbetonskelett

Für den Stahlbeton ist der monolithische Aufbau seiner Konstruktionen charakteristisch. Die Ausbildung als Rahmen ist daher für den Stahlbetonskelettbau das Gegebene. Wegen des großen rechnerischen Aufwandes, den ein mehrstöckiger Stockwerkrahmen mit sich bringt, legt man oft ein vereinfachtes System der Rechnung zugrunde. Man betrachtet die Unterzüge als gelenkig auf den Stützen gelagert. Diese Idealisierung trifft zwar in Wirklichkeit nicht zu, aber die für eine Rahmenkonstruktion charakteristische Überleitung der Biegungsmomente aus den Riegeln in die Stützen trifft bei den Geschoßbauten aus Stahlbeton ebensowenig zu, weil die Riegel der Rahmen durch die Deckenplatten und die Längsbalken so versteift werden, daß sich die für eine Rahmenwirkung notwendige Formänderung nicht einstellen kann.

Verzichtet man auf den strengen Nachweis des Stockwerkrahmens, der die Windkräfte in jedem Feld unmittelbar aufnimmt, so müssen entweder einzelne Windrahmen dafür besonders ausgebildet werden, oder die Decken müssen die von ihnen als horizontale Scheiben aufgenommenen Windkräfte an durchgehende vertikale Windscheiben abgeben können. Die Giebelseiten bieten sich dafür an und können als geschlossene Flächen in wirkungsvollem Gegensatz zur aufgelösten Längsseite eines Bauwerkes stehen. Besondere Maßnahmen zur Aufnahme der Windkräfte in der Längsrichtung sind kaum notwendig, da der Winddruck auf die Schmalseiten gleichmäßig verteilt auf alle Stützen angesetzt werden kann. Die daraus sich ergebenden Biegemomente in den Stützen werden dann so klein, daß sie vernachlässigt werden dürfen.

Bei Verwendung von Stahlbeton-Fertigteilen muß auf die Ableitung der Windkräfte besonders geachtet werden, da der monolithische Zusammenhang des Stahlbetons durch Stahlbeton-Fertigteile aufgehoben sein kann. Bei sachgemäßer Ausbildung der Stöße und Verbindungen braucht sich aber die Biegesteifigkeit nicht wesentlich zu vermindern*.

Der Stahlbeton ist besonders für Kragkonstruktionen geeignet. Die Stützen treten hinter die Außenfront zurück und erlauben eine Befensterung vollständig unabhängig von der Tragkonstruktion.

Während es früher üblich war, die tragende Stahlbetonkonstruktion nach außen durch eine Verblendung unsichtbar zu machen, läßt man heute das Skelett äußerlich sichtbar. Voraussetzung hierfür ist ein guter Sichtbeton. Die Betontechnologie der letzten Jahre hat indessen derartige Fortschritte gemacht, daß keine Bedenken mehr bestehen, den Beton auch ohne steinmetzmäßige Bearbeitung oder Putzauftrag zu belassen.

Entsprechend der stärkeren Beanspruchung in den Untergeschossen müßten die Stützen nach unten hin in ihren Abmessungen zunehmen. Daraus würden sich jeweils andere Fensterabmessungen ergeben, wenn die Fenster von Stütze zu Stütze reichen. Aus formalen Gründen, und um

* Lewicki, E.: Neue Erfahrungen und Erkenntnisse in der Stahlbetonfertigteil-Montagebauweise, Bauplanung und Bautechnik 1953, 3. S.-H.

Stahlbetonskelett mit bündig sitzender Außenwand

in allen Geschossen gleiche Voraussetzungen für den Ausbau zu schaffen, führt man die Abmessungen des Skelettes in den Außenfronten meist gleichmäßig durch. Zwischen das Skelett setzt man die Fensterbrüstungen und Wände. Auf die Möglichkeiten der Durchbildung dieser Bauelemente wird in dem Abschnitt über äußere Gestaltung noch eingegangen werden. Hier soll nur erwähnt werden, daß man die Ausfachung von Bauwerken in staubreicher Gegend außen bündig setzt, weil sonst das Regenwasser in kürzester Zeit die Fassade verschmiert.

Stahlbetonskelett mit starker Reliefwirkung

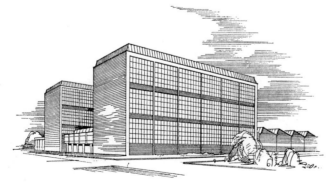

Großer Dachüberstand an einem Lagerhaus

Geometrischer Kubus mit knappem Gesims

Dach

In der Regel wird das Dach eines Geschoßbaues aus demselben Material wie die Tragkonstruktion und die Decken hergestellt. Vorherrschend ist das flache Dach, das die wirtschaftlichste Lösung ergibt. Die Dachdecke wird nur so weit angehoben, wie es die Dachhaut und damit das Mindestgefälle für die Ableitung des Regenwassers erfordert. Aus diesem Grund tritt das Dach bei Geschoßbauten kaum in Erscheinung. Seine Andeutung an der Schmalseite als flacher Giebel gibt jedoch dem Baukörper oft erst die richtige Spannung.

Interessant sind Ausführungen der Dachhaut als schwimmende Asphaltdecke, die ein horizontales Dach zuläßt, und die vereinzelte Sonderkonstruktion, bei der das Dach als flaches Wasserbassin ausgebildet wird. In letzterem Fall ist eine Brüstungsmauer notwendig, die keine Durchbrüche haben darf und von unten gesehen als zu schwer und nicht verständlich erscheint.

Sofern aus besonderen Gründen ein stärker geneigtes Dach gewählt wird, ist dessen Form und Neigung auf die Größe des zu überdachenden Baukörpers abzustimmen. Nicht nur, daß der First immer in Richtung der längeren Ausdehnung des Bauwerkes zu legen ist, sondern es muß auch der bekannte Grundsatz beachtet werden, daß die Neigung eines Daches um so flacher sein soll, je höher der zugehörige Baukörper ist.

Soll die Frage, ob das Dachgesims knapp oder ausladend durchzubilden ist, vom architektonischen Standpunkt aus entschieden werden, muß man sich hüten, Erfahrungen und Erkenntnisse von Bauwerken außerhalb des Industriebereiches zu übertragen. Bei der straffen Form der Mehrgeschoßbauten im Industriebau und ihrer glatten Außenhaut bieten ausladende oder stark profilierte Gesimse mehr Möglichkeiten, sich im Maßstab und Gesamteindruck zu verschätzen, als knappe Gesimse, ganz abgesehen davon, daß ausladende Gesimse sich in den Aufbau eines Skelettes nicht selbstverständlich einfügen. Beim Stahlskelett wirkt ein ausladendes Gesims als unnötiges Beiwerk; beim Stahlbetonskelett ist die Gefahr groß, daß dünne Gesimsplatten infolge des Schwindens und der Temperatureinwirkung reißen.

Gut gelöst werden kann der Übergang von der Wand zum Dach durch eine kleine zurückspringende Schräge, die sich im Material, in der Struktur und in der Farbe von den anderen Bauteilen absetzt.

Die eigenwilligste Dachform entsteht, wenn das Obergeschoß durch aneinandergereihte Tonnenschalen überdeckt wird. Ihre knappen Abmessungen verleihen solchen Geschoßbauten einen leichten Rhythmus, der in der äußeren Erscheinung nie von Nachteil ist, besonders dann nicht, wenn der Baukörper streng und wenig gegliedert ist.

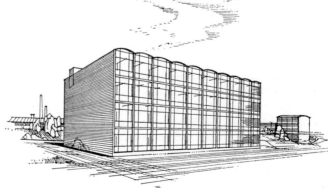

Dachschräge mit Metallbekleidung

Dachausbildung durch gereihte Tonnenschalen

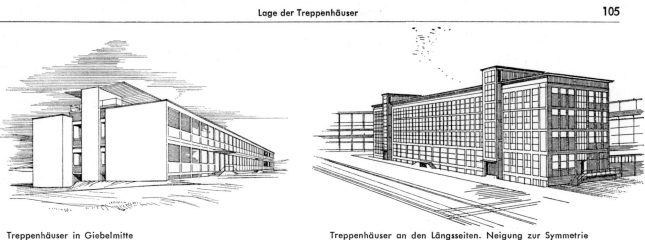

Treppenhäuser in Giebelmitte   Treppenhäuser an den Längsseiten. Neigung zur Symmetrie

Lage und Form der Treppenhäuser

Über die Treppe führt nicht nur der Verkehr der Menschen, sondern häufig auch ein Teil des Warenverkehrs. Außerdem bilden die Treppen bei Feuer oder Explosion das Rückgrat für den Fluchtweg. Dadurch wird ihre Entfernung von den Arbeitsplätzen und ihre bauliche Ausbildung bestimmt; über beides ist schon im Abschnitt „Feuerschutz" berichtet worden. In den Festpunkten der Treppenhäuser werden weiterhin vereinigt: die Aufzüge, Toiletten, Steigleitungen und Feuerhydranten. Die richtige Zuordnung der verschiedenen Aufgaben ist in jedem besonderen Falle zu untersuchen.

Da die Treppenhäuser durch die allseitige Verspannung der Treppenläufe und durch die geforderte feuerbeständige Ausbildung zu Festpunkten im Sinne der Statik werden, hängen mit ihrer Lage zwei weitere Probleme zusammen: Die Treppenhäuser können einerseits zur Aufnahme der Windlasten herangezogen werden, wobei sie allerdings mit dem Gebäude gut verbunden sein müssen; zum andern soll man vermeiden, Dehnungsfugen an die Treppenhäuser zu legen, da in diesem Fall die Beweglichkeit nur nach einer Richtung gegeben ist. Besser ist eine Lage der Dehnungsfugen zwischen den Treppenhäusern, weil sie dann nach beiden Seiten wirksam werden können.

Es braucht die äußere Erscheinung eines Bauwerkes nicht zu beeinträchtigen, wenn die Dehnungsfugen außen sichtbar sind.

Bei großen zusammenhängenden Arbeitsräumen wird man die Treppe vor die Gebäudeflucht legen, um den Zusammenhang der Nutzfläche im Inneren nicht zu unterbrechen. Die Abmessungen des Treppenhauses stimmen oft nicht mit dem Achsmaß des zugehörigen Geschoßbaues überein. Durch vollständige Lösung des Treppenhauses vom Hauptbau und durch Zwischenschalten eines Gelenkes — am besten in einem anderen Material — kann die mangelnde Übereinstimmung der Abmessungen architektonisch wirkungsvoll genutzt werden.

Sind die Geschosse in einzelne Räume aufgeteilt, so wird man die Treppe ins Gebäudeinnere hineinziehen, weil sich sonst unnötig lange Stichflure bis zum Mittelflur ergeben. Die Treppe tritt dann nach außen weniger auffällig in Erscheinung — oft nur durch den Wechsel in der Befensterung. An das Ende eines Gebäudes (Schmalseite) sollte man ein Treppenhaus nur legen, wenn eine Erweiterung des Gebäudes ausgeschlossen ist.

Bei sehr großen Bautiefen kann die Treppe mitten in das Gebäude gelegt werden. Man muß sie dann künstlich beleuchten. Zwischen die Treppen legt man sämtliche Nebenräume und etwaige Lagerräume, die kein Tageslicht zu haben brauchen. Die Lage der Treppe ist äußer-

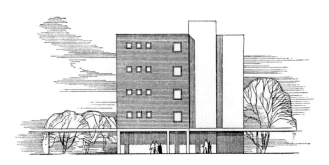

Verglastes Treppenhaus mit Aufzug vor die Fassade gestellt

Festpunkt mit Treppe, Aufzug, Toiletten und Waschräumen am Giebel eines Geschoßbaues

lich nur an der Gliederung des Giebels erkennbar. Diese Anordnung ergibt eine sehr wirtschaftliche Nutzung der Mehrgeschoßbauten. Außerdem ist der Herstellungspreis solcher Gebäude verhältnismäßig gering, denn der Preis für den Kubikmeter umbauten Raumes sinkt mit zunehmender Gebäudetiefe.

Bei der strengen Durchführung eines einheitlichen Achsmaßes sind die Treppenhäuser oft das einzige und entscheidende Mittel, einen Geschoßbau zu gliedern. Wenn ihre Funktion klar herausgestellt wird, heben sie sich in der Fassade wirkungsvoll ab und können so einem Geschoßbau die besondere Note geben.

Aus der Tatsache, daß der Maschinenraum für die Aufzüge über das oberste Geschoß gelegt werden muß, ergeben sich ebenfalls wichtige Fragen der Gestaltung. Vor die Fassade gesetzte Treppenhäuser sollten nicht einfach über die Traufe hinauf verlängert werden, ohne daß das Treppenhaus auf den Geschoßbau übergreift und so die beiden Baukörper gut miteinander verbindet. Eine andere günstige Lösung ergibt sich, wenn die Aufbauten von der Gebäudeflucht abgerückt sind, oder das gesamte Treppenhaus durch ein Zwischenglied vom Hauptbau getrennt ist.

Liegen die Treppenhäuser an den Schmalseiten des Gebäudes, so kann ihre Verbindung durch einen Gang auf dem Dach, am besten in einem anderen Material ausgeführt, dem Bau nach oben einen guten Abschluß geben. Neben ihrer Lage und Form heben sich die Treppenhäuser durch ihre Befensterung heraus. An und für sich bedarf ein Treppenhaus keiner allzu großen Fenster; die vollständige Auflösung der Treppenhauswand in Glas ist daher in erster Linie eine architektonische Frage. Zweifellos kann es reizvoll sein, den Verkehr auf einer Treppe

Treppenhaus bündig in der Fassade

Treppenhaus aus dem Gebäude herausgezogen. Geschlossene Wand mit Glasbausteinen

Treppenhaus in der Ecke zwischen zwei Baukörpern. Durchgehende Verglasung mit Kristallglas

nach außen hin zu zeigen, nur müssen sich die Treppenläufe und Podeste gut in die Fassade einfügen, oder sie müssen so weit hinter die aufgelöste Wand zurückgenommen werden, daß sie zwar noch sichtbar und erkennbar bleiben, aber die Gliederung der Treppenhauswand nicht mehr ausschließlich bestimmen.

Die Schwierigkeiten bei einer sparsamen Befensterung, vor allen Dingen durch Einzelfenster, liegen im Aufstieg der Fenster entsprechend den Treppenläufen und der Lage der Podeste. Die ausschließliche Belichtung über die Kopfseite der Podeste erscheint in solchen Fällen nach außen hin architektonisch günstiger, obgleich für die Benutzung der Treppen derartiges Kopflicht wegen der damit verbundenen Blendung unerwünscht ist. Auf jeden Fall sind schmale durchgehende vertikale Fensterflächen, die ein Gebäude aufreißen, zu vermeiden.

Die Ausbildung der Nottreppen kann im bewußten Gegensatz zu den Haupttreppen erfolgen, um auch äußerlich die verschiedene Bedeutung klarzulegen. Daß solche Nottreppen, auch wenn sie in Stahl ausgeführt werden, architektonisch von besonderem Reiz sein können, ist im Abschnitt über Feuerschutz bereits erwähnt worden.

Äußere Erscheinung

Die äußere Erscheinung eines Geschoßbaues wird in erster Linie von der Form des Baukörpers bestimmt. Je klarer und eindeutiger diese ist, um so überzeugender wirkt das Bauwerk. Die einfachste Grundrißform ist das Rechteck; eine gewisse Länge vorausgesetzt, ergibt ein Rechteckgrundriß immer einen guten Baukörper. Sobald irgend welche Anbauten angefügt werden, treten neue Gestaltungsfragen auf. Stets sollte einer der Baukörper klar überwiegen. Winkelbauten wirken meist unentschieden und spannungslos, ansprechender erscheint dagegen ein Hauptbau mit einem abgesetzten Anbau. Muß der Nebenbau aus betrieblichen Gründen dieselbe Höhe wie der Hauptbau haben, und muß er die Fluchtlinie des Hauptgebäudes aufnehmen, dann ist ein klares Absetzen durch eine Einschnürung, die als Gelenk wirkt, erwünscht. Unterstrichen wird die Gelenkwirkung noch durch einen Wechsel im Material und in der Konstruktionsart.

Bei differenziertem Aufbau im Inneren, der sich äußerlich durch verschiedenes Material ausdrückt, kann eine geschlossene Form des Baukörpers die Unruhe der Außenwand ausgleichen. Die Wirkung des Baukörpers wird durch eine glatte Ausbildung der Außenwände noch unterstrichen. Um Schmutzablagerungen bei Industriebauten in staubreichen Gegenden zu verhindern, vermeidet man eine plastische Gliederung der Fassade. Die Außenwand wird zur Außenhaut, die sich über das Skelett spannt. Daher kommt ihrer Aufgliederung durch die Fenster, ihrem Material und ihrer Struktur um so größere Bedeutung zu. Ob das Skelett in seinem Aufbau und in seinen Abmessungen deutlich sichtbar wird, ist nicht so entscheidend; durch die Befensterung wird der Aufbau eines Geschoßbaues eigentlich genügend klargestellt.

Der Vorteil des Skelettbaues liegt in der Möglichkeit, jede Fenstergröße einzubauen. Die massive Ziegelwand hat dagegen erhebliche Bindungen durch große Pfeilerabmessungen und geringere Breiten der Fensteröffnungen. Bei normaler Befensterung ist eine Brüstung bis zur Höhe des Arbeitsplatzes üblich. Bei Stahlbetonbauten können die Brüstungen durch Ziegel oder Platten ausgefacht und damit gegen das tragende Skelett und die Befensterung abgesetzt werden. Beim Stahlskelett besteht die Verkleidung des Skelettes und die Ausfachung oft aus demselben Material. Dadurch wird eine geschlossene Wirkung erreicht.

Bei den Fenstern gilt es die technischen Fragen zu lösen, die in ihrer Konstruktion und der Verbindung zum Rohbau liegen. Die Konstruktion der Fenster wird von den Glasarten, der Scheibengröße, den Öffnungsmöglichkeiten und der Reinigung der Fenster bestimmt. Als Material für die Fensterrahmen kommen eigentlich nur Stahl und Stahlbeton in Frage, denn Holz ist für große Öffnungen ungeeignet, weil es dem Winddruck gegenüber zu nachgiebig ist. Stahl hat den Vorteil sehr knapper Profile, bedarf aber eines Anstriches. Stahlbeton hat sich in den letzten Jahrzehnten, insbesondere während der verschie-

denen Perioden des Stahlmangels, eingeführt. Man verwendet Stahlbeton für Fenster, die keine oder nur sehr kleine und wenige Öffnungsflügel zu haben brauchen, und bei denen die geringere Lichtausbeute wegen der stärkeren Abmessungen der Stahlbetonrahmen keine ausschlaggebende Rolle spielt.

Während früher große Flügel zum Öffnen vorgesehen werden mußten, damit die Fenster von außen gereinigt werden konnten, entfällt heutzutage diese Forderung, nachdem „äußere Fensterputzanlagen" eingeführt wurden, die an der Traufe fahrbar aufgehängt sind. Diese Laufschienen betonen die Traufe und spielen architektonisch eine nicht unbedeutende Rolle, weil sie Assoziationen zu Gesimsen hervorrufen.

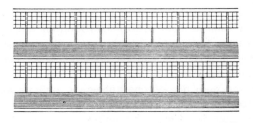

Außenwand gegliedert in Brüstung, Sichtzone und Glasbausteine

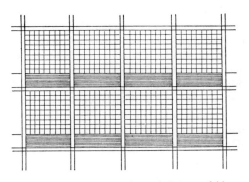

Außenwand aus Glasbausteinen mit Brüstungsfeldern

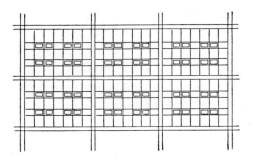

Vollständig verglaste Außenwand mit Lüftungsflügeln

Wenn die Möglichkeit gegeben ist, die Fenster von außen zu reinigen, können die Flügel zum Öffnen klein gehalten werden, da sie nur noch der Belüftung dienen. Ihre Verteilung über die große Fensterfläche und das Spiel ihrer zufällig geöffneten Flügel beleben die sonst straff gespannte Fassade.

Um übermäßige Sonneneinstrahlung zu vermeiden, können Sonnenrollos (Markisen) angebracht werden, deren verschiedene Stellung die Fassade ebenfalls belebt. Fest eingebaute Sonnenblenden aus Stahlbeton, Wellblech oder Welleternit treten fast immer zu betont in Erscheinung und geben der Fassade je nachdem, ob die Sonnenblenden vertikal oder horizontal angeordnet sind, eine andere Struktur als ihrem statischen Aufbau entspricht.

Neben der Größe der Fenster und ihrer Unterteilung spielt für die äußere Erscheinung auch die verwendete Glasart eine nicht unbedeutende Rolle.

Die Skala der verschiedenen Gläser, die heute im Industriebau verwendet werden, ist außerordentlich groß. Neben dem normal-durchsichtigen Klarglas haben sich neuerdings Isoliergläser durchgesetzt. Sie streuen das Licht (Diffusion) und leuchten dadurch die Räume besser und blendungsfrei aus. Einige dieser Gläser absorbieren auch die Wärmestrahlen, so daß zusätzliche Schutzmaßnahmen gegen übermäßige Erwärmung entbehrlich werden. Umgekehrt verbessern sie die Wärmehaltung im Winter, weil sie eine große Wärmedämmung haben. Eine vielseitige Verwendung haben die Glasbausteine im Industriebau gefunden. Ihr Vorteil liegt darin, daß sie ohne Zuhilfenahme von Stahlrahmen eingebaut werden können. Sie benötigen keinerlei Unterhaltung, sind leicht zu reinigen und haben eine gute Wärmedämmung. Glasbausteine werden auch mit anderen Gläsern kombiniert verwendet. Oft wird eine Sichtzone aus Klarglas nur in Augenhöhe angeordnet und der Streifen darüber bis zur Decke mit Glasbausteinen ausgesetzt. Der Wechsel zwischen der großflächigen Struktur der üblichen Klarglasscheiben und dem kleinzelligen Gefüge der Fenster aus Glasbausteinen kann die äußere Erscheinung eines Geschoßbaues bestimmen.

Sonnenschutz durch Markisen

Für Lagerräume können kleine Fenster gewählt werden. Zur besseren Ausleuchtung nach der Tiefe, und um das Lagergut bis an die Außenwände stapeln zu können, setzt man die Fenster als schmales Fensterband unter die Decke. Bei großen Geschoßhöhen können zwei Fensterbänder angeordnet werden, eines in Augenhöhe zur Belichtung der Zone in der Nähe der Außenwände, das andere unter der Decke zur Tiefenausleuchtung. Das doppelte Fensterband täuscht nach außen zwei Geschosse vor und gibt dem Bauwerk leicht einen falschen Maßstab.

Bei Geschoßbauten, in denen nur mit künstlichem Licht gearbeitet wird, kann die Außenhaut ohne jede Unterbrechung ganz gleichmäßig durchgebildet werden. Derartige Baukörper wirken unmaßstäblich und müssen deshalb bewußt durch Konstruktionsglieder, Lüftungsöffnungen oder durch andere Gestaltungselemente unterteilt werden.

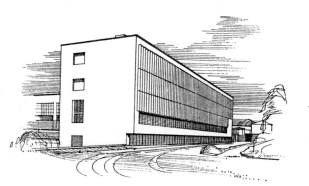

Vertikale Sonnenblenden an einem Druckereigebäude in Italien

System von vertikalen und horizontalen Sonnenblenden bei einer Schreibmaschinenfabrik in Italien

Innenräume

Der Eindruck eines Raumes ergibt sich aus seinen Abmessungen und aus der Durchbildung seiner Begrenzung. Da der Fußboden im Industriebau als Gestaltungsmittel ausscheidet, und die Wände sich meist in Stützen auflösen, kommt der Decke als begrenzender Fläche besondere Bedeutung zu. Wenn auch die Geschoßhöhen bei Industriebauten größer sind als in anderen vergleichbaren Bauwerken, wie etwa Verwaltungsgebäuden, so besteht bei den großen durchgehenden Räumen doch ein Mißverhältnis zwischen Höhe und horizontaler Ausdehnung. Hinzu kommt, daß die Untersicht der Decken stärker gegliedert ist, als es für die verhältnismäßig geringe Raumhöhe günstig erscheint.

Die im Stahlbetonbau übliche Unterteilung in Längs- und Querunterzüge ist formal wenig befriedigend. Ihre Gliederung ist zu grob und der Querschnitt des nach unten vorstehenden Unterzuges tritt oft als Quadrat in Erscheinung. Rein formal ist ein flacher Querschnitt oder, bei größerer Raumhöhe, eine schmale hohe Rippe wünschenswert. Daß man rein von der konstruktiven Seite her zu Deckenausbildungen kommen kann, die formal sehr schön sind, beweisen die Innenräume einer Zuckerfabrik in Dänemark und eines Tabaklagers in Italien.

Wenn unter die Unterzüge umfangreiche Installationen, Lüftungskanäle oder eine Deckenstrahlungsheizung zu liegen kommen, dann empfiehlt sich eine Zwischendecke, die aus abnehmbaren Tafeln besteht und an der Tragdecke aufgehängt wird. Um kleine Maßungenauigkeiten im Streiflicht nicht so deutlich werden zu lassen, oft auch aus Gründen der Beheizung oder Belüftung, durchlöchert man diese Zwischendecke oder bildet sie als Rost aus. Eine solche ebene, aber doch nicht glatte und geschlossene Decke wirkt immer gut.

Neben der Decke bestimmen die Stützen den Raumeindruck. Der Raum wird in seinen Abmessungen durch die Stützen und deren Abstände leichter erfaßbar. Die im Industriebau vorhandenen großen Nutzlasten erfordern im Geschoßbau große Querschnitte der Stützen, die optisch nicht immer im richtigen Verhältnis zur Raumhöhe stehen. Im Stahlbetonbau wirken bei gleichem Querschnitt runde oder achteckige Säulen leichter als rechteckige. Diese ansprechende Form verlangt jedoch einen großen Aufwand an Schalung, besonders wenn der Übergang in die Decke so überzeugend durchgebildet wird wie bei der Papierfabrik in Finnland. Der Aufwand ist gerechtfertigt, wenn sehr viele Säulen in Stahlbeton auszuführen sind, wie es bei den Bata-Schuhfabriken in der Tschechoslowakei der Fall war, die für ihre Produktionszwecke fast ausschließlich Geschoßbauten aus Stahlbeton errichtet und für die Säulen eine mehrfach zu verwendende Spezialschalung aus zwei Halbkreisen entwickelt hatten. In den Untergeschossen wurden die kreisförmigen Säulen durch zwischengeschaltete gerade Flächen in eine ovale Querschnittsform übergeführt. Das ist nur möglich, wenn die runden Säulen unmittelbar in die ebene Decke übergehen.

Decke in einer dänischen Zuckerfabrik.
Unterzüge als sich kreuzender Trägerrost

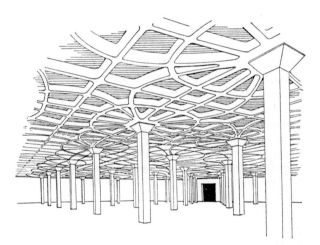

Decke in einer italienischen Fabrik.
Unterzüge folgen den isostatischen Linien

Oval durchgebildete Rahmenstiele in einer finnischen Papierfabrik

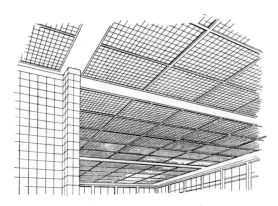

Ebene Deckenuntersicht in einem Stahlskelett durch
untergehängte Rasterdecke

Legen sich Unterzüge über die Säulen, so muß der runde
Querschnitt in einen acht- oder viereckigen übergeleitet
werden. Damit verliert eine runde Säule nicht nur ihre
Eleganz, sondern die Einschalung eines derartigen Stüt-
zenkopfes ist auch wirtschaftlich nicht zu rechtfertigen.
Der Anschluß quadratischer oder rechteckiger Säulen an
die Unterzüge durch Schrägen nach ein oder zwei Richtungen befriedigt in den seltensten Fällen; besonders unruhig wirken verschieden hohe Anschlüsse. Wenn sich dagegen die Stütze nach allen Seiten pilzförmig verbreitert
und die Deckenuntersicht eben ist, ergeben sich gute
Formen. Daß die Schrägen aus Gründen der Schalholz-
einsparung immer mehr in Wegfall kommen, ist von der
formalen Seite her nur zu begrüßen.
Bei Stahlstützen entfallen derartige Gestaltungsmöglich-
keiten, da sie bei Geschoßbauten wegen des Feuerschut-

zes ummantelt sein müssen. Ohne Übergang stoßen sie
als quadratische oder rechteckige Prismen in die Decke.
Sollten sich die Anstriche bewähren, die bei Hitze eine
schützende Schaumschicht entwickeln, so könnte künftighin auch mit unverkleideten Stahlstützen gebaut werden.
Im Hinblick auf die Gestaltung wäre dies für geschweißte
Konstruktionen von großem Vorteil, denn ihre geschlossenen Qerschnitte haben geringere Abmessungen als Stahlbetonstützen und können sehr reizvoll wirken, wenn auf
die feine Abstufung der Kanten Rücksicht genommen
wird. Die Kopfausbildung mit der einfachen, darüberge-
legten Platte erinnert geradezu an klassische Vorbilder.
Die Außenwände werden zum größten Teil in Glas aufgelöst, so daß sich Innenräume von ungewohnter Erscheinung ergeben. Je nachdem ob die Fensterflächen durchsichtig oder mit lichtstreuenden Gläsern, etwa mit Glasbausteinen, ausgesetzt sind, ergeben sich verschiedene
Raumwirkungen. Die Innenräume werden von den licht-
durchfluteten Außenwänden nicht gefaßt, sondern drängen optisch durch die Glasflächen in den Außenraum hinaus. Die Kragkonstruktionen können diesen Eindruck noch
verstärken, indem die Unterzüge oder die Deckenuntersichten zum Fenster hin ansteigen. Durch die Einschaltung
von Sichtzonen aus Klarglas innerhalb einer Fensterwand
von Glasbausteinen wird ein Raum in Richtung des Fensterbandes gestreckt. Umgekehrt wird die Raumhöhe
durch schmale und hohe Scheibenformate optisch vergrößert.
Der Eindruck des Raumes kann sich nachts grundlegend
ändern, weil bei künstlicher Beleuchtung die gläsernen
Außenwände schwarz erscheinen. Der Kontrast zwischen
der weißen Decke und dem schwarzen Glasband wirkt
ermüdend für die im Raume Beschäftigten. Deckt man
die Fenster mit weißen Rollos ab, erscheint der Raum hell,
aber vollständig geschlossen; angenehmer für das Auge
sind getönte Rollos oder farbige Vorhänge.

Pilzdeckenkonstruktion in einem Schweizer Lagerhaus

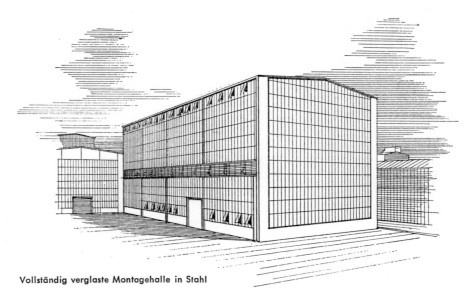

Vollständig verglaste Montagehalle in Stahl

Konstruktiver Aufbau

Von den verschiedenen Bauwerken im Bereich der Industrie haben die Hallen die vielseitigste Ausbildung erfahren. Ihnen allen gemeinsam ist der rechteckige Grundriß und der Aufbau aus einzelnen Bindern, die sich in beliebiger Anzahl zu Hallenschiffen aneinanderreihen lassen. Hallen kommen in allen Abmessungen vor, von der kleinen Werkstatt- oder Lagerhalle bis zur großen Walzwerkhalle mit Kränen über 100 t Tragkraft.

Die bauliche Durchbildung einer Halle wird von folgenden Punkten bestimmt:

Transportanlagen (Kranausrüstung, Einfahrt von Lastwagen, Einführung der Eisenbahn in die Hallen)
Belichtung (Seitenfenster, Oberlichter)
Belüftung (natürlich, künstlich, klimatisiert)
Gründungsverhältnisse (Setzungen)
Wahl des statischen Systems und der Baustoffe
Dachhaut (Mindestneigung, Dachentwässerung).

Natürlich sind auch die speziellen Betriebserfordernisse von Bedeutung. Ihr Einfluß wirkt sich aber hauptsächlich auf die notwendigen Transportanlagen und die geforderten Belichtungsverhältnisse aus.

Den Transportanlagen kommt besondere Bedeutung zu, weil Hallen in erster Linie für Betriebe mit großen Lasten und sperrigen Erzeugnissen notwendig sind.

Der Fußboden liegt am günstigsten in Geländehöhe, damit Fahrzeuge aller Art in die Halle hineinfahren können. Wickelt sich der An- und Abtransport über einen werkseigenen Eisenbahnabschluß ab, an den die Halle unmittelbar angebunden ist, so kann der Hallenfußboden zweckmäßigerweise in Rampenhöhe 110 cm über der Schienenoberkante liegen. Derartige Überlegungen und Entscheidungen haben jedoch auf den Hallenaufbau selbst keinen Einfluß; dagegen wirkt sich jede Krananlage

auf den Hallenquerschnitt um so stärker aus, denn von ihr werden die Höhenabmessungen einer Halle bestimmt. Sie ergeben sich aus der Hubhöhe des Kranes, seiner eigenen Konstruktionshöhe und aus dem lichten Raumprofil über der Krananlage. Die Konstruktionshöhe des Kranes selbst ist von seiner Tragfähigkeit und seiner Spannweite abhängig. Die Tragkraft wiederum bestimmt die Ausbildung des Kranbahnträgers und der Stützen. Der Kranbahnträger ist nicht nur im Inneren einer Halle sichtbar, sondern er kann auch die äußere Erscheinung mit beeinflussen. Leichtere Kräne können ihre Lasten über Konsolen in die Stützen leiten, schwere Kräne dagegen erfordern einen abgesetzten Stützenquerschnitt, damit keine allzu großen Biegemomente in die Stützen eingeleitet werden. Die Stützen können somit durch die Kräne stärker als durch die Dachbinder beeinflußt werden.

Für die Belichtung der Hallen reicht die seitliche Befensterung oft nicht aus, so daß die Dachhaut von Oberlichtern durchbrochen werden muß. Ihre Anordnung und Ausbildung im einzelnen bedürfen jeweils eingehender Untersuchungen, nicht nur aus konstruktiven, sondern auch aus architektonischen Gründen, denn die Art der Lichtzuführung bestimmt im weiten Umfang den äußeren Eindruck einer Halle. Über die Belichtung von Hallen wird auf Seite 114 einiges gesondert ausgeführt.

Wenn auch der Luftraum in einer Halle, bezogen auf die Anzahl der darin Arbeitenden, größer ist als bei Flach- und Geschoßbauten, so ist doch die Belüftung von vornherein zu berücksichtigen. In Betrieben mit Rauchentwicklung (Gießereihallen) kann die Belüftung den Hallenquerschnitt erheblich beeinflussen. Zunächst ist eine ausreichende natürliche Belüftung anzustreben. Auf eine solche kann auch dann nicht verzichtet werden, wenn eine

Hohe Stahlbetonhalle eines Glaswerkes

stoffe Stahl und Stahlbeton in Frage. Auch Holz kann für Hallen ohne Kranausrüstung verwendet werden, für Lagerhallen der chemischen Industrie ist Holz wegen seiner Korrosionsbeständigkeit oft sogar der ideale Baustoff. Bei Spannweiten bis zu 25 m stehen sich Stahl und Stahlbeton gleichwertig gegenüber, bei Spannweiten über 25 m hat der Stahl den Vorteil des geringeren Eigengewichtes.

Während früher große Stützweiten nur durch fachwerkartige Träger in Stahl wirtschaftlich zu überspannen waren, hat heute der Stahlvollwandträger seinen Anwendungsbereich wesentlich erweitern können. Dadurch ist die unruhige Wirkung, die älteren Fachwerkhallen mit ihren Pfosten, Streben, Gurten und Anschlüssen anhaftet, gewichen; neuzeitliche Vollwandkonstruktionen wirken ruhiger, besonders dann, wenn die Vollwandträger geschweißt sind.

Mit vorgespannten Konstruktionen ist auch der Stahlbeton für große Spannweiten dem Stahl gleichwertig.

Die Wahl des statischen und konstruktiven Aufbaues richtet sich nach der geforderten Kranausrüstung, nach der Spannweite, den Gründungsverhältnissen und dem Baustoff. Guter Baugrund läßt statisch unbestimmte Systeme zu, die sehr knappe Abmessungen und wirtschaftliche Konstruktionen ergeben. Schlechter Baugrund verlangt statisch bestimmte Systeme (Dreigelenkbogen, Binderscheiben auf Stützen), um etwaige ungleichmäßige Setzungen ausgleichen zu können. Vom Baugrund hängt auch die Wahl der Baustoffe ab. Stahl ergibt leichtere Konstruktionen und läßt Gelenkausbildungen eher zu als Stahlbeton.

Grundsätzlich können drei statische Grundformen unterschieden werden:

1. Eingespannte Stützen mit Binderscheiben (s. S. 164),
2. Pendelstützen mit Binderscheiben und langem Windverband (s. S. 163),
3. Rahmen (s. S. 165).

Für den Raumeindruck des Halleninneren ist die Ausbildung der Stützen von Bedeutung. Rahmenkonstruktionen mit Fußgelenk erlauben Stützen mit einem Anlauf. Pendelstützen wirken besonders schlank; dagegen ergeben eingespannte Stützen die größten Querschnitte.

künstliche Belüftung eingebaut wird, weil man mit ihrem gelegentlichen Ausfall rechnen muß. Die natürliche Belüftung erfolgt durch zum Öffnen eingerichtete Fenster, Lüftungsjalousien und Lüftungsöffnungen im Dach oder in den Oberlichtern. Die Reihung der Lüftungsklappen kann äußerlich zu einer Gliederung der Ansichtsfläche führen, besonders wenn die Lüftungsklappen in Metall ausgeführt werden und so im Gegensatz zum Glas oder Mauerwerk stehen.

Immer mehr bürgert sich darüber hinaus bei den Hallen die künstliche Belüftung ein. Meist wird sie mit der Heizung verbunden, oft auch mit einer Klimaanlage. Am einfachsten wird die natürliche Belüftung durch eingebaute Ventilatoren verstärkt. Bei sehr großen Hallen werden für die künstliche Belüftung umfangreiche Rohranlagen und Luftkanäle notwendig. Um die Grundfläche der Hallen für die Produktion frei zu halten, legt man in Amerika die Ausrüstung für die Belüftung in die Dachkonstruktion und setzt die Maschinenaggregate auf das Dach.

Für die eigentliche Hallenkonstruktion kommen als Bau-

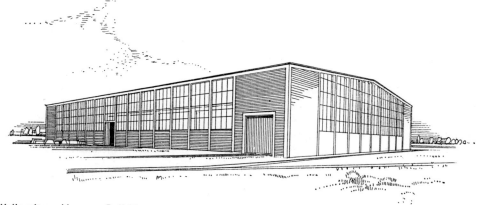

Flach gelagerte Halle mit geschlossenen Endfeldern

Kurt Dummer
Bauing.
Berlin-Pankow
Retzbacher Weg 6

Hallendächer

Aus wirtschaftlichen Gründen muß der Dachdecke und der Dachhaut besondere Aufmerksamkeit gewidmet werden. Allein die Tatsache, daß das Verhältnis von Dachfläche zu Wandfläche selbst bei kleinen Hallen (20×40 m) schon 1:1 beträgt, läßt die Bedeutung der richtigen Dachausbildung erkennen. Je größer die Hallengrundfläche wird, um so mehr überwiegt der Anteil der Dachfläche.

Neben den Forderungen, die an jedes Dach hinsichtlich Dichtigkeit, Formänderung und Feuersicherheit gestellt werden, spielt sein Eigengewicht eine sehr große Rolle, denn diese Lasten bestimmen die Konstruktion der Binder. Hinzu kommen an wirtschaftlichen Überlegungen: Lebensdauer, einfache Herstellung der Dachdecke und leichtes Verlegen der Dachhaut, leichte Reparatur, gegebenenfalls Wiederverwendung des Deckungsmaterials. Unter gleichwertigen Dachdeckungen gibt man derjenigen den Vorzug, die die geringste Neigung zuläßt. Auf diese Weise kann der umbaute Raum niedrig gehalten werden, was sich auf die Beheizung der Hallen günstig auswirkt.

Bei den Hallendächern braucht die Wärmedämmung nur so groß zu sein, daß mit Sicherheit Kondenswasserbildung vermieden wird. Weitere Forderungen bestehen in der Regel nicht – abgesehen von den klimatisierten Betrieben mit bestimmten Produktionsverfahren –, denn die Innentemperatur ist im Winter in Hallen niedriger als in anderen Arbeitsräumen. Ein besonderer Schutz gegen übermäßige Sonneneinstrahlung ist ebenfalls nicht notwendig, weil der Luftraum in den Hallen groß ist und die unangenehmen warmen Luftschichten unmittelbar unter der Dachhaut – in ausreichender Höhe über den Arbeitsplätzen – liegen. Es hat deshalb keinen Sinn, an die Dachhaut von Hallen übertriebene Forderungen hinsichtlich des Wärmeschutzes zu stellen; vielmehr sind die für die Hallen notwendigen und charakteristischen großen Fensterflächen und Oberlichter für den Wärmehaushalt ausschlaggebend.

Die Hallendächer erleiden größere Formänderungen als die Dächer von Geschoßbauten. Ungleichmäßige Setzungen, Temperatureinwirkungen, bei Stahlbeton außerdem Schwinden und Kriechen, können Verformungen in der Konstruktion und Dachhaut hervorrufen, die die Dachhaut ohne Einbuße ihrer Dichtigkeit mitmachen muß.

Die früher übliche Holzschalung ist wegen ihrer geringen Lebensdauer und großen Feuergefährlichkeit durch Stahlbeton- und Metalldecken verdrängt worden. In eisenarmen Ländern wird das Stahlbetondach bevorzugt, wobei man vorgefertigte Platten, bei denen keine Schalung benötigt wird, verwendet. Auf die Maßhaltigkeit solcher Dachplatten ist besonders zu achten, wenn sie auf die schmalen Flansche von Stahlpfetten verlegt werden. In den USA sind Dächer aus aneinandergereihten Stahl-

profilen verbreitet. Auch eine Dachausbildung mit Wellblech als verlorene Schalung für leichte Stahlbetondächer ist häufig anzutreffen.

Die untere Grenze des Neigungswinkels sowohl für Metallbleche als auch für Pappe beträgt 5% (etwa 3°). Bei noch kleinerem Neigungswinkel läuft das Wasser nicht rasch genug ab und bildet bei der geringsten Verformung des Daches Wasserstauungen. Nach oben ist bei den Pappen keine Grenze gezogen, sofern die richtigen Pappen und entsprechenden Klebemittel verwendet werden.

In USA wurde für Hallen das vollkommen horizontale Dach mit einem schwimmenden Asphaltestrich eingeführt. Es hat den Vorteil horizontaler Binder und gleicher Bauelemente an jeder beliebigen Stelle des Daches. Von seiten dieser Dachhaut bestehen keine Bindungen mehr an die Hallenquerschnitte.

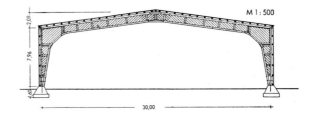

Zweigelenk-Vollwand-Rahmen aus Holz

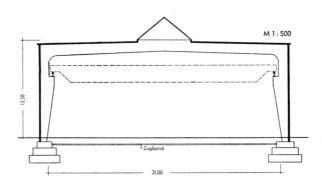

Stahlbeton-Rahmen mit versenktem Zugband

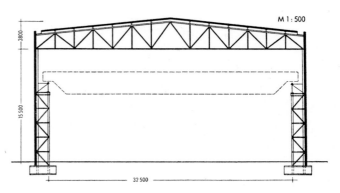

Stahlfachwerkbinder auf eingespannten Stützen

Rick, W.: Probleme um das Industriedach, insbesondere das Flachdach. Deutscher Bau-Markt 53. Jahrg. (1954), Seite 588.

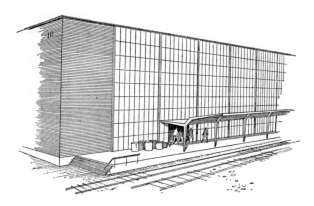

Vollständig verglaste Außenwand

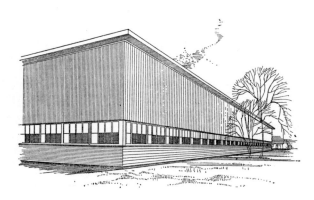

Geschlossene Außenwand mit einem Fensterband in der Sichtzone

Verglasung der Außenwand mit Glasbausteinen.
Darunter Fensterband in der Sichtzone

Belichtung

Nicht immer tritt der statische Aufbau einer Halle nach außen sichtbar in Erscheinung; an der Längswand sind zwar die Stützen der Binder meist erkennbar, die Giebelwand dagegen ist ein Rechteck mit aufgesetztem Dreieck oder Bogen und läßt oft nur den Umriß des Hallenquerschnittes erkennen. Um so mehr sind die Anordnung und die Form der Fenster und Oberlichter für den architektonischen Ausdruck einer Halle entscheidend.

In den Seitenwänden sollten zweckmäßigerweise die Fenster als Band bis an die Traufe hinaufgezogen werden, um die Halle so tief wie möglich auszuleuchten. Zur Belichtung der Arbeitsplätze an den Außenwänden wird man in deren Höhe meist ein weiteres Fensterband anordnen müssen. Ob die beiden Glasbänder zusammenzuziehen oder durch Mauerflächen zu trennen sind, hängt von praktischen Erwägungen ab. Architektonisch sind zwar große zusammenhängende Glasflächen immer von Reiz, aber von betrieblichen Gesichtspunkten aus oft nicht zu vertreten. Vielfach kann ein massiver Wandstreifen in 2 bis 4 m Höhe zur Aufnahme von Installationen und Heizleitungen erwünscht sein. Auch in Höhe der Kranbahnschienen werden gern massive Wandflächen vorgeschlagen, weil dort eine Verglasung durch die dahinterliegenden Kranbahnträger weder architektonisch noch belichtungstechnisch voll zur Wirkung kommen kann. Ein Übermaß von Glasflächen bringt nicht nur den Nachteil übermäßiger Erwärmung bei direkter Sonneneinstrahlung im Sommer und einer um so größeren Abkühlung im Winter mit sich, sondern eine Glasfläche ist auch teurer als eine Ziegelausfachung.

Unter dem Begriff Fenster ist bei Hallen keine Öffnung, wie man sie vom Ziegelbau her gewöhnt ist, zu verstehen, sondern eine transparente Haut, die sich zwischen oder vor die Tragkonstruktion spannt, auch wenn die Außenwände der Hallen teilweise aus Ziegelmauerwerk bestehen und dadurch Assoziationen zum Mauerwerksbau hervorrufen. Aus diesem Grunde sitzen die Fenster bei Hallen außen bündig. Die Fenster brauchen von keinem besonderen Rahmen begrenzt zu werden, sie reichen bis unter die Dachhaut und spannen sich unmittelbar von Stütze zu Stütze.

Der Befensterung kommt insofern eine gewisse Bedeutung für die maßstäbliche Wirkung der Hallen zu, als die einzelnen Scheiben die großen Flächen gliedern. Ein Wechsel in der Größe der Scheiben ist von Nachteil, weil dadurch zweierlei Maßstäbe entstehen. Durch Lüftungsflügel wird die sonst gleichmäßige Fensterfläche belebt.

Wird auf eine natürliche Belichtung verzichtet und nur bei künstlicher Beleuchtung gearbeitet, so empfiehlt es sich, ein Sichtband in Augenhöhe anzuordnen, um den Arbeitenden den Blick ins Freie zu ermöglichen. Ein solches Sichtband ist zur Gliederung der geschlossenen Außenfläche in jeder Hinsicht erwünscht.

Reichen die Seitenfenster zur Belichtung einer Halle nicht aus, müssen in der Dachfläche Oberlichter angebracht werden. Ihre Anordnung und Form ist zunächst eine Frage der Forderungen, die an die Belichtung der Arbeitsplätze gestellt werden. Die vielen Möglichkeiten der Ausbildung lassen für die Gestaltung einen großen Spielraum offen, weil man allein von der Belichtung her nie zu eindeutigen und zwingenden Lösungen kommt; es stehen immer mehrere in ihrer lichttechnischen Wirkung gleichwertige Formen zur Wahl.

In der Mehrzahl der Fälle wirkt eine senkrechte Glasfläche formal besser als eine geneigte. Die schräge Glasfläche hat zwar theoretisch den Vorteil der größeren Lichtausbeute, verlangt aber Drahtglas und neigt außerdem leichter zur Verschmutzung.

Zu unterscheiden ist zwischen First- und Satteloberlichtern, die auch als Quer- oder Raupenoberlichter bezeichnet werden. Den größten Belichtungseffekt ergibt eine Kombination beider Anordnungen.

Da ein Oberlicht normalerweise auf einer geneigten Dachfläche steht, ergeben sich daraus weitere Probleme. Entweder werden die Scheiben lotrecht zur geneigten Dachfläche angeordnet, damit sich rechteckige Scheibenformate ergeben, oder man stellt die Sprossen senkrecht. In diesem Falle ergeben sich für die Scheiben der Queroberlichter ungünstige Parallelogramme. Bei einer zur Dachfläche lotrechten Verglasung ist immer der Abschluß der Oberlichter schwierig, weil die schräge Verglasung überhängt. Die Queroberlichter bis an die Außenwand durchzuführen und ihre Köpfe an der Traufe nach außen schräg gestellt sichtbar zu zeigen, befriedigt nicht. Dagegen ist es ratsam, bei geneigten Glasflächen das Ende der Oberlichter, insbesondere der Queroberlichter, nach innen zu neigen.

Man kann die Oberlichter auch so anordnen, daß sie weder am Giebel noch an der Traufe in Erscheinung treten, besonders für Oberlichter mit geneigten Glasflächen ist ein solches Absetzen von den Außenwänden zweckmäßig. Dagegen kann ein Firstoberlicht bei senkrechter Verglasung als Laterne am Giebel in Erscheinung treten. Die Abmessungen der Laterne müssen jedoch im richtigen Verhältnis zum Hallenquerschnitt stehen. Reichen die Queroberlichter bis an die Außenwände heran, wird die Traufe der Längsseite sehr bewegt. Am besten ist die Endfläche der Oberlichter mit in die Wandfläche einzubeziehen, indem entweder die Außenwand in Struktur und Material auf die Endfläche der Oberlichter übergreift, oder daß umgekehrt die Verglasung der Oberlichter von dem oberen Teil der Außenwand aufgenommen wird. Andere Lösungen erwecken einen unruhigen Eindruck. In keinem Fall darf die Dachrinne den Aufbau abschneiden. Eine betonte Reihung ergibt sich, wenn die Queroberlichter zwischen die Binderkonstruktion gesetzt werden, so daß die Dachfläche einmal auf dem Obergurt und im nächsten Feld in Höhe des Untergurtes liegt. Diese Reihung kann durch den Wechsel zwischen vollverglasten Wänden und geschlossenen Mauerflächen noch unterstrichen werden. Nicht zu vergessen ist, daß man an alle Oberlichter zur Kontrolle und Reparatur, und vor allen

Dingen zur Reinigung, leicht und sicher herankommen muß.

Glasflächen in die Dachhaut selbst zu legen, ist nur möglich, wenn die Glasflächen ein Mindestgefälle haben, das den klimatischen Bedingungen entspricht. In Gegenden mit Schneefällen muß die Glasneigung mindestens 30°, bei starken Schneefällen besser 40° betragen, damit der Schnee nicht liegen bleibt. Auch in anderen Gebieten müssen die Glasflächen eine Mindestneigung haben, damit das Schwitzwasser abläuft und nicht abtropft. Man spricht von einer „Betriebsneigung" der Glasflächen, die von der Luftfeuchtigkeit, der Innen- und Außentemperatur und der Glasart abhängt. Bei rauhen Glasarten ist die Betriebsneigung größer als bei glatten; sie liegt bei kurzen Glasscheiben ($<$2,0 m) mit geringem Wärmedurchgang (Isolierglas) bei etwa 10°, längere Scheiben und rauhe Oberflächen verlangen Neigungen über 20°. Auf die Ableitung des Schwitzwassers an den Glasenden ist besonders zu achten,

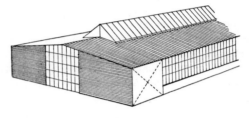

Firstoberlicht mit schräger Glasfläche

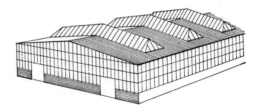

Raupenoberlichter mit abgeschrägten Endflächen

Glasbänder zwischen die Stahlfachwerkbinder gelegt

First- und Queroberlichter mit senkrechten Glasflächen

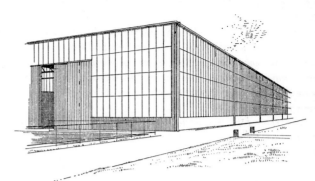

Stützen vor der geschlossenen Außenwand der zweigeschossigen Halle. Starke Reliefwirkung. Nur schmales Sichtband im Obergeschoß

Vollständig verglaste Außenwand vor der Tragkonstruktion aus Stahl

Gesamterscheinung

Die äußere Erscheinung einer Halle wird durch den Querschnitt der Hallenbinder und durch die Art der Befensterung bestimmt. Von den reinen Bogenformen abgesehen, die sich bis zu den Fundamenten spannen, ist der Querschnitt stets ein Rechteck mit aufgesetztem Dreieck oder flacher Wölbung. Die Abmessungen dieser Flächen legen die Form der Giebelseiten fest. Es kommt darauf an, sowohl das Seitenverhältnis (Höhe zu Breite) als auch das Flächenverhältnis (Rechteck zu Dreieck oder Segment) gut abzustimmen. Da diese Größen durch den Querschnitt der Hallenbinder festgelegt sind, der seinerseits von der geforderten freien Spannweite und der Krananlage bestimmt wird, bleibt mitunter nichts anderes übrig, als die Erscheinung der Giebelseiten durch die Befensterung zu beeinflussen. Meist sind die Giebel zu breit und stehen nicht im richtigen Verhältnis zum Unterbau. Man kann derartige „schwere" Giebel mit Hilfe einer bis an die Dachhaut hinauf führenden Befensterung leichter erscheinen lassen, oder, wenn es der statische Aufbau erlaubt, die Seitenflächen vorziehen und dadurch den zu breiten Giebel auflösen oder aufteilen.

Außer bei Pultdächern ist der Hallenquerschnitt immer symmetrisch. Diese Symmetrie im Aufbau des Giebels braucht nicht unbedingt durch eine gleichmäßige Verteilung der Fenster und Tore unterstrichen zu werden. Es gibt Beispiele, wo eine asymmetrische Anordnung besser wirkt. Natürlich müssen trotzdem Fenster, Tore und Wandflächen im Gleichgewicht zueinander stehen; aber Symmetrie und Gleichgewicht sind nicht dasselbe. Die Symmetrie hängt nur von der gleichen Lage aller Gestaltungselemente zur Mittelachse ab, sie ist eindeutig und beweisbar. Das Gleichgewicht dagegen ist differenzierter und spannungsreicher. Hier kommt es auf das optische Gleichgewicht an, bei dem außer der Form auch die Farbe und die Struktur des Materials mitsprechen.

Abwegig ist es, in die Giebeldreiecke breitgelagerte, rechteckige oder sogar abgetreppte Fensterbänder einzufügen. Die dreieckige Form der Dachgiebel steht im Widerspruch zur rechteckigen Form der Fenster. Nur

kleine Fenster in einem großen geschlossenen Giebelfeld können erträglich wirken. Für bogenförmige Dachformen gilt dasselbe. Gut wirkt meist ein Hochziehen der Fenster bis zur Dachfläche, weil dann die Begrenzung der Fenster mit dem Giebelumriß zusammenfällt.

Sind in der Giebelseite Tore eingebaut, so treten zu den Wand- und Fensterflächen weitere Flächen, die nicht nur durch ihre Abmessungen, sondern auch durch ihr andersartiges Material wirken. Je größer die Tore sind, um so schwieriger lassen sie sich formal gut in die Giebelfassaden einfügen. Nehmen sie eine große Breite ein, wird der darüberliegenden Fläche der Unterbau genommen. Außerdem wirken große Tore leicht unmaßstäblich. Durch Schlupftüren, die am besten farbig abgesetzt werden, kann der menschliche Maßstab auch im Giebel einer großen Halle wieder aufgenommen werden.

Nur in wenigen Fällen tritt der Hallenbinder selbst am Giebel in Erscheinung. Entweder verdeckt eine leichte, vorgesetzte Giebelwand den Binder, oder die Giebel werden unabhängig von den Hallenbindern ausgebildet, weil sie außer der Toröffnung keine Spannweiten zu überbrücken haben. Sie bestehen als Fachwerkbinder aus Pfosten und Riegeln und nehmen seitlich kleine Windverbände auf, die äußerlich nicht in Erscheinung treten.

Bei den Längsseiten liegen die Fragen der Gestaltung etwas einfacher, sofern die Oberlichter nicht bis zur Traufe

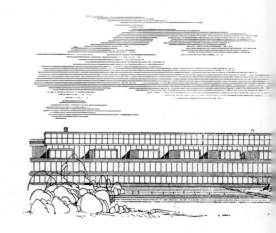

reichen und die im Kapitel „Belichtung" angeschnittenen Probleme aufwerfen. Die Seitenwände der Halle sind lange flache Rechtecke. Zwischen die Hallenbinder oder davor setzt sich die glattgespannte Außenhaut, die von der Abmessung der Fenster und von dem verwendeten Material bestimmt wird.

Das wirksamste Mittel für die Gliederung der Längsseiten ist die Reihung. Die gleichmäßige Durchführung des Binderabstandes ruft unter der Voraussetzung einer gewissen Mindestlänge der Hallen einen großzügigen Eindruck hervor, der durch die Art der Befensterung noch gesteigert werden kann. Anfang und Ende der Reihe können durch die Längsverbände betont werden; denn im ersten Feld am Giebel müssen jeweils zur Aufnahme der Windkräfte, die auf den Giebel wirken, Rahmen oder Fachwerkverbände angeordnet werden. Fällt durch den Giebel zusätzlich Licht in die Halle, wird dieses erste Längsfeld meist geschlossen. Damit wird die Frage des Zusammenschlusses der Längs- und Giebelseiten aufgeworfen. Es ist nicht von Nachteil, wenn entweder die Längsseite auf den Giebel übergreift oder umgekehrt der Giebel sich als geschlossene Wand auf das erste Längsfeld ausdehnt. Ein Wechsel in der Wandausbildung unmittelbar an der Ecke ist zwar möglich, befriedigt aber nur in den Fällen, wo große Glasflächen gegen geschlossene Mauerflächen stoßen, keinesfalls aber, wenn in den aneinanderstoßenden Wänden Fensterbänder in verschiedener Höhenlage liegen.

Die Binder treten in den Seitenansichten durch die Breite der Stützen in Erscheinung. Die Außenwand liegt mit den Außenseiten der Stützen bündig; nur in seltenen Fällen tritt die Stütze vor die Außenwand und stellt damit die Reihung der Binder besonders heraus. Dagegen stehen die Stützen des öfteren hinter der Außenwand, die ganz glatt durchgeführt wird. Trotzdem bleibt der Abstand der Binder durch die Befensterung hindurch sichtbar.

Bei durchgehenden horizontalen Fensterbändern ist auf das Verhältnis zu den übrigen Wandflächen zu achten. Je klarer entweder die Fensterflächen oder die Mauerflächen überwiegen, um so besser ist die Wirkung.

Das Dachgesims soll knapp sein, weil große Ausladungen sich konstruktiv schlecht einfügen und zum Schutz der

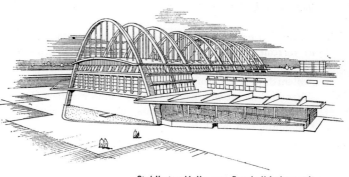

Stahlbeton-Halle aus Parabelbindern mit eingehängtem Dach in einer Milchzentrale in Italien

glatten Wandflächen nicht notwendig sind. Die vorgehängte Dachrinne ersetzt das sonst gewohnte Gesims. Die Abfallrohre sind so unauffällig wie möglich auszubilden. Ein Sockel widerspricht dem Aufbau der Hallen. Er wird optisch durch die massive Brüstung bis zum ersten Fensterband ersetzt.

Während früher für die Ausfachung der Wandflächen von Hallen nur Ziegelmauerwerk üblich war, werden neuerdings in zunehmendem Maße Wellblech, profiliertes Aluminium und Welleternit verwendet. Diese Materialien ergeben einerseits durch den Wechsel von Licht und Schatten, der infolge ihrer Profilierung entsteht, eine belebtere Oberfläche, andererseits werden sie über alle Stützen, Verbände und Riegel hinweggeführt, so daß sie als große Flächen monoton wirken können und nichts mehr von dem Aufbau der Hallen erkennen lassen.

Anspruchsvoll wirken Hallen in Parabelform. Sie dienen besonders der Lagerung von Schüttgut, weil sich ihre Querschnittsform dem natürlichen Schüttkegel anpaßt. Sie werden in Stahlbeton gebaut und können im Inneren — sofern sie leer sind — eine fast sakrale Wirkung haben. Gelegentlich werden solche Hallen auch für andere Zwecke gebaut, wie die Milchzentrale in Turin beweist. Bei diesem Bauwerk ist an den parabelförmigen Stahlbetonbogen ein flachgeneigtes Dach angehängt. Es ergibt sich dadurch eine besonders eigenwillige Lösung, die aus dem Rahmen der üblichen Hallenbauten herausfällt.

Riesige Produktionshalle einer Autofabrik in USA

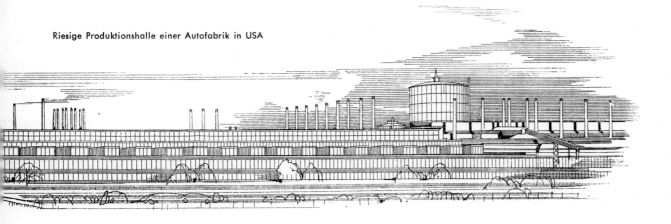

Mehrschiffige Hallen

Außer den einschiffigen Hallen gibt es mehrschiffige, die in verschiedener Form ausgebildet werden. Bei großen zusammenhängenden Nutzflächen, die nicht von einem Hallenschiff überspannt werden können, oder die nicht stützenfrei zu bleiben brauchen, reiht man mehrere Hallen aneinander. Statisch und konstruktiv sind zahlreiche Kombinationen möglich.

In der Regel wird es sich bei mehrschiffigen Hallen um eine große Mittelhalle handeln, an die sich ein- oder beidseitig niedrige Seitenschiffe anschließen. Hier können Werkstätten, Lager, Nebenräume und sanitäre Räume, aber auch Fabrikationsräume mit oder ohne Kranausrüstung untergebracht werden. Ist ein Quertransport zwischen den einzelnen Schiffen notwendig, dann bedarf es besonderer Spezialkrane; meist sind es Schwenkkrane, die von einer Halle aus in die andere reichen.

Können die Seitenschiffe in Geschosse unterteilt werden, so verwendet man sie oft als Auflagerbock für eine Rahmen- oder Bogenkonstruktion des Hauptschiffes, bei der horizontale Kräfte abzusetzen sind. Hierbei handelt es sich dann weniger um Seitenschiffe als um Anbauten.

Der Höhenunterschied zwischen Haupt- und Nebenschiffen wird für die Belichtung des Mittelschiffes ausgenutzt. Architektonisch ist entweder entschiedenes Absetzen der Seitenschiffe vom Hauptschiff anzustreben, oder alle Schiffe sind gleich hoch auszubilden, weil kleine Differenzen unentschieden wirken.

Alle äußeren Anbauten an eine Halle beeinträchtigen den Baukörper; sie verwischen die Grundform der Halle und lassen an den Außenwänden unklare Restflächen übrig. Außerdem bringen Anbauten unangenehme Überschneidungen mit sich; nur bei sehr hohen Hallen sind niedrige, angesetzte Baukörper architektonisch erträglich.

Bei kleinen Hallen mit Seitenschiffen oder Anbauten kann eine unsymmetrische Pultdachform angebracht sein. Dies trifft besonders für sehr hohe und schmale Hallen zu,

die einen einseitigen Anbau erhalten, wie etwa bei Kesselhäusern von Kraftwerken.

Eine ausgesprochen ungünstige Wirkung ergibt sich, wenn die seitlichen Anbauten um den Giebel herum geführt werden. Der Giebel einer Halle soll klar zu sehen sein, damit ihre Querschnittsform eindeutig erkennbar bleibt. Besser ist es, wenn die Seitenschiffe oder Anbauten vor dem Giebel enden. Schließen sie bündig mit dem Hauptgiebel ab, so erscheint die Halle wie aus einer längeren Einheit herausgeschnitten.

Werden mehrere gleichgroße Hallenschiffe aneinandergefügt, so tritt am besten jedes Hallenschiff für sich deutlich in Erscheinung. Auch eine Reihung von Hallenschiffen wechselnder Höhe kann für bestimmte Industriezweige zweckmäßig sein, indem z. B. in den niedrigen Hallen Werkstätten und Teilfertigungen untergebracht werden, während in den großen Hallen der Zusammenbau erfolgt. Der Höhenunterschied zwischen den einzelnen Schiffen wird zur Belichtung ausgenutzt, um dadurch an Oberlichtern zu sparen.

Es ist abwegig, mehrschiffige Hallen am Giebel durch eine Attika oder vorgesetzte Blende zusammenzuziehen. Die Eckansicht läßt die Täuschung stets erkennen.

Die Reihung gleich hoher Hallen bringt für die Entwässerung Nachteile mit sich. Entweder müssen die Kehlen stark aufgefüllt werden, um das notwendige Gefälle zu erreichen, oder die Entwässerung muß nach dem Inneren der Halle erfolgen. Man strebt deshalb durchgehende Dachflächen an. Dadurch ergeben sich sehr breite Hallengiebel, die irgendwie unterteilt oder gegliedert sein sollten. Am wirksamsten ist eine Gliederung durch Zurücksetzen oder Vorziehen der Seitenschiffe, besonders dann, wenn damit ein Wechsel in der Befensterung oder Wandausbildung verbunden ist.

Das Aneinanderfügen von zwei gleichen Hallenschiffen ist problematisch, weil weder eine Reihung noch eine überzeugende Symmetrie entsteht. Eine großzügige, über beide Giebelfelder durchgehende Befensterung oder eine zusammenhängende geschlossene Wand kann beide Giebelfelder zu einer Einheit zusammenfassen.

Zwei gleiche Hallen aneinandergefügt und durch eine großzügige Verglasung zusammengefaßt

Kurt Dummer
Bauing.
Berlin-Pankow
Retzbacher Weg 6

FLACHBAUTEN

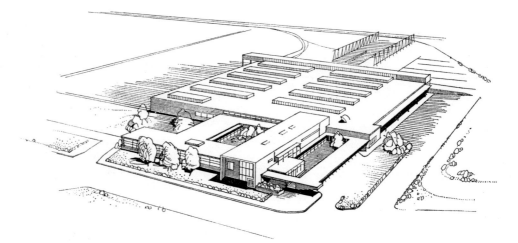

Amerikanischer Flachbau mit zweigeschossigem Verwaltungsbau

Systeme und Bauarten

Eine Abgrenzung des Begriffes Flachbauten gegenüber Hallenbauten ist nicht eindeutig vorzunehmen. Man versteht unter Flachbauten mehrere aneinandergereihte Hallenschiffe, die nur mit leichten, flurbedienten Kränen (in der Regel < 12,5 t) ausgerüstet sind oder ganz ohne Kranausrüstung bleiben. Die lichte Höhe von Flachbauten kann daher verhältnismäßig klein sein (etwa 4 bis 8 m). Auch die Stützenabstände können meist geringer als bei Hallenbauten gewählt werden. Daraus folgt als wesentliches Merkmal der Flachbauten, daß die in einer Ebene liegende große zusammenhängende Nutzfläche nur von einer leichten Dachkonstruktion überbaut wird, wobei die Nutzfläche nicht stützenfrei zu sein braucht und außerdem durch Trennwände beliebig unterteilt werden kann. Flachbauten sind weiterhin überall dort zweckmäßig, wo große Lasten (schwere Maschinen, Papierlager, Eisenlager usw.) unterzubringen sind. Wie in Hallenbauten, können diese Lasten unmittelbar auf den gewachsenen Boden abgesetzt werden.

Die Grundformen der Flachbauten ergeben sich aus den konstruktiven Möglichkeiten, welche die verschiedenen Baustoffe und Bauarten zulassen. Daneben ist die Art der Belichtung von großem Einfluß. Als Baustoffe kommen Stahl und Stahlbeton in Frage, während Holz nur

noch eine untergeordnete Rolle spielt. Stahl und Stahlbeton sind in Europa in wirtschaftlicher Hinsicht als gleichwertig anzusehen, während in Amerika die Stahlkonstruktion überwiegt.

Bei der ursprünglichen Form der Flachbauten reihten sich kleine Hallenschiffe mit flachem Satteldach aneinander. Neuerdings bildet die Dachfläche eine schräg geneigte Ebene und überspannt viele Schiffe. Dadurch werden Abkantungen und Kehlen in der Dachfläche vermieden. Diese Art der Dachausbildung wurde durch die Weiterentwicklung der Dachhaut möglich, die geringere Neigungen zuläßt als bisher. Die Maße solcher Flachbauten werden durch die Ableitung des Regenwassers begrenzt. Bei Dachflächen über 25 m Tiefe treten nicht nur Schwierigkeiten in der Wasserfassung (Regenfallrohre) und in der mechanischen Beanspruchung der Dachhaut (Erosion) auf, sondern das Mittelschiff wird wegen der erforderlichen Dachneigung dann auch zu hoch (Vergrößerung des umbauten Raumes).

Die neueste Entwicklung geht dahin, die Dächer von Flachbauten vollkommen horizontal auszubilden und sie mit einem schwimmenden Asphaltestrich einzudecken, der an der Traufe durch Kanten eingefaßt wird. Bei Sonneneinstrahlung kann dieser Asphaltestrich zwar zäh-

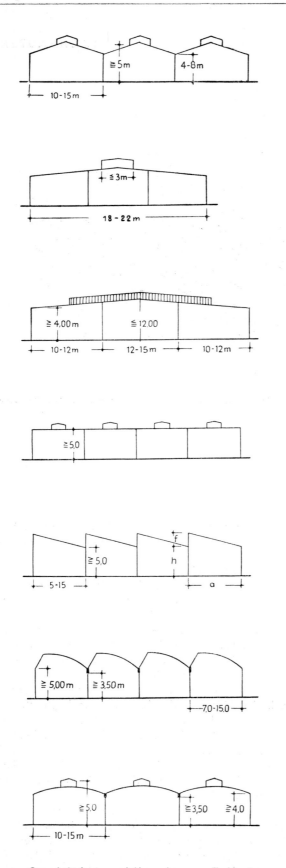

Querschnittsformen und Abmessungen von Flachbauten

flüssig werden, infolge der horizontalen Dachausbildung aber nicht abfließen. Geringe Formänderungen der Dachkonstruktion gleicht er aus, was für die Dichtigkeit der Dachhaut von Vorteil ist. Das Regenwasser wird durch gleichmäßig über die Dachfläche verteilte Fallrohre abgeleitet; zurückbleibende Wasserlachen verdunsten allmählich.

Diese Art der Eindeckung von großen Flachbauten ist besonders in den USA verbreitet. Ihr Vorteil liegt darin, daß die Konstruktion der Flachbauten aus gleichen Elementen besteht. Damit ist eine rationelle Vorfertigung und Lagerhaltung möglich, so daß die Montage von Flachbauten innerhalb weniger Tage durchgeführt werden kann.

Zu neuen Formen der Flachbauten hat die Schalenbauart des Stahlbetons geführt. Entweder reiht man dünne Tonnenschalen aneinander, oder man überdeckt die Nutzfläche mit räumlichen Kuppeln über quadratischem Grundriß. Wegen ihres geringen Materialbedarfes haben diese Schalen fast alle anderen Ausführungsmöglichkeiten im Stahlbeton verdrängt. In den USA können sie sich wegen des hohen Lohnanteiles jedoch nicht durchsetzen.

Bei der Überdachung großer horizontaler Flächen reicht die seitliche Belichtung durch Fenster oder Glaswände wegen der geringen Raumhöhe nicht weit genug in das Innere, so daß Oberlichter im Dach angeordnet werden müssen. Oberlichter und Flachbauten sind zwei einander zugeordnete Begriffe; es sei denn, man verzichtet ganz auf natürliche Belichtung und arbeitet nur mit künstlichem Licht. Durch die richtige Lage, Größe und Ausbildung der Oberlichter können bei Flachbauten besonders gute Belichtungsverhältnisse geschaffen werden, wie sie sonst weder in Geschoßbauten noch in Hallen zu erreichen sind. Oft ergibt sich daher die Durchbildung eines Flachbaues in erster Linie aus der Forderung nach sehr guter Belichtung. Eine solche Form stellen die Shedbauten dar. Diese Bauart, die im 19. Jahrhundert in England entwickelt wurde, reiht schräg oder senkrecht gestellte Fensterbänder aus Glas, die nach Norden gerichtet sind, in Abständen von 3 bis 12 m hintereinander und erreicht dadurch ein blendungsfreies Tageslicht.

Der Querschnitt der Shedhallen hängt neben der Stellung des Fensterbandes von dem zur Verwendung kommenden Baustoff ab. Auch hier treten Stahl und Stahlbeton als gleichwertige Konkurrenten auf. Der Stahlbau hat sich den Vorteil der geringen Lasten bei Flachbauten zu eigen gemacht und sehr wirtschaftliche Stahlleichtkonstruktionen entwickelt. Umgekehrt hat der Stahlbeton die Schalenbauart auch für die Shedkonstruktionen eingeführt. Die Shedschalen erlauben große Stützenabstände und haben den Vorteil, daß Tragkonstruktion und raumabschließende Dachkonstruktion identisch sind. Ihr charakteristisches Kennzeichen ist die gekrümmte Dachform.

Durch die Schalenbauart und die Stahlleichtkonstruktionen haben die Sheddächer große Verbreitung gefunden; Flächen von 100 000 m² und mehr (Volkswagenwerk) sind mit Shedkonstruktionen überdeckt worden.

Bei Stahlbetonsheds bieten sich die Rinnenträger zur Unterbringung der Belüftungsanlage an. Infolge der Neigung der Rinnen für den Abfluß des Regenwassers verjüngen sich die Querschnitte und gewährleisten einen gleichmäßigen Luftaustritt auf die gesamte Länge. Außerdem hat sich der Vorteil herausgestellt, daß die warme Luft in diesen Kanälen so viel Wärme an die Entwässerungsrinne abgibt, daß Vereisungen ausgeschlossen sind. Aus den jeweiligen Erfordernissen der Belichtung, des Stützenabstandes und der Wirtschaftlichkeit sind weitere Konstruktionen für Flachbauten entwickelt worden. Neben den Stahlbetonschalen in Form von Konoiden, die im Gegensatz zu den üblichen Shedschalen die Schalen senkrecht zum Glasband spannen, werden auch konische Shedschalen gebaut. Vereinzelt hat man ferner Zylindertonnenschalen schräg gestellt und aneinandergereiht. Als Sonderform der Flachbauten sind weiterhin die Faltwerke zu nennen, bei denen einzelne Scheiben an ihren Rändern biegungssteif verbunden sind und damit zu räumlichen Tragwerken werden.

Außer den Fragen der Belichtung, der Dachausbildung und der Verkehrsabwicklung, die durch die großen Nutzflächen aufgeworfen werden, bereitet auch die Eingliederung von Nebenräumen wie Meisterstuben, sanitären Räumen, Frühstücks- und Aufenthaltsräumen gewisse Schwierigkeiten. Der Vorteil der großen zusammenhängenden Nutzflächen, der in der leichten Umstellung des Produktionsablaufes und in der Veränderung der maschinellen Ausrüstung liegt, kann durch Einbauten leicht beeinträchtigt werden. In Europa verlegt man daher diese Räume vorzugsweise in ein besonderes Kellergeschoß, das gleichzeitig die gesamte Installation aufnimmt und damit die Dachkonstruktion von allen Einbauten und Lasten befreit.

In Amerika zeichnet sich eine eigene Entwicklung für die Flachbauten ab. Man verzichtet auf die natürliche Belichtung, bildet die Dächer horizontal aus und wählt verhältnismäßig schwere und hohe Stahlkonstruktionen, meist in Form von Fachwerkträgern. Diese Dachbinder sind in der Lage, zusätzliche Nutzlasten aufzunehmen. Man verlegt nicht nur einen Teil der Installation, besonders die Belüftungs- und Klimaanlagen (meist werden die Flachbauten in Amerika voll klimatisiert) in das Dach, sondern hängt auch die Aufsichtsräume, Meisterstuben, Frühstücksräume und Toiletten in die Dachkonstruktion hinein. Die auf amerikanischen Flachbauten sichtbaren Dachaufbauten sind also keine Oberlichter für die Produktionsräume, sondern Aufbauten für die Klimaanlagen oder Oberlichter für Nebenräume, die in das Dach verlegt worden sind.

Nicht unerwähnt soll bleiben, daß der Feuerschutz bei Flachbauten ein eigenes Problem darstellt. Die übliche Forderung, ein Bauwerk durch Brandmauern zu unterteilen, kann bei Flachbauten nicht erfüllt werden. Um so mehr müssen alle anderen Schutzmaßnahmen beachtet werden, die verhüten sollen, daß entstehende Brände in Flachbauten sich zu Flächenbränden auswachsen, denen gegenüber alle Bekämpfungsmaßnahmen versagen.

Flachbauten eignen sich in der Errichtung wegen ihrer großen Ausdehnung besonders zum Montagebau. Sie lassen die Verwendung serienmäßig hergestellter Einzelteile zu, und wegen der geringen Höhenentwicklung und der leichten Ausbildung der Einzelteile ist der Montagevorgang besonders einfach. Nicht nur im Stahlbau, der im Grunde genommen stets ein Montagebau gewesen ist, sind dafür Spezialausbildungen entwickelt worden, sondern auch im Stahlbetonbau setzt sich der Montagebau durch. Solche Bauarten verlangen zu ihrer vollen wirtschaftlichen Entfaltung nicht nur eine Typung der Einzelteile, sondern auch der gesamten Konstruktion. Ob sich die einzelnen Ansätze dazu durchsetzen werden, bleibt der Zukunft überlassen.

In den seltensten Fällen wird es möglich sein, einen ganzen Industriebetrieb ausschließlich in einem oder mehreren Flachbauten unterzubringen. Räume sozialer und sanitärer Art und Büroräume erfordern ganz andere Belichtungsverhältnisse, Raumhöhen und Raumtiefen, als sie in Flachbauten möglich sind. Eine Kombination von Flachbauten mit Geschoßbauten wird deshalb oft notwendig sein. Sanitäre Anlagen können daher zweckmäßigerweise auch in Verbindungsbauten zu solchen Geschoßbauten untergebracht werden. Man vermeidet so eine Unterkellerung des Flachbaus und erhält sich die Möglichkeit, die Lasten sehr schwerer Maschinen unmittelbar auf den Boden abzusetzen.

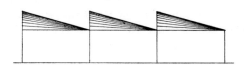

Konoidschalen

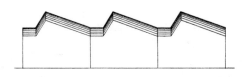

Konische Shedschalen

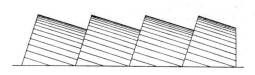

Schräg gestellte Kreiszylinderschalen

Belichtung

Die Belichtung von Flachbauten kann wegen ihrer großen Ausdehnung nur von oben durch das Dach erfolgen. Bei kleinen Stützweiten der einzelnen Schiffe kommt man mit Firstoberlichtern aus, d. h. mit Oberlichtern, die längs des Firstes verlaufen. Wird die Stützweite größer, müssen Satteloberlichter quer zum First angeordnet werden. Bei Stahlbetonschalen können in der Regel nur Firstoberlichter eingebaut werden, da der statische Aufbau der Schalen eine größere Flächenöffnung quer zum First nicht zuläßt.

Da die Oberlichter sich nicht gleichmäßig über die Dachfläche erstrecken, schwankt die Belichtungsstärke mehr oder minder entsprechend der Lage der Oberlichter. Um eine gleichmäßige Belichtung zu erhalten, muß deshalb der gegenseitige Abstand der Oberlichter auf die Höhe der Flachbauten abgestimmt werden. Ist sehr gute Belichtung gefordert, darf die Entfernung zwischen den Oberlichtern nicht größer sein als der Abstand der unteren Fensterkante vom Fußboden. Da sich die Oberlichter auch in den statischen Aufbau der Tragkonstruktion einfügen müssen, deren Binderabstand meist größer als 5 m ist, folgt daraus, daß man die Höhe der Flachbauten normalerweise nicht kleiner als 5 m wählt.

Auch aus Gründen der Belüftung sollen die Flachbauten nicht zu niedrig sein, weil sich sonst leicht Zuglufterscheinungen einstellen. Andererseits möchte man bei vollklimatisierten Räumen (Spinnereien, Webereien, Tabakfabriken, Druckereien) den Luftraum aus wirtschaftlichen Gründen so klein wie möglich halten. Die lichte Höhe soll jedoch 4 m nicht unterschreiten. Unter einzelnen Konstruktionsteilen (Rinnenträger von Shedhallen, Kämpfer von

Tonnenschalen) oder bei einer künstlichen Beleuchtung kann man auf 3,50 m lichte Höhe heruntergehen.

Die besten Belichtungsverhältnisse herrschen in Shedbauten, weil hier die durchgehenden Glasflächen sehr groß sind und ihr gegenseitiger Abstand sehr klein gewählt werden kann. Hinzu kommt die Lage der Verglasung nach Norden, so daß ein blendungsfreies Licht mit verhältnismäßig geringen Schwankungen in der Beleuchtungsstärke zur Verfügung steht. Den Vorteil des blendungsfreien Nordlichtes kann man neuerdings auch bei den übrigen Oberlichtern dadurch erreichen, daß man die nach Süden gelegenen Glasflächen mit einem lichtstreuenden Glas versieht.

Die Größe des Tageslichtquotienten in Shedbauten hängt von der richtigen Zuordnung der Höhe f des Glasbandes, des gegenseitigen Abstands a und der Höhe h der Fensterunterkante über dem Fußboden ab. Der mittlere Tageslichtquotient wird in erster Linie von der Höhe f des senkrechten Fensterbandes bestimmt. Bei einem Verhältnis von f : a = 0,45 ist der mittlere Tageslichtquotient mit rund 10% anzunehmen. Sinkt das Verhältnis f : a auf 0,35, so reduziert sich der mittlere Tageslichtquotient auf etwa 8%. Dieser Wert soll nicht unterschritten werden. Umgekehrt sind Werte für f : a > 0,5 unwirtschaftlich.

Die Gleichmäßigkeit der Belichtung wird bestimmt von dem Verhältnis der Raumbreite a zur lichten Raumhöhe h. Dieser Wert kann zwischen 0,4 und 2,0 schwanken. Bei dem Verhältnis a : h = 0,4 ist praktisch eine vollkommene Gleichmäßigkeit des Lichtes erreicht. Bei a : h = 2,0 sind die Schwankungen der Belichtung schon sehr beträchtlich; wird der Wert noch größer, so werden diese Schwankungen derart stark, daß der Vorteil der Shedanordnung verlorengeht. Der Normalfall liegt bei etwa a : h = 1,4. Der Abstand der Glasbänder und damit die Spannweite der Sheds ergibt sich also nicht aus statischen oder konstruktiven Gründen, sondern hat sich in erster Linie nach den geforderten Belichtungsverhältnissen zu richten.

Grundsätzlich ist bei Shedbauten die Frage zu klären, ob die Fensterbänder senkrecht oder schräg anzuordnen sind. Für die Ausnutzung des Tageslichtes ist eine schräge Verglasung günstiger als eine senkrechte. Die optimale Neigung der schrägen Glasfläche hängt von der geographischen Breite ab; in Deutschland kann die Glasneigung mit 60° angenommen werden. Bei diesem Neigungswinkel beträgt der Tageslichtquotient etwa 22% gegenüber rund 11% bei einer senkrechten Verglasung gleicher Größe. Andererseits wird die Gleichmäßigkeit der Belichtung durch senkrechte Oberlichter verbessert und die sonnenfreie Zeit in den Shedhallen vergrößert, so daß eine Abweichung der Gebäudeachsen von der Nord-Südrichtung in größerem Maße als bei geneigten Oberlichtern möglich ist.

Dem Vorteil des größeren Tageslichtquotienten bei einer schrägen Glasfläche stehen jedoch eine Reihe von Nachteilen gegenüber. Die konstruktive Ausbildung des schrägen Fensters ist etwas komplizierter als die des geraden

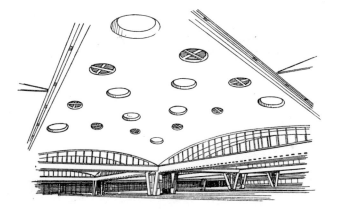

Belichtung durch statisch günstige Kreisöffnungen in einer Stahlbetonschale und durch Fensterbänder in den Segmenten

Fensterbandes, weil die Dichtung einer schrägen Fläche gegen Regenwasser immer wieder Gefahrenpunkte enthält. Außerdem müssen geneigte Oberlichter aus Sicherheitsgründen mit Drahtglas eingedeckt werden. Ein weiterer Nachteil der schrägliegenden Fensterbänder besteht in der leichteren Verschmutzung der Glasfläche, besonders in Gebieten mit großem Staubgehalt. Auch die Lichtbehinderung durch Schneefall kann bei schrägen Shedoberlichtern bereits eine erhebliche Rolle spielen, so daß die Entscheidung, ob vertikale oder schräge Fenster vorzusehen sind, zum Teil auch von der geographischen Lage und Höhenlage des betreffenden Industriebaues abhängt.

Wenn eine Verdunklungsmöglichkeit der Oberlichter gefordert wird, sind schräge Glasflächen unzweckmäßig, da vertikale Flächen wesentlich leichter vollständig abzudunkeln sind.

Weiterhin ist bei der Entscheidung, ob schräge oder senkrechte Fensterbänder in Shedhallen vorgesehen werden sollen, auch die Frage der Wirtschaftlichkeit ausschlaggebend. Durch schräge Oberlichter wird ein Teil der Dachfläche eingespart, was sich bei Betonschalen wirtschaftlich günstig auswirkt. Aus diesem Grunde wurden in den letzten Jahren etwa 90% aller Stahlbetonsheds mit schräger Verglasung ausgeführt. Bei Stahlkonstruktionen wirkt sich diese Einsparung in der Dachfläche bei schräger Verglasung nicht so stark aus.

Ein Vorteil der schrägen Verglasung liegt noch darin, daß die Shedrinnen leicht zu begehen sind: ein Umstand, der im Hinblick auf die Unterhaltung und auf die Reinigungsarbeiten nicht zu unterschätzen ist.

Auf die Bedeutung der Glasneigung für die Ableitung des Schwitzwassers ist auf Seite 115 hingewiesen worden.

Durch den Einbau von Glasprismen in die Dachfläche, besonders bei Stahlbetonschalen, kann man auf die aufgesetzten Oberlichter verzichten. Die Dachhaut erscheint transparent und die Frage der Belichtung ist architektonisch einfacher zu lösen. Eine solche Ausführung ist aber vom Klima abhängig, denn in schneereichen Gegenden kann die Belichtungsfläche oft von Schnee verdeckt werden. Auch eine laufende Reinigung der Dachfläche kann diesen Nachteil nicht völlig beheben.

Im Innern werden diejenigen Oberlichter unangenehm empfunden, die sich über durchgehende Konstruktionsteile wie Binder, Pfetten, Verbände hinwegziehen, weil sich die einzelnen Träger gegen das Oberlicht besonders scharf absetzen und „vom Licht angefressen" werden.

Schwierig ist stets die architektonische Gestaltung der Oberlichter, besonders der Satteloberlichter, und ihre Eingliederung in den äußeren Aufbau der Flachbauten. Es gelten dabei ähnliche Überlegungen wie für die Oberlichter der Hallen, nur sind bei Flachbauten die Proportionen zwischen den Oberlichtern und dem Baukörper wegen seiner niedrigen, dafür aber ausgedehnten Abmessungen anders. In einem der folgenden Abschnitte über Gestaltung werden diese Fragen nochmals angeschnitten.

Transparente Dachdecke aus Glasstahlbeton

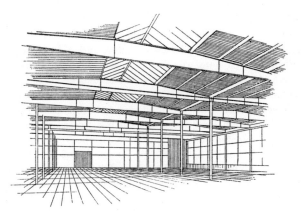

Oberlicht auf durchlaufenden Unterzügen

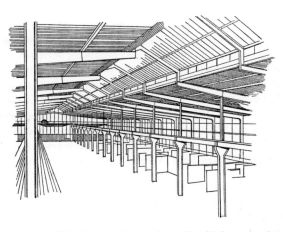

Oberlicht zwischen auskragenden Bindern

Entwässerung

Die Abführung des Regenwassers spielt bei der Größe der überdeckten Fläche eine nicht zu unterschätzende Rolle. Sie hängt eng mit der Dachhaut und ihrer zulässigen Mindestneigung zusammen. Große Dachflächen mit geringer Neigung setzen eine absolut dichte Dachhaut voraus. Eine solche ist nur durch eine fugenlose Eindekkung mit Dachpappe oder Metall zu erreichen. Durch die Verbesserung der Dachpappen und insbesondere ihrer Klebemittel an den Überlappungsstellen werden heute die Mindestneigungen weniger von der Dachhaut als von der Formänderung der Unterkonstruktion bestimmt.

Solche Formänderungen treten bei einer Stahlkonstruktion eher auf als bei Stahlbeton. Besonders die Durchbiegung der Pfetten muß berücksichtigt werden. Sie ist in der Regel im Feld stärker als an der Traufpfette, die mehrfach oder — bei Ausmauerungen — sogar stetig unterstützt wird. Die Dachneigung muß derartige, nahezu unvermeidliche Formänderungen berücksichtigen und so groß sein, daß kein Wasserstau auftritt. Bei Stahlbeton sind Formänderungen geringer, dafür muß auf die Genauigkeit der Ausführung besonders geachtet werden.

Bei Shedbauten ist zwischen geraden und gekrümmten Dachflächen zu unterscheiden. Für gerade Dachflächen, die eine Neigung von 30° haben, kommen alle Dachdeckungen in Frage. Auch der Falzziegel wird gelegentlich noch verwendet. Dem Nachteil des höheren Gewichtes einer derartigen Dachdeckung steht der Vorteil der einfachen Reparatur und der größeren Haltbarkeit gegenüber. Der früher ins Feld geführte Einwand, daß bei einer Dachneigung von 30° die Dachpappe bei Sonneneinstrahlung im Sommer ins Rutschen komme, ist durch die technische Verbesserung der Klebemassen, die jetzt einen hohen Erweichungspunkt haben, hinfällig geworden.

Auch Stahlbetonshedschalen, deren Neigung von 0° am First auf fast 90° an der Rinne anwächst, können einwandfrei mit Pappe eingedeckt werden.

Besonderes Augenmerk muß auf die Ausbildung der Rinnen gelegt werden. Das sonst übliche Längsgefälle der Rinnen von 2% führt bei Flachbauten zu großen Höhen des Aufbetons. So ergibt sich bei einer Länge von 100 m bei beiderseitiger Entwässerung im Firstpunkt eine Höhe des Aufbetons von 1 m. Die Rinnen nur ganz leicht auszubilden und sie unmittelbar ins Gefälle zu verlegen, ist nicht möglich, weil sie begehbar sein und deshalb auf einer festen Unterkonstruktion aufliegen müssen. Um an Aufbeton zu sparen, geht man bei Flachbauten mit dem Gefälle bis auf 1% herunter. Das ist aber nur bei sehr sorgfältiger Ausführung möglich, sonst ergeben sich — ähnlich wie bei den flachen Dächern — Wassersäcke und Stauungen. Der zu hohe Aufbeton ist wegen seines großen Gewichtes unerwünscht. Er führt außerdem bei Shedbauten zur Verschmälerung des Lichtbandes, da wegen etwaiger Schneeablagerung der Abstand der Rinne vom Lichtband im Scheitel nicht zu knapp werden darf. Bei Tonnenschalen ohne Oberlichter hat man daher die ge-

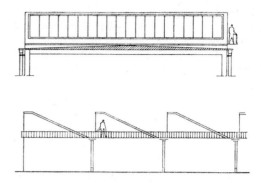

Verbindung der Shedrinnen durch einen seitlichen Laufsteg

samte Konstruktion geneigt, so daß die Rinne ohne Aufbeton das gewünschte Gefälle bekommt. Selbst bei Shedbauten ist wiederholt die gesamte Konstruktion mit Neigung errichtet worden.

Bei neuzeitlichen Ausführungen wählt man die Entwässerungsstrecken kürzer und führt die Fallrohre durch das Innere des Bauwerkes. Damit kann auf alle äußeren Fallrohre verzichtet werden, eine für die architektonische Gestaltung der Außenwand sicher erhebliche Erleichterung. Man muß sich aber im klaren sein, daß damit eine Gefahrenquelle geschaffen wird, die immer wieder Anlaß zu Ärger geben kann; denn Entwässerungen nach innen frieren im Kopfteil gerne zu oder vereisen im Bereich des Zuflusses.

Der konstruktiven Ausbildung der Rinnen im einzelnen ist sehr große Beachtung zu schenken. Sie müssen breit genug sein, damit sie bequem begehbar sind (besonders bei senkrechter Stellung der Fenster). Um eine Beschädigung der Rinnen zu vermeiden, sind sie mit einem Laufrost zu versehen; um sie leicht kontrollieren zu können, ist ihre Verbindung untereinander durch einen Laufsteg erwünscht.

Die Rinnen sind im Innern am besten mit Blech auszuschlagen. Entsprechende Dübelleisten müssen beim Stahlbeton vorher eingelegt werden. Der Anschluß an das Fensterband muß in allen Einzelheiten sauber durchgebildet sein.

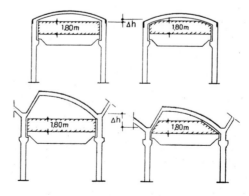

Lichtraum über der Krananlage in Schalen- und Shedkonstruktionen

Verkehr und Transport

Die große horizontale Ausdehnung der Flachbauten verlangt besondere Verkehrs- und Transportmittel. In erster Linie kommen gleislose Wagen und Karren in Frage. Neben Elektrokarren aller Art sind es die neuzeitlichen Gabel- und Hubstapler, die sich wegen ihrer vielseitigen Verwendung und ihrer großen Leistungsfähigkeit schnell eingeführt haben. Die zweckmäßige Stützenstellung in Flachbauten ist von der Art der benutzten Transportmittel und der Dichte des Verkehrs mit abhängig zu machen. Auf Raumbedarf und Wenderadius der eingesetzten Beförderungsmittel muß daher bereits bei der Planung Rücksicht genommen werden.

Für den Personenverkehr sind entsprechende Fußgängerwege freizuhalten. Ihre Breite hängt von der Anzahl der sie benutzenden Personen ab (siehe Seite 76).

Ferner ist auf den Anschluß des internen Verkehrs der Flachbauten an andere Teile des Betriebes zu achten. Meist wird der Fußboden in gleicher Höhenlage wie das übrige Werkgelände liegen. Soll der Eisenbahnverkehr unmittelbar an oder in die Flachbauten geführt werden, oder das Be- und Entladen von Lastkraftwagen über Rampen erfolgen, muß der Fußboden entsprechend höher liegen. Durch einseitiges Gefälle des Fußbodens oder der äußeren Fahrstraßen können derartige Höhenunterschiede geschickt ausgeglichen werden.

Sind einzelne Schiffe der Flachbauten mit flurbedienten Kranen versehen, so können neuerdings durch Verriegelungsvorrichtungen die Krane benachbarter Hallenschiffe zusammengekoppelt und zum Quertransport von Hallenschiff zu Hallenschiff benutzt werden.

Immer häufiger werden in Flachbauten auch schwere Krane eingebaut (Metallindustrie). Für sie ergeben sich ähnliche Überlegungen wie bei den Hallenbauten.

Nur bei den Stahlbetonschalen liegen die Verhältnisse anders. Die Einhaltung des lichten Raumprofils über den Kranen führt bei den Tonnen- und Shedschalen zu großen Raumhöhen. Da die Schalen gegenüber Einzellasten sehr empfindlich sind, können die Krane nur bei kleineren Traglasten unmittelbar an den Randbalken aufgehängt werden. Bei Kranlasten von über 10 t ist ein eigener Kranbahnträger mit Zwischenstützen notwendig. Ein Hochführen der Kranstützen bis in den Randbalken ist für die Schale zwecklos. Ihre Tragfähigkeit wird durch diese Zwischenstützen nicht erhöht.

Die Unfallverhütungsvorschriften schreiben bekanntlich einen lichten Abstand von 1,80 m über der Kranbrücke vor. Man kann mit Recht bezweifeln, ob es in jedem Falle notwendig ist, diese Vorschrift bei Schalen- und Shedbauten einzuhalten. Die seitliche Beschränkung des lichten Abstandes würde kaum zu einer Erhöhung der Unfallgefahr führen, wohl aber zu niedrigeren und damit wirtschaftlicheren Bauwerken. Bei durchgehender Anordnung der Krananlagen senkrecht zur Schale ist dagegen der lichte Abstand zwischen Oberkante Kran und Unterkante Rinnenträger stets einzuhalten.

Ausführung in Stahl

Konstruktiv bieten die Flachbauten keine Schwierigkeiten, da die Stützenabstände in der Regel gering und die auftretenden Lasten klein sind. Bei der Verwendung von Stahl sucht man in erster Linie die Vorteile der Durchlaufwirkung für die Dachbinder und Pfetten auszunutzen. Meist kommt man mit einfachen Walzprofilen aus. Über die Pfetten legt sich eine Dachschalung aus Holz oder eine Dachplatte aus Bimsbeton, Stegzementdielen oder Stahlbeton. Bei der Eindeckung mit vorgefertigten Dachplatten ist auf genaue Maßhaltigkeit zu achten, weil bei den sehr schmalen Flanschbreiten der Pfetten die Auflagebedingungen sonst nicht erfüllt sind.

Unangenehm in der Raumwirkung wird empfunden, wenn die Unterzüge oder Pfetten unter den Oberlichtern hindurchgehen. Es sieht besser aus, wenn sich die Oberlichter zwischen eine auskragende Konstruktion setzen (siehe Seite 123).

Ein Teil der Stützen wird zur Aufnahme der horizontalen Kräfte (Windkräfte) in die Fundamente eingespannt. Die übrigen Stützen können als Pendelstützen ausgebildet werden. Sind die aufzunehmenden Nutzlasten bei schwerer Kranausrüstung sehr groß, so sind dieselben Überlegungen wie bei Hallen anzustellen: eingespannte Stützen, geringe Formänderungen, eigene Verbände zur Aufnahme der horizontalen Kräfte aus den Krananlagen.

Der Vorteil der üblichen Flachbauten, daß sie aus dem Betrieb keine Nutzlasten aufnehmen und daß, bezüglich der Spannweite, keine allzu großen Forderungen gestellt werden, kann sich dann besonders günstig auswirken, wenn man für die Konstruktion selbst sehr leichte Ausführungen wählt. Dies hat im Stahlbau zu den Leichtkonstruktionen geführt. Darunter sind leichte Fachwerkbinder zu verstehen, die aus dünnen Stahlrohren oder abgekanteten Blechen zusammengeschweißt sind. Auch der R-Träger, bei dem zwei kleine T-Profile durch ein zick-zackförmig geführtes Rundeisen zusammengeschweißt werden, gehört zu diesen Leichtkonstruktionen.

Eine Sonderstellung nehmen die Shedbauten ein, weil sich ihre Tragkonstruktion weniger aus statischen Überlegungen als aus der Lage der Fensterbänder ergibt. Die verschiedenen Möglichkeiten der Shedkonstruktionen sind auf Seite 186/87 zusammengestellt und erläutert. Hier soll nur auf einige Punkte hingewiesen werden, die Einfluß auf die architektonische Erscheinung haben.

Im Normalfall besteht eine Shedkonstruktion aus Stützen und Unterzügen, die parallel zu den Glasbändern laufen. Über diese sind die Querträger gelegt, deren Aufgabe es ist, die Dachhaut zu tragen und sich der Form der Sheds anzupassen. Die Querträger können als Fachwerkträger ausgebildet werden oder auch aus Vollwandprofilen bestehen.

Die früher üblichen Fachwerkträger mit horizontalem Untergurt werden heute durch die klaren und übersichtlichen Vollwandkonstruktionen verdrängt. Der Innenraum einer Shedhalle ist ohnehin durch die häufigen Unter-

teilungen der Deckenflächen, bedingt durch die Shedoberlichter, schwierig zu gestalten, so daß die zum Fensterband querlaufenden Träger möglichst ruhig gehalten
werden müssen.

Aus Gründen der besseren Belichtung ist es nicht ratsam,
die Pfetten parallel zum Glasband zu verlegen. Auch
sollte man versuchen, Wind- und Montageverbände, die
unter der Dachhaut liegen, nach unten abzudecken, damit die Dachuntersicht so ruhig wie möglich wirkt.

Bei senkrechter Verglasung der Shedoberlichter können
Stahlleichtkonstruktionen eine sehr zweckentsprechende
Ausbildung sein. Sie legen sich als schräg gestellte Pfet-
ten von Längsunterzug zu Längsunterzug.

Um in Richtung der Glasbänder selbst große Stützweiten
(bis zu 50 m) zu erzielen, kann in das Glasband ein Fachwerkträger gelegt werden. Diesem statischen Vorteil
stehen als Nachteil die Verminderung der Lichtdurchläs-
sigkeit und architektonisch das unruhige Bild der Fach-
werkstreben innerhalb des Lichtbandes gegenüber. Bei
doppelter Verglasung beiderseits des Fachwerkträgers
kann dieser Eindruck durch die zerstreuende Wirkung der
Verglasung gemildert werden.

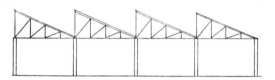

Fachwerkbinder

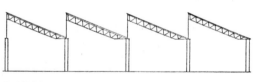

Stahlleichtträger

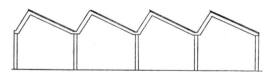

Rahmenbinder

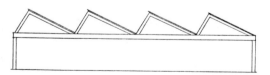

Einzelsheds auf Vollwandträger

Konstruktive Systeme für Shedbauten aus Stahl

Ausführung in Stahlbeton

Der Aufbau in Stahlbeton ist ähnlich wie derjenige in
Stahl, nur daß die Pfetten dort wegfallen, wo sich die
massive Dachplatte unmittelbar von Binder zu Binder
spannt. Außerdem kann man in Stahlbeton die biegungssteife Verbindung zwischen Unterzug und Stütze zur Aufnahme horizontaler Kräfte leichter herstellen als im Stahlbau. Oft betrachtet man die Unterzüge gegenüber senkrechten Lasten als frei drehbar gelagert, gegenüber horizontalen Lasten jedoch als biegungssteif angeschlossen.
Die in wirtschaftlicher Hinsicht größte Bedeutung des
Stahlbetons in Flachbauten liegt bei den Stahlbetonschalen.

Die einfachste Form der Stahlbetonschale ist die Tonnenschale. Damit eine räumliche Tragwirkung wirklich erreicht werden kann, muß sie an beiden Enden durch eine
Binderscheibe ausgesteift werden. Dieser Binderscheibe
fällt die Aufgabe zu, die Tangentialkräfte am Schalenrand aufzunehmen. Die Tragfähigkeit der Schale kann
weiterhin durch einen Randbalken erhöht werden. So ausgesteift, braucht die Tonnenschale nur an den vier Eck-
punkten unterstützt zu werden. Läßt man die Binderscheibe dagegen weg, so geht die Schale in ein Gewölbe
über, das stetig unterstützt werden muß. Die Binderscheiben brauchen nicht als massive Scheiben ausgeführt zu
werden, sondern können auch als Rahmenbinder ausgebildet sein. Stets aber verliert die Schale durch diese
aussteifende Konstruktion an Eleganz. Deshalb ist es
aus formalen Gründen erwünscht, die Schale über die
Binderscheibe vorstehen zu lassen, um die geringe Dicke
der Konstruktion sichtbar zu machen.

Bei der Kreistonnenschale mit senkrechtem Schalenrand
ist der Randbalken überflüssig. Der Kreis als Schalen-
form ist zwar für die geometrische Lösung sehr geeignet,
baulich aber sind damit einige Nachteile verbunden:
Nicht nur, daß der senkrechte Schalenrand sehr schwer
zu betonieren ist — er muß beiderseits eingeschalt werden —, sondern der kreisförmige Querschnitt ergibt auch
einen unnötigen Raumaufwand innerhalb der Schale.
Mit Rücksicht auf den Bauvorgang und die Benutzung
haben sich deshalb flache Schalen mit Randträgern
am besten eingeführt. Aus dem Zusammenschluß von
Schale und Randträger ergeben sich aber für die Schale
einige Rückwirkungen. In die dünne Schale werden durch
die steifen Randträger Biegemomente eingeleitet. Damit diese Randstörungen klein bleiben und von der
Schale auch sicher aufgenommen werden können, muß
der Übergang von Schale zu Randträger sorgfältig untersucht werden. Wie schon erwähnt, kann sich der Membranzustand in der Schale nur bei stetig verteilter Last
einstellen. Gegenüber Einzellasten sind Schalen sehr
empfindlich, weil dadurch Biegemomente erzeugt werden. Die Größe der Einzellasten muß also klein bleiben.
Nach dem Verhältnis von Länge : Breite (L : B) unterscheidet man grundsätzlich zwei Arten von Tonnenschalen. Ist das Verhältnis L : B > 1, so spricht man von

Quertonnen. Sie werden quer zur Längsrichtung des Baukörpers gelegt. Ist das Verhältnis L : B < 1, bezeichnet man die Schalen als Längstonnen. Sie spannen sich dann von Außenwand zu Außenwand und werden durch Binderscheiben ausgesteift. Der Unterschied zwischen beiden Schalen besteht unter anderem darin, daß die Randstörungen bei Quertonnen wesentlich größer sind als bei Längstonnen. Bei den kurzen Längstonnen kann man daher den niedrigsten Stahlaufwand erreichen.

Die Tragfähigkeit von Schalen wird durch eine doppelte Krümmung erhöht. Sie kann bei Translationsflächen erzeugt werden, indem die Erzeugende der Schale längs einer gekrümmten Leitlinie bewegt wird. Bei Rotationsflächen wird die gekrümmte Erzeugende um eine Rotationsachse gedreht. Bei allen doppelt gekrümmten Schalen sind die Randstörungen geringer als bei den einfach gekrümmten Schalen.

Aus den Rotationsschalen, die sich wegen ihrer einfachen geometrischen Grundform leichter als andere doppelt gekrümmte Schalen berechnen lassen, kann man durch Verzerrung nach einer Richtung (affine Transformation der Koordinaten) unter gleichzeitigem Massenausgleich der Schale zur elliptischen Grundrißform übergehen.

Einzelne Schalen lassen sich auch zu Vieleck-Kuppeln zusammensetzen.

Für die Zwecke der Industrie sind Konstruktionen über kreisförmigen oder elliptischen Grundrissen nicht sehr geeignet. Die letzte Entwicklung geht deshalb dahin, eine monoton doppelt gekrümmte Schale über quadratischem Grundriß zu entwickeln. Die Schwierigkeit ihrer mathematischen Berechnung, die von Pucher gelöst worden ist, liegt darin, daß an den Ecken singuläre Punkte auftreten. Schließlich lassen sich noch doppelt gekrümmte Schalen mit erhöhter Tragfähigkeit entwickeln, wobei beide Krümmungen auf der einen Seite (Paraboloid) oder die Krümmungsmittelpunkte auf entgegengesetzten Seiten (Hyperboloid) liegen.

Eine Sonderform stellen die Konoide dar. Bei ihnen wird die Erzeugende der Schale einerseits längs einer Geraden und andererseits längs eines Kreissegmentes oder elliptischen Ausschnittes geführt.

Den Schalen verwandt sind die Faltwerke, die durch biegungssteif aneinandergefügte Scheiben entstehen. Auch Faltwerke aus räumlich gekrümmten Flächen sind möglich.

Durch Vorspannung von Schalen hat sich die wirtschaftliche Spannweite in der Längsrichtung von etwa 24 m auf 32 m vergrößern lassen. Durch die Vorspannung werden die Schalen rissefrei und benötigen keine besondere Dachhaut mehr. Eine idealere Dachkonstruktion ist kaum denkbar. Der einzige Nachteil liegt in der geringen Wärmedämmung, die aber durch zusätzliche Dämmschichten allen Anforderungen angepaßt werden kann.

Durch einseitiges Anheben einer Tonnenschale können auch Shedbauten in Schalenbauart errichtet werden. Die glatte gekrümmte Innenfläche der Schale hat eine besonders gute Reflexion des Tageslichtes zur Folge.

Bei geneigtem Glasband ergeben sich aus der schrägen Abstützung auf die Rinnenträger Torsionsbeanspruchungen, deren Aufnahme aber keine Schwierigkeiten bereitet. Die stetige Unterstützung des angehobenen Schalenrandes am Glasband kann sehr geschickt durch Ausbildung der Fenstersprossen in Stahlbeton erfolgen. Die dünnen Betonsprossen sind zwar biegungssteif in die Schale und in den Rinnenträger eingespannt, andererseits aber doch so elastisch, daß sie Formänderungen der Schalen senkrecht zum Fensterband ohne weiteres ausgleichen können. Damit entfallen Dehnungsfugen parallel zu den Glasbändern. Senkrecht zum Glasband dagegen müssen bei großen Abmessungen Dehnungsfugen angeordnet werden.

Flachbauten in Stahlbeton-Schalenkonstruktionen haben den Vorteil klarer, bei den möglichen großen Stützenabständen weiträumiger Innenräume mit glatten Deckenuntersichten. Ihre Wirtschaftlichkeit kann durch die angestrebte Typung der verschiedenen Systeme noch erhöht werden.

Weitere konstruktive Einzelheiten mögen dem Lexikonteil entnommen werden (Seiten 176–185).

Geschlossene Außenwand vor den Binderscheiben der Tonnenschalen

Vollständig verglaste Außenwand zwischen der Tragkonstruktion der Stahlbetonschalen

Durchgehendes Fensterband in der Giebelwand zerschneidet die Wandfläche

Vollständig verglaste Außenwand vor der Tragkonstruktion

Sheds mit senkrechtem Glasband und verdeckter Tragkonstruktion

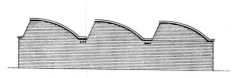

Stahlbeton-Schalensheds mit durchgehender, vor die Tragkonstruktion gesetzter Außenwand. Sichtbar sind die Überläufe der Shedrinne.

Stahlbeton-Schalensheds mit sichtbarer Tragkonstruktion und Lüftungsöffnungen in der Außenwand

Sichbare Konstruktionen bei Sheds mit schrägem Glasband

Gliederung der Außenwand durch Einzelfenster. Die geschlossene Wandfläche bleibt erhalten.

Waagerechtes durchgehendes Fensterband zerschneidet die Querschnittsform

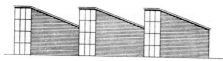

Vertikale Fensterbänder in der Außenwand fügen sich in die Reihung der Sheds ein

Gestaltung

Für die architektonische Gestaltung bieten die Flachbauten zunächst wenig Ansatzpunkte. Da sie sich in großer Ausdehnung flächenhaft erstrecken, lassen sie äußerlich kaum etwas von der Größe des überdeckten Raumes erkennen. Die Umfassungswände erscheinen als lange ungegliederte Bänder. Nur an den Seiten, wo der Querschnitt der aneinandergereihten Einzelschiffe sichtbar wird, wirkt die Reihung als Gestaltungselement. Die Entscheidung über die zweckmäßige Querschnittsform der einzelnen Hallenschiffe, die von wirtschaftlichen, belichtungstechnischen und konstruktiven Gesichtspunkten aus zu fällen ist, legt deshalb weitgehend die Gestaltung des Gesamtbaukörpers fest. Am meisten beeindrucken Flachbauten von einem Standpunkt aus, von dem man die Dachfläche ganz übersehen kann. Im Zeitalter des Flugzeuges ist diese Luftperspektive nicht mehr so ungewohnt wie früher.

Grundsätzlich sollen die Querschnittsformen der Einzelschiffe nach außen hin klar in Erscheinung treten, um die Reihung auch deutlich zum Ausdruck zu bringen, und um eine Gliederung wenigstens der zwei Längsseiten, die senkrecht zu den Firsten laufen, zu erreichen. Durch eine Reihung können auch Querschnittsformen, die für sich allein gestalterisch schwer zu bewältigen sind, erträglich werden. Ein Flachbau bedarf dieser Gliederung, weil er sonst infolge seiner großen Flächenausdehnung bei niedriger Bauhöhe leicht unförmig und maßstabslos wird. Die verschiedenen Querschnittsformen von Flachbauten wurden bereits in den vorhergehenden Abschnitten erläutert. Vom architektonischen Standpunkt aus sind diejenigen Querschnittsformen zu beanstanden, die sehr breite Giebel auf niedrigem Unterbau aufweisen. Der leichten Konstruktion der Flachbauten entsprechend sind äußerlich sichtbar werdende Bauelemente möglichst dünn auszubilden. Architektonisch am leichtesten zu bewältigen sind Flachbauten, die aus aneinandergereihten Stahlbetonschalen bestehen. Ihre Umrißlinie wirkt durch die Krümmung der Dachfläche besonders reizvoll. Grundsätzlich soll auch hier die Querschnittsform nicht verschleiert werden, sondern nach außen hin deutlich in Erscheinung treten.

Es liegt im Wesen der Konstruktion von Stahlbetonschalen, daß die sehr dünne Schale an den Enden von Binderscheiben ausgesteift werden muß. Dadurch ist es nicht möglich, die geringe Dicke der Schale nach außen hin sichtbar werden zu lassen. Es ist deshalb bei Schalenkonstruktionen üblich, die Schale etwas über die Giebel-Binderscheibe hinauszuziehen. Dies geschieht jedoch nur aus formalen, nicht aus konstruktiven Gründen.

Um die Giebelwand weiter aufzulösen, kann die Binderscheibe auch als Bogen ausgebildet werden. Die raumabschließende Glaswand kann in diesem Fall unter dem Stahlbetonbogen oder so unter der vorgezogenen Schale angeordnet werden, daß außer der dünnen Schalenkonstruktion weitere konstruktive Einzelheiten des Quer-

Kurt Dummer
Bauing.
Berlin-Pankow
Retzbacher Weg 6

129

schnittes nicht mehr erkennbar sind. Im letzteren Falle ist die Giebelwand also eine durchgehende glatte Fläche und die Querschnittsform wird nur noch durch die Krümmung der Schalen gekennzeichnet.

Der harte Übergang von Schale zu Schale kann durch Ausrundungen gemildert werden. Diese Ausrundungen sind jedoch rein formaler Natur und ändern an der statischen Form der Tonnenschalen nichts.

Die architektonische Getaltung von Shedbauten bereitet größere Schwierigkeiten. Die Umrißlinie der Shedbauten, die sich aus dem Aneinanderreihen der Querschnitte der Einzelelemente ergibt, erscheint oft hart und kann nur durch die Addierung und Zusammenfassung dieser Einzelquerschnitte gemildert werden. Der Querschnitt selbst ist abhängig vom gewählten Material und von den lichttechnischen Forderungen. Shedbauten aus Stahl behalten immer ihre eckige Umrißform, während Stahlbetonsheds als Schalenkonstruktion eine Krümmung der Dachfläche aufweisen und so den harten Querschnittsumriß einer Shedkonstruktion abschwächen. Ebenso wirkt ein schräggestelltes Glasband angenehmer. Weiterhin können die spitzen Winkel bei allen Shedkonstruktionen dadurch vermieden werden, daß zwischen den einzelnen Sheds waagerechte Übergänge geschaffen werden, die gleichzeitig zur Aufnahme der Rinne und des Laufsteges gut auszunützen sind. Besonders bei Stahlbetonsheds mit gekrümmten Dachflächen ist ein gerader Übergang angebracht.

Auch die Firste der Sheds können mit einem waagerechten Übergang ausgebildet werden, um die Härte der Umrißlinie zu mildern. Allerdings ist eine solche Form statisch nicht gerechtfertigt und bringt konstruktive Schwierigkeiten mit sich, so daß hier die formale Seite der Planung zu weit in das konstruktive System eingreift.

Eine Zäsur bleibt bei Sheds durch den Richtungswechsel der Dachlinie immer bestehen. Es muß deshalb in der übrigen Wandfläche alles vermieden werden, was diesen unruhigen Eindruck noch steigern kann. Die Wandfläche hat die Aufgabe, zusammenzufassen, und die massive, ruhige Grundlage für die scharfen Konturen der aneinandergereihten Sheds zu geben. Aus diesem Grunde ist es bei Sheds zweckmäßig, die Außenwand vor die Konstruktion zu setzen und die Tragkonstruktion möglichst durch die Außenwand zu verdecken. Öffnungen in dieser Wandfläche dürfen nur wohl bedacht angeordnet werden. An sich ist eine Belichtung durch die Außenwand bei Shedbauten gar nicht notwendig, weil ja durch das Shedoberlicht genügend Licht in den Raum einfällt. Wenn aber eine seitliche Belichtung gefordert wird, müssen die Lichtöffnungen so angebracht werden, daß sie formal mit dem Shedbau in Einklang stehen. Ganz besonders sind durchlaufende Fensterbänder zu vermeiden, da sie die Außenwand des Flachbaues in Streifen zerlegen, die im Gegensatz zu dem grundsätzlichen Gestaltungsprinzip eines Flachbaues, zur Reihung, stehen. Die Unruhe der Umrißlinien des Daches wird durch einen solchen Streifen noch gesteigert. Dagegen können Fensteröffnungen, die sich dem System der Reihung anschließen, durchaus gut

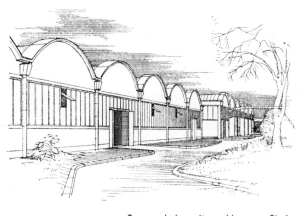

Shedbauten mit sichtbarer Konstruktion in einer dänischen Emballagefabrik

Tonnenschalen mit geschlossenen Binderscheiben und durchgehendem Fensterband

Shedbau mit geschlossener Außenwand

Endlose Dachfläche eines Shed-Flachbaus

aussehen, und zwar sowohl einzelne Öffnungen, als auch vertikale Glasbänder, die sich in jedem Shedquerschnitt wiederholen. Wenn eine Shedaußenwand zu lang wird, kann sie durch einzelne Öffnungen gegliedert werden. Einfahrten werden ohnehin nötig sein, so daß die Tore zur Gliederung der Außenwand herangezogen werden können.

Eine sehr einfache Gliederung der langen Shedaußenwand kann durch die Regenabfallrohre erreicht werden. Liegen diese innerhalb des Bauwerkes, kann man die Außenwand durch die kleinen Öffnungen für die Sicherheitsabläufe beleben.

Gestalterische Überlegungen erfordert die Vorderwand einer Shedhalle. Bei einer vertikalen Verglasung des Oberlichtes bietet sie kein Problem, schwieriger aber wird die Formgebung bei schräger Verglasung. Der Kunstgriff, bei schräger Verglasung einfach das letzte Shedoberlicht vertikal aufzustellen, kann nicht befriedigen, da

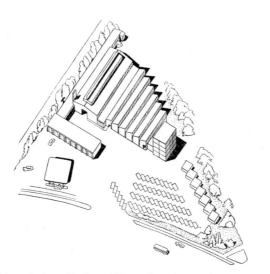

Aufsicht auf einen Shedbau. Wegen der schrägen Begrenzung des Grundstückes versetzte Anordnung der einzelnen Sheds. Lage der Verglasung nach Norden.

in der Querschnittsform die Aneinanderreihung der gleichen Dachformen unterbrochen wird. Aus diesem Grunde ist es wichtig, auch für eine schräge Oberlichtverglasung einen befriedigenden Abschluß, eventuell durch Einschaltung eines waagerechten Endstückes, zu schaffen.

Besonders zu beachten ist bei Shedbauten der Anschluß an andere Baukörper. Ein direkter Anschluß an höhere Gebäude ist aus belichtungstechnischen Gründen nur dann möglich, wenn die Fensterbänder der Shedbauten von diesen abgekehrt sind. Sonst muß ein Zwischenglied zwischen Flachbau und Geschoßbau eingeschaltet werden. Aus gestalterischen Gründen sollte ein solches Zwischenglied möglichst immer eingeschoben werden, damit sich die Baukörper des Flachbaues und des Geschoßbaues formal voneinander lösen.

Bei einem Anbau von kleineren Baukörpern an Flachbauten ist zu beachten, daß die ursprüngliche Grundform des Shedbaues klar erkennbar bleibt. Kann diese Forderung nicht erfüllt werden, so ist es zweckmäßiger, den angebauten Baukörper höher zu ziehen und den Flachbau dagegenstoßen zu lassen.

Die Lage eines Shedbaues und damit letzten Endes die Wirkung seines Baukörpers ist weiterhin abhängig von der Begrenzung des Grundstückes und von seiner Orientierung zur Himmelsrichtung (Nordlicht). So können neben der normalen Anordnung als Rechteck auch versetzte Shedbauten notwendig werden, die entweder gruppenweise zusammengefaßt oder einzeln versetzt sind und sich so der Grundstücksgrenze anpassen, wobei sie bei richtiger Orientierung zur Himmelsrichtung ein rechtwinkliges Grundstück auch im großen gesehen rechtwinklig ausfüllen.

Weniger Schwierigkeiten für die architektonische Ausbildung bieten Flachbauten mit Stahlbetonkuppeln und anderen räumlichen Tragwerken. Da die Dachkonstruktion in der Außenwand nicht zutage tritt, kann der Baukörper als Kubus klar und geradlinig begrenzt werden. Die Kuppeln des Daches wirken wie aufgesetzte Oberlichter und können solchen Bauwerken einen fast orientalischen Charakter geben.

Im Inneren der Flachbauten entstehen große Räume, die nur schwer zu erfassen sind. Die umgrenzenden Wände treten kaum in Erscheinung und der Stützenabstand ist optisch meist zu weit, um eine wirksame und gute Gliederung des Raumes abgeben zu können. Den stärksten Eindruck erhalten Innenräume von Flachbauten durch die Ausbildung der Decken. Sie müssen, damit die Räume belichtet werden können, in Glasstreifen aufgelöst werden. Sofern die hellen Streifen nicht durch Unterzüge unterbrochen werden, kann der Raumeindruck befriedigen. Der Wechsel von hellen und dunklen Streifen wird bei Shedbauten nicht als unangenehm empfunden, da die Helligkeitsunterschiede verhältnismäßig gering sind. Außerdem entsteht durch die regelmäßige Reihung der Fensterbänder, die sich über die gesamte Bautiefe von Außenwand zu Außenwand spannen, eine besonders großzügige Raumwirkung.

Zusammengesetzte Baukörper

Die Forderung, einen komplizierten Produktionsvorgang durch Bauwerke zu umschließen, führt nicht nur zu einer Verbindung, sondern mitunter auch zu einer Durchdringung der verschiedenen Gebäude. Fast immer ist eine solche Verflechtung gegeben, wenn sich horizontale und vertikale Produktionswege schneiden. Mit dem sonst in der Architektur gültigen Gesetz, welches klare, eindeutige Baukörper fordert und in deren gegenseitiger Zuordnung einer einzelnen Bauform das Übergewicht einräumt, ist in solchen Fällen oft nicht weiterzukommen. Die zusammengesetzten Baukörper sind zu vielgestaltig, ihre Durchdringungen zu kompliziert; das Ergebnis ist demzufolge kein Bauwerk in gewohntem Sinne, sondern oft nur eine Schutzhülle für Maschinen, Apparate oder Behälter.

Verhältnismäßig leicht zu lösen ist die Zusammensetzung von zwei Baukörpern, die eine ausgesprochene Richtungstendenz aufweisen. So können z. B. Textilfabriken, die sich mit der Herstellung synthetischer Fasern (Nylon, Perlon) und deren Weiterverarbeitung befassen, aus zwei sich klar gegeneinander abzugrenzenden Bauteilen bestehen: aus einem turmartigen Mehrgeschoßbau, in dem die Herstellung der Faser in vertikalem Produktionsablauf erfolgt, und aus einem ausgedehnten Flachbau, der die Weiterverarbeitung des Rohmaterials aufnimmt. Die Spannung, die sich hier aus der Kombination zweier sehr gegensätzlicher Gebäudetypen ergibt, kann für die Gesamterscheinung eines solchen Werkes recht erwünscht sein. Immer möchte aber dem hohen Baukörper eine klare Aufstandsfläche gegeben werden. So sollen insbesondere turmartige Bauwerke im unteren Teil nicht in Geschoßbauten oder Flachbauten „verschwinden".

Die nebenstehende Abbildung einer Steinaufbereitungsanlage ist ein Beispiel für die sehr komplizierte Verschränkung zweier Baukörper. Der Arbeitsvorgang allein hat ihre Form und ihre Abmessungen bestimmt. Das Bauwerk ist optisch zerlegbar und daher verständlich. Man sieht in ihm kein „Gebäude" mit Innenräumen, sondern das Gehäuse für einen technischen Arbeitsvorgang, der das gesamte Bauwerk ausfüllt.

Treten mehrere verschiedenartige Baukörper zu einem Gesamtkomplex zusammen, so läßt sich das Motiv der Gegensätzlichkeit, entstanden durch die wechselnde Richtungstendenz, meist nicht mehr durchführen. Wenn sich auch für die architektonische Gestaltung derartig zusammengesetzter Anlagen keine allgemein gültigen Gesetze aufstellen lassen, weil jede Ausbildung eine Sonderform und einen Sonderfall darstellt, der in erster Linie von den Forderungen der Produktion bestimmt wird, so sind aus guten Lösungen trotzdem gewisse Grundsätze herauszulesen. Sie können folgendermaßen umrissen werden:

Der einzelne Baukörper soll eindeutig in der Form sein und auch in der Verschränkung mit andern Formen trotzdem klar erkennbar bleiben. Man soll die zusammengesetzte Form optisch leicht zerlegen können. Wenn sich die Baukörper aneinander fügen, wirkt ein zwischen-

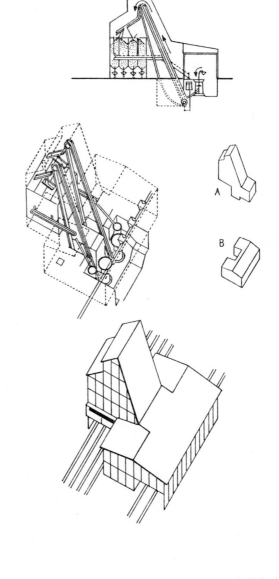

1 Brecher
2 Förderbänder
3 Siebe
4 Silos
5 Motoren

Steinbrecheranlage in der CSR. Das Gebäude ist nur noch Hülle für die Produktion und optisch in zwei Baukörper (A und B) zerlegbar

geschaltetes Gelenk, z. B. als Einschnürung, womöglich in einem anderen Material, immer gut. Ein derartiges Gelenk läßt die Verbindungsstelle sofort erkennen und erleichtert die Trennung der einzelnen Formen.

Überwiegt ein Baukörper an Größe, so ist die Differenz zu den anderen Baukörpern durch die Gestaltung im einzelnen noch zu steigern. Sind viele gleichgroße und gleichartige Baukörper zusammenzufügen, so tritt gegebenenfalls die Wirkung der Reihe auf. Die Möglichkeit einer symmetrischen Anlage ist selten gegeben, sie überzeugt nur in ganz wenigen Fällen. Dagegen wirkt eine Gruppenbildung mit einem Schwerpunkt architektonisch meist gut.

Besonders schwierig ist eine Kombination aus zusammengesetzten Baukörpern und apparatehaften Bauwerken oder Geräten (z. B. Zechenbauten mit Fördergerüst, Hochöfen, Kolonnen der chemischen Industrie). Um hier eine geordnete und übersichtliche Gruppierung der einzelnen Teile zu erreichen, muß eine strenge Unterscheidung zwischen der gebauten Form und dem technischen Gerät gefordert werden. Das Gerät selbst soll als solches klar in Erscheinung treten und in erster Linie nach technischen Voraussetzungen und Gesichtspunkten ausgebildet sein — was aber eine Gestaltung im eigentlichen Sinne des Wortes nicht ausschließt.

Daß die Maßstabsfrage bei zusammengesetzten Baukörpern eine nicht unbedeutende Rolle spielt, ergibt sich aus der Tatsache, daß jedes Bauwerk durch An- oder Umbauten in seiner maßstäblichen Wirkung gesteigert oder auch gemindert werden kann. Fragen der maßstäblichen Beziehung der einzelnen Baukörperteile zueinander sind deshalb besonders sorgfältig zu untersuchen. Zu vermeiden sind ungleiche Maßstäbe in den einzelnen Baukörpern.

Die Anwendung verschiedener Baustoffe sowohl in konstruktiver Hinsicht als auch in der Behandlung der Außenwände gibt weitere Möglichkeiten zur Gliederung der zusammengesetzten Baukörper. Umgekehrt kann das gleiche Baumaterial oder die einheitliche Struktur der Außenwände verschiedene Baukörper zu einer Einheit zusammenziehen, die durch die Gruppierung der Baukörper selbst nicht zu erreichen ist.

Für den konstruktiven Aufbau liegt ein Nebeneinandersetzen der verschiedenen Bauarten: Stahlbetonskelett, Stahlskelett und Massivbau durchaus im Bereich des Möglichen. Verhältnismäßig leichte Skelettbauten können mit schweren massiven Bauteilen und eleganten Stahlbetonkonstruktionen kombiniert werden. Durch die von der Nutzung her bestimmte Gegensätzlichkeit des Materials und der Konstruktionsform kann gerade bei zusammengesetzten Baukörpern eine reizvolle und spannungsvolle Wirkung erzielt werden.

Eine besondere Bedeutung kommt den Verkehrs- und Transporteinrichtungen zu. Gerade bei den vielfältigen Forderungen einer Produktion, die sich in zusammengesetzten Baukörpern ausdrückt, kann die Frage der Transporteinrichtungen wie äußere Krananlagen, Transportbrücken, Seilbahnen usw., die Gesamterscheinung eines Werkes wesentlich beeinflussen. Sie sind in diesen Fällen immer so auszubilden, daß sie die gebaute Form nicht beeinträchtigen.

Wie für alle Bauten der Industrie gilt für zusammengesetzte Baukörper die Forderung nach einer gewissenhaften, bis in Detail gehenden Planung, weil hier die verschiedenen Funktionen der Produktion auf besonders komplizierte Art und Weise ineinandergreifen. Alle Fragen, die neben der baulichen Ausbildung die Gestaltung des Bauwerkes betreffen, sind deshalb sehr sorgfältig zu untersuchen, damit das Ergebnis der Planung letzten Endes als organische Bauform in Erscheinung tritt.

Einheitliche Wandbehandlung in Holz bei den zusammengefügten Bauformen eines finnischen Sägewerkes

TEIL II

SACHLEXIKON ZUR AUSFÜHRUNG VON INDUSTRIEBAUTEN

In das Sachlexikon sind nur solche Entwurfs- und Konstruktionsgrundlagen aufgenommen worden, die für den Industriebau typisch und in andern Handbüchern in der Regel nicht ohne weiteres zu finden sind. Es sind auch verschiedene ausländische Konstruktionen, die nicht allgemein bekannt sind, aufgenommen worden, um zu einem Austausch der Erfahrungen beizutragen.

Bei der Fülle des Stoffes ist es unmöglich, in dem hier gegebenen Rahmen, auch nur annähernd eine systematische oder erschöpfende Zusammenstellung zu geben.

Es wird darauf hingewiesen, daß die wiedergegebenen Konstruktionen zum Teil urheberrechtlich geschützt sind und nicht ohne Zustimmung nachgebaut werden dürfen.

DIN 4172 Maßordnung im Hochbau (Ausgabe Juli 1955)

Die Normblattangaben werden mit Genehmigung des Deutschen Normenausschusses wiedergegeben. Maßgebend ist die jeweils neueste Ausgabe des Normblattes im Normformat A 4, das bei der Beuth-Vertrieb GmbH, Berlin W 15 und Köln erhältlich ist.

Vorbemerkung: Die Entwicklung des Bauwesens, besonders im Hochbau, erfordert eine Maßordnung als Bemessungsgrundlage für die gesamte Baunormung. Durch sie wird die Anzahl der Größen von Baustoffen und Bauteilen verringert. Wenn nicht besondere Gründe die Wahl anderer Abmessungen erfordern, sind die Baunormzahlen der Maßordnung anzuwenden.

1 Begriffe

1.1 Baunormzahl: Baunormzahlen sind die Zahlen für Baurichtmaße und die daraus abgeleiteten Einzel-, Rohbau- und Ausbaumaße.

1.2 Baurichtmaß: Baurichtmaße sind zunächst theoretische Maße; sie sind aber die Grundlage für die in der Praxis vorkommenden Baumaße. Sie sind nötig, um alle Bauteile planmäßig zu verbinden.

1.3 Nennmaß: Nennmaß ist das Maß, das die Bauteile haben sollen. Es wird in der Regel in die Bauzeichnungen eingetragen. Nennmaße entsprechen bei Bauarten ohne Fugen den Baurichtmaßen. Bei Bauarten mit Fugen ergeben sich die Nennmaße aus den Baurichtmaßen abzüglich der Fugen.

2 Baunormzahlen

Reihen vorzugsweise für den Rohbau				Reihe vorzugsweise für Einzelmaße	Reihen vorzugsweise für den Ausbau			
a	b	c	d	e	f	g	h	i
25	$\frac{25}{2}$	$\frac{25}{3}$	$\frac{25}{4}$	$\frac{25}{10}=\frac{5}{2}$	5	2×5	4×5	5×5
				2,5				
				5	5			
			$6\frac{1}{4}$					
				7,5				
		$8\frac{1}{3}$						
				10	10	10		
	$12\frac{1}{2}$		$12\frac{1}{2}$	12,5				
				15	15			
		$16\frac{2}{3}$						
				17,5				
			$18\frac{3}{4}$					
				20	20	20	20	
				22,5				
25	25	25	25	25	25			25
				27,5				
				30	30	30		
			$31\frac{1}{4}$					
				32,5				
		$33\frac{1}{3}$						
				35	35			
	$37\frac{1}{2}$		$37\frac{1}{2}$	37,5				
				40	40	40	40	
		$41\frac{2}{3}$						
				42,5				
			$43\frac{3}{4}$					
				45	45			
				47,5				
50	50	50	50	50	50	50		50
				52,5				
				55	55			
			$56\frac{1}{4}$					
				57,5				
		$58\frac{1}{3}$						
				60	60	60	60	
	$62\frac{1}{2}$		$62\frac{1}{2}$	62,5				
				65	65			
		$66\frac{2}{3}$						
				67,5				
			$68\frac{3}{4}$					
				70	70	70		
				72,5				
75	75	75	75	75	75			75
				77,5				
				80	80	80	80	
			$81\frac{1}{4}$					
				82,5				
		$83\frac{1}{3}$						
				85	85			
	$87\frac{1}{2}$		$87\frac{1}{2}$	87,5				
				90	90	90		
		$91\frac{2}{3}$						
				92,5				
			$93\frac{3}{4}$					
				95	95			
				97,5				
100	100	100	100	100	100	100	100	100

3 Kleinmaße

Kleinmaße sind Maße von 2,5 cm und darunter. Diese sind nach DIN 323, Reihe R 10 zu wählen in den Maßen:

2,5 cm; 2 cm; 1,6 cm; 1,25 cm; 1 cm;
8 mm; 6,3 mm; 5 mm; 4 mm; 3,2 mm;
2,5 mm; 2 mm; 1,6 mm; 1,25 mm; 1 mm.

4 Anwendung der Baunormzahlen

4.1 Baurichtmaße sind der Tafel zu entnehmen.

4.2 Nennmaße sind bei Bauarten ohne Fugen gleich den Baurichtmaßen. Sie sind ebenfalls der Tafel zu entnehmen.

Beispiel:

Baurichtmaß für Dicke geschütteter Betonwände	= 25 cm
Nennmaß für Dicke geschütteter Betonwände	= 25 cm
Baurichtmaß Raumbreite	= 300 cm
Nennmaß Raumbreite	= 300 cm

4.3 Nennmaße bei Bauarten mit Fugen sind aus den Baurichtmaßen durch Abzug oder Zuschlag des Fugenanteiles abzuleiten.

Beispiel:

Baurichtmaß Steinlänge	= 25 cm
Nennmaß Steinlänge	= 25 — 1 = 24 cm
Baurichtmaß Raumbreite	= 300 cm
Nennmaß Raumbreite	= 300 + 1 = 301 cm.

4.4 Wenn es nicht möglich ist, alle Baumaße nach Baunormzahlen festzulegen, sollen die Baunormzahlen in erster Linie für die Festlegung der Berührungspunkte und -flächen mit anderen Bauteilen, die nach Baunormzahlen gestaltet sind, verwendet werden.

5 Fugen und Verband

Bauteile (Mauersteine, Bauplatten usw.) sind so zubemessen, daß ihre Baurichtmaße im Verband Baunormzahlen sind. Verbandsregeln, Verarbeitungsfugen und Toleranzen sind dabei zu beachten.

Beispiel:	Baurichtmaß	Fuge	Nennmaß
Steinlänge	25 cm	1 cm	24 cm
Steinbreite	$\frac{25}{2}$ cm	1 cm	11,5 cm
Steinhöhe	$\frac{25}{3}$ cm	1,23 cm	7,1 cm
und	$\frac{25}{4}$ cm	1,05 cm	5,2 cm.

DIN 4171 Industriebau Achsenabstände und Geschoßhöhen (Ausgabe Juni 1955)

Die Normblattangaben werden mit Genehmigung des Deutschen Normenausschusses wiedergegeben. Maßgebend ist die jeweils neueste Ausgabe des Normblattes im Normformat A 4, das bei der Beuth-Vertrieb GmbH, Berlin W 15 und Köln erhältlich ist.

1 Achsenabstände und Geschoßhöhen für Industriebauten sollen nach der Maßreihe a von DIN 4172 „Maßordnung im Hochbau" festgelegt werden.

2 Achsenabstände

2.1 Industriebauten werden in der Regel im Grundriß nach rechtwinklig sich kreuzenden Achsen unterteilt. zur Erleichterung von Entwurf und Ausführung werden für derartige Bauwerke nach beiden Richtungen des Grundrisses einheitliche Achsenabstände (a) festgelegt.

2.2 Für die Achsenabstände in Industriebauten gilt das Grundmaß von 2,50 m. Ein Vielfaches davon ergibt Achsenabstände von
        5,00; 7,50; 10,00 m usw.
In Sonderfällen kann für die Achsenabstände auch das halbe Grundmaß, also 2,50/2 = 1,25 oder ein Vielfaches davon verwendet werden. Dadurch ergeben sich zu den obigen Hauptmaßen die Zwischenmaße
        1,25; 3,75; 6,25; 8,75 m usw.
Für Achsenabstände über 10,00 m sollen Zwischenmaße nicht angewendet werden. Hierfür werden folgende Hauptmaße empfohlen:
        12,50; 15,00; 17,50; 20,00; 25,00; 30,00;
        40,00; 50,00; 60,00; 80,00; 100,00 m.

2.3 Muß aus zwingenden Gründen von den in Abschnitt 2.2 festgelegten Achsenabständen abgewichen werden, dann sollen die Achsenabstände sich trotzdem der Maßreihe a von DIN 4172 einordnen (Sprünge von 0,25 m).

2.4 Als Maßlinie für die Achsen gilt stets die Systemachse der Konstruktion. Die Achsenabstände sind Teilmaße des Grundrisses, die die Abstände der Stützen, Träger, Wandmitten usw. bestimmen. In Zweifelsfällen – bei Wandanschlüssen u. dgl. – ist unter Achsenabstand das Maß zwischen den Systemachsen der unterstützenden Bauteile zu verstehen. Bei Rahmenbindern gelten als Systemachsen die Mittelachsen des Auflagerpunktes im Fundament. Die einheitliche Bemaßung bezieht sich stets – auch bei geneigter Fläche – auf die waagerechte Grundrißebene. (Siehe Bild 1.)

2.5 Bei Dehnungsfugen, die durch Doppelstützen ausgebildet sind, kann sich in Abänderung der in Abschnitt 2.4 aufgeführten Feststellungen das Achsmaß auch auf Mitte Dehnungsfuge beziehen (siehe Bild 2). Dann sind die beiderseits angrenzenden Felder kleiner als die anderen, aber die durchgehende Maßkette ist einheitlich auf das Grundmaß abgestellt. Werden die Achsenabstände jedoch auf Mitte der einzelnen Halbstützen bezogen (siehe Bild 3), dann wird die auf das Grundmaß abgestellte Maßkette um die Stützenbreite + Fugenbreite verschoben.

3 Geschoßhöhen

Die Geschoßhöhen rechnen von Oberfläche Fußboden bis Oberfläche Fußboden und steigen jeweils um 0,25 m; z. B. 3,75 m, 4,00 m usw.

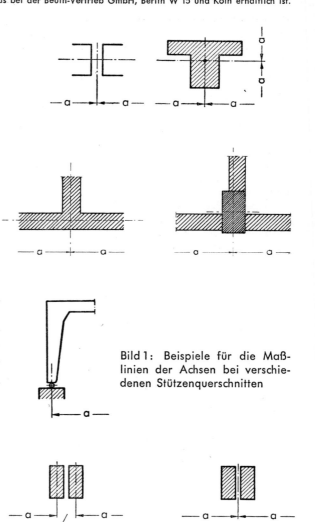

Bild 1: Beispiele für die Maßlinien der Achsen bei verschiedenen Stützenquerschnitten

Bild 2 und 3: Maßlinien für die Achsen bei Dehnungsfugen durch Doppelstützen

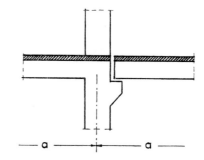

Bild 4: Maßlinien für die Achsen bei Dehnungsfugen durch Konsolen

Die Bildunterschriften und das Bild 4 entsprechen nicht der Fassung des Normblattes 4171.

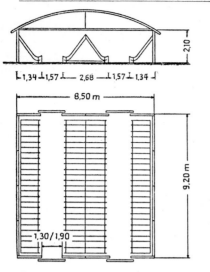

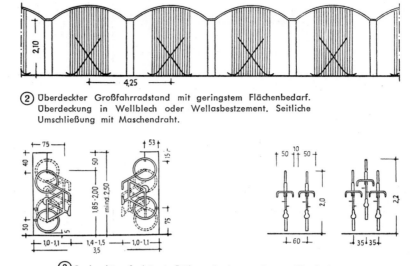

② Überdeckter Großfahrradstand mit geringstem Flächenbedarf. Überdeckung in Wellblech oder Wellasbestzement. Seitliche Umschließung mit Maschendraht.

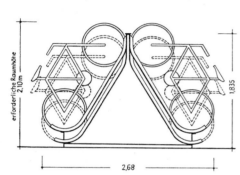

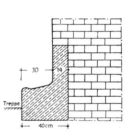

① Fahrradschuppen für 100 Räder. Die Maße in der Querschnittzeichnung verstehen sich einschließlich eingestellter Räder.

③ Senkrecht aufgehängte Räder erfordern geringsten Platzbedarf; jedoch erhöhter Kraftaufwand und Geschicklichkeit zum Aufhängen der Räder notwendig, besonders bei versetzter Anordnung.

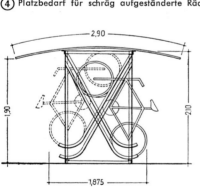

④ Platzbedarf für schräg aufgeständerte Räder. Doppel- und einseitige Anordnung.

⑤ Fahrradrinne neben Treppe zum Schieben der Fahrräder.

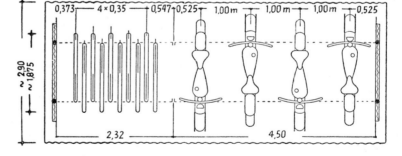

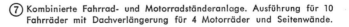

⑥ Mindestgröße für überdeckte Fahrradständer.

⑦ Kombinierte Fahrrad- und Motorradständeranlage. Ausführung für 10 Fahrräder mit Dachverlängerung für 4 Motorräder und Seitenwände.

Geschlossene Unterbringung der Fahrräder und Motorräder der Betriebsangehörigen an einer Stelle auf dem Werksgelände in der Nähe des Einganges zweckmäßig, um Werkstraßen vom Radfahrverkehr freizuhalten. Gleichzeitig Überwachung durch den Pförtner. Aufstellung im Freien unter offenen oder geschlossenen Schutzdächern oder in Kellerräumen. Zu- und Abgänge nicht zu knapp bemessen. Bei Unterbringung im Keller entweder sehr flache Rampe oder Treppe mit seitlicher

Schieberinne (Abb. 5). Getrennte Türen für Zu- und Abgänge mit verschiedener Schlagrichtung. Fahrradständer entweder freistehend mit doppelseitiger Anordnung oder an einer Wand einseitig. Bei günstiger Anordnung nach Abb. 2 Flächenbedarf 0,7 bis 0,9 m² je Rad einschließlich Zu- und Abgang.

Falls Umschließung bei offenem Schuppen notwendig ist, dann Schiebetore vorsehen, weil diese für das Einfahren der Räder bequem in der Handhabung sind.

① Unmittelbarer Anschluß an einen Bahnhof.
Verkehrstechnisch anzustrebende Lösung. (Siehe auch S. 140, Übergabeanlagen und Ladestellen.)

② Anschluß von eingleisiger Strecke abgehend
Bedienung des Anschlusses von Bahnhof A und Bahnhof B möglich.

③ Anschluß von zweigleisiger Strecke abgehend
Bedienung von Bahnhof B mit Weiterfahrt nach Bahnhof A.
Bedienung von Bahnhof B, Rückfahrt auf falschem Gleis nach Bahnhof B.
Bedienung von Bahnhof A durch Hinfahrt auf falschem Gleis. Rückfahrt nach Bahnhof A.

④ Abzweig von zweigleisiger Strecke
Anordnung nur bei Industriewerken mit hohem Güterumschlag und entfernter Lage vom Zustellbahnhof.
Abzweig muß durch besondere Signalanlagen gesichert werden. Außerdem behindert der Einbau von Weichen den durchgehenden Zugverkehr.

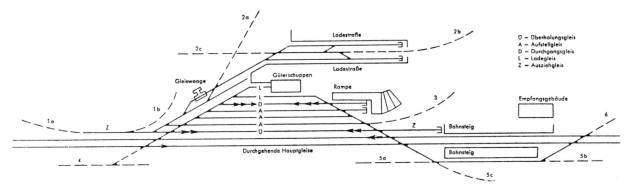

⑤ Möglichkeiten des Anschlusses von Industriegleisen an die Verkehrsgleise eines Bahnhofes

Industriegleisanschlüsse sind möglichst einem Verkehrsgleis des Bahnhofs anzugliedern. Unter Beachtung der nebenstehenden Erläuterungen verdient das Industriegelände auf der Seite des Güterbahnhofs den Vorzug, jedoch ist die Wahl des Grundstücks mit Industriegleisanlagen stets von den örtlichen Verhältnissen abhängig. Kreuzungen von Industrieanschlußgleisen mit öffentlichen Straßen sollen nach Möglichkeit vermieden werden.

1 a, b Anschlüsse an das Ausziehgleis sind betrieblich sehr günstig.
2 a, b, c Anschlüsse aus den Ladestraßen, jedoch unmittelbar an die Verkehrsgleise angeschlossen, so daß keine Behinderung in der Bedienung eintritt.
3 Unmittelbarer Anschluß an die Aufstellgleise besonders günstig.
4, 5 a, b, c Anschlüsse mit schienengleicher Kreuzung der Hauptgleise bei Gegenlage des Werkes zum Güterbahnhof.
5 a, b, 6 Anschlüsse müssen die Bahnsteiggleise benutzen.
4, 5, 6 Anschlüsse mit Kreuzung oder Benutzung der durchgehenden Hauptgleise sind betrieblich nachteilig und bringen Verzögerungen in der Bedienung mit sich.

Anschlüsse und Abzweige

Man unterscheidet bei den Industriegleisanschlüssen:
Anschlüsse, bei deren Befahren das Gleis der freien Strecke für andere Züge gesperrt bleibt, Abb. 2 und 3.
Abzweige, bei deren Befahren das Gleis der freien Strecke für andere Züge freigegeben wird (Einbau von Sicherungsanlagen notwendig, Abb. 4).
Da der Anschluß oder Abzweig auf offener Strecke eine Erschwernis und Minderung der Sicherheit für den durchgehenden Zugverkehr darstellt, wird die Genehmigung für die Hauptbahnen nur in Ausnahmefällen von der Bundesbahngeneraldirektion erteilt.
Anschlüsse an Streckengleise kommen nur in Frage, wenn die Verbindungsgleise vom Bahnhof zum Industriewerk unwirtschaftlich lang werden, oder über teure Brückenbauten geführt werden müßten.
In allen anderen Fällen ist anzustreben, die Industrieanschlußgleise an ein Verkehrsgleis eines Bahnhofs anzuschließen, Abb. 1 und 5.

Wichtigste Vorschriften der Bundesbahn für den Entwurf von Industriegleisanlagen:
1. Allgemeine Bedingungen für Privatgleisanschlüsse (PAB) vom 1. 7. 1922.
2. Merkblatt für die Aufstellung von Entwurfsunterlagen zu Privatanschlüssen (Privatanschlußbahnen) vom 30. August 1930.
3. Eisenbahnbau- und Betriebsordnung (BBO) vom 17. 7. 1928 (Ausgabe 1935).
4. Technische Vereinbarungen über den Bau und Betrieb der Haupt- und Nebenbahnen (TV) (1. 7. 1930).
5. Signalordnung (ESO).
6. Oberbauvorschrift (Obv).

Lit.: O. Kuemmel: Die Privatgleisanschlüsse der Reichsbahn in technischer Hinsicht, Berlin 1931.
W. Mueller: Industriegleisanschlüsse — aus Genzmer und Wolf — Städtebauverträge der zweiten Dresdener Städtebauwoche 1925, Berlin 1926, S. 18 - 34.

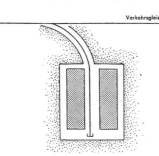

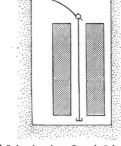

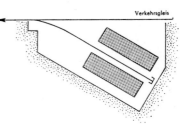

① Einführung in ein Grundstück, das nicht unmittelbar am Verkehrsgleis liegt. Bei entfernter Lage muß Gelände für das Anschlußgleis erworben werden

② Bei schmalen Grundstücken unmittelbar am Verkehrsgleis, Anschluß nur über Drehscheibe möglich. Nur für geringen Güteranfall geeignet

③ Einführung ohne Drehscheibe nur bei besonderem Geländezuschnitt

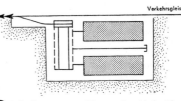

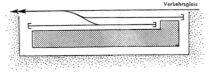

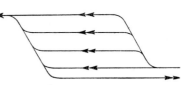

④ Einfacher Anschluß bei langen Grundstücken. Anschluß längs des Verkehrsgleises

⑤ Anschluß mit Ausziehgleis für Umsetzen von Wagen und für größeren Güteranfall

⑥ Bei begrenzter Länge Anschluß über Schiebebühne leiten

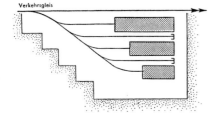

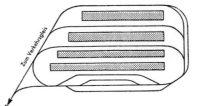

⑦ Großer Geländebedarf bei Weichen (Weichenkrümmungshalbmesser 190 m)

⑧ Schema einer Fabrikgleisanlage mit Schiebebühne und schräggestellten Gebäuden, Stichgleis im Hallenkopf

⑨ Schema einer Fabrikgleisanlage mit schräganlaufendem Hauptgleis und durchlaufenden Gleisen

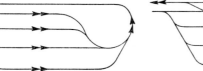

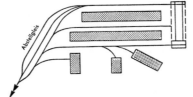

⑩ Gleisnetz trapezförmiger Werkanlagen mit Umkehrschleife

⑪ Gleisnetz trapezförmiger Werkanlagen mit Umkehrkopfgleis

⑫ Gleisnetz parallelogrammförmiger Werkanlagen mit Umkehrkopfgleis

Aufschließen von Grundstücken

Gleisentwicklungen benötigen wegen der großen Krümmungshalbmesser und der großen Längenentwicklung von Weichen sehr viel Platz. Deshalb müssen die Gleispläne vor der endgültigen Auswahl eines Grundstückes oder dessen Bebauung aufgestellt werden. Sie bestimmen nicht nur den Bebauungsplan im einzelnen, sondern können den gesamten Geländezuschnitt entscheidend beeinflussen. Günstig sind lange Grundstücke längs des Bahngleises, dagegen lassen sich schmale Grundstücke senkrecht zu den Gleisen schlecht anschließen. Von Vorteil sind schräg anlaufende Hauptgleise nach Abb. 3, 8 und 9. Bei größerem Güteranfall

ist ein durchgehender Ringverkehr nach Abb. 9 und 10, oder zumindest eine Gleisanlage mit Umkehrkopfgleis nach Abb. 11 und 12 anzustreben. Dabei ist zu beachten, daß Gleisbogen mit R < 100 m von Lokomotiven der Bundesbahn nicht befahren werden dürfen, sondern nur mit Werkloks.

Durch den Einbau von Drehscheiben, Abb. 2, und Schiebebühnen, Abb. 6 und 8, können auch beschränkte Grundstücke mit Gleisanlagen erschlossen werden, jedoch ist das nur bei geringem Güteranfall möglich, da die Wagen einzeln über die Drehscheibe und Schiebebühne zu leiten sind.

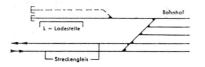

① Einfachster Anschluß einer Ladestelle durch ein Stumpfgleis

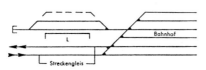

② Anschluß einer Ladestelle mit zweiseitiger Weichenverbindung

Einfachste Ausbildung einer Ladestelle erfolgt als Stumpfgleis. Aus betrieblichen Gründen ist anzustreben, daß das Stumpfgleis die Verlängerung eines Ausziehgleises des Bahnhofes ist. Eine Zustellung in das einfache Stumpfgleis ist aber nur möglich, wenn es vorher leergefahren ist. Hierzu ist eine besondere Fahrt zwischen dem Aufstellgleis des Bahnhofes und der Ladestelle notwendig. Ist diese Entfernung groß, wird man nach Abb. 1 zweckmäßig ein zweites (punktiertes) Gleis anordnen, um Zustellung und Abholung in einer Fahrt ausführen zu können.

Der Anschlußverkehr kann sich flüssiger abwickeln, wenn dieses zweite Gleis nach Abb. 2 mit einer zweiseitigen Weichenverbindung angeschlossen ist. Dadurch wird die gesamte Gleisentwicklung jedoch länger und der Flächenbedarf des Grundstückes größer. Will man innerhalb des Anschlusses einzelne Wagen aussondern oder ihre Reihenfolge ändern, so ist ein drittes (punktiertes) Gleis nach Abb. 2 von Vorteil.

Die Entscheidung zwischen diesen Möglichkeiten hängt von der Anzahl der täglich ankommenden oder abgehenden Wagen und von den Betriebskosten ab. Die Anordnungen nach Abb. 1 und 2 setzen voraus, daß die Bundesbahn bis an die Ladestellen zustellt. Bei stärkerem Anschlußverkehr lehnt aber die Bundesbahn in der Regel die unmittelbare Zustellung bis an die Ladestellen ab.

③ Wirtschaftliche Grundform des einfachen Anschlusses

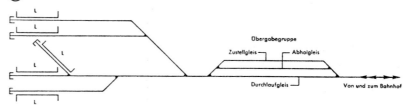

④ Anschlüsse mit Übergabegruppe

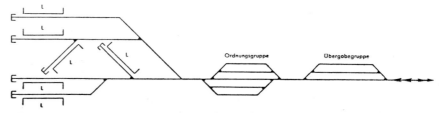

⑤ Anschlüsse mit Übergabe- und Ordnungsgruppe bei vielen Ladestellen und starkem Verkehr

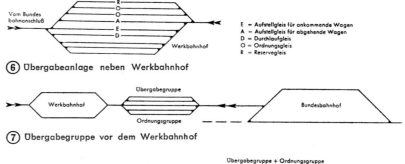

E = Aufstellgleis für ankommende Wagen
A = Aufstellgleis für abgehende Wagen
D = Durchlaufgleis
O = Ordnungsgleis
R = Reservegleis

⑥ Übergabeanlage neben Werkbahnhof

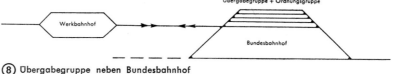

⑦ Übergabegruppe vor dem Werkbahnhof

⑧ Übergabegruppe neben Bundesbahnhof

Übergabeanlagen

Die Bundesbahn „übergibt" die Wagen an einer „Übergabestelle" oder „Übergabegruppe" dem Werk. Durch werkseigene Lokomotiven oder durch Seilzugeinrichtung muß die weitere Verteilung und Zustellung innerhalb des Betriebes erfolgen.

Eine Übergabegruppe besteht aus einem Zustellgleis, einem Abholgleis und einem Durchlaufgleis. Die Länge des Übergabegleises ergibt sich aus der Zuglänge $L = (T \cdot lw) / (tw \cdot n) +$ Zuschlag für Weichenentwicklung; $T =$ Tagesgüteranfall in t, $lw =$ Wagenlänge in m, $tw =$ Wageninhalt in t, $n =$ Zahl der täglichen Zustellungen.

Je nach der Größe des täglichen Wagenverkehrs können sich weitere Gleisanlagen notwendig machen. Ist der Verkehr innerhalb des Werkes umständlich, so kann ein eigener Werksbahnhof Vorteile mit sich bringen. Wird die Zahl der Ladestellen groß, muß eine Ord-

nungsgruppe eingeschaltet werden, weil die Wagen „bunt" ankommen. Die Ordnungsgruppe kann hinter oder neben der Übergabegruppe angeordnet werden. Die Wagen werden von der Übergabegruppe in die einzelnen Gleise der Ordnungsgruppe nach Ladestellen gesondert umgesetzt, und von der Ordnungsgruppe aus werden dann die Ladestellen bedient, indem die Wagen zugedrückt werden. Bei sehr starkem Verkehr kann zur Kostenersparnis zwischen Übergabegruppe und Ordnungsgruppe ein Ablaufberg eingeschaltet werden. Derartige Anlagen kommen aber nur für Zechen und Werke der Schwerindustrie in Frage. Die Übergabegruppe kann vor oder neben dem Werkbahnhof liegen. Sie kann aber auch neben dem Bahnhof der Bundesbahn angeordnet werden. Es hängt in erster Linie von der Größe des Geländes ab, Abb. 6 bis 8.

Kurt Dummer
Bauing.
Berlin-Pankow
Retzbacher Weg 6

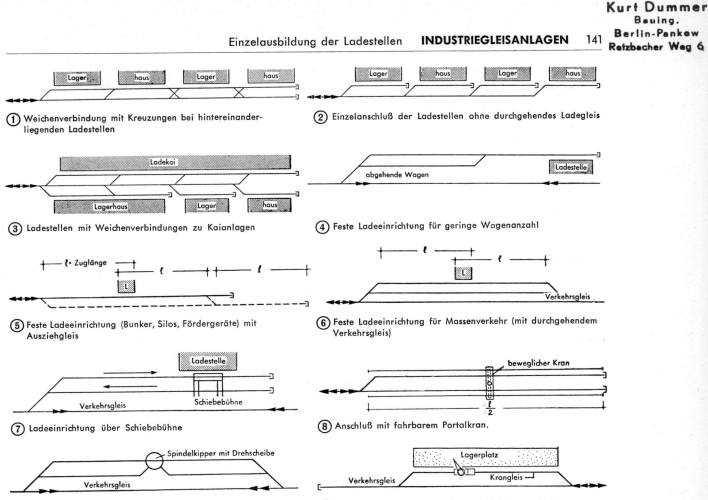

① Weichenverbindung mit Kreuzungen bei hintereinanderliegenden Ladestellen

② Einzelanschluß der Ladestellen ohne durchgehendes Ladegleis

③ Ladestellen mit Weichenverbindungen zu Kaianlagen

④ Feste Ladeeinrichtung für geringe Wagenanzahl

⑤ Feste Ladeeinrichtung (Bunker, Silos, Fördergeräte) mit Ausziehgleis

⑥ Feste Ladeeinrichtung für Massenverkehr (mit durchgehendem Verkehrsgleis)

⑦ Ladeeinrichtung über Schiebebühne

⑧ Anschluß mit fahrbarem Portalkran.

⑨ Gleisanordnung für einen Spindelkipper

⑩ Ladegleis für Umschlag mit einem fahrbaren Drehkran

Die Leistungsfähigkeit eines Industriegleisanschlusses wird in starkem Maße von der Einzelausbildung der Ladestellen beeinflußt. Will man an hintereinanderliegenden Ladestellen einzelne Wagen auswechseln, dann ist der Einbau mehrerer Weichen, gegebenenfalls sogar besonderer Weichenkreuze nach Abb. 1 notwendig. Die Anordnung nach Abb. 2 ist billiger, jedoch betriebstechnisch ungünstiger, weil die einzelnen Ladestellen durch Sägefahrten erst leer gefahren werden müssen, bevor neu zugestellt werden kann.

In Häfen mit Kaianlagen ist eine Anordnung nach Abb. 3 gebräuchlich. Hierbei ist aber stets ein besonderes Verkehrsgleis vorzusehen.

Einzelne Bunker, Becherwerke und dergleichen, die immer nur einen Wagen be- oder entladen können, sind so anzuordnen, daß der Zug nicht auseinandergenommen zu werden braucht. Deshalb ist die Anordnung nach Abb. 4 nur bei geringem Wagenverkehr möglich, da jeder Wagen einzeln behandelt werden muß. Durch Einbau einer Schiebebühne nach Abb. 7 kann die Anlage betriebstechnisch günstiger gestaltet werden. Der abgefertigte Wagen kann ohne Rangierfahrten oder Zerlegung des Zuges über die Schiebebühne auf das Nachbargleis gesetzt werden.

Bei größerem Verkehr sind die beiderseitigen Anschlußlängen so zu wählen, daß der gesamte Zug untergebracht werden kann Abb. 5.

Noch besser ist eine Anlage nach Abb. 6 an einem durchgehenden Verkehrsgleis. Für Lagerplätze mit fahr-

barem Portalkran ist eine Gleisentwicklung nach Abb. 8 angebracht. Sie hat den Vorteil, daß die Wagen nicht bewegt zu werden brauchen. Denn der Nachteil der meisten Ladestellen besteht darin, daß die Be- oder Entladung (auch bei Einsatz von Becherwerken oder Saugförderanlagen) im allgemeinen zu lange dauert, um während der gesamten Be- oder Entladezeit eine Lokomotive bereitzustellen, andererseits aber wiederum zu kurze Zeit währt, um die Lokomotive nutzbringend anderweitig einzusetzen.

Die Länge und die Zahl der Gleise an den Ladestellen ist abhängig von der Größe des Wagenverkehrs. Sofern nicht Spezialwagen in Frage kommen, beträgt der Achsenabstand 5 m und die Wagenlänge rund 10 m. Die Länge der Ladegleise ist so zu bemessen, daß die anfallenden Wagen mit Sicherheit aufgenommen werden können. Ebenso müssen die Gleise der Ordnungsgruppe so lang sein wie die Ladestellen, für die sie die Wagen aufnehmen. Die Ausziehgleise sind so lang zu wählen, daß der ganze Zug (Abteilung) auf einmal ausgezogen werden kann. Besondere Sorgfalt ist auf die Bemessung kleiner Ladestellen zu legen. Länge für einen Wagen: 10 m, für 2 Wagen: 20 m (zur Not genügen schon 18 m). Zwischenmaße haben keinen Sinn. Dagegen braucht die Laderampe bei 2 Wagen nur 15 m lang zu sein, weil dann noch die Tür des Wagens an die Rampe kommt. Bei größeren Ladelängen erübrigt sich eine genaue Bemessung, da sich durch verschiedenes Koppeln unterschiedliche Zuglängen ergeben.

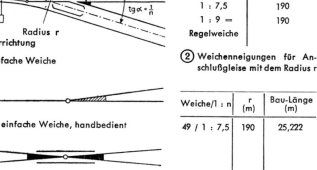

Zunge · Herzstück

Radius r
Stellvorrichtung

① Einfache Weiche

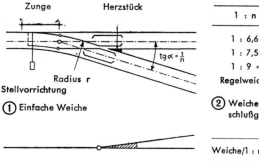

1 : n	r (m)
1 : 6,6	190
1 : 7,5	190
1 : 9 =	190
Regelweiche	

② Weichenneigungen für Anschlußgleise mit dem Radius r

einfache Weiche, handbedient

doppelte Kreuzungsweiche, fernbedient

Baulänge

Doppelweiche, fernbedient

③ Sinnbilder für Weichen

Weiche/1 : n	r (m)	Bau-Länge (m)
49 / 1 : 7,5	190	25,222
49 / 1 : 9	190	33,230
49 / 1 : 9 r / 1 : 9 l	190	37,611

④ Baulänge von Weichen

Weichen

bestehen aus den Zungenvorrichtungen, den Weichenschienen und dem Herzstück. Den führungslosen Stellen des Herzstückes gegenüber werden Radlenker (Zwangsschienen) angeordnet. Man unterscheidet zwischen einfachen Weichen und Doppelweichen, sowie zwischen geraden Weichen und Bogenweichen. Der Nachteil aller Weichenverbindungen ist die große Längsentwicklung. Weichenneigungen 1:6,6; 1:7,5; 1:9; wobei 1:9 die Regelweiche darstellt. Bei kleineren Geschwindigkeiten für Industrieanschlußgleise in beschränkten Verhältnissen auch 1:7,5 möglich. Durch die Länge der Weichenentwicklung können bauliche Beschränkungen eintreten.

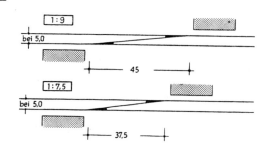

⑤ Einfluß der Weichenlänge auf die Anordnung von Ladestellen

Gleishalbmesser

Der Gleisplan hängt stark von den Gleishalbmessern ab. Bei Neuanlagen sollen Halbmesser unter 100 m vermieden werden. In Ausnahmefällen sind bei Verwendung von Auflaufgleisen Krümmungshalbmesser bis herunter zu r=35 m zulässig.

Zu beachten ist, daß in allen Gleiskrümmungen < 250 m das lichte Raumprofil seitlich zu vergrößern ist.

Geringste erforderliche Grundstücksbreite bei Einführung von zwei Gleisen an den äußeren Längsseiten nach Abb. 6 beträgt rund 117 m. Da Auflaufbogen von Bundesbahnloks nicht befahren werden dürfen, ist ein Übergabegleis notwendig.

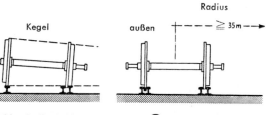

⑥ Industriegleisanschluß bei Verwendung von Auflaufbogengleisen

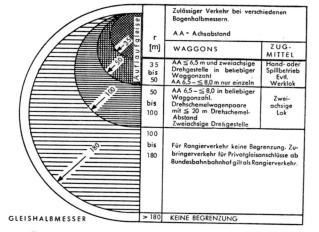

r [m]	Zulässiger Verkehr bei verschiedenen Bogenhalbmessern. AA - Achsabstand	
	WAGGONS	ZUG-MITTEL
35 bis 50	AA ≤ 6,5 m und zweiachsige Drehgestelle in beliebiger Waggonzahl AA 6,5 - ≤ 8,0 m nur einzeln	Hand- oder Spillbetrieb Evtl. Werklok
50 bis 100	AA 6,5 - ≤ 8,0 in beliebiger Waggonzahl. Drehschemelwagenpaare mit ≤ 20 m Drehschemel-Abstand Zweiachsige Drehgestelle	Zweiachsige Lok
100 bis 180	Für Rangierverkehr keine Begrenzung. Zubringerverkehr für Privatgleisanschlüsse ab Bundesbahnbahnhof gilt als Rangierverkehr.	
> 180	KEINE BEGRENZUNG	

GLEISHALBMESSER

⑦ Zulässiger Verkehr bei verschiedenen Gleishalbmessern

Auflaufgleise

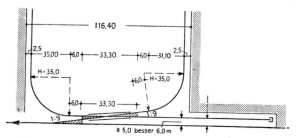

Kegel

⑧ Breitkopfauflaufschiene

Radius
außen ≥ 35 m →

⑨ Auflauffutter zwischen den Schienen

Bei den Auflaufgleisen laufen die äußeren Räder nicht auf dem Kegelmantel der normalen Lauffläche, sondern rollen auf dem Spurkranz ab. Die inneren Räder werden durch eine Zwangsschiene geführt. Es gibt zwei verschiedene Ausbildungen:
a) Breitkopfauflaufschiene nach Abb. 8
b) Auflauffutter zwischen zwei Schienen nach Abb. 9

Spurlänge von 1435 auf 1463 erweitern

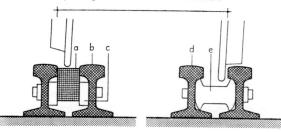

⑩ Einzelheiten eines Auflaufbogens mit Auflauffutter

R ≥ 35 m – a Auflauffutter, b Beischiene, c Befestigungsfutter, d Leitschiene, e Abstandfutter

Die Ausbildung mit einem Auflauffutter ist etwas aufwendiger, weil beide Schienenprofile durch Beischienen ergänzt werden müssen. Der Vorteil dieser Ausbildung liegt darin, daß sie sich in gepflasterte Höfe und Straßen einbauen läßt.

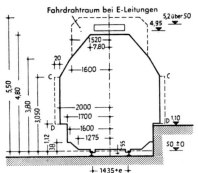

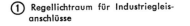

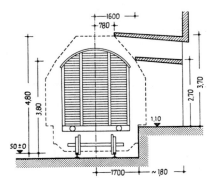

① Regellichtraum für Industriegleis-anschlüsse

② Höhe und Ausladung der Vordächer

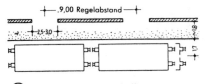

③ Torabstand bei Lagerhallen

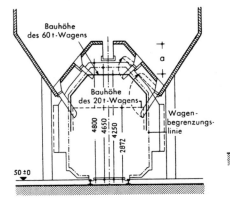

④ Anordnung von Rutschen unter Lade-bunkern für hohe und niedrige Wagen
a = ausreichende Bauhöhe für Einblick und Einstieg in den Wagen erwünscht.

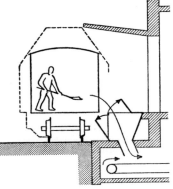

⑤ Aufklappbare Trichteranlage für Schüttgüter bei Laderampen Weiterbeförderung durch Förderbänder oder Transportschnecken

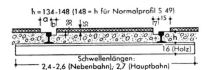

⑥ Lichter Raum an der Schiene

a ≥ 135 mm für unbewegliche, mit der Fahrschiene fest verbundene Gegenstände.
150 mm wie oben, jedoch mit der Fahrschiene nicht fest verbunden.

b = 41 mm für Einrichtungen, die das Rad an der inneren Stirnfläche führen.

b ≥ 45 mm an Wegübergängen
70 mm für alle übrigen Fälle.
In Bögen muß der Raum für den Spurkranz verbreitert werden.

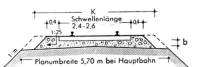

⑦ Bahnkrone und Planum

Bettungshöhe b:
Bei Hauptbahnen ≥ 200 mm, empfohlen wird 300 mm.
Bei NB und Lokalbahnen ≥ 150 mm, empfohlen wird 200 mm.
K = 4,0 m bei Hauptbahn, 3,5 m bei Nebenbahn, 3,0 m bei vollspuriger Lokalbahn.
Kronenbreite K ist die gedachte Breite in Höhe der Schienenunterkante bis zum Schnitt mit den verlängerten m-fachen Böschungen des Dammes oder Einschnitts.

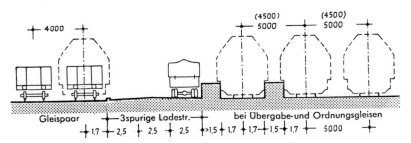

⑧ Gleisabstände

Regellichträume und Rampen

Regellichtraum für Industrieanschlußgleise nur gültig in den Geraden und in Bögen ≥ 250 m Halbmesser. Für Bögen mit einem Halbmesser H < 250 m müssen sämtliche Breitenmaße des Regellichtraumes vergrößert werden. Die erforderlichen Verbreiterungen bei der Bogeninnenseite und an der Bogenaußenseite sind abhängig vom Bogenhalbmesser und Achsabstand der das Gleis befahrenden Wagenart. Die einzelnen Werte sind in den Handbüchern der Bundesbahn enthalten.

Seitenräume C-D sind freizuhalten bei Anschlußgleisen, die von Bundesbahnloks befahren werden. (Für werkseigenen Lokbetrieb nicht gefordert.)

Be- und Entladen der Waggons in der Regel über Rampen. Für Schüttgüter auch Exhaustoren oder Waggonkipper (s. S. 145), für sperrige Güter am besten Krane.

Abmessungen der Rampen, Vordächer und festeingebauten Ladevorrichtungen entsprechend dem Lichtraumprofil. Abstand der Tore bei Lagerschuppen nach der Länge der Waggons. Ebenso Länge der Rampen nach der Anzahl der Waggons bemessen. Zwischenwerte sind wertlos. Für längere Rampen werden diese Werte jedoch fragwürdig, weil die Kupplung der Waggons (enger oder weiter) von Einfluß ist.

Bahnkrone und Gleisabstände

Spurweite nach internationaler Übereinkunft in den meisten Ländern 1435 mm, abweichend davon USA 1448 mm, UdSSR 1524 mm, Spanien und Portugal 1672 mm, Brasilien 1600 mm, Argentinien, Chile 1676 mm, Japan, Australien und überwiegend Afrika 1067 mm (Kapspur).

Profil des Schienenkopfes ebenfalls einheitlich festgelegt. Übriger Querschnitt freigestellt, abhängig vom Raddruck der Loks und Waggons (≥ 12,5 t, sofern mit Bundesbahnloks zu befahren). Befestigung der Schiene auf den Schwellen sehr unterschiedlich, ebenso Art der Schwelle. Neuerdings neben Holz- (geringe Lebensdauer) und Stahlschwellen auch vorgespannte Stahlbetonschwellen.

Für die einwandfreie Lage der Schiene ist die Gleisbettung (Schotter) wichtig. Abführung der Niederschläge beachten.

Gleisabstände (von Mitte zu Mitte Gleis) in der Geraden und in Bögen mit H ≥ 250 m:
Auf der freien Strecke:
bei Neubauten   a = 4000 mm
ausnahmsweise   a = 3750 mm
bei vorhandenen Anlagen   a = 3500 mm
Bei Übergabeanlagen und Ladegleisen:
                         a = 4500 mm
besser   a = 5000 bis 6000 mm
(Raum für Rangierweg und Einbau von Gleiswaagen).

Für Bögen mit einem Halbmesser H < 250 m müssen die Gleisabstände entsprechend der Lichtraumerweiterung vergrößert werden. (Werte vergl. Handbücher der Bundesbahn.)

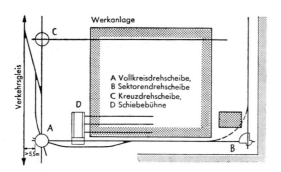

A Vollkreisdrehscheibe,
B Sektorendrehscheibe
C Kreuzdrehscheibe,
D Schiebebühne

① Übersichtsschema für den Einbau von Drehscheiben und Schiebebühnen

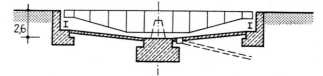

② Kragarmdrehscheibe (Querschnitt). Auflager auf einem Punkt (Königstuhl). Große Bauhöhe und großes Fundament, tiefe Entwässerung, Tragfähigkeit < 40 t.

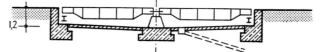

③ Gelenkdrehscheibe (Querschnitt) Auflager auf drei Punkten. Kleine Bauhöhe und kleines Fundament, Tragfähigkeit > 40 t.

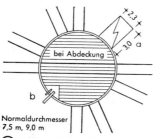

Normaldurchmesser
7,5 m, 9,0 m

④ Vollkreisdrehscheibe

⑤ Sektorendrehscheibe

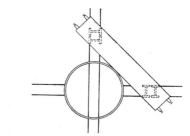

⑥ Kreuzdrehscheibe

Drehscheiben

Nach der Lage des Drehpunktes und der Gestalt der bestrichenen Fläche unterscheidet man zwischen Vollkreisscheiben mit Drehpunkt in der Mitte und Sektorendrehscheibe (Drehweiche) mit Drehpunkt am Trägerende. Eine Sonderform ist die Kreuzdrehscheibe für Wagen mit Drehgestell. Die Volldrehscheibe erlaubt Anschlüsse nach allen Richtungen. Die Drehscheibe kann mit Holzbohlen oder Riffelblechen abgedeckt werden, so daß sie für Lastwagen befahrbar ist.

Nach der Bauart werden unterschieden: Kragarmdrehscheiben mit versenktem Hauptträger, der nur in einem Punkt in der Mitte gestützt ist, und Gelenkdrehscheiben, bei denen der Hauptträger durch ein Mittelgelenk unterteilt und in der Mitte und beiderseits auf den Laufkränzen abgestützt ist. Dadurch klare Belastungsverhältnisse, geringere Bauhöhen und kleine Grubentiefe. Bei der Sektorendrehscheibe kann die Grube für Hofverkehr nicht abgedeckt werden.

Die Kreuzdrehscheibe kann nur von Wagen mit Drehgestell befahren werden. Das Umsetzen der Wagen erfolgt in zwei Phasen. Der Vorteil liegt in dem geringen Platzbedarf.
Antrieb für leichte Drehscheiben durch 2 bis 3 Mann mit einem Wucht- oder Drehbaum, der in eine Hülse gesteckt wird; sonst elektrischer Antrieb mit unterirdischer Stromzuführung (über 10 Wagen/Tg.). Bei Stromausfall Handkurbel vorsehen.

⑦ Schiebebühne nicht versenkt

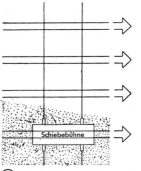

⑧ Schiebebühne versenkt

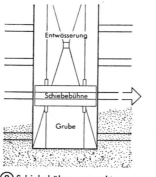

⑨ Schiebebühne versenkt (Querschnitt)

⑩ Schiebebühne nicht versenkt (Querschnitt)

Schiebebühnen

Schiebebühnen können versenkt, halb versenkt und unversenkt ausgebildet werden. Bei nicht versenkter Ausführung gehen die Gleise durch. Ebenso durchgehende Pflasterung für Hofverkehr. Nachteil liegt in dem erschwerten Auf- und Absetzen der Wagen mit Seilwinde.

Bei versenkter Anordnung ist keine Bahn- oder Hofdurchfahrt möglich, sondern jede Durchfahrt muß über die Schiebebühne gehen. Besondere Grubenausbildung mit Entwässerung notwendig. Vorteil liegt in leichter Auf- und Abfahrt.
Stützung der Schiebebühnen auf 2 Fahr-

strängen, deren Abstand möglichst groß sein soll, damit sich die Bühne beim Fahren nicht schief stellen kann. Antrieb meist elektrisch. Fahrgeschwindigkeit bis 2 m/s. Größe der Schiebebühne richtet sich nach dem Mindestachsabstand der zu verschiebenden Wagen + Zuschlag von 0,50 m.

Bei beschränkten Platzverhältnissen ist der Einbau von Drehscheiben oder Schiebebühnen mitunter nicht zu umgehen. Sie eignen sich, weil die Wagen einzeln abgefertigt werden müssen, nur für geringen Verkehr und dürfen nicht eingebaut werden in: Übergabeanlagen, Verbindungsgleisen zwischen Werk- und Bundesbahngleisen, Verkehrsgleisen in Werkbahnhöfen.

Drehscheiben dienen zum Richtungswechsel von Gleisen. Mit Schiebebühnen können Wagen parallel verschoben werden. Auf beschränkten Grundstücken und bei paralleler Gleisführung (aufgereihte Hallen) einzige Möglichkeit zum Quertransport.
Die Gruben von Schiebebühnen und von Drehscheiben müssen grundsätzlich entwässert werden.

Gleiswaagen

Tragkraft t	Wägefähigkeit kg	Brückenlänge m
133 t Für alle Waagen, auch bei Privatanschlüssen, die die B-Bahnloks befahren	50	9 m Einzelwaage
100 t Für alle Waagen, auch bei Privatanschlüssen, die die B-Bahnwaggons befahren	50	Verbundwaage 6,5 + 9,0 m

① Übersicht über Gleiswaagen

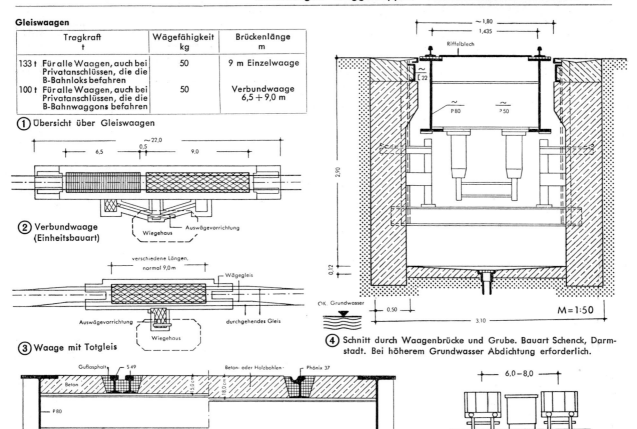

② Verbundwaage (Einheitsbauart)

③ Waage mit Totgleis

④ Schnitt durch Waagenbrücke und Grube. Bauart Schenck, Darmstadt. Bei höherem Grundwasser Abdichtung erforderlich.

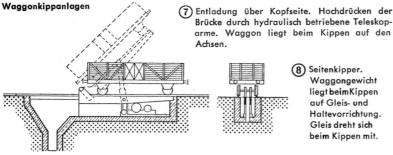

⑤ Ausführungen bei kombinierter Gleis- und Lastfuhrwerkwaage. Bauart Schenck, Darmstadt.

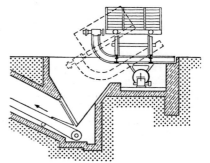

⑥ Erforderlicher Gleisabstand bei Wägehäuschen.

Waggonkippanlagen

⑦ Entladung über Kopfseite. Hochdrücken der Brücke durch hydraulisch betriebene Teleskoparme. Waggon liegt beim Kippen auf den Achsen.

⑧ Seitenkipper. Waggongewicht liegt beim Kippen auf Gleis- und Haltevorrichtung. Gleis dreht sich beim Kippen mit.

Gleiswaagen

Lage der Gleiswaage vom Betrieb abhängig. Oft wird grundsätzlich ein- und ausgehender Verkehr gewogen. Man unterscheidet zwischen Einzelwaagen und Verbundwaagen sowie Doppelwaagen. Für sehr lange Fahrzeuge ist eine Verbundwaage zweckmäßig, Abb. 2. Bei der Verbundwaage kann auf beiden Waagenbrükken gemeinsam oder auf der einen oder anderen Einzelbrücke gewogen werden.

In zwei parallelen Gleisen eingebaute Waagen, die wahlweise mit einer Auswägevorrichtung gekoppelt werden können, nennt man Doppelwaagen. Abb. 6. Zur Schonung der Anlage möglichst keinen Rangierverkehr über die Gleiswaagen leiten. Muß die Waage innerhalb des Rangierverkehrs liegen, kann eine An-ordnung mit Totgleis von Vorteil sein, Abb. 3. Eine Normalwaage läßt eine Höchstgeschwindigkeit von 20 km/Std. zu.

Für Sonderzwecke kann die Brücke zugleich für Auto- und Waggonverkehr ausgebildet werden, wobei die Breiten dann auf 2,8–3,15 m anzusetzen sind, Abb. 5. Brückenkonstruktionen meistens aus Stahl. In eisenarmen Ländern vielfach Stahlbetonbrücken, die jedoch eine größere Bauhöhe und damit Fundamenttiefe erfordern. — Große chemische Betriebe und Hüttenwerke haben täglich 1000 und mehr Waggons zu verwägen. Hier ist der Einsatz einer Waage in einem Ablaufberg oder Abstoßberg geeignet, wobei die Fahrzeuge während der Fahrt gewogen werden.

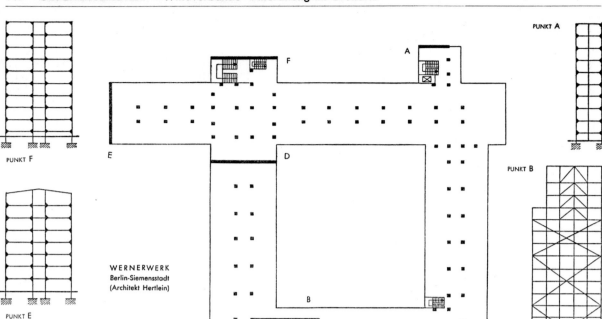

PUNKT A

PUNKT F

PUNKT E

WERNERWERK
Berlin-Siemensstadt
(Architekt Hertlein)

PUNKT D

PUNKT B

PUNKT C

5 0 10 20 30

Aufnahme der Windkräfte bei Geschoßbauten

Geschoßbauten sind nach DIN 1055, Blatt 4, in Richtung ihrer Hauptachsen auf Windlast zu untersuchen. Die Windrichtung kann im allgemeinen waagrecht angenommen werden. Für die Windlast muß angesetzt werden für Höhen über Gelände:

$$\begin{array}{ll} \text{bis zu 8 m} & w = 60 \text{ kg/m}^2 \\ \text{8 bis 20 m} & w = 96 \text{ kg/m}^2 \\ \text{über 20 m} & w = 132 \text{ kg/m}^2 \end{array}$$

Bei Anordnung von einzelnen Rahmen werden die Windkräfte unmittelbar von diesen aufgenommen und nach unten geleitet. Sind die einzelnen Stützen gelenkig angeschlossen, dann müssen die Windkräfte über die massive Deckenplatte, die als horizontaler Windträger wirkt, nach Festpunkten geleitet werden, an denen die Windkräfte abgesetzt und nach unten weitergeleitet werden können. Dafür sind die massiven Giebelfelder oder auch die Wände von Treppenhäusern und Fahrstuhlschächten geeignet. Ist eine vollständig geschlossene Wand nicht möglich, dann müssen besondere Rahmen die Überleitung der Windkräfte übernehmen. Bei Stahlskelettkonstruktionen werden die vertikalen Windscheiben am wirtschaftlichsten als Fachwerkwände ausgebildet.
Bei Stahlbeton kommt, sofern es sich nicht um Hoch-

häuser handelt, meist eine Ausführung nach Abb. 1 in Frage. Bei Stahlbetonfertigteilen, bei denen eine Rahmenwirkung nicht immer möglich ist oder unerwünscht ist (vorgespannte Unterzüge als Träger auf zwei Stützen), kann eine Ausbildung nach Abb. 2 oder 4 notwendig werden. Anordnung nach Abb. 3 ist nur für Stahlskelettbauten möglich (Abb. 1–7 s. rechte Seite).
Bauteile zwischen Dehnungsfugen müssen ihre Windkräfte für sich absetzen. Dabei Ausbildung nach Abb. 2 meist nicht möglich. Auch Ausbildung nach Abb. 3 kann Schwierigkeiten bereiten, wenn die Durchgänge sich nicht in den Fachwerkverband einfügen lassen. In solchen Fällen bleibt nur Anordnung nach Abb. 4 übrig.
Aufnahme der Windkräfte in der Längsrichtung erfolgt bei Stahlskelettbauten durch Ausbildung der Endfelder als vertikale Scheiben, entweder durch Fachwerk oder durch Rahmen. Die Fachwerke müssen oft so ausgebildet werden, daß trotzdem noch Öffnungen in den Wänden möglich sind. Häufig wird das Fachwerk auch hinter der Befensterung sichtbar gelassen. Bei Stahlbetonskelettbauten kann eine Rahmenwirkung der einzelnen Binder in der Längsrichtung angenommen werden, indem die massive Decke als Riegel wirkt. Deshalb gleichmäßige Verteilung der Windkräfte über sämtliche Stützen möglich, so daß meist keine weiteren Maßnahmen in den Endfeldern zu treffen sind, Abb. 5

Aufnahme der Windkräfte in der Querrichtung eines Geschoßbaues

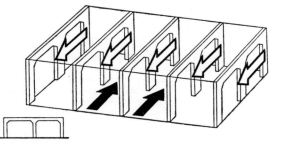

① Windkräfte werden von den einzelnen Rahmen unmittelbar aufgenommen (Ausführung in Stahlbeton und Stahl)

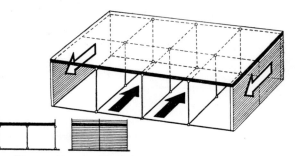

② Windkräfte werden über die Massivdecken (horizontale Windträger) auf die massiven Giebelfelder abgesetzt (Ausführung in Stahlbeton und Stahl)

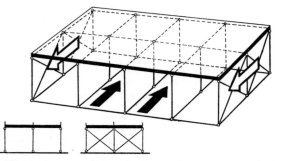

③ Windkräfte werden über die Massivdecken auf vertikale Windverbände in den Giebelfeldern abgesetzt (Ausführung in Stahl)

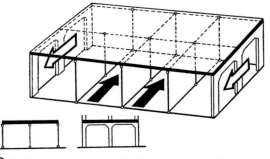

④ Windkräfte werden über die Massivdecken auf Endrahmen abgesetzt (Ausführung in Stahlbeton und Stahl)

Aufnahme der Windkräfte in der Längsrichtung eines Geschoßbaues

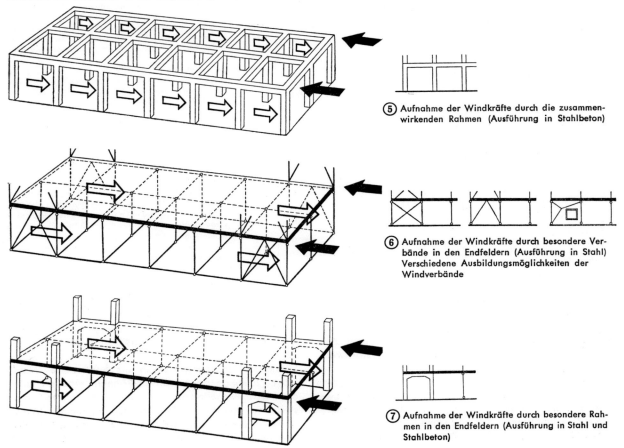

⑤ Aufnahme der Windkräfte durch die zusammenwirkenden Rahmen (Ausführung in Stahlbeton)

⑥ Aufnahme der Windkräfte durch besondere Verbände in den Endfeldern (Ausführung in Stahl) Verschiedene Ausbildungsmöglichkeiten der Windverbände

⑦ Aufnahme der Windkräfte durch besondere Rahmen in den Endfeldern (Ausführung in Stahl und Stahlbeton)

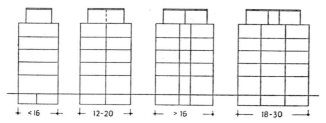

+— < 16 —+   +— 12-20 —+   +— > 16 —+   +—— 18-30 ——+

Spannweiten

Die Stützen ergeben mit den Unterzügen im Querschnitt die Rahmenbinder. Der Abstand der Rahmenbinder beträgt bis zu 10,0 m, die wirtschaftliche Entfernung liegt zwischen 6,0 und 8,0 m. Die Binder werden durch Längs- und Deckenträger verbunden.

Die Rahmenbinder können in Abhängigkeit von den Nutzlasten, von der Gebäudetiefe und von den Arbeitserfordernissen zwei-, drei- und mehrstielig sein.

Bei einer Gebäudetiefe bis etwa 16,0 m kann man ohne Mittelstütze auskommen, meist ist es aber wirtschaftlicher, ein oder zwei Mittelstützen anzuordnen. Je nach Abstand der Mittelstützen können Gebäudetiefen bis zu 30,0 m bewältigt werden.

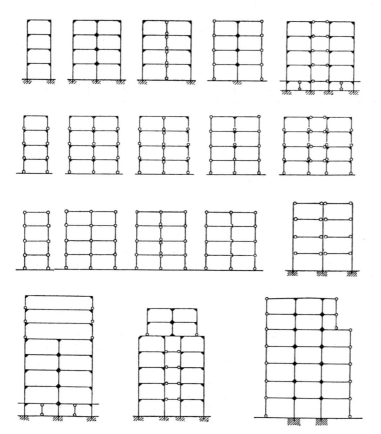

Verbindungen zwischen Stützen und Unterzügen

a   b   c   d   e   f   g   h

a=Alle Stäbe biegungssteif verbunden (steifer Rahmenknoten); b=alle Stäbe gelenkig verbunden; c= Stütze durchgehend, Unterzüge gelenkig angeschlossen; d=Unterzug durchgehend, Stützen oben und unten gelenkig angeschlossen (Pendelstützen); e=Kreuzgelenke, bei denen Stütze und Unterzug durchlaufen, ohne biegungssteif verbunden zu sein; f=Riegel und untere Stütze biegungssteif verbunden, oben Pendelstütze; g=Stütze am Fuß gelenkig im Fundament gelagert; h=Stütze im Fundament fest eingespannt.

Je nach der Verwendung der verschiedenen Anschlußmöglichkeiten kann ein Stahlskelett statisch und konstruktiv sehr verschiedenartig aufgebaut sein. Ist der Anschluß gelenkig, so nimmt man an, daß keine Biegemomente übertragen werden können. Der gelenkige Anschluß ist statisch jedoch meist eine Idealisierung, die sich konstruktiv nur unvollständig erreichen läßt. So wird der Anschluß mit geschraubten Stegwinkeln als gelenkig angesehen, obgleich die Gelenkwirkung sehr unvollkommen sein kann.

① **Stockwerkrahmen.** Die Unterzüge und Stützen sind biegungssteif miteinander verbunden und wirken als Rahmen mit steifen Ecken (Steifrahmen). Die Endmomente der Unterzüge (Riegel) werden in die Stützen (Stiele) übertragen. Die Stützen erhalten einen entsprechend größeren Querschnitt. Ein Stockwerk-Rahmen ist mehrfach statisch unbestimmt, er verlangt deshalb guten Baugrund.

② **Übereinandergestellte Steifrahmen.** Die Rahmen können einzeln aufeinandergestellt und mit Fußgelenken versehen sein. Dann können keine Momente von Geschoß zu Geschoß, sondern nur vertikale oder horizontale Kräfte übertragen werden.

③ **Gelenkrahmen.** Die Knoten werden gelenkig angenommen. Die Unterzüge spannen sich als einfache Träger zwischen die Stützen oder gehen als Durchlaufträger über mehrere Felder hinweg. Die Stützen müssen als Pendelstützen betrachtet werden, die nur vertikale Kräfte aufnehmen können. Dieses Tragsystem ist gegenüber horizontalen Kräften (Windlasten) nicht standsicher und bedarf besonderer Aussteifungen nach beiden Richtungen.

④ **Gemischte Systeme.** Bei Querschnitten mit mehr als 2 Stützen ist oft eine Kombination von verschiedenen statischen Systemen angebracht. Mitunter werden die obersten Geschosse zurückgenommen (Gebäudeabstand, Belichtungsverhältnisse). Auch ein Wechsel des statischen Systems in den einzelnen Geschossen ist möglich. Dabei ist zu beachten, daß die weitgespannten Konstruktionen in die oberen Geschosse zu liegen kommen. Oft liegt auch dem Montagezustand ein anderes System zugrunde.

Beim Stahlskelett setzt sich die Tragkonstruktion aus Stützen, Unterzügen, Deckenträgern und aussteifenden Verbänden zusammen. Je nach den Verbindungen der Unterzüge mit den Stützen unterscheidet man zwei Grundsysteme: Den vollsteifen Rahmen (Stockwerkrahmen, übereinandergestellte Steifrahmen) und das Gelenkstabwerk (Gelenkrahmen). Beide Systeme lassen sich besonders bei Querschnitten mit mehr als zwei Stützen miteinander in vielfacher Form kombinieren. Die Zweckmäßigkeit der einzelnen Systeme hängt von den Nutzlasten, der konstruktiven Ausbildung der einzelnen Bauglieder (ein- oder mehrteilig), von dem Verhältnis der Spannweite zu den Geschoßhöhen und von den Bodenverhältnissen (Setzungsempfindlichkeit) ab. Auch die Montage des Skeletts spielt bei der Wahl des Systems eine Rolle.

Sofern die massiven Decken als horizontale Windträger herangezogen werden können, ergeben unter normalen Verhältnissen die Gelenkrahmen mit aussteifenden vertikalen Verbänden, über die die Windkräfte in die Fundamente abgeleitet werden, die wirtschaftlichsten Konstruktionen (Windverbände s. S. 147).

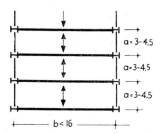

① Längsgespannte Decke von Riegel zu Riegel bei kleinem Binderabstand oder kleiner Nutzlast.

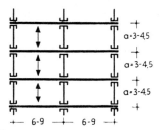

② Längsgespannte Decke. Mittlerer Längsträger ist unbelastet, dient nur der Aussteifung.

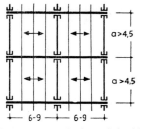

③ Quergespannte Decke auf durchlaufenden Deckenträgern. Günstig für Steifrahmen.

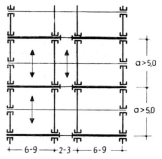

④ Bei größerem Binderabstand längsgespannte Decke mit Zwischenträgern. Zwischenstütze in der Außenwand stets wirtschaftlich von Vorteil.

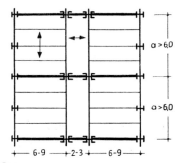

⑤ Längsgespannte Decke mit Zwischenträgern und Zwischenstütze in der Außenwand bei großem Binderabstand.

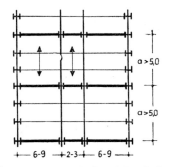

⑥ Längsgespannte Decke. Jeder Deckenträger setzt sich in der Außenwand auf eine Stütze ab.

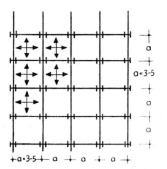

⑦ Kreuzweis bewehrte Decken bei quadratischen Feldern.

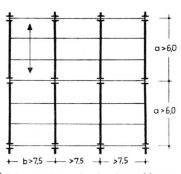

⑧ Rahmenwirkung in der Längsrichtung. Decke ebenfalls längs gespannt.

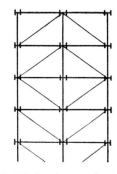

⑨ Bei Stahldecken kann horizontaler Verband zur Aussteifung notwendig werden.

Deckenausbildung

Die Decken spannen sich als massive Stahlbetondecken über Deckenträger und Unterzüge und haben neben der Aufnahme von senkrechten Nutzlasten zugleich die Aufgabe, die horizontale Aussteifung im Stahlskelett zu übernehmen. Wird die Decke aus besonders geformten Stahlblechen gebildet, dann können in der Decke eigene horizontale Windverbände notwendig werden, Abb. 9.

Je nach den zur Verfügung stehenden Bauhöhen und nach den Erfordernissen des Betriebes (Belichtung, ebene Deckenuntersicht, Installationen, Heizkanäle) werden die Deckenträger versenkt oder über den Unterzügen als Einfeld- oder Mehrfeldträger angeordnet. Bei Steifrahmen laufen die Deckenträger immer in Längsrichtung, bei Gelenkrahmen mit Stabilisierung durch Verbände können die Unterzüge in Längsrichtung und die Deckenträger quer oder umgekehrt laufen. Der Abstand der Deckenträger hängt von der Art

der Deckenplatte ab und beträgt ungefähr 2 bis 4 m. Bei kleiner Binderentfernung oder kleinen Nutzlasten spannen sich die Decken unmittelbar von Riegel zu Riegel. Die Längsträger haben dann in der Außenwand nur deren Gewicht zu tragen. Im Innern dienen sie oft nur zur Längsaussteifung, besonders bei der Montage, wenn die Massivdecken noch nicht angebracht sind.

Bei gleichem Stützenabstand nach beiden Richtungen (quadratische Deckenfelder) können kreuzweise bewehrte Platten von Vorteil sein. Die Betonplatte kann durch geeignete Verbindung (aufgeschweißte Dübel oder Schrägbewehrung) mit dem Stahlträger schubfest verbunden werden. Dadurch entsteht ein Verbundträger, bei dem die Betonplatte als Druckgurt des Stahlträgers mit herangezogen wird. Eine derartige Konstruktion ist bei großen Stützweiten besonders wirtschaftlich, wenn genügend Konstruktionshöhe zur Verfügung steht.

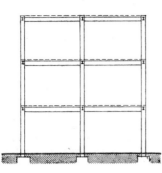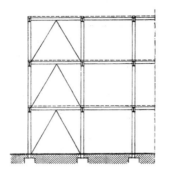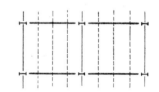

Querschnitt   Längsschnitt   Grundriß

Einteilige Riegel und einteilige Stützen — Stützen gehen durch, Riegel gestoßen

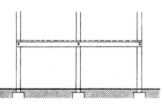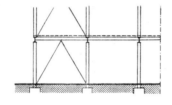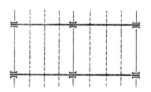

Querschnitt   Längsschnitt   Grundriß

Einteilige Riegel und einteilige Stützen — Riegel gehen durch, Stützen gestoßen.

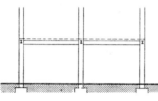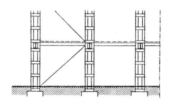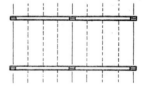

Querschnitt   Längsschnitt   Grundriß

Einteilige Riegel und zweiteilige Stützen (beides durchgehend)

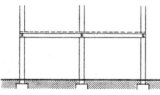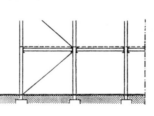

Querschnitt   Längsschnitt   Grundriß

Zweiteilige Riegel und einteilige Stützen (beides durchgehend)

Gelenkrahmen

Obgleich bei den Gelenkrahmen die Verbindungen in der statischen Berechnung als gelenkig erscheinen, werden die Stützen meist durchgehend angeordnet. Die durch einseitige Deckenbelastung auftretenden Biegemomente werden im allgemeinen durch die Decken geschoßweise ausgeglichen, so daß die Biegemomente am Anschluß der Deckenträger sowie am Stützenfuß gleich Null gesetzt werden können. Die Biegebeanspruchung der durchgehenden Stützen infolge Windbelastung werden durch die Massivdecken ausgeschaltet, die als steife horizontale Träger die Windkräfte aufnehmen und in die dafür ausgebildeten Festpunkte absetzen. Diese müssen zur Aufnahme der Windkräfte sowohl in der Quer- als auch in der Längsrichtung vorgesehen werden (s. S. 147).

Die Stützen können ebenso wie die Unterzüge im Querschnitt ein- oder zweiteilig ausgebildet werden. Daraus ergeben sich mehrere Konstruktionen. Die einfachste und wirtschaftlichste Ausführung ist, wenn der einteilige Riegel gegen die einteilige Stütze läuft und durch Winkelprofile angeschlossen wird. Der Riegelanschluß wird jedoch bequemer, wenn die Stütze zweiteilig und der einteilige Unterzug dazwischen gesteckt ist, oder der zweiteilige Unterzug beiderseits an der einteiligen Stütze vorbeigeführt wird. Zweiteilige Unterzüge sind jedoch nur bei gedrückter Bauhöhe wirtschaftlich. In der Außenwand treten zweiteilige Stützen besonders breit in Erscheinung.

An den Innenstützen entstehen Kreuzgelenke, wenn Stütze und Unterzug aneinander vorbeigeführt werden.

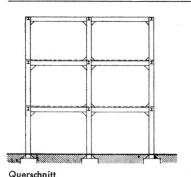

Querschnitt

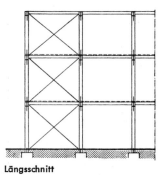

Längsschnitt

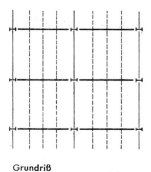

Grundriß

Stockwerkrahmen

Die Aufgabe der biegesteifen Knoten besteht neben der Übertragung von Normal- und Querkräften in der Überleitung der Biegemomente aus dem Riegel in die Stützen und umgekehrt. Dadurch ist ein Stockwerkrahmen in der Lage, alle senkrechten und waagerechten Kräfte ohne weitere Aussteifung aufzunehmen und auf kürzestem Wege in die Fundamente überzuleiten.

Die Ausbildung der biegesteifen Knoten erfolgt am wirtschaftlichsten durch Bindebleche. Diese Lösung ist aber nur möglich, wenn die Knoten entweder ganz in die Decke zu liegen kommen oder über den Riegeln sich Wände befinden, in denen die Bindebleche verschwinden können. Andernfalls muß der Knoten mittels Zuglasche oder durch geschweißte Konstruktionen biegefest ausgebildet werden.

Die Unterzüge werden einteilig gewählt, die Stützen können ein- und zweiteilig ausgebildet werden und laufen von unten nach oben durch.

Bei einteiliger Stütze läuft der Riegel gegen das Profil

der Stütze, bei den zweiteiligen Stützen schiebt er sich zwischen die beiden Profile, deren Abstand von der Flanschbreite der Riegel bestimmt wird. Bei einteiliger und geschweißter Ausbildung ist die Verwendung von I P Profilen vorteilhaft, weil die breiten Flansche gute Anschlußmöglichkeiten zulassen.

Die Ausbildung als einteilige Stütze und Rahmenriegel ist in der Regel am wirtschaftlichsten, jedoch wird oft die zweiteilige Stütze wegen des bequemeren Riegelanschlusses vorgezogen. In der Außenwand ergibt die einteilige Stütze im Gegensatz zur zweiteiligen Stütze nur eine schmale Ansichtsfläche.

Die Aufnahme der Windkräfte in der Querrichtung erfolgt durch die Rahmen unmittelbar, in der Längsrichtung entweder durch Verbindung von je zwei Bindern in den Außenwänden durch Fachwerke oder durch Rahmen zu einer vertikalen Windscheibe (s. S. 147). Auch eine Stützengruppe im Innern des Bauwerkes kann zu einer Windscheibe zusammengefaßt werden.

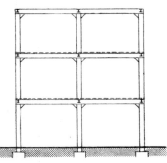

Querschnitt

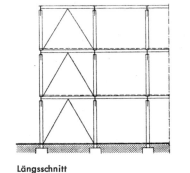

Längsschnitt

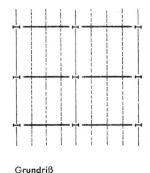

Grundriß

Übereinandergestellte Steifrahmen

Ebenso wie die Stockwerkrahmen können die übereinander gestellten Steifrahmen alle lotrechten und waagerechten Kräfte aufnehmen. Durch die Fußgelenke der einzelnen Rahmen werden aber keine Momente von Geschoß zu Geschoß übertragen. Dadurch wird die statische Rechnung vereinfacht. Auch die Montage kann sich einfacher gestalten, besonders wenn die einzelnen Rahmen bei nicht zu großer Abmessung in der Werkstatt oder an der Baustelle auf dem Boden vollständig zusammengebaut und in einem Stück angeliefert werden können. Dadurch kann die Zahl der biegesteifen Baustellenstöße vermindert und der Montagevorgang beschleunigt werden. Die Vereinfachung wiegt den Mehraufwand der Stützen, deren Momente und Knicklängen größer als bei Vollrahmen sind, teilweise auf.

Der Querschnitt der Stützen und Riegel ist einteilig, die biegungssteife Verbindung ähnlich wie beim Stockwerkrahmen; jedoch läuft der Unterzug durch und die Stützen sind gestoßen. Die einteilige Stütze tritt in der Außenwand nur mit dem Flansch in Erscheinung.

Die Gelenkausbildung des darüber sitzenden Rahmens erfolgt bei großen Stützweiten durch echte Gelenke. Meist genügt aber eine Ausbildung, bei der Eckbleche den biegungssteifen Anschluß zwischen Riegel und darunter sitzender Stütze gewährleisten, während der Anschluß mit der darüber befindlichen Stütze gelenkig angesehen wird. Der Vorteil dieser Konstruktion liegt darin, daß das Knotenblech nur in den unteren Raum ragt. Aufnahme der Windkräfte in der Längsrichtung wie beim Stockwerkrahmen.

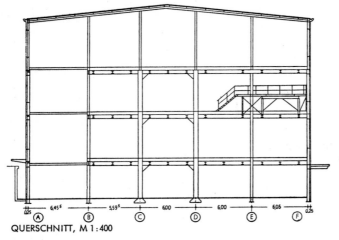

QUERSCHNITT, M 1:400

Chemisches Industriewerk (Ausführung MAN)
Geschoßbau in Stahlskelett. Stützenabstände 6,0 m, Binderabstand ebenfalls 6,0 m, Geschoßhöhe 5,0 m. Ausführung in IP-Profilen, Verstärkungen
und Anschlüsse geschweißt, Montagestöße geschraubt. Große Nutzlasten
(Behälter), deshalb Verbundträgerdecke mit großer Konstruktionshöhe.

STATISCHES SYSTEM

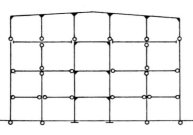

5 Felder, je 6,0 m

Kombination von durchge-
henden Stützen, Pendelstützen, Einfeldbalken und
Durchlaufträgern mit über-
einandergestellten Steifrahmen im Mittelfeld, das die
gesamten Windlasten aufzunehmen hat. Die Unterzüge
wurden mit Rücksicht auf
spätere betriebliche Änderungen ebenso wie die Dek-
kenträger als Einfeldbalken
berechnet. Dachgeschoß mit
seinen geringen Lasten als
leichter mehrstieligerRahmen

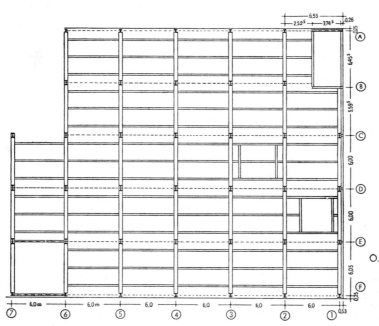

DECKE ÜBER KELLERGESCHOSS, M 1:400
Quadratische Felder 6,0×6,0 m. Deckenträger unmittelbar zwischen den
Bindern, an den Stützen wegen des Anschlusses versetzt angebracht.
Öffnungen für durchgehende Behälter und zur Montage der maschinel-
len Ausrüstung.

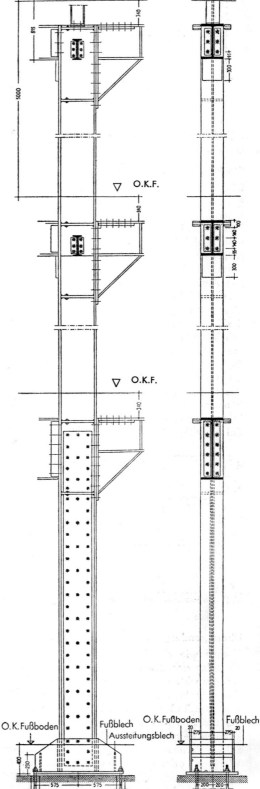

EINZELHEITEN der Stützenreihe D, M 1:50
Stütze im Fundament eingespannt, Anschluß der
Unterzüge in den einzelnen Geschossen, teilweise
biegesteif mit Eckblechen, teilweise gelenkig mit
Anschlußwinkeln.

Stahlskelett-Geschoßbau eines Chemiewerkes (Ausführung MAN)

Der statische Aufbau des vierge-schossigen Stahlskelettes mit zwei Innenstützen besteht aus übereinan-dergestellten Halbrahmen, die sich seitlich gegen die durchgehenden Außensäulen abstützen. Stützweiten 7,9 m — 6,0 m — 7,9 m, Binderab-stand 6,1 m.

Ausbildung der Rahmenecken mit geschweißten Eckblechen, Montage-stöße geschraubt (s. Einzelheit E). Die Verbindungen im Mittelfeld sind in den oberen Geschossen wegen der maschinellen Ausrüstung und des Transportes nicht an allen Rahmen vorhanden. Im Untergeschoß läuft der Rahmenriegel durch (s. Einzel-heit F).

Längsunterzüge unmittelbar zwi-schen den Rahmenriegeln, an den Stützen wegen des Anschlusses seit-lich versetzt angeordnet. Verteilung der Längsunterzüge weitgehend von dem Maschinenbesatzplan abhängig. Im Dachgeschoß aufgesetzte Laterne mit Zugband.

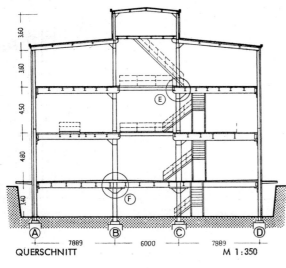

QUERSCHNITT M 1:350

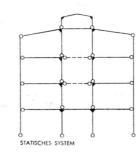

STATISCHES SYSTEM

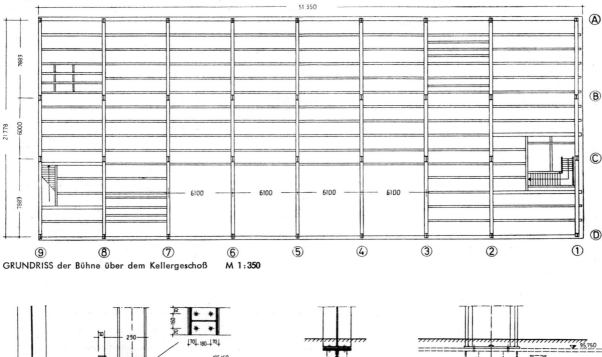

GRUNDRISS der Bühne über dem Kellergeschoß M 1:350

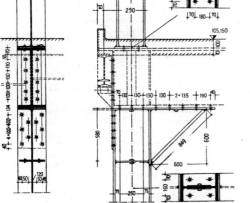

EINZELHEITEN (Punkt E) der Stützenreihe C M 1:40

Biegungssteife Ausbildung der Knotenpunkte im Obergeschoß durch Eckbleche. Werkstattarbeit geschweißt, Baustellenanschlüsse ge-schraubt. Darüber sitzende Säule ist gelenkig angeschlossen.

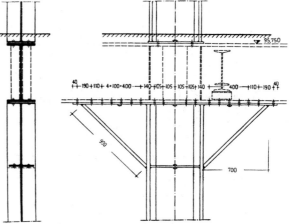

EINZELHEITEN (Punkt F) der Stützenreihe C M 1:40

Biegungssteifer Anschluß des Unterzuges an die Stützen nach beiden Richtungen durch Eckbleche. Werkstattarbeit geschweißt, Baustellen-verbindung geschraubt. Darüber sitzende Säule ist angeschlossen.

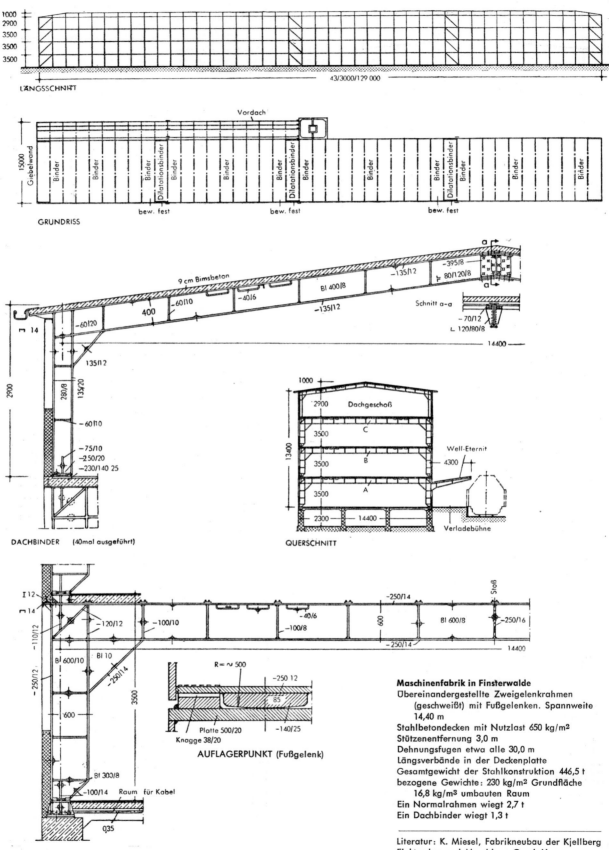

LÄNGSSCHNITT

43/3000/129 000

Vordach

GRUNDRISS

15000 Giebelwand

Binder · Binder · Binder · Dilatationsbinder · Binder · Binder · Binder · Dilatationsbinder · Binder · Binder · Binder · Dilatationsbinder · Binder · Binder · Binder

bew. fest   bew. fest   bew. fest

9 cm Bimsbeton

-395/8
-135/12   80/120/8
-40/6
-60/10   BI 400/8
400   -135/12
-60/20
14   Schnitt a-a   -70/12
L 120/80/8
14400

135/12
2900   280/8   135/20
-60/10
-75/10
-250/20
-230/140 25

DACHBINDER (40mal ausgeführt)

1000
2900   Dachgeschoß
3500   C
13400   3500   B
3500   A
2300   14400
Well-Eternit
4300
Verladebühne

QUERSCHNITT

I 12
14
-250/14   Stoß
-110/12   -120/12   -100/10   -40/6   600   BI 600/8   -250/16
-100/8
BI 600/10   BI 10   -250/14
-250/12   -250/14   -250/14   14400
600   3500
R = ~ 500
-250 12
85
Platte 500/20   -140/25
Knagge 38/20

AUFLAGERPUNKT (Fußgelenk)

BI 300/8
-100/14   Raum für Kabel
0,35

GESCHOSSBINDER **A, B u. C** (120mal ausgeführt)

Maschinenfabrik in Finsterwalde
Übereinandergestellte Zweigelenkrahmen
    (geschweißt) mit Fußgelenken. Spannweite
    14,40 m
Stahlbetondecken mit Nutzlast 650 kg/m²
Stützenentfernung 3,0 m
Dehnungsfugen etwa alle 30,0 m
Längsverbände in der Deckenplatte
Gesamtgewicht der Stahlkonstruktion 446,5 t
bezogene Gewichte: 230 kg/m² Grundfläche
    16,8 kg/m³ umbauten Raum
Ein Normalrahmen wiegt 2,7 t
Ein Dachbinder wiegt 1,3 t

Literatur: K. Miesel, Fabrikneubau der Kjellberg
Elektroden und Maschinen G.m.b.H.
Der Stahlbau 1936, Heft 17, S. 134-136.

Spannweiten

Stützenlose Räume durch Rahmenbinder bis etwa 15 m möglich. Jedoch nur wirtschaftlich bei nicht allzu großen Nutzlasten. Vorgespannte Konstruktionen bis zu 20,0 m (s. S. 160/61). Durch die beidseitige Auskragung wird der Momentenverlauf in den Unterzügen günstiger, dadurch kann die Gebäudetiefe bei zwei Stützen bis auf etwa 18 m vergrößert werden. Außerdem vollständige Auflösung der Außenhaut in Glas möglich.

Wirtschaftlichster Querschnitt mit ein oder zwei Mittelstützen. Bei einer Raumtiefe bis zu 7,50 und einem Mittelgang von 2,00 bis 2,50 m ergeben sich Gebäudetiefen bis zu 18 m. Bei nur einer Mittelstütze muß der Gang einseitig verlaufen. Will man trotzdem gleiche Raumtiefen haben, so müssen die Feldweiten ungleich gewählt werden, was statisch ungünstig ist. Ungleiche Raumtiefen können aber beim Einbau von Büro- oder Nebenräumen mitunter zweckmäßig sein.

Die Beanspruchung der Unterzüge bei enger Stellung von zwei Mittelstützen ist ungünstig, Abb. 5; statisch vorteilhafter ist es, die Mittelstützen soweit wie möglich auseinander zu rücken, Abb. 6. Der Momentenverlauf ist besonders günstig, wenn die mittlere Feldweite etwas größer als die seitliche Feldweite ist. Für Lagerhäuser mit geringem Lichtbedarf oder für Fabrikbauten, in deren Mittelteil Lagerräume oder künstlich beleuchtete Räume untergebracht werden können, sind Gebäudetiefen über 20 m mit zwei und mehr Innenstützen zweckmäßig, Abb. 7.

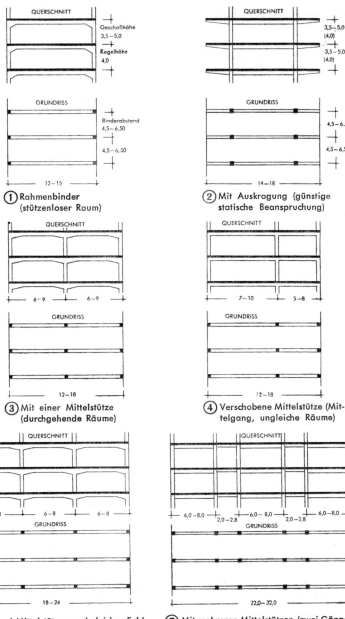

① Rahmenbinder (stützenloser Raum)

② Mit Auskragung (günstige statische Beanspruchung)

③ Mit einer Mittelstütze (durchgehende Räume)

④ Verschobene Mittelstütze (Mittelgang, ungleiche Räume)

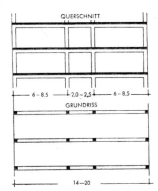

⑤ Mit zwei engen Mittelstützen (Mittelgang).

⑥ Mit zwei Mittelstützen und gleichen Feldweiten (durchgehende Räume).

⑦ Mit mehreren Mittelstützen (zwei Gänge, dunkler Mitteltrakt).

Querschnitt

Der Querschnitt von Stahlbetonskelettbauten ist abhängig von der Belichtung, den Nutzlasten und den Betriebserfordernissen. Das Tragwerk besteht aus Stützen, die mit den Unterzügen biegungssteif verbunden sind, und dazwischengespannten Decken.

Geschoßhöhen zwischen 3,50 und 5,00 m. In der Regel 4,00 m. Binderabstand ohne Längsunterzüge 4,50 bis 6,50 m, über 6,50 m meist mit Längsunterzügen (s. S. 156). Obgleich Säulen und Unterzüge im Stahlbeton biegungssteif miteinander verbunden sind, brauchen die Innensäulen nach DIN 1045, § 28, nur auf mittigen Druck, nicht aber auf Rahmenwirkung berechnet zu werden. Die Randsäulen in biegefester Verbindung mit den Unterzügen sind als Rahmenstiel zu berechnen. Jedoch sind Vereinfachungen in der Rechnung zulässig.

Die über den Innenstützen durchlaufenden Balken gelten als frei drehbar (DIN 1045, § 254).

Die Anordnung von Schrägen an den Übergängen von den Unterzügen zu den Stützen ist statisch zwar von Vorteil, wird aber aus formalen Gründen und wegen des Schalholzverschnitts neuerdings gern vermieden. Bei Rahmenkonstruktionen jedoch stets angebracht.

Durch die steife Verbindung der Decken mit den Unterzügen und Stützen entsteht ein Tragsystem von vollkommen monolithischem Charakter, das auch gegenüber waagerechten Kräften große Sicherheit bietet. Die Aufnahme der Windkräfte muß im Querschnitt nachgewiesen werden (s. S. 147). Die Windlast auf die Schmalseiten verteilt sich auf so viel Stützen, daß sie meist vernachlässigt werden kann.

Querschnitt ohne Zwischenstützen

Massivdecke spannt sich ohne Deckenunterzüge von Rahmen zu Rahmen. Nur wirtschaftlich bei Spannweiten bis etwa 6,50 m, bei kleinen Nutzlasten (750 kg/m²) bis zu 7,50 m. Decken werden als Durchlaufplatten ausgebildet und berechnet. Für die Endfelder ist es vorteilhaft, um gleiche maximale Momente zu erhalten und gleiche Deckenstärken zu ermöglichen, daß sie kleiner als die übrigen Felder sind, da sie am Ende nicht als eingespannt betrachtet werden können. Bei gleicher Binderentfernung muß das Endfeld verstärkt werden. Unterzüge in der Außenwand sind nur notwendig, wenn eine Aussteifung in der Längsrichtung erwünscht ist (Windkräfte) oder die Außenwand große Lasten absetzt. Wird die Binderentfernung größer als 6 m, ist die Anordnung von Unterzügen, über die sich die Decke senkrecht zur Außenwand spannt,

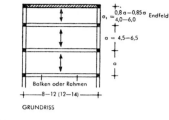

① Längsgespannte Decke bei kleinem Binderabstand.

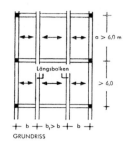

② Quergespannte Decke bei großem Binderabstand.

meist zweckmäßiger. Das System ist dann durch seine Längsunterzüge steifer gegenüber räumlichen Kräftewirkungen. Um die Deckenplatte voll ausnützen zu können, sind die Mittelfelder breiter als die Seitenfelder

zu wählen. Längsunterzüge beeinträchtigen jedoch die Beleuchtung. Um die Fenster an der Außenwand bis zur Deckenunterkante hochzuführen, kann ein Überzug, der jedoch teuer ist, verwendet werden.

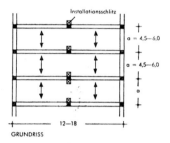

③ Längsgespannte Decke bei kleinem Binderabstand. Günstig für Installationen.

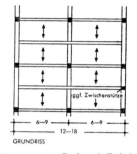

④ Längsgespannte Decke mit Zwischenträger bei großem Binderabstand.

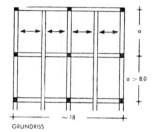

⑤ Quergespannte Decke bei großem Binderabstand und großer Spannweite des Binders.

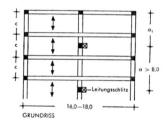

⑥ Versetzte Querbalken und versetzte Fensterpfeiler.

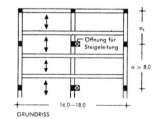

⑦ Versetzte Querbalken mit Rand-Längsträgern.

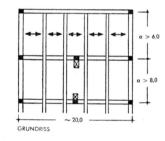

⑧ Quergespannte Decke mit versetzten Längsbalken.

Querschnitt mit einer Zwischenstütze

Decke spannt sich parallel zur Außenwand von Binder zu Binder unmittelbar. Besonders günstig für Deckendurchbrüche um Steigleitung an den Mittelstützen hochführen zu können. An diesen Punkten zusätzliche Bewehrung in der Decke vorsehen. Ob Unterzug über der Mittelstütze mit Schrägen versehen wird, ist eine Frage der Wirtschaftlichkeit.
Bei großen Binderentfernungen (a > 6 m) oder großen Nutzlasten (q > 750 kg/m²), ist

eine Unterteilung der Felder durch Längsunterzüge und Querbalken angebracht. Verläuft über die Mittelstütze ein Längsunterzug, dann sind die Öffnungen für Steigleitungen an diesen Stellen schwer unterzubringen. Deshalb oft versetzte Anordnung der Querbalken, ergibt außerdem bessere Momentverteilung.
Anordnung von Querbalken macht einen Randunterzug notwendig, dadurch Beeinträchtigung der Belichtung. Randunterzug

kann durch Zwischenstütze ersetzt werden. Bei einem Abfangen der versetzten Querbalken in der Außenwand durch Fensterpfeiler ist die Rahmenwirkung in der Querrichtung fragwürdig (Aufnahme der Windkräfte).
Werden nur Längsunterzüge angeordnet, kann der Fenstersturz, da er gering belastet ist, verhältnismäßig niedrig gehalten werden. Diese Deckenaufteilung ergibt meist wirtschaftlichste Lösung.

Die Anordnung der Decken beeinflußt den Aufbau eines Stahlbetonskeletts in großem Umfang. Die Wirtschaftlichkeit einer Decke darf nicht für sich allein betrachtet werden, sondern stets muß die Rückwirkung auf Unterzüge und Stützen verfolgt werden. Die Anordnung (Spannrichtung) der Decken hängt von der Deckenart (massive Platte, Rippendecke, Plattenbal-

ken usw.), von den Nutzlasten und von dem Tragsystem des Skeletts ab. Weiterhin spielen Fragen der Belichtung (schattenwerfende Unterzüge) und der Installation (Durchbrüche für Steigleitungen) eine Rolle.
Ausbildung der Stahlbetondecken im einzelnen nach DIN 1045, §§ 22–26; DIN 1046; DIN 4225, Ziff. 16.

Lit.: Grein, v. Halasz, Kersten, Kleinlogel, Betonkalender.

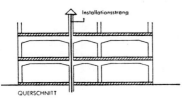

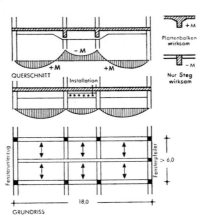

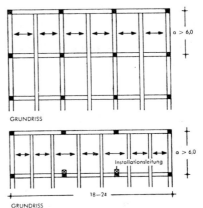

⑨ Längsgespannte Decke bei kleinem Binderabstand. Günstig für Installationen.

⑩ Längsgespannte Decke mit Zwischenträger bei großem Binderabstand.

⑪ Quergespannte Decke bei großem Binderabstand und großer Gebäudetiefe. (Variante mit versetzten Deckenträgern.)

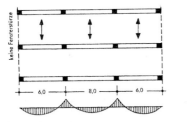

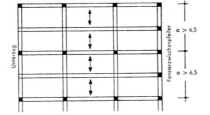

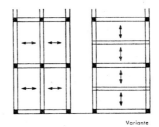

⑫ Längsgespannte Decke bei kleinem Binderabstand.

⑬ Längsgespannte Decke mit Zwischenträgern bei großem Binderabstand.

⑭ Längs- und quergespannte Decke, wenn Unterzug über Mittelstützen nicht durchläuft.

Querschnitt mit zwei Zwischenstützen

Deckenanordnung wie bei Querschnitten mit einer Mittelstütze. Besondere Überlegung macht hier das schmale Mittelfeld notwendig. Wird der Unterzug in der Binderebene durchgehend ausgebildet, dann muß er mitunter sehr hoch werden, da für die negativen Momente nur der schmale Balkenquerschnitt zur Verfügung steht, für

die positiven Feldmomente in den Seitenfeldern dagegen der Unterzug als Plattenbalken mit breiter Druckzone angenommen werden kann. Deshalb ist eine Aufteilung des Querschnittes in zwei getrennte Rahmen oft zweckmäßiger. Schmales Mittelfeld wird dann nur durch niedrige Balken auf zwei Stützen überbrückt, an denen gleichzeitig

die Installation angehängt werden kann. Bei großen Stützweiten ist eine Feldaufteilung mit quergespannter Decke über Deckenlängsträger besonders wirtschaftlich. Fenstersturz kann verhältnismäßig niedrig bleiben. Müssen an den Säulen Deckendurchbrüche vorgesehen werden, dann ist eine versetzte Anordnung zweckmäßig.

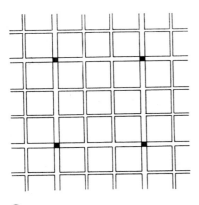

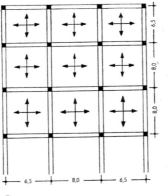

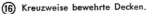

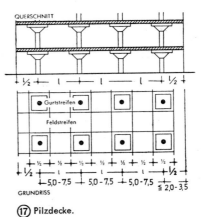

⑮ Trägerrost.

⑯ Kreuzweise bewehrte Decken.

⑰ Pilzdecke.

Ist die Decke nach beiden Richtungen sehr weit gespannt, kann ihre Auflösung in einen Trägerrost statisch und wirtschaftlich von Vorteil sein. Dadurch bei großer Konstruktionshöhe kleines Deckengewicht. Geringe Durchbiegungen. Sonderausbildung nach Nervi legt die Träger in Richtung der isostatischen Linien. Nur wirtschaftlich bei mehrfacher Verwendung der Schalung.

Bei quadratischen Feldern kann die Stahlbetondecke kreuzweise bewehrt werden. Dadurch niedrige Konstruktionshöhe. Längs- und Querbalken werden gleich belastet. Nur wirtschaftlich, wenn Innenstützen nach beiden Richtungen nahezu gleichen Abstand haben. Unterschiede bis a = 0,8 b möglich. Bei größerem Unterschied der Seiten ist kreuzweis bewehrte Decke nicht angebracht.

Pilzdecken stellen kreuzweis bewehrte Stahlbetonplatten dar, die sich ohne Balken unmittelbar auf Stahlbetonsäulen setzen und mit diesen biegefest verbunden sind. Pilzsäulen werden als umschnürte Säulen (hohe Tragfähigkeit) rund oder achteckig ausgebildet. Sie treten hinter der Außenwand zurück. Vorteil dieser Konstruktion liegt außerdem in der ebenen Deckenuntersicht.

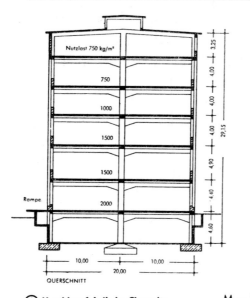

QUERSCHNITT

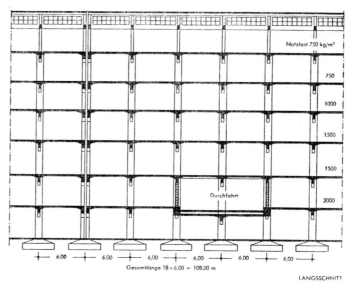

Gesamtlänge 18 × 6,00 = 108,00 m

LANGSSCHNITT

① **Maschinenfabrik in Chemnitz**
Arch. W. Kreis. (Ausführung Wayss & Freytag)

M = 1 : 500

Weit gespannte Stahlbetonkonstruktion mit einer Mittelstütze. Nutzlasten nach oben abgestuft. Dehnungsfuge durch Doppelstütze.

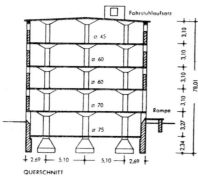

QUERSCHNITT

GRUNDRISS

Pilzkonstruktion für Lagerhäuser mit großen Nutzlasten besonders vorteilhaft. Umschnürte runde Säulen ergeben größte Tragfähigkeit bei kleinem Querschnitt. Ebene Deckenuntersicht, beiderseitige Auskragung, niedrige Fenster unmittelbar unter der Decke lassen günstige Lagerflächen zu und ergeben ausreichende Tiefenbeleuchtung.

M = 1 : 500

② **Lagerhaus in Ludwigshafen**
Arch. Schmidt

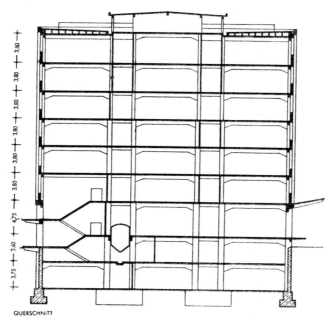

QUERSCHNITT

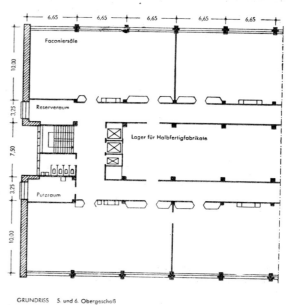

GRUNDRISS   5. und 6. Obergeschoß

③ **Pharmazeutische Fabrik in Basel**
Arch.: Bräuning, Leu, Dürig   M = 1 : 500

Maximale Flächennutzung durch Schaffung einer indirekt beleuchteten Innenzone für Lagerräume und Anordnung der Verkehrselemente (Treppen, Aufzüge, Toiletten) an den beiden Kopfenden.

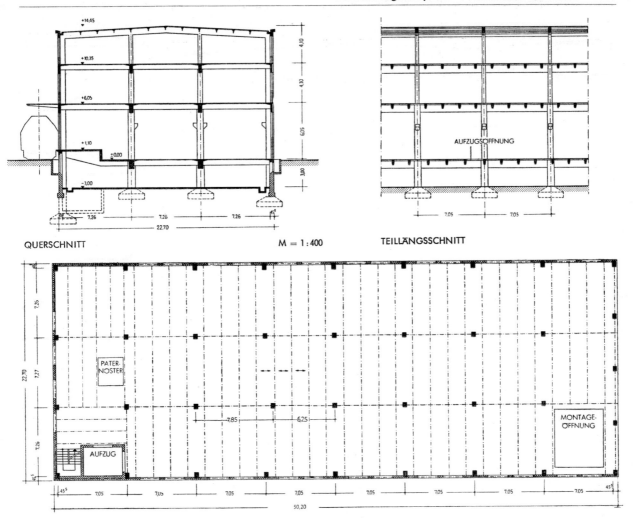

QUERSCHNITT   M = 1:400   TEILLÄNGSSCHNITT

GRUNDRISS

① Dreigeschossiges Fabrikationsgebäude für sehr große Nutzlasten. Dreischiffige Anlage mit 22,70 m Bautiefe. Geschoßbau als Stahlbetonskelett mit 4 Stützenreihen in 7,25 m Abstand. Stützenentfernung in der Längsrichtung 7,05 m. Decken längsgespannt über versetzten Nebenunterzügen (Plattenbalken, Abstand 1,75 m). Hohe Unterzüge über den Fenstern notwendig. In der Stahlbetondecke einzelne Montageöffnungen.

Aus betriebstechnischen Gründen (Maschinenbesatzplan) wurde eine Stütze in der Längsrichtung um 0,80 m versetzt. Im Erdgeschoß Kranbahn auf Stahlbetonkonsolen.

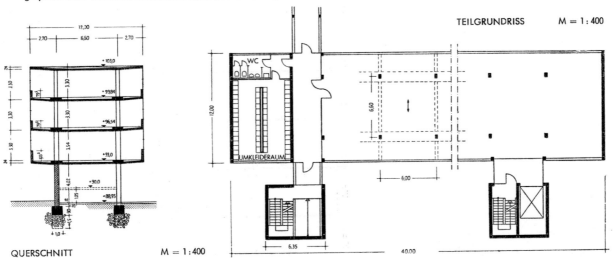

TEILGRUNDRISS   M = 1:400

QUERSCHNITT   M = 1:400

② **NSM Fabrikbau Bingen,** Architekt F. W. Kraemer
Stahlbetonskelett mit 2 Stützenreihen und beiderseitiger Auskragung. Decke quergespannt mit ebener, zum Fenster ansteigender Untersicht. Längsunterzüge als breite Überzüge. Rahmenriegel wird nur durch Windkräfte belastet. Treppenhaus herausgelöst, Erdgeschoß (Lager und Garagen) zurückspringend.

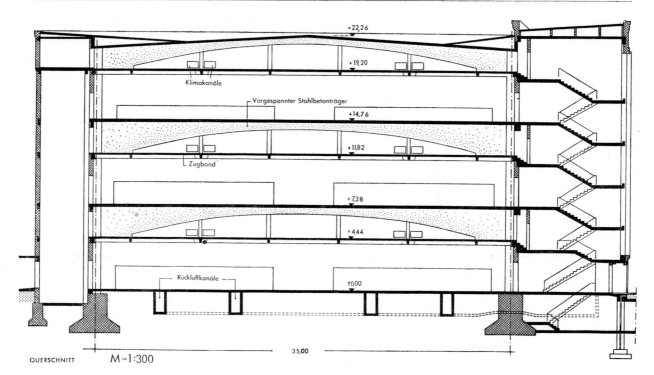

QUERSCHNITT   M = 1:300

① **Perlonfabrik Oberbruch der Ver. Glanzstoff-Fabriken A.-G. Wuppertal-Elberfeld** (Architekt B. Halbig, Ausführung Dyckerhoff & Widmann).
Mehrgeschoßbau mit stützenfreien Räumen von 35,0 m Breite und 4,0 m lichter Höhe.
Deckenbinder als vorgespannter Bogenträger mit Zugband, Höhe 3,0 m, Abstand 6,0 m, Deckenlasten 950 kg/m².
Decke des Normalgeschosses längsgespannt unmittelbar von Binder zu Binder. Decke des Zwischengeschosses über Längsunterzüge quergespannt und an Spannbetonbinder aufgehängt. Zwischengeschosse der Spannbetonbinder zugleich für Installation ausgenutzt.
Gesamtlänge des Bauwerkes 72,0 m. In der Mitte durch Dehnungsfuge unterteilt.

② Mehrgeschoßbau aus vorgespannten Stahlbetonrahmen, stützenfreie Raumtiefe 15,0 m, Geschoßhöhe 4,0 m, Achsabstand 3,25 m, Decke längsgespannt.

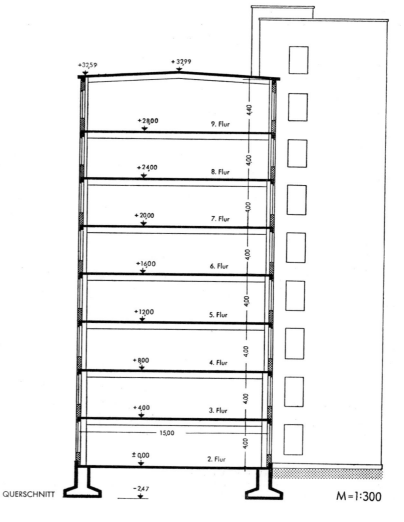

QUERSCHNITT   M = 1:300

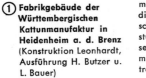

① **Fabrikgebäude der Württembergischen Kattunmanufaktur in Heidenheim a. d. Brenz**
(Konstruktion Leonhardt, Ausführung H. Butzer u. L. Bauer)
Verkehrslast 750 kg/m². Tragkonstruktion besteht aus vorgespannten Stockwerksrahmen mit beiderseitiger Auskragung. Infolge sehr ungünstiger Bodenverhältnisse mußte die Lagerung der Rahmen statisch bestimmt erfolgen. Bei größeren Setzungen kann die Talseite des Gebäudes mit hydraulischen Pressen angehoben werden. Gebäudelänge 84,4 m, 12 Stockwerksrahmen im Abstand von 6,90 m bzw. 7,00 m. Zwei Fugen (Doppelstützen) trennen das Bauwerk in drei ungefähr gleich große Teile. Windkräfte in Querrichtung werden von den Rahmen aufgenommen, Windkräfte der Längsrichtung werden über Massivstreifen in der Decke zum Teil in die Rah-

menstiele und zum Teil in die biegesteifen Fahrstuhlschächte geleitet. Die Fahrstuhlschächte wurden zu diesem Zweck als im Fundament eingespannte Kragträger berechnet. Die 7 m weit gespannte Decke als durchlaufende Rippendecke in B 300, Stärke der tragenden Platte nur 7 cm, Rippen 37 cm hoch bei 49 cm mittigem Abstand.
Lit.: Bautechnische Mitteilungen der Bauunternehmung H. Butzer, 20. Jahrg. (1953) Heft 1

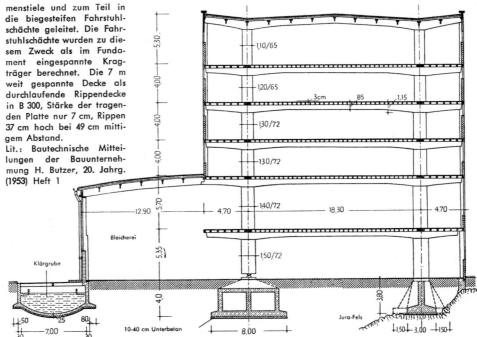

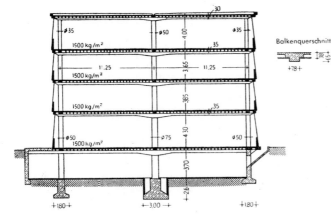

Balkenquerschnitt

② **Fabrikneubau Hahn in Fellen bei Stuttgart**
(Bauingenieur Leonhardt, Architekt Gudbrod)
Vorgespannte Durchlaufträger über zwei Felder mit je 11,25 m Stützweite. Abstand der Binder 7,50 m, Nutzlasten 1500 kg/m². Die Mittelstütze ist biegungsfest mit dem Unterzug verbunden. Die Außenstütze oben und unten dagegen mit Betongelenken versehen. Höhe des Unterzuges 65 cm, Breite 78 cm. Zwischen den vorgespannten Unterzügen 38 cm hohe Stahlbetonrippen.
Die Gebäudelänge über 90 m ist durch zwei Dehnungsfugen unterteilt.
Lit.: Beton- und Stahlbetonbau 48 (1953), S. 31.

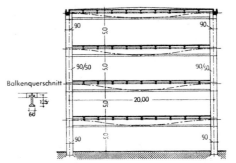

Balkenquerschnitt

③ **Stockwerkrahmen in Belgien**
Die Riegel sind vorgespannt, Spannweite 20 m, Querschnitt als I-Profil 1,20 m hoch, Steg 16 cm breit, Flansch 60 cm. Die Stützen in gewöhnlichem Stahlbeton, die Köpfe der Säulen dienen gleichzeitig als Widerlager für die vorgespannten Rahmen.

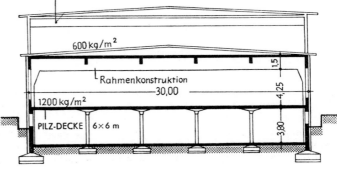

④ **Fabrikbau Weinfelden/Schweiz**
Die Tragkonstruktion besteht aus vorgespannten Rahmenbindern mit einer Spannweite von 30 m, Abstand der Binder 6 m. Im Untergeschoß ist eine Pilzdecke mit den Abmessungen 6×6 m eingebaut. Nutzlasten 1200 kg/m². Stützenfreier Raum 30×60 m. Die Pilzdecke wirkt im ganzen System als hochliegendes Zug- und Druckband.

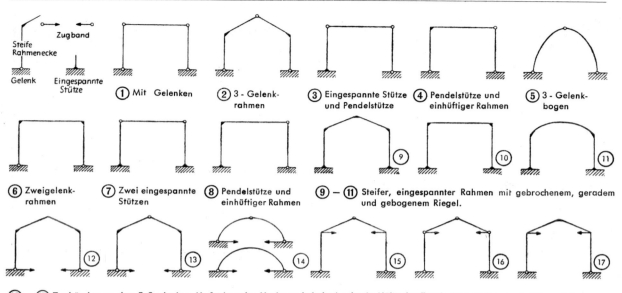

Steife Rahmenecke — Zugband — Gelenk — Eingespannte Stütze

① Mit Gelenken ② 3-Gelenkrahmen ③ Eingespannte Stütze und Pendelstütze ④ Pendelstütze und einhüftiger Rahmen ⑤ 3-Gelenkbogen

⑥ Zweigelenkrahmen ⑦ Zwei eingespannte Stützen ⑧ Pendelstütze und einhüftiger Rahmen ⑨ — ⑪ Steifer, eingespannter Rahmen mit gebrochenem, geradem und gebogenem Riegel.

⑫ — ⑰ Zugbänder an den Fußgelenken (Aufnahme des Horizontalschubes) oder in Höhe der Traufe (Verminderung der Momente).

Einschiffige Hallen

Mit 4 Gelenken nach Abb. 1, statisch labil gegenüber horizontalen Kräften. Besondere Windverbände notwendig. Ausführung in Stahl.

Mit 3 Gelenken, statisch bestimmt. Dreigelenkrahmen nach Abb. 2 oder Bogen nach Abb. 5. Ausführung in Stahl, Holz, Stahlbeton. Querschnitte nach Abb. 3 und Abb. 4 nähern sich in der konstruktiven Durchbildung (Ausführung in Stahl und Holz) den Formen nach Abb. 1 und 7.

Mit 2 Gelenken einfach statisch unbestimmt. Zweigelenkrahmen in Stahl, Holz und Stahlbeton nach Abb. 6. Auch Abb. 7 und 8 ist statisch ein Zweigelenkrahmen, stellt aber der konstruktiven Ausbildung nach (Stahl, Holz) eine eigene Form dar, die sich von Abb. 6 unterscheidet.

Mit einem Gelenk, zweifach statisch unbestimmt, statisch und konstruktiv möglich, aber seltene Ausbildung.

Ohne Gelenk, dreifach statisch unbestimmt, steifer eingespannter Rahmen nach Abb. 9 und 10 oder Bogen nach Abb. 11. Ausführung in Stahl, Holz und Stahlbeton bei gutem Baugrund.

Bei den geraden Bindern ist die Beanspruchung auf Biegung für die konstruktive Durchbildung im einzelnen ausschlaggebend. Durch Zugbänder in Höhe der Traufe nach Abb. 15, 16 und 17 kann die Momentverteilung in dem Riegel und in den Stützen günstig beeinflußt werden. Auch die horizontalen Stützenkräfte können dadurch verringert werden. Durch Zugbänder in Höhe der Fußgelenke nach Abb. 12 bis 14 können die horizontalen Kräfte auf die Fundamente ganz ausgeschaltet werden. Anwendung bei Baugrund, der zur Aufnahme horizontaler Kräfte weniger geeignet ist und bei weitgespannten Rahmen oder Bogen (> 30 m), die sehr große horizontale Stützenkräfte ergeben, deren Überleitung in den Baugrund unwirtschaftlich große Fundamente ergibt. Durch bogenförmige Ausbildung des Querschnitts Abb. 5, 11 und 14 kann eine bessere Anpassung an die Mittelkraftlinie erzielt werden, dadurch werden die Biegespannungen reduziert. Besonders vorteilhaft für weitgespannte Stahlbetonhallen.

⑱ — ⑳ Mehrere Schiffe in gleichen Abmessungen aneinandergereiht.

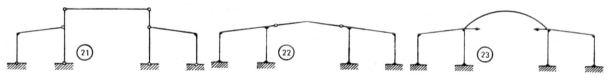

㉑ — ㉓ Mittelschiff größer als die Seitenschiffe.

Mehrschiffige Hallen

Mehrschiffige Hallen können statisch sehr unterschiedlich aufgebaut sein. Wie bei den einschiffigen Hallen ist zwischen statisch bestimmten und ein- oder mehrfach statisch unbestimmten Systemen zu unterscheiden. Entweder überwiegt ein Mittelschiff in seinen Abmessungen und die Seitenschiffe lehnen sich an das Mittelschiff an oder es reihen sich mehrere Schiffe gleichwertig aneinander. Das Mittelschiff wird oft auch aus beleuchtungstechnischen Gründen über die Seitenschiffe hochgeführt. Stets ist anzustreben, daß die einzelnen Schiffe für sich standsicher sind. Für die Wahl des Systems gelten ähnliche Überlegungen wie bei den einschiffigen Hallen.

Bei mehrschiffigen Hallen können auch verschiedene Baustoffe verwendet werden, z. B. Seitenschiffe in Stahlbeton und Binder über großem Mittelschiff in Stahl oder Holz.

Der statische Aufbau von Hallen läßt verschiedene Möglichkeiten zu. Die Wahl des Systems hängt ab von den Spannweiten, der Kranausrüstung, den Gründungsverhältnissen und den Baustoffen. Auch die Frage einer späteren Erweiterung einer Halle ist von Einfluß auf den statischen Aufbau. Schwere Kranausrüstungen verlangen statisch unbestimmte Konstruktionen (eingespannte Stützen), weil bei ihnen die Formänderungen gering sind. Guter Baugrund läßt statisch unbestimmte Systeme (Rahmen) zu. Schlechter Baugrund macht statisch bestimmte Systeme notwendig, um ungleiche Setzungen ausgleichen zu können.

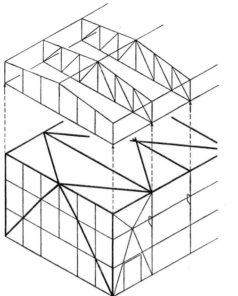

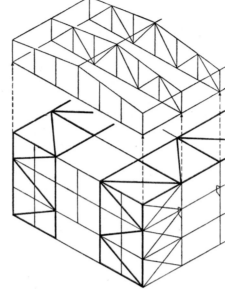

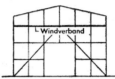

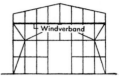

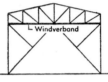

① Lange Windverbände in der Untergurtebene zur Aufnahme der Windkräfte auf die Längswände.

② Ausbildung der Giebelwände als starre Fachwerkscheiben

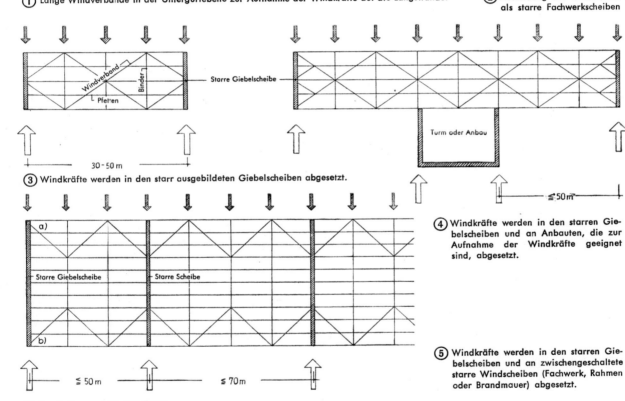

③ Windkräfte werden in den starr ausgebildeten Giebelscheiben abgesetzt.

④ Windkräfte werden in den starren Giebelscheiben und an Anbauten, die zur Aufnahme der Windkräfte geeignet sind, abgesetzt.

⑤ Windkräfte werden in den starren Giebelscheiben und an zwischengeschaltete starre Windscheiben (Fachwerk, Rahmen oder Brandmauer) abgesetzt.

Binderscheiben auf Pendelstützen

Der Dachbinder wird als starre Scheibe ausgebildet, entweder fachwerkartig oder vollwandig und setzt seine Lasten als Balken auf Pendelstützen ab. Infolge ihrer gelenkigen Lagerung werden die Stützen erheblich günstiger beansprucht. Ihre Knicklänge ist nur halb so groß wie nach S. 164 und ihre Beanspruchung auf Biegung wesentlich geringer, so daß die Fundamente kleiner gehalten werden können. Da das einzelne Binderfeld für sich nicht standsicher ist, müssen zur Aufnahme der Windkräfte **Längsverbände** angeordnet werden, die die

Windkräfte in den Giebelfeldern absetzen. Die Windverbände werden bei nicht zu breiten Hallen über die gesamte Hallenbreite entweder in die Ebene des Untergurtes oder des Obergurtes der Binder gelegt. Bei sehr breiten Hallen teilt man den Windverband in zwei Verbände (Abb. 1).

Die Bauart mit Pendelstützen ist für Stahl besonders geeignet, sofern die Hallen nicht zu lang sind und eine spätere Verlängerung nicht in Frage kommt. Denn eine solche würde den auf die ursprüngliche Länge berechneten Windverband unbrauchbar ma-

chen. Außerdem ist diese Bauart wegen ihrer großen Formänderungen nur für leichtere Kranbahnen geeignet.

Kann man die Halle durch starre Scheiben oder durch Anbauten (nach Abb. 4 und 5) unterteilen, dann kann die Halle entsprechend länger werden.

Die Giebelwand muß stets als starre Fachwerkscheibe ausgebildet sein, wodurch die Öffnung der Tore eine Begrenzung erfahren kann. Die Aufnahme der Windkräfte in der Längsrichtung erfolgt wie bei dem System mit eingespannten Stützen (S. 164).

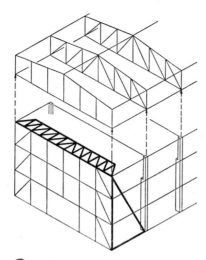

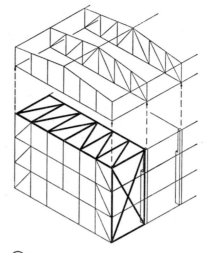

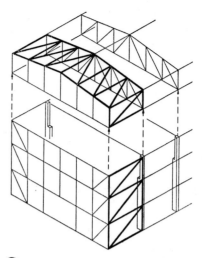

① Niedriger, aufgehängter horizontaler Windverband im Giebel.

② Großer, über das erste Binderfeld reichender horizontaler Windverband.

③ Windverband in der Dachebene. Pfetten zugleich Pfosten des Windverbandes.

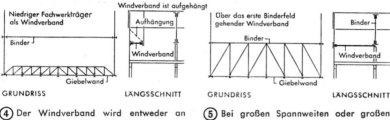

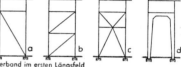

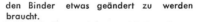

④ Der Windverband wird entweder an den verstärkten Pfetten senkrecht oder am Giebel schräg aufgehängt. Der Windverband kann gleichzeitig als Laufsteg am Giebel zur Verbindung der beiden Kranbahnlängsträger verwendet werden.

⑤ Bei großen Spannweiten oder großen Giebelhöhen (großer Winddruck) erstreckt sich der horizontale Windverband am Giebel über das gesamte erste Binderfeld. Der Untergurt des Binders ist zugleich Gurt des Windverbandes.

⑥ Zur Ableitung der Windkräfte vom Giebelfeld über den horizontalen Windträger in die Fundamente muß im ersten Längsfeld ein vertikaler Windverband angeordnet sein. Seine Ausbildung kann als Fachwerk oder Rahmen erfolgen.

Binderscheiben auf eingespannten Stützen

Der Dachbinder ist eine Scheibe, die ihre Lasten auf Stützen absetzt, die biegungssteif in die Gründungskörper eingespannt sind. Statisch betrachtet ist diese Konstruktion ein Rahmen mit zwei Zwischengelenken (siehe Seite 162). Für die Bemessung der Einzelteile kann man jedoch meist die Vereinfachung treffen, den Dachbinder als starre Scheibe einzusetzen und ihn als Balken auf zwei Stützen zu betrachten. Der Wind auf die Längswände wird unmittelbar von den Stützen in das Erdreich übergeleitet.

Da jeder Binder für sich standfest ist, ist dieser Hallentyp sehr günstig für die Montage. Er setzt allerdings guten Baugrund voraus oder es sind umfangreiche Gründungsarbeiten notwendig.

Eine Abwandlung dieser Konstruktion besteht darin, daß die Stützen aus gemauerten Wänden mit Pfeilervorlagen ausgeführt werden. Diese Ausbildung wurde früher sehr häufig angewendet und taucht in Zeiten der Stahlknappheit immer wieder auf. Da jede Stütze für sich biegungssteif eingespannt ist, ist dieser Hallentyp besonders für mittlere und schwere Kranausrüstungen geeignet. Die Stützen können auch in Stahlbeton ausgeführt werden und nur der Dachbinder ist eine Stahl- oder Holzkonstruktion. Die Halle kann beliebig erweitert werden, ohne daß an der Konstruktion der bestehen-

den Binder etwas geändert zu werden braucht.

Bei Stahlhallen werden die Giebelwände aus wirtschaftlichen Gründen als Fachwerkwand ausgebildet. Die Stiele setzen die Windkräfte in eine Fußpfette und oben auf einen horizontalen Windträger ab, der seinerseits wieder die Kräfte auf einen Windverband im ersten Längsfeld absetzt. Der Windträger kann in der Ebene des Untergurtes angeordnet werden und sich zwischen die Giebelwand und den ersten Binder spannen. Wird er schmäler gehalten, dann muß er besonders aufgehangen werden. Der Windverband kann auch in die Dachebene verlegt werden, dann sind außer einer Verstärkung der Pfetten, die als Pfosten des Windverbandes wirken, und des Obergurtes des ersten Binders nur zusätzliche Diagonalen einzubauen.

Zur Aufnahme der Windkräfte aus dem Endfeld der Längswand muß das erste Gefach der Giebelwand noch einen kleinen Windverband erhalten. Für die Öffnungen von Toren in der Giebelwand bestehen keine Einschränkungen.

Die Dachbinder können vollwandig oder als Fachwerk gegliedert werden. Die Form der Binder richtet sich nach der Dachform. Diese wiederum hängt ab von der Breite der Halle, der Dachhaut, der Entwässerung und

der Belichtung. Ein Binder mit dreieckigem Umriß ist nur günstig, wenn genügend Konstruktionshöhe zur Verfügung steht, so daß die Neigung des Obergurtes nicht zu gering wird; anderenfalls werden die Stabkräfte am Auflager sehr groß.

Infolge der gelenkigen Verbindung der Stützen mit den Dachbindern werden bei Windbelastung auf die Längswand Druckkräfte in die Binderscheibe eingeleitet, die im Untergurt Druckkräfte hervorrufen. Bei der Überlagerung dieser Druckkräfte mit den Zugkräften, die aus dem Eigengewicht der Binder herrührt, ist darauf zu achten, daß im günstigsten Fall die Zugkräfte überwiegen, da sonst der Untergurt gegen waagerechtes Ausknicken im Druckbereich verstärkt oder gegen die Pfetten abgestützt werden müßte. Daher eignet sich diese Bauart nur für hinreichend schwere Dächer und für mäßige Konstruktionshöhe gegenüber der Stützweite L.

Ist eine Krananlage vorhanden, so lagert sie entweder auf Konsolen der Stützen oder bei größeren Kranlasten verbreitern sich die Stützen unter dem Kranbahnträger entsprechend.

Dieses Hallensystem ist auch für mehrschiffige Hallen geeignet, bei denen sich kleinere Seitenschiffe gelenkig an das Hauptschiff anlehnen (s. S. 162).

Kurt Dummer
Bauing.
Berlin-Pankow
Retzbacher Weg 6

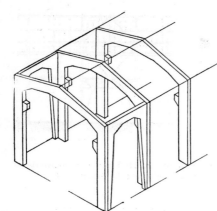

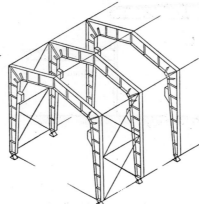

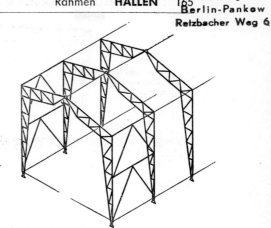

① Eingespannter Rahmen in Stahlbeton. Ausführung auch in Stahl und Holz, meist vollwandig. Geeignet für schwere Krane. Setzt guten Baugrund voraus.

② Zweigelenkrahmen in Stahlvollwandkonstruktion. Ausführung auch als Fachwerk möglich, ebenso in Holz. Wegen der Gelenkausbildung seltener in Stahlbeton.

③ Dreigelenkrahmen (statisch bestimmt) als Stahlfachwerkkonstruktion. Ebenso in vollwandiger Ausbildung möglich, auch in Holz, seltener in Stahlbeton.

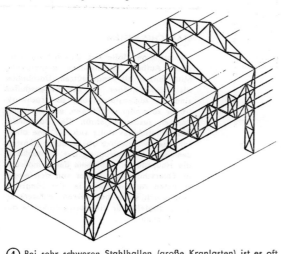

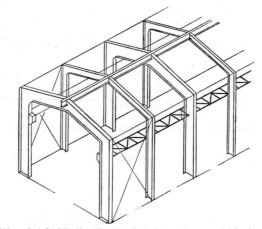

④ Bei sehr schweren Stahlhallen (große Kranlasten) ist es oft wirtschaftlich, nur jeden zweiten oder dritten Binder auf eingespannte Stützen zu stellen und die Zwischenbinder mit dem Kranbahnfachwerkträger abzufangen. Das System stellt dann Binderscheiben auf eingespannter Stütze nach S. 164 dar.

⑤ Wenn bei Stahlhallen der Kranbahnlängsträger zugleich als horizontaler Windträger verwendet werden kann, braucht nicht jeder Rahmen eingespannt zu sein, sondern die Zwischenrahmen können zur Materialersparnis leichter gehalten und unten gelenkig gelagert werden (kleine Fundamente).

Rahmen und Bogenträger

Verbindet man Stützen und Dachbinder biegesteif, dann erhält man einen Rahmen. Je nach der Formgebung und nach der Anzahl der zwischengeschalteten Gelenke kann dieser ein eingespannter Rahmen oder ein Zwei- oder Dreigelenkrahmen oder Bogen sein. Dieser Hallentyp ist besonders für weitgespannte Hallen geeignet, da die Momente aus den Dachlasten mit in die Stützen übertragen werden und somit die Dachbinder entlastet werden.
Auch für hohe Hallen mit großem seitlichen Winddruck findet der Rahmen wegen seiner günstigen Momentenverteilung Anwendung. Dieser Hallentyp ist für alle Baustoffe geeignet, jedoch werden die Rahmen mit Gelenken in der Regel in Stahl oder in Holz ausgeführt, weil für den Stahlbeton die Gelenkausbildung bei Hallenbauten zu aufwendig ist. Auch in Stahl sind Zweigelenkrahmen mit Fußgelenken nur bei schlechtem Baugrund vorteilhaft, wenn keine Momente in die Fundamente übertragen werden sollen. In Holz kann man sich, sofern es Fachwerk-Konstruktionen sind, meist mit mehr oder

weniger unvollkommenen Gelenken begnügen, weil die Formänderungen des Holzes an und für sich schon sehr groß sind.
Eingespannte Rahmen, in Stahl oder Stahlbeton ausgeführt, sind wegen ihrer geringen Formänderungen besonders für schwere Kranausrüstungen vorteilhaft. Sie setzen jedoch guten Baugrund voraus oder machen umfangreiche Gründungsarbeiten notwendig.
Bei großen Spannweiten kann es, besonders in Stahlbeton, vorteilhaft sein, den Querschnitt der Mittel-Kraftlinie aus dem Eigengewicht anzupassen (Bogenformen).
Der Vorteil aller Rahmenkonstruktionen bei Hallen liegt auch darin, daß derartige Hallen beliebig erweitert werden können, weil die Windkräfte auf die einzelnen Felder der Längsseiten unmittelbar von den einzelnen Rahmen oder Bogen aufgenommen werden.
Das Giebelfeld kann bei Stahlhallen zur Ersparnis als Fachwerkwand ausgebildet werden. Für die Aufnahme der Windkräfte auf den Giebel gilt dann dasselbe wie für Hallen mit eingespannten Stützen nach S. 164.
Bei eingespannten Stahlbetonrahmen, die

durch Pfetten oder eine massive Dachhaut in der Längsrichtung fest miteinander verbunden sind, kann angenommen werden, daß der Winddruck auf den Giebel sich auf alle Rahmen gleichmäßig verteilt und ohne besondere Windrahmen aufgenommen wird. Sonst sind zur Aufnahme der Windkräfte auf den Giebel im ersten Längsfeld stets Windverbände notwendig.
Bei Scheitelgelenken ist darauf zu achten, daß ein etwa über dem Scheitelgelenk durchgehendes Oberlicht von den Bewegungen der Tragkonstruktion unberührt bleibt, weil sonst mit Bruch der Verglasung zu rechnen ist.
Rahmenbinder sind auch für mehrschiffige Hallen geeignet. Die Seitenschiffe werden dann oft als sogenannte Halbrahmen ausgebildet. Bei ihnen ist nur die Außenstütze mit dem Dachbinder biegesteif verbunden.
Auch bei einschiffigen Hallen, die auf einer Längsseite sehr große Toröffnungen haben müssen (Flugzeughallen), kommen derartige Halbrahmen als Zwischenbinder, die durch große Torträger abgefangen werden, vor.

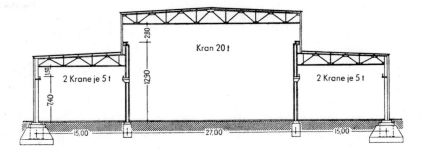

QUERSCHNITT

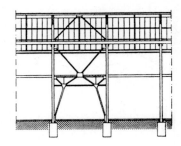

TEILLÄNGSSCHNITT mit dem Längsverband
für die Halle und die Kranbahnen

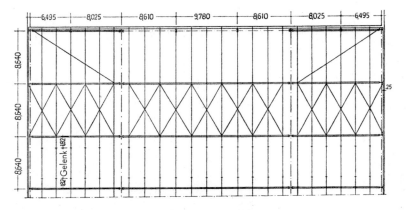

TEILGRUNDRISS mit Anordnung der Pfetten und des Windverbandes im Dach

① **Pressereihalle in Schönebeck** (Ausführung MAN)   M 1:600

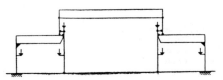

STATISCHES SYSTEM

Mehrschiffige Halle mit besonderem statischen Aufbau. Seitenstützen eingespannt, Mittelstützen als Pendelstützen, Dachbinder als Fachwerkträger. In den Seitenschiffen sind die Außenstützen und der Fachwerkträger zu einem einhüftigen, eingespannten Rahmen zusammengefaßt. Der Dachbinder des Mittelschiffes stützt sich auf eine abgefangene Pendelstütze ab; dadurch günstige zentrische Lasteintragung der Kranbahn in die Hauptstütze. Aufnahme der Windkräfte im Querschnitt unmittelbar von den eingespannten Außenstützen, in der Längsrichtung durch einen besonderen Fachwerkverband (zugleich für die Horizontalkräfte aus den Kranbahnen).

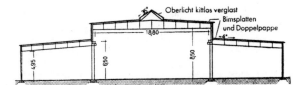

QUERSCHNITT

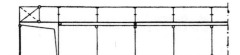

SCHEMATISCHER TEILLÄNGSSCHNITT mit dem
Windverband

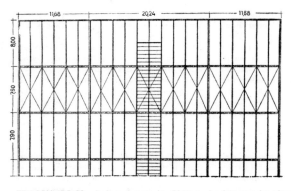

TEILGRUNDRISS mit Anordnung der Pfetten, des Längsverbandes
und des S"tteloberlichtes

② **Werkhalle der Linde's Gesellschaft für Eismaschinen,
Werk Kostheim/Main** M 1:600 (Ausführung MAN)

STATISCHES SYSTEM der Halle

Mehrschiffige Halle mit Stützen aus Walzprofilen und Vollwandträgern. Äußere Stützen als Pendelstützen, innere Stützen (mit Kranbahn) eingespannt. Aufnahme der Windkräfte im Querschnitt durch die eingespannten Mittelstützen, in der Längsrichtung durch einen Windrahmen im Endfeld (zugleich für die Horizontalkräfte aus der Kranbahn). Die Wahl des statischen Systems und der Abmessungen der Halle wurde mitbestimmt von der Forderung, daß zwei vorhandene, etwa 5,0 m hohe Holzhallen ohne Unterbrechung der Produktion überbaut werden mußten und erst abgerissen werden durften, als die neuerrichtete Stahlhalle eingedeckt war.

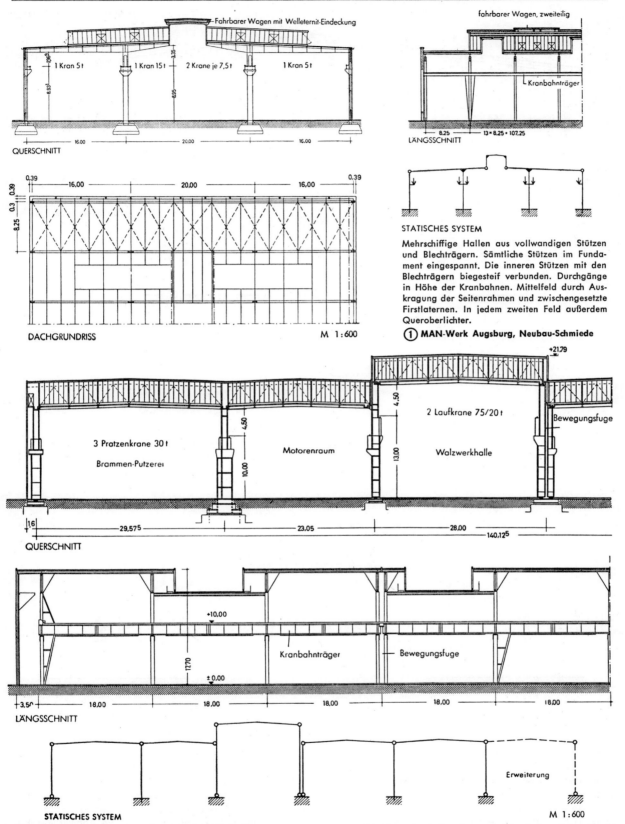

Fahrbarer Wagen mit Welleternit-Eindeckung

1 Kran 5t   1 Kran 15t   2 Krane je 7,5t   1 Kran 5t

QUERSCHNITT

16.00 — 20.00 — 16.00

fahrbarer Wagen, zweiteilig

Kranbahnträger

8.25   13 = 8.25 = 107.25

LÄNGSSCHNITT

0,39 — 16,00 — 20,00 — 16,00 — 0,39

DACHGRUNDRISS   M 1:600

STATISCHES SYSTEM

Mehrschiffige Hallen aus vollwandigen Stützen und Blechträgern. Sämtliche Stützen im Fundament eingespannt. Die inneren Stützen mit den Blechträgern biegesteif verbunden. Durchgänge in Höhe der Kranbahnen. Mittelfeld durch Auskragung der Seitenrahmen und zwischengesetzte Firstlaternen. In jedem zweiten Feld außerdem Queroberlichter.

① **MAN-Werk Augsburg, Neubau-Schmiede**

+21.79

3 Pratzenkrane 30t

Brammen-Putzerei

Motorenraum

4,50 — 13,00

2 Laufkrane 75/20t

Walzwerkhalle

Bewegungsfuge

16 — 29,575 — 23,05 — 28,00 — 140,12⁵

QUERSCHNITT

+10,00

Kranbahnträger   Bewegungsfuge

±0,00

3,5⁰ — 18,00 — 18,00 — 18,00 — 18,00 — 18,00

LÄNGSSCHNITT

Erweiterung

STATISCHES SYSTEM   M 1:600

② **August Thyssen-Hütte A.-G., Duisburg-Hamborn, Breitbandstraße** (Ausführung Arbeitsgemeinschaft mehrerer Stahlbaufirmen, Entwurf und Berechnung Dortmunder Union Brückenbau AG. und MAN)
Durch Unterteilung der großen Halle in einzelne Abschnitte und teilweise Ausbildung der Stützen als Pendelstützen können alle Verformungen, die sich aus den Senkungen, Zerrungen und Pressungen des Untergrundes (Bergsenkungsgebiet) ergeben, ausgeglichen werden.

Beispiele nach Gattnar-Trysna

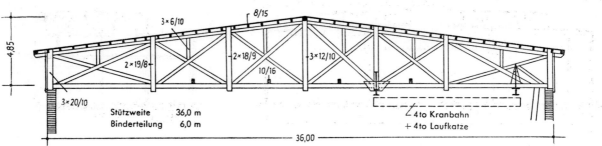

① Sägewerkhalle mit doppeltem Strebenfachwerk. Linke Stütze Pendelstütze, rechts eingespannte Stütze. Einbau eines leichten flurbedienten Kranes

0,056 m³/m²

Holzbedarf in m³/m² Grundrißfläche ohne Verschalung und Verschnitt

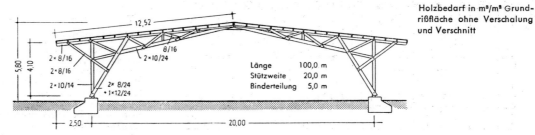

② Offener Lagerschuppen. Fachwerkbinder als Dreigelenkrahmen

0,029 m³/m²

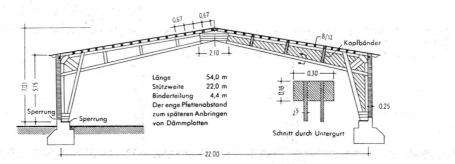

③ Fabrikationshalle mit vollwandigem Dreigelenkrahmenbinder

0,061 m³/m²

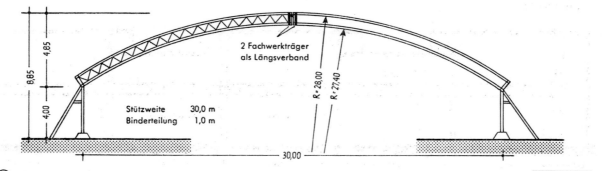

④ Holzlagerhalle aus genageltem kreisförmigem Parallelfachwerkträger. Statische Wirkung als Dreigelenkbogen

0,030 m³/m²

Im Industriebau greift man für bestimmte Hallenkonstruktionen oft auf Holz als Baustoff zurück. Die Vorteile der Holzkonstruktionen liegen besonders in dem geringen Gewicht, so daß Holzbauwerke auch auf weniger tragfähigen Baugrund gesetzt werden können, und in der raschen Herstellung und Montage. Außerdem ist Holz gegen Säuren, Salze und Rauchgase fast unempfindlich, so daß z. B. Lokomotivschuppen und Salzlagerhallen bevorzugt in Holz errichtet werden.

Durch die Entwicklung neuartiger Holzverbindungsmittel (Dübel, Nagelung, Leim) lassen sich die einzelnen Hölzer nicht nur zu einwandfreien Fachwerkkonstruktionen zusammenfügen, sondern auch zu vollwandigen Holzkonstruktionen. Weiterhin können auch schmale Hölzer (Halbhölzer, Bohlen, Bretter) verwendet werden. Als Nachteile von Holzkonstruktionen sind zu erwähnen ihre Brennbarkeit, das „Arbeiten" des Holzes (Quellen, Schwinden, Werfen), die verhältnismäßig

Beispiele nach Gattnar-Trysna

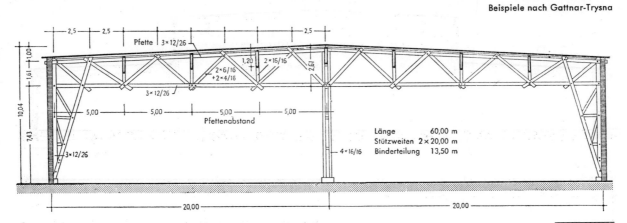

⑤ Zweischiffige Stapelhalle aus zwei einhüftigen Fachwerkrahmen und Pendelstütze $\boxed{0,033 \text{ m}^3/\text{m}^2}$

Länge 60,00 m
Stützweiten 2 × 20,00 m
Binderteilung 13,50 m

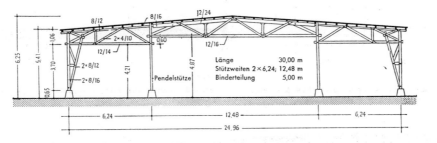

⑥ Dreischiffige Lagerhalle mit offenen Längswänden. Seitliche Fachwerkbinder als einhüftige Rahmen.
Binderteilung so groß gewählt wegen Schiebetoröffnung $\boxed{0,019 \text{ m}^3/\text{m}^2}$

Länge 30,00 m
Stützweiten 2 × 6,24; 12,48 m
Binderteilung 5,00 m

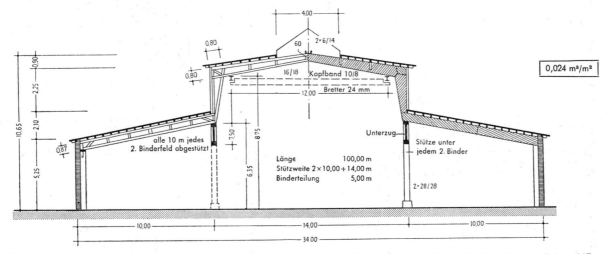

$\boxed{0,024 \text{ m}^3/\text{m}^2}$

Länge 100,00 m
Stützweite 2 × 10,00 + 14,00 m
Binderteilung 5,00 m

⑦ Dreischiffige Lagerhalle mit Vollwanddreigelenkrahmen über dem Mittelschiff und einfachem Vollwandbalken über den Seitenschiffen.
Im Mittelschiff leichter, flurbedienter Kran

großen Formänderungen unter Belastung und ihre Anfälligkeit gegen Fäulnis und Insektenfraß. Durch entsprechende Behandlung des Holzes läßt sich seine Brennbarkeit vermindern und seine Lebensdauer beträchtlich erhöhen.

Die Formänderungen der Holzhallen erlauben keinen Einbau von Kranen (außer leichten Hängekranen < 4 t). Andererseits können die den statischen Berechnungen zugrundegelegten Gelenkkonstruktionen oft in sehr vereinfachter Form ausgebildet werden. Der besondere Vorteil des Holzes bei Hallenkonstruktionen liegt auch noch in seiner geringen Wärmedehnung, so daß auf die verschiebliche Ausbildung der Auflager verzichtet werden kann.

Neuzeitliche Holzkonstruktionen zeichnen sich durch geringen Holzverbrauch aus (siehe auch S. 194).

Lit.: Fonrobert, Stoy, Gattnar-Trysna, v. Halasz (Holzbautaschenbuch).

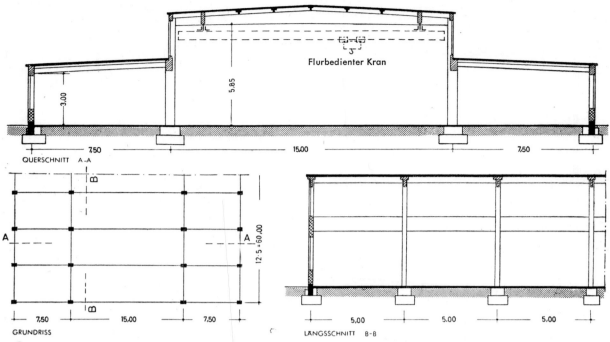

Flurbedienter Kran

3,00   5,85

QUERSCHNITT A–A

7,50   15,00   7,50

B

A   A   12 · 5 = 60,00

7,50   15,00   7,50

GRUNDRISS

LÄNGSSCHNITT B-B

5,00   5,00   5,00

① **Betriebshalle in Spannbeton** (Ausführ. Dyckerhoff & Widmann). Dreischiffige Halle mit untergehängtem, flurbedientem Kran im Mit-

telschiff. Binder und Pfetten vorgefertigte Einzelteile. Stützen im Fundament eingespannt. Belichtung nur durch Seitenfenster.

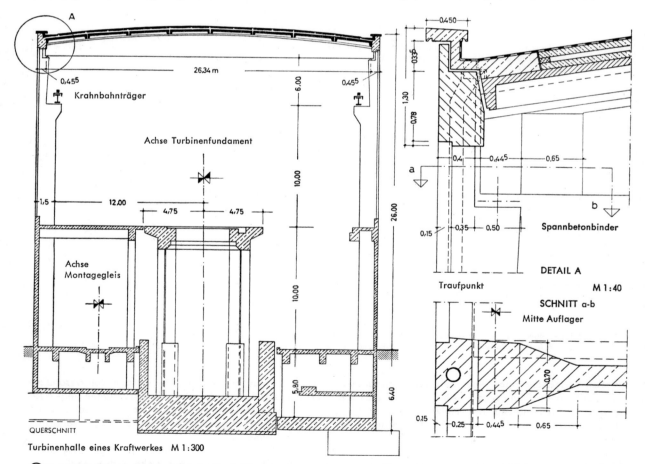

A

26,34 m

0,45⁵   0,45⁵

Krahnbahnträger

Achse Turbinenfundament

6,00   10,00

1,5   12,00   4,75   4,75

26,00

Achse Montagegleis

10,00

5,80   6,40

QUERSCHNITT

Turbinenhalle eines Kraftwerkes M 1:300

0,450
0,35
1,30
0,78

0,4   0,44⁵   0,65

a

0,15   0,35   0,50

b

Spannbetonbinder

DETAIL A

Traufpunkt   M 1:40

SCHNITT a-b
Mitte Auflager

0,070

0,15   0,25   0,44⁵   0,65

② **Kraftwerkshalle mit Spannbetonbinder** (Ausf. Wayss & Freytag) Im Fundament eingespannte Stützen aus normalem Beton. T-förmige Spannbetonbinder als Balken auf zwei Stützen. Am Auflager ist der

Steg verbreitert. Dachhaut aus zwei Gasbetonplatten auf Kassettenplatten aus Schwerbeton. Darauf mehrlagige Dachpappe. In die Stützen einbetonierte Stahlrohre ø 150 mm für die Entwässerung

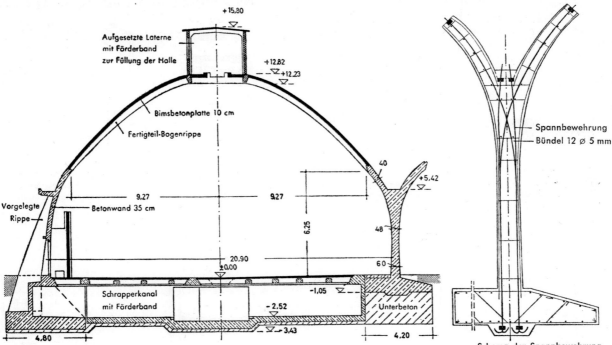

QUERSCHNITT

① Lagerhalle für Kunstdünger der Farb-werke Hoechst AG
(Konstruktion und Ausf. Wayss & Freitag)
145 m lange Lagerhalle in Stahlbeton, zunächst einschiffig gebaut, jedoch bereits für
eine zweite Halle gleicher Querschnittsform
geplant. Daraus folgt die besondere Ausbildung der rechten Seitenwand als spätere
Mittelwand. Sie muß gegen einseitigen
Druck nach beiden Seiten standfest sein.
Deshalb Ausbildung als volle Stahlbeton-

wand mit Vorspannung. Spannbewehrung
in Bündeln verlegt und von oben vorgespannt und verpreßt. Linke Außenwand,
35 cm dick, aus normalem Stahlbeton, leicht
nach innen geneigt mit vorgelegten Rippen
im Abstand von 6,0 m.
Der Überbau der Halle besteht aus Fertig-
teil-Bogenrippen (Gewicht der Einzelteile
2,0 t), die elastisch in die Außenwand eingespannt sind. Wegen des Salzangriffes mußte
auf Gelenke verzichtet werden. Im First auf-

gesetzte Förderbandlaterne als Fertigteil-
Zweigelenkrahmen (Gewicht 0,8 t). Abdek-
kung der Halle mit Bimsbetonplatten 10 cm
dick und wegen der Krümmung der Bogen
nur 33 bis 50 cm breit. Querfugen mit nicht-
rostenden V 2a-Dehnungsblechen abgedeckt.
Das Innere der Halle, so weit es mit dem
Lagergut in Berührung kommt, ist mit einem
aufgespritzten Kunstharz geschützt.
Entleerung der Halle durch den Schrappen-
kanal mit Förderband unter dem Fußboden

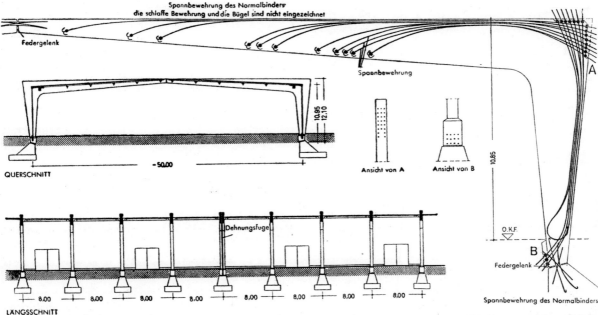

LANGSSCHNITT

② Ausstellungshalle in Hamburg (Architekten H. Sprotte und P. Neve, Konstruktion
und Ausführung Wayss & Freitag).
Dreigelenkrahmen aus Stahlbeton mit rund
50 m Stützweite und 8,0 m Binderabstand.
Der Untergrund war ein alter Friedhof; da-

her statisch bestimmtes System mit Drei-
gelenk-Binder gewählt (ungleiche Setzungen).
Die Spannbewehrung der Riegelhälften
wurde von den Rahmenecken her einseitig
vorgespannt. Bindergelenke als Stahlbeton-
federgelenke ausgebildet.

Horizontale Windträger an den Giebeln,
Längsaussteifung durch die Randpfetten.
Dehnungsfugen durch Doppelbinder.
Dachhaut: Stahlbetonpfetten als Fertigteile
in die Rahmenschalung verlegt und mit Sipo-
rex-Platten belegt; darauf mehrlagige Pappe.

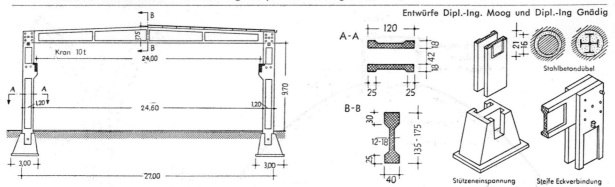

Entwürfe Dipl.-Ing. Moog und Dipl.-Ing Gnädig

① **Montagehalle in Stalinvaros (Ungarn)** als eingespannter Rahmen. Binderabstand 6 m. Kranbahnträger auch aus Stahlbetonfertigbalken. Stützen zweiteilig, Riegel einteilig. Steife Eckverbindung durch Stahlbetondübel mit Formstahlbewehrung. Einspannung der Stützen im Fundament durch Aussparungen und nachträglichen Verguß

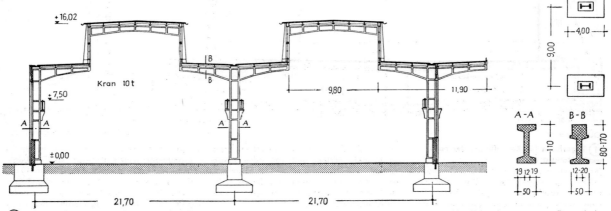

② **Montagehalle einer Schiffswerft in Budapest.** Eingespannte Stützen mit Auskragungen, auf die sich Oberlichtrahmen setzen. Querschnitt mit dünnen Stegen, deren Dicke in den Kragarmen dem Verlauf der Querkräfte angepaßt ist. Aussteifung der Stege durch „Querschotten"

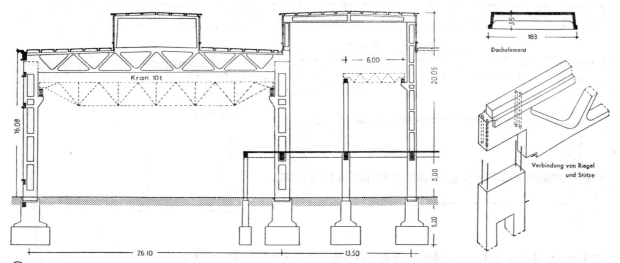

③ **Halle einer Maschinenfabrik in Budapest.** Stützen ähnlich Vierendeel-Träger aufgelöst. Riegel als Fachwerkträger. Gegenüber vertikalen Lasten wirkt Rahmenriegel als freiaufliegender Balken auf zwei Stützen; gegenüber horizontalen Windkräften jedoch als eingespannter Riegel. Dementsprechende Ausbildung der Eckverbindung.
Stützenentfernungen 6 m. Vorfabrizierte Dachelemente (Kastenquerschnitte mit Aussteifungen) von 5,65 m Länge und 1,83 m Breite legen sich auf seitliche Konsole des Fachwerkbinders

Stahlbetonhallen bis etwa 25 m Spannweite lassen sich mit Vorteil aus vorfabrizierten Elementen zusammenfügen. Dadurch ist eine wesentliche Einsparung an Schalholz und eine Verkürzung der Bauzeit möglich. Jedoch werden besondere Montagegeräte notwendig. Stahlbetonfertigteile verlangen eine eigene konstruktive Formgebung, die abweichend von den klassischen Stahlbetonquerschnitten wegen der Gewichtsersparnis zu gegliederten und aufgelösten Querschnittsformen führt. Dadurch auch geringer Betonaufwand, etwa 0,12 bis 0,18 m³/m² Hallengrundfläche. Stahlbedarf etwa 15 bis 20 kg/m². Die Schwierigkeit mit Fertigteilen liegt in der nachträglichen Verbindung der Einzelteile.

Lit.: Kleinlogel, Kiehne-Bonatz, Lewicki.

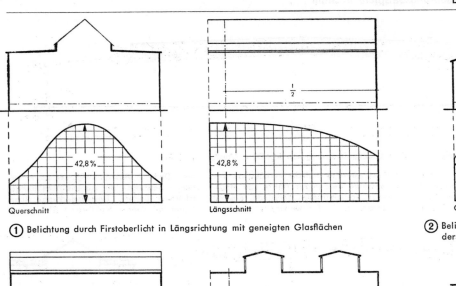

① Belichtung durch Firstoberlicht in Längsrichtung mit geneigten Glasflächen

② Belichtung durch teilweise Verglasung der Dachflächen

Querschnitt — 42,8%

Längsschnitt — 42,8%

Querschnitt — 41,5% / 39,0%

③ Belichtung durch Oberlichter mit senkrechter Verglasung quer zur Längsrichtung

Querschnitt — 11,8%

Längsschnitt — 11,8%

④ Belichtung durch Längsoberlicht mit schräger und senkrechter Verglasung

Querschnitt — 23%

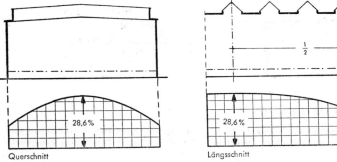

⑤ Belichtung durch Oberlichter mit geneigter Verglasung quer zur Längsrichtung

Querschnitt — 28,6%

Längsschnitt — 28,6%

⑥ Belichtung durch teilweise Verglasung der Außenwand

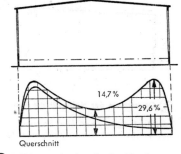

Querschnitt — 14,7% / 29,6%

1—6 Vergleichsweise Berechnung von Tageslichtquotienten in einer Halle von 25,00 m lichter Breite und 49,00 m lichter Länge mit verschiedenen Oberlichtformen für horizontale Flächenelemente in 1,00 m Höhe über Fußboden.   Fensterfläche = 53% der Bodenfläche

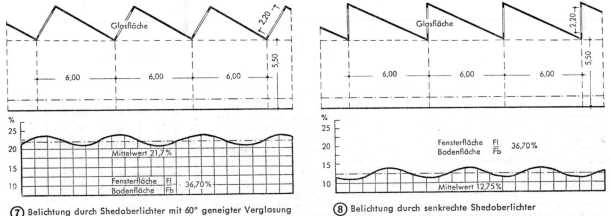

Glasfläche — 2,20 — 5,50 — 6,00 — 6,00 — 6,00

Glasfläche — 2,20 — 5,50 — 6,00 — 6,00 — 6,00

Mittelwert 21,7%

Fensterfläche $\frac{Fl}{Fb}$ 36,70%
Bodenfläche

Fensterfläche $\frac{Fl}{Fb}$ 36,70%
Bodenfläche

Mittelwert 12,75%

⑦ Belichtung durch Shedoberlichter mit 60° geneigter Verglasung

⑧ Belichtung durch senkrechte Shedoberlichter

7—8 Vergleichsweise Berechnung von Tageslichtquotienten in Shedhallen mit schräger und senkrechter Verglasung für horizontale Flächenelemente in 0,80 m Höhe über Fußboden.

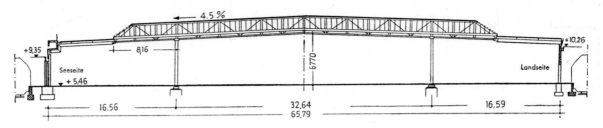

① Lagerschuppen im Freihafen Bremen mit einer Gesamtabmessung von 66×400 m (Ausführung MAN)

Fachwerkbinder auf zwei eingespannten Stützen, Spannweite 32,6 m, Binderabstand 11,2 m. Der Fachwerkbinder liegt im Oberlicht und kragt beiderseits symmetrisch aus; dadurch günstige statische Verhältnisse. Die Seitenschiffe werden zur Hälfte von eingehängten Schleppträgern überdeckt, die mit Gelenken an die Fachwerkbinder anschließen. Dadurch Ausschaltung der zu erwartenden Setzungen der Außenstützen (aufgeschütteter Boden). Dacheindeckung: Bimsbeton mit Pappe. Stahlbedarf 37,5 kg/m².

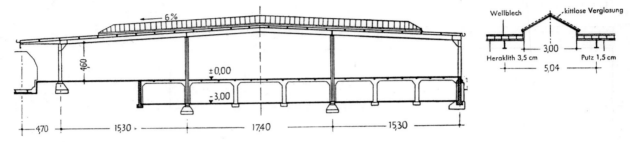

② Werkhalle der Aerolith-Werke in Gelnhausen (Ausführung MAN)

Rahmenbinder als Blechträger über vier Stützen durchlaufend, Außenstützen oben und unten eingespannt, Innenstützen als Pendelstützen. Pfetten als Träger auf zwei Stützen mit Kragarmen, auf die sich die Oberlichte absetzen. (Günstiger Momentenausgleich.) Dachhaut: Verzinktes Wellblech, 3,5 cm Heraklithplatte (zur Wärmedämmung), 1,5 cm Unterputz. Stahlbedarf 32 kg/m².

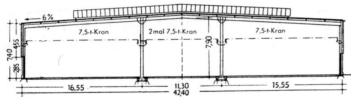
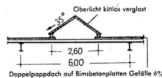

③ Querschnitt der Halle für die Matra-Werke in Kahl/Main (Ausführung MAN)

Durchlaufträger über vier Stützen, Innenstützen oben und unten eingespannt. Außenstützen als Pendelstützen. Leichte Kranausrüstung. Aufgesetzte Oberlichter. Fenster in den Seitenwänden kittlos verglast (vor der Wand). Brüstungen 25 cm dickes Mauerwerk.

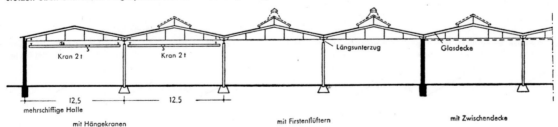

④ Standard-Hallenbinder von C. H. Jucho (Dortmund)

Serienherstellung für Stützweiten von 10 m, 12,5 m und 15 m aus normalen Walzträgern. Symmetrischer Dreigelenkrahmen mit Zugband, auch für mehrschiffige Hallen geeignet. Zur Belichtung Firstoberlichter aus Drahtglas, gegebenenfalls Entlüfungsaufbauten. Lieferung zur Baustelle in zwei Hälften. Das Firstgelenk des Rahmens besteht aus angeschweißten Platten und wird durch Montageschrauben geschlossen. Binderabstand 2,50 m bei unmittelbarer Auflagerung der Dacheindeckung auf die biegungssteifen Walzträgerobergurte ohne Zwischenpfetten. Dachdecke aus Bimsbetonhohlplatten oder Bimsbetonkassettenplatten, Spannbetonkassettenplatten, stahlbewehrten Betonplatten aus Holz-, Gas- oder Schaumbeton mit 2,50 m Plattenlänge und 80 kg/m² Höchstgewicht, darauf Doppelpapplage. Staubdecke, im Bereich der Oberlicher aus Glas, verbessert die Wärmehaltung, dabei 2,0 m Binderabstand und 2,0 m lange Stegzementdielen.

Die einzelnen Binder werden durch einen Längsunterzug abgefangen. Der Stützenabstand in der Längsrichtung kann sich dadurch den Betriebserfordernissen anpassen.

Die Lichtweite verringert sich um 40—50 cm gegenüber der Spannweite.

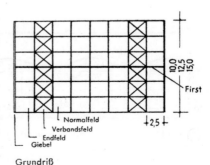

Grundriß

QUERSCHNITT

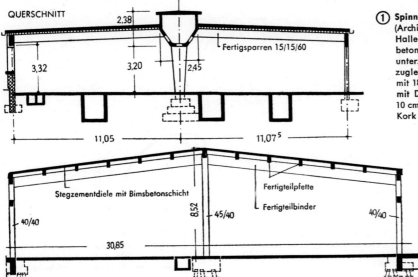

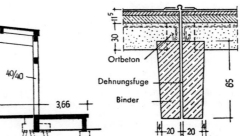

① **Spinnerei Kolb und Schüle A.-G. in Kirchheim** (Architekt Scheurer, Ausführung H. Butzer). Halle als Halbmontagebau, Außenseiten Stahlbetonlängsträger auf Stützen, mittlerer Längsunterzug als Hohlkastenträger von 2,38×2,54 m, zugleich Klimakanal; statisch als Zweifeldträger mit 18,80 m Stützweiten. Länge der Halle 77,70 m mit Dehnungsfuge in der Mitte. Dachdecke aus 10 cm Bimsstegdielen, darauf 4 cm expandierten Kork und 3 Lagen heißgeklebte Dachpappe.

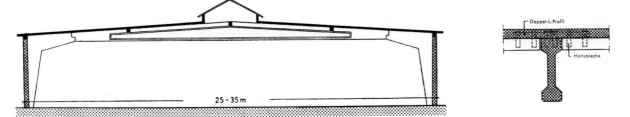

② **Lagerhalle in Gießen** (Ausführung: Wayss und Freitag). Zweischiffige Halle aus Spannbetonfertigteilen mit mittlerer Stützenreihe. Spannweite 30,45 m, Länge der Halle 156,29 m mit drei

Dehnungsfugen und einer Brandmauer in der Mitte. Eingespannte Stützen auf Pfahlgründung. Betonfußboden mit Härteschicht. Dachausbildung: Stegzementdielen mit Bimsbetonschicht.

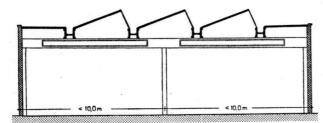

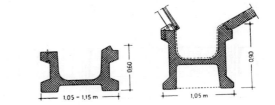

③ **Schwedisches Beispiel** einer vorgefertigten Rahmenkonstruktion aus Spannbeton (Stahlsaiten). Stoß der Fertigteile im Momentennullpunkt des Riegels. Rahmen wirkt gegenüber Wind als Drei-

gelenksystem, für symmetrische Lasten als eingespannt. Spannweite der Halle bis zu 35 m. Stoß der Dachpfetten und -platten mit dem Rahmenriegel durch L-Profile und einbetonierte Bolzen.

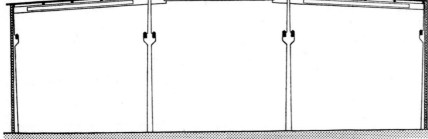

④ **Vorgefertigte Halle mit Sheddachelementen** aus Spannbetonfertigteilen. Auflagerung der Sheds auf U-Profile (Spannweite bis 15 m) oder auf H-Profile (Spannweite bis zu 19,80 m), die als

Rinnenträger gleichzeitig die Dachrinne aufnehmen. Abmessungen dieser Profile bis zu 1,15 m×0,60 m bzw. 1,05 m ×0,90 m. Standard-Oberlichter ebenfalls aus Stahlbeton.

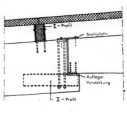

⑤ **Halle aus Spannbetonfertigteilen mit Kranbahn** und großer Raumhöhe. Eingespannte Stützen und freiaufliegende Querbalken, Mittelträger eingehangen. Stoß durch Profilleisten gesichert,

ebenso Auflager der Dachpfetten auf den Querbalken. Kranbahnlängsträger auch als Stahlbetonfertigbalken. Belichtung der Halle durch Fensterbänder in der Seitenwand.

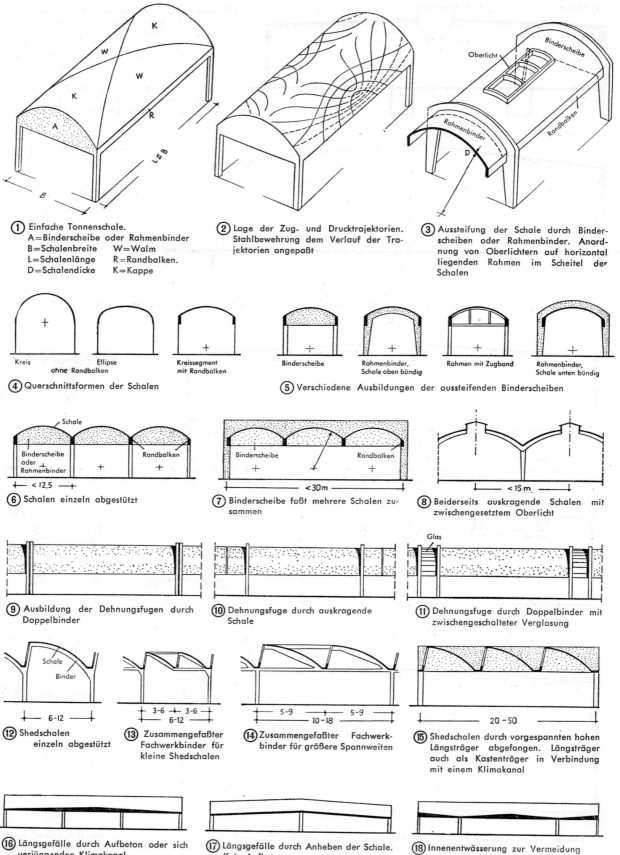

① Einfache Tonnenschale.
A=Binderscheibe oder Rahmenbinder
B=Schalenbreite   W=Walm
L=Schalenlänge   R=Randbalken.
D=Schalendicke   K=Kappe

② Lage der Zug- und Drucktrajektorien. Stahlbewehrung dem Verlauf der Trajektorien angepaßt

③ Aussteifung der Schale durch Binderscheiben oder Rahmenbinder. Anordnung von Oberlichtern auf horizontal liegenden Rahmen im Scheitel der Schalen

Kreis
Ellipse
ohne Randbalken

Kreissegment
mit Randbalken

④ Querschnittsformen der Schalen

Binderscheibe

Rahmenbinder, Schale oben bündig

Rahmen mit Zugband

Rahmenbinder, Schale unten bündig

⑤ Verschiedene Ausbildungen der aussteifenden Binderscheiben

Schale
Binderscheibe oder Rahmenbinder
Randbalken
< 12,5

⑥ Schalen einzeln abgestützt

Binderscheibe
Randbalken
<30m

⑦ Binderscheibe faßt mehrere Schalen zusammen

< 15 m

⑧ Beiderseits auskragende Schalen mit zwischengesetztem Oberlicht

⑨ Ausbildung der Dehnungsfugen durch Doppelbinder

⑩ Dehnungsfuge durch auskragende Schale

Glas

⑪ Dehnungsfuge durch Doppelbinder mit zwischengeschalteter Verglasung

Schale
Binder
6-12

⑫ Shedschalen einzeln abgestützt

3-6 3-6
6-12

⑬ Zusammengefaßter Fachwerkbinder für kleine Shedschalen

5-9   5-9
10-18

⑭ Zusammengefaßter Fachwerkbinder für größere Spannweiten

20-50

⑮ Shedschalen durch vorgespannten hohen Längsträger abgefangen. Längsträger auch als Kastenträger in Verbindung mit einem Klimakanal

⑯ Längsgefälle durch Aufbeton oder sich verjüngenden Klimakanal

⑰ Längsgefälle durch Anheben der Schale. Kein Aufbeton

⑱ Innenentwässerung zur Vermeidung eines hohen Aufbetons

Kurt Dummer
Bauing.
Berlin-Pankow
Retzbacher Weg 6

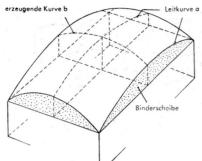

erzeugende Kurve b — Leitkurve a — Binderscheibe

① Eliptisches Paraboloid. Krümmungshalbmesser beider Kurven liegen auf derselben Seite der Schale (Rückungsfläche)

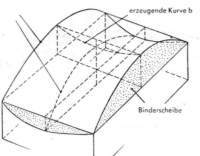

erzeugende Kurve b — Binderscheibe

② Hyperbolisches Paraboloid. Krümmungshalbmesser der beiden Kurven liegen auf verschiedenen Seiten der Schale (Rückungsfläche)

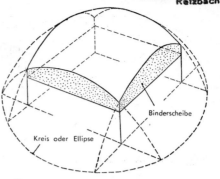

Binderscheibe — Kreis oder Ellipse

③ Doppelt gekrümmte Schale. Über kreisförmigen oder eliptischen Grundriß durch Binderscheiben ausgesteift, ergibt geradlinig begrenzte Calotte

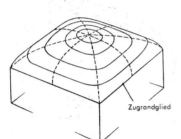

Zugrandglied

④ Stetig doppelt gekrümmte Schale über rechteckigem Grundriß mit ebener und gerader Berandung (nach Pucher)

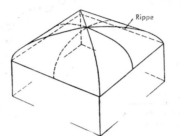

Rippe

⑤ Schale in Form eines Klostergewölbes über rechteckigem Grundriß. Einzelschalen sind nur einfach gekrümmt, Übergang der Schalen an den Rippen unstetig

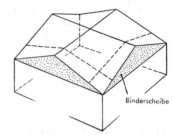

Binderscheibe

⑥ Schirmdach, zusammengesetzt aus vier hyperbolischen Paraboloidschalen

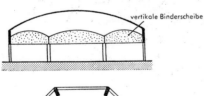

vertikale Binderscheibe

⑦ Rotationsschale über mehreckigem Grundriß, durch senkrechte Binderscheiben ausgesteift

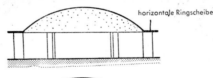

horizontale Ringscheibe

⑧ Rotationsschale über kreisförmigem Grundriß, durch horizontale Ringscheibe ausgesteift

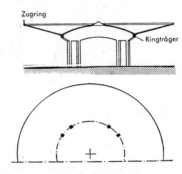

Zugring — Ringträger

⑨ Rotationsschale mit Ringträger und Auskragung (umgestülpter Regenschirm)

Eingespannte Versteifungsbogen — gerader Versteifungsbalken

⑩ Konoidschalen als Vordächer. Gekrümmter Aussteifungsrahmen eingespannt, gerader Balken frei schwebend

Verstärkungsbogen — Oberlicht — Querbalken

⑪ Doppelte Konoide, beiderseitig auskragend mit zwischengeschalteten Oberlichtern

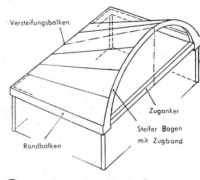

Versteifungsbalken — Zuganker — Steifer Bogen mit Zugband — Randbalken

⑫ Konoidschale. Die hintere Begrenzung braucht nicht gerade zu sein, sondern kann ebenfalls eine Kurve sein

Literatur: Dischinger, Finsterwalder, Flügge, Pucher.

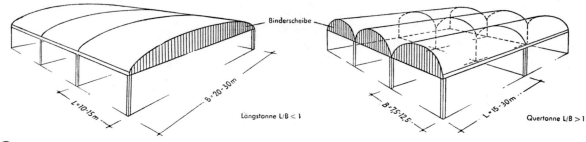

Binderscheibe

L = 10-15 m   B = 20-30 m

Längstonne L/B < 1

B = 7,5-12,5   L = 15-30 m

Quertonne L/B > 1

① Einfach gekrümmte Schalen

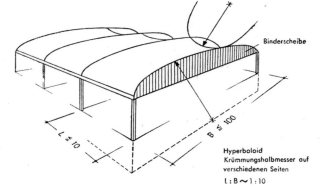

Binderscheibe

L ≦ 10   B ≦ 100

Hyperboloid
Krümmungshalbmesser auf
verschiedenen Seiten
L : B ~ 1 : 10

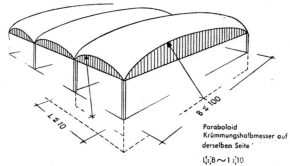

L ≦ 10   B ≦ 100

Paraboloid
Krümmungshalbmesser auf
derselben Seite
L : B ~ 1 : 10

② Zweifach gekrümmte Schalen

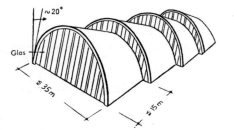

~20°

Glas

≦ 35 m   ≦ 15 m

③ Geneigte Zylinderausschnitte

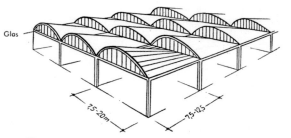

Glas

7,5-20 m   7,5-12,5

④ Konoide

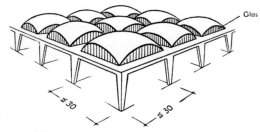

Glas

≦ 30   ≦ 30

⑤ Zweifach gekrümmte Schalenkuppel

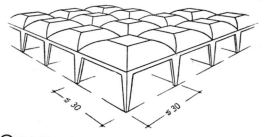

≦ 30   ≦ 30

⑥ Vieleckkuppel aus Zylinderschalen

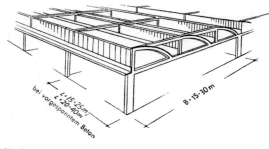

L = 15-25 m
L = 20-40 m
bei vorgespanntem Beton

B = 15-30 m

⑦ Shedschalen mit senkrechtem Fensterband und Fachwerkbinder

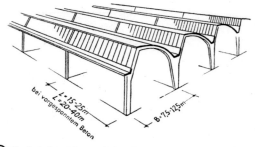

L = 15-25 m
L = 20-40 m
bei vorgespanntem Beton

B = 7,5-12,5 m

⑧ Shedschalen mit geneigtem Fensterband

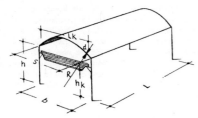

① Tonnenschale
② Shedschale

Hauptmaße der Stahlbetonschalen:
b Breite
s Schalensehne (b bei Tonnenschalen)
L Länge der Schale
h lichte Höhe ⎫ [m]
  (F. O. K. bis Dachkonstruktion U. K.) ⎬
R Radius der Schale ⎭
d Schalendicke [cm]
h_k Hubhöhe [m]
LK Kranstützweite [mm]

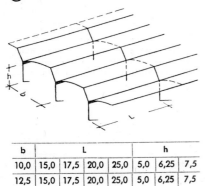

③ Tonnenschale ohne Kranausrüstung

b	L					h		
7,5	15,0	17,5	20,0	25,0	30,0	5,0	6,25	7,5
10,0	15,0	17,5	20,0	25,0	30,0	5,0	6,25	7,5

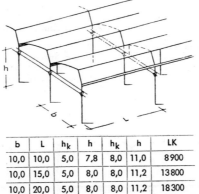

④ Lange Tonne mit Kran senkrecht zu L

b	L	h_k	h	h_k	h	LK
7,5	10,0	5,0	7,8	8,0	11,0	8900
7,5	15,0	5,0	8,0	8,0	11,2	13800
7,5	20,0	5,0	8,0	8,0	11,2	18300
10,0	15,0	5,0	8,0	8,0	11,2	13800
10,0	20,0	5,0	8,0	8,0	11,2	18300

⑤ Kurze Tonne mit Kran parallel zu L

b	L	h_k	h	h_k	h	LK
10,0	7,5	5,0	7,8	8,0	11,0	8900
15,0	7,5	5,0	8,0	8,0	11,2	13800
20,0	7,5	5,0	8,0	8,0	11,2	18300
20,0	10,0	5,0	8,0	8,0	11,2	18300

⑥ Shedschale ohne Kranausrüstung

b	L				h		
10,0	15,0	17,5	20,0	25,0	5,0	6,25	7,5
12,5	15,0	17,5	20,0	25,0	5,0	6,25	7,5

⑦ Kurze Shedschale mit Kran senkrecht zum Fensterband

b	L	h_k	h	h_k	h	LK
10,0	10,0	5,0	7,8	8,0	11,0	8900
10,0	15,0	5,0	8,0	8,0	11,2	13800
10,0	20,0	5,0	8,0	8,0	11,2	18300

⑧ Kurze Shedschale mit Kran parallel zum Fensterband

b	L	h_k	h	h_k	h	LK
10,0	10,0	5,0	7,8	8,0	11,0	8900

Stahlbetonschalen werden besonders wirtschaftlich, wenn in den Hauptabmessungen bestimmte Typenvorschläge eingehalten werden. Sie sind nach dem Grundmaß von 2,50 m entwickelt (DIN 4171).

Bei Schalenbauten ohne Kranausrüstung genügt es, die lichten Höhen mit 5,0; 6,25 bzw. 7,5 m festzulegen. Auch für leichte Hebezeuge, die an die Rinnenträger befestigt werden und deren Einfluß sich nur auf den Stahlbedarf, aber nicht auf die Abmessungen auswirkt, reichen diese Höhenmaße aus. Bei Schalenbauten mit Kranbahnen müssen die lichten Höhen je nach geforderter Hubhöhe gewählt werden. Für 5,0 und 8,0 m Hubhöhe ergeben sich folgende lichte Höhenmaße:

b	10,0	15,0	20,0 m
$h_k = 5,0$	7,8	8,0	8,0 m
$h_k = 8,0$	11,0	11,2	11,2 m

Die Typen sind nur für Krane mit einer Tragkraft von 8,0 t vorgesehen.

Das Verhältnis von Schalenradius zur Schalensehne liegt bei Stahlbetonschalen zwischen 0,8 und 1,0. Als Schalenradius wird deshalb in Abhängigkeit von der Spannweite vorgeschlagen:

Für Tonnenschalen: R = 7,5; 10,0; 12,5; 15,0; 20,0 m
Für Shedschalen: R = 7,5; 10,0 m

Die Belichtung von aneinandergereihten Tonnenschalen muß durch Oberlichte erfolgen. Bei einer Breite des Oberlichtes von 2,50 m ergeben sich Werte von max 640 lx und min 540 lx.

Für die Shedschalen ist die Neigung der Fenster mit 60° festgelegt.

Lit.: Henn-Rühle, Typung der Schalenbauart im Industriebau. Baupl. u. Baut. 7. Jg. (1953) Seite 442.

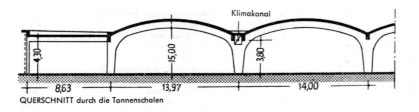

QUERSCHNITT durch die Tonnenschalen

Klimakanal

4,30   15,00   3,80

8,63   13,97   14,00

Zylindrische Tonnenschale mit Randträgern, Spannweite 25,2 m in der Längsrichtung und 14,0 m in der Querrichtung. Die Halle besteht insgesamt aus sechs Schalen und bedeckt eine fensterlose Fläche von 5400 m². Tonnenschalen in der Mitte angehoben, um Aufbeton für Entwässerung zu sparen. Randträger teilweise zweiteilig ausgebildet zur Aufnahme eines Klimakanals.

$$M = 1:400$$

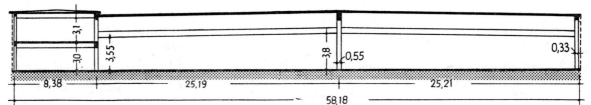

3,1   3,0   3,55   3,8   0,55   0,33

8,38   25,19   25,21

58,18

LÄNGSSCHNITT durch die Tonnenschale

① **Fensterlose Tonnenhalle der Weberei Povel & Co., Nordhorn**
(Architekt Bach, Ausführung Dyckerhoff & Widmann)

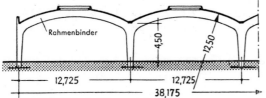

Rahmenbinder

4,50   12,50

12,725   12,725

38,175

QUERSCHNITT durch die Tonnenschalen

② **Tonnenhalle der Jutespinnerei und -weberei in Harburg**
(Architekt Hübner, Ausführung Dyckerhoff & Widmann)

$$M = 1:400$$

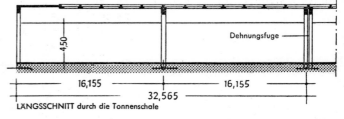

4,50   Dehnungsfuge

16,155   16,155

32,565

LÄNGSSCHNITT durch die Tonnenschale

Zylindrische Tonnenschalen mit sehr geringem Stich ohne Randträger, Spannweite 12,72 m. In der Mitte der Halle eine Dehnungsfuge durch doppelten Binder. Im Scheitel der Schalen Aussparung für Satteloberlichter.

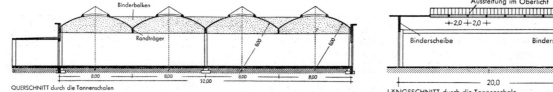

Binderbalken

Randträger

6,00   6,00

8,00   8,00   8,00   8,00

32,00

QUERSCHNITT durch die Tonnenschalen

Aussteifung im Oberlicht

2,0   2,0

Binderscheibe   Binderscheibe

20,0

LÄNGSSCHNITT durch die Tonnenschale

③ **Wirkwarenfabrik Fürstenau** (Architekt E. Lindner, Ausführung Dyckerhoff & Widmann)

$$M = 1:400$$

Beispiel für ein zusammengefaßtes System, bei dem zwei Schalen durch einen Balkenbinder gekoppelt sind. Dadurch Stützenabstand $2 \times 8,0 = 16,0$ m. Besondere Maßnahmen zur Wärmedämmung. Auf den Stahlbetonschalen expandierter Kork mit Dachpappe. Beton der Schale wirkt als Dampfsperre.

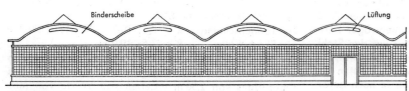

Binderscheibe   Lüftung

GIEBELANSICHT

④ **Teppich- und Möbelstoff-Fabrik in Wien** (Architekt C. Appel)

Beispiel für die Ausbildung einer Giebelansicht bei Schalenbauten. Die Binderscheibe beeinflußt die Ausbildung der Entlüftungsöffnungen und der Fensteranordnung.

Lit.: Eulitz: Neue Schalenbauten System Zeiss-Dywidag, Beton- und Stahlbetonbau, 46. Jahrg. (1951) S. 1.

Kurt Dummer
Bauing.
Berlin-Pankow
Retzbacher Weg 6

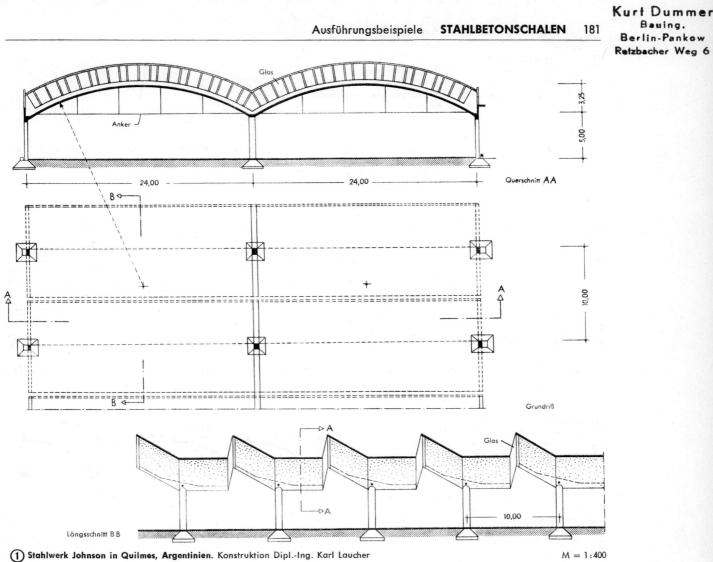

Querschnitt AA

Grundriß

Längsschnitt B B

① **Stahlwerk Johnson in Quilmes, Argentinien.** Konstruktion Dipl.-Ing. Karl Laucher   M = 1:400

Die Forderung nach großen Nutzflächen mit guter Belichtung und Belüftung führten zur Verwendung von konischen Sheds mit Zugbändern. Dadurch wurde die Spannweite von 24 m wirt-schaftlicher als mit horizontalen Sheds überdacht. Abmessung 48,0×100,0 m mit nur einer Stützenreihe in der Hallenmitte. Dicke der Schalen 7 cm, darauf 5 cm Bimsbeton mit Asphaltpappe.

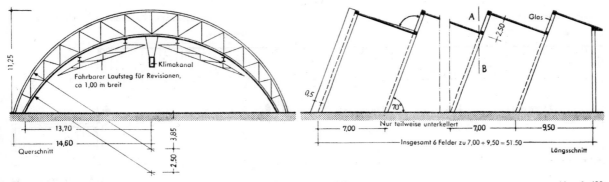

② **Gummiband-Weberei in St. Gallen (Schweiz).** Architekten Danzeisen und Voser   M = 1:400

Bei beschränkten Baumitteln sollte eine stützenlose Halle von 50×30 m errichtet werden. Es wurde eine neuartige Shedkon-struktion gewählt, die sich aus der Hintereinanderreihung von schief gestellten Kreiszylindern ergibt. Die Schalen sind in Stahl-beton mit einer Dicke von 6 bis 12 cm ausgeführt. Die verhältnis-mäßig einfache Schalung (Kreiszylinderfläche) konnte mehrfach verwendet werden, was eine wesentliche Kostenersparnis zur Folge hatte. Neuartig an dieser konstruktiven Lösung ist einer-seits die aus dem Lichteinfall bedingte Schrägstellung der Zylin-derschalen und andererseits die statische Heranziehung der ver-stärkten Schalenränder als Ober- bzw. Untergurt eines Verbund-fachwerkträgers. Einbau eines aufgehängten, fahrbaren Steges.

① Volkswagenwerk Wolfsburg

Architekten Mewes, Schupp, Kremmer, Kohlbecker
Ausführung Dyckerhoff Widmann und Wiemer & Trachte

Im Volkswagenwerk wurden zum erstenmal Stahlbetonshedschalen in großem Umfange für Bauten der Automobilindustrie verwendet. Die großen Hallen mit insgesamt 166 000 m² Grundfläche bestehen aus 800 unter sich gleichen Feldern (Stützenabstand 8×24 m), 4 m hohes Untergeschoß mit normalem Stützenabstand zur Aufnahme der Lagerräume, der sozialen Räume und der Installationen.

Die Schalen sind als Zweifeldträger ausgebildet, so daß sich alle 48 m eine Dehnungsfuge befindet (Doppelrahmen). Senkrecht dazu sind keine Dehnungsfugen angeordnet, weil die Rahmen in sich elastisch genug sind, um Temperaturbewegungen aufzunehmen.

An den Seitenfronten ein durchgehender Laufsteg, um leichten Zugang zu den einzelnen Rinnen zu haben. Die letzte Shedschale an der Nordfront ist steiler gestellt, damit alle Hallen längs der Werkstraße gleiche Höhen erhalten.

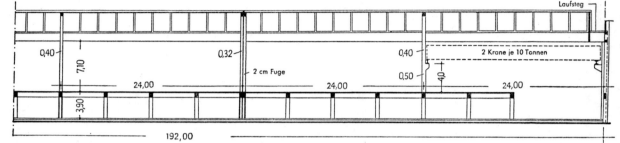

Maßstab 1 : 500.

Querschnitt durch die 7,10 m hohe Shedhalle mit Untergeschoß

Lit.: H. Rüsch: Beton und Eisen, 35. Jahrgang (1936), S. 159 und Bauingenieur, 20. Jahrgang (1939), S. 123.

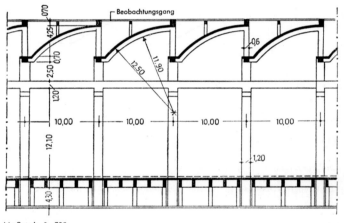

Teillängsschnitt durch den östlichen Teil der Halle

② Industriehalle in Peenemünde

Ausführung Dyckerhoff & Widmann

Stahlbetonshedschalen überdecken eine Fläche von 120×240 m. Stahlbetonshedschale (im Mittelfeld 48 m weit gespannt) bildet mit dem in den Glasbändern liegenden vorgespannten Fachwerkträger einen Raumträger, durch den jeweils eine Hallentiefe von 10 m überdacht wird. In Feldmitte aufgehängter Kranbahnträger (zur Gewichtsersparnis in Stahl). Über den Shedschalen zwei durchlaufende Beobachtungsgänge. Die Stützen der Shedschalen gehen für sich durch den schweren Hallenfußboden und durch die Konstruktion des Untergeschosses (Installationsgeschoß) durch, um Übertragung von Erschütterungen auszuschalten.

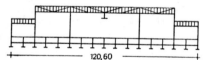

120,60

Schematischer Gesamtquerschnitt

Maßstab 1 : 500

Querschnitt der 15,80 m hohen Shedhalle mit Kranbahn und Untergeschoß

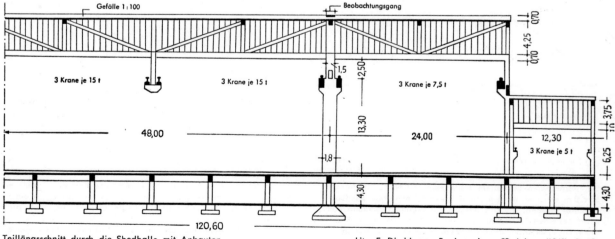

Teillängsschnitt durch die Shedhalle mit Anbauten

Lit.: F. Dischinger: Bauingenieur, 23. Jahrg. (1942), S. 15

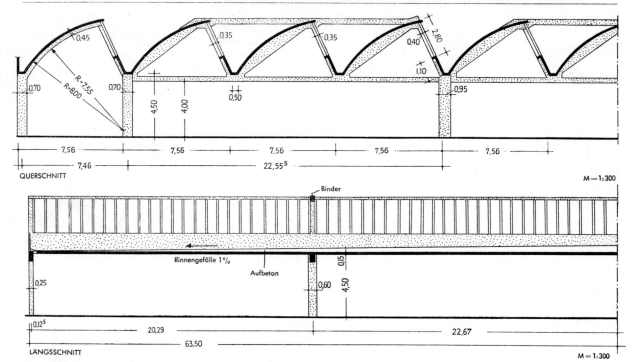

QUERSCHNITT M = 1:300

LÄNGSSCHNITT M = 1:300

① **Shedhalle der Buntweberei Weber & Ott AG., Forchheim**
(Arch. Freitag, Ausführung Dyckerhoff & Widmann)

Nach beiden Richtungen aus betrieblichen Gründen große Spannweite. Deshalb Abfangung der Shedschalen durch vorge-

spannte Fachwerkträger. Rinnengefälle durch Aufbeton, Vollklimatisierter Betrieb, daher besonders sorgfältige Wärmedämmung der Schalen und des Fachwerkträgers mit Kork.

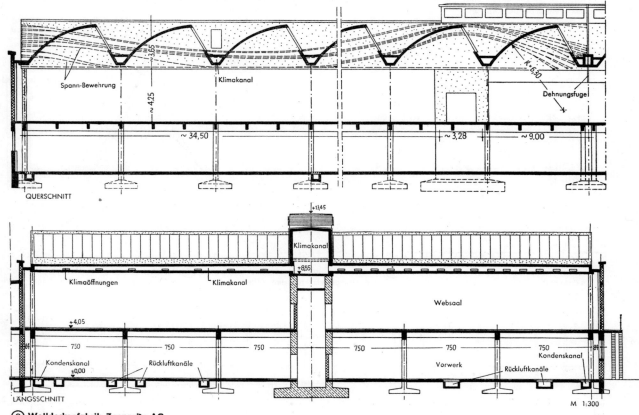

QUERSCHNITT

LÄNGSSCHNITT M 1:300

② **Wolldeckenfabrik Zoeppritz AG.**
(Arch. Koppenhöfer, Bauing. Leonhardt)

Schalensheds (Spannweite 22 m) in der Gebäudemitte durch vorgespannte Hohlkastenträger abgefangen, der zugleich einen

großen Klimakanal aufnimmt. Unterstützung des Kastenträgers durch feuersichere Aufzugsschächte aus Stahlbeton. Dehnungsfuge zwischen den auskragenden Enden des Kastenträgers.

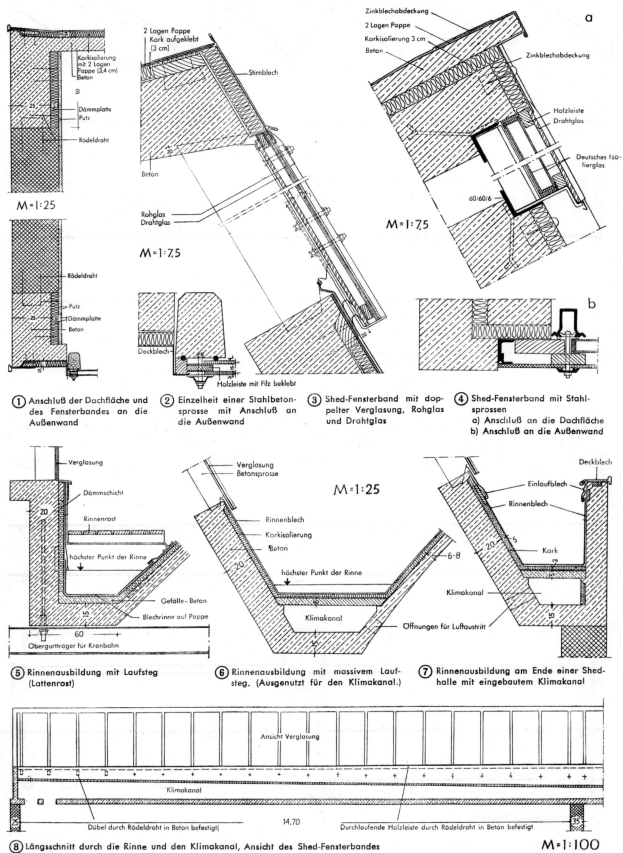

Korkisolierung mit 2 Lagen Pappe (3,4 cm)
Beton

Dämmplatte
Putz

Rödeldraht

M = 1:25

Rödeldraht

Putz
Dämmplatte
Beton

2 Lagen Pappe
Kork aufgeklebt (3 cm)

Stirnblech

Beton

M = 1:7,5

Rohglas
Drahtglas

Deckblech

Holzleiste mit Filz beklebt

Zinkblechabdeckung
2 Lagen Pappe
Korkisolierung 3 cm
Beton

Zinkblechabdeckung

Holzleiste
Drahtglas

Deutsches Iso-
lierglas

60/60/6

M = 1:7,5

① Anschluß der Dachfläche und des Fensterbandes an die Außenwand

② Einzelheit einer Stahlbeton-sprosse mit Anschluß an die Außenwand

③ Shed-Fensterband mit dop-pelter Verglasung, Rohglas und Drahtglas

④ Shed-Fensterband mit Stahl-sprossen
a) Anschluß an die Dachfläche
b) Anschluß an die Außenwand

Verglasung

Dämmschicht

Rinnenrost

höchster Punkt der Rinne

Gefälle-Beton

Blechrinne auf Pappe

60

Obergurtträger für Kranbahn

Verglasung
Betonsprosse

M = 1:25

Rinnenblech
Korkisolierung
Beton

höchster Punkt der Rinne

Klimakanal

6-8

Deckblech

Einlaufblech

Rinnenblech

Kork

Klimakanal

Öffnungen für Luftaustritt

⑤ Rinnenausbildung mit Laufsteg (Lattenrost)

⑥ Rinnenausbildung mit massivem Lauf-steg. (Ausgenutzt für den Klimakanal.)

⑦ Rinnenausbildung am Ende einer Shed-halle mit eingebautem Klimakanal

Ansicht Verglasung

Klimakanal

25

Dübel durch Rödeldraht in Beton befestigt

14,70

Durchlaufende Holzleiste durch Rödeldraht in Beton befestigt

35

⑧ Längsschnitt durch die Rinne und den Klimakanal, Ansicht des Shed-Fensterbandes
Längsgefälle des Laufsteges entspricht der notwendigen Querschnittsverbreiterung des Klimakanals

M = 1:100

Kurt Dummer
Bauing.
Berlin-Pankow
Retzbacher Weg 6

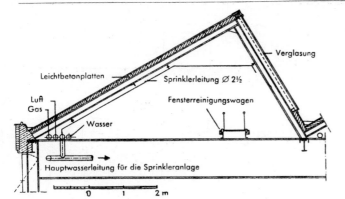

① Anordnung einer Sprinkleranlage in den Fordwerken, Köln

LANGSSCHNITT des Laufsteges, Punkt A

GRUNDRISS des Laufsteges, Punkt A

Blick auf den Gitterrost

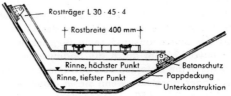

② Klimakanal und Beleuchtung bei Stahlsheds. Seidenweberei in Linnich. Architekten F. G. Winter und Rascher

QUERSCHNITT des Laufsteges

③ Shedrinnen-Laufsteg mit Wema-Gitterrosten. Hersteller: Fa. J. Eberspächer, Eßlingen/Neckar

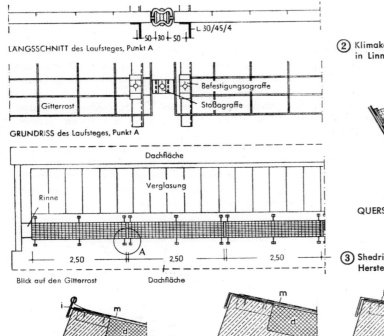

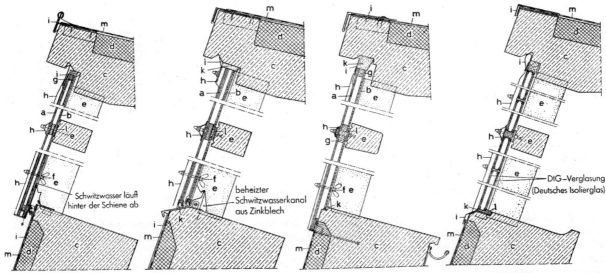

a Verglasung; b Drahtverglasung; c Beton; d Wärmedämmplatte; e Betonsprosse; f in Betonsprosse eingelassene Flügelschraube; g Holzleiste beiderseits mit Filz beklebt; h Abdeckschiene; i Abdeck- und Dichtungsbleche; k Dichtungsmasse; l Dichtungsunterlage; m Dachpappe.

| Schwitzwasserableitung nach außen | Schwitzwasserableitung durch Beheizen des Schwitzwasserkanals | Schwitzwasserableitung nach innen durch Rinne an der Sohlbank | Verwendung von DIG-Glas, Auftreten von Schwitzwasser erst ab -15° C, Schwitzwasser läuft in die Sohlbankrinne und verdunstet |

④ Schwitzwasserableitung und -verhütung nach R. Horn

Literatur: Horn, R.: Glas und Verglasung, Textilpraxis, Jahrg. 5 (1950), Seite 510.

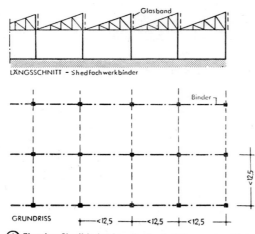

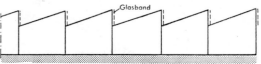

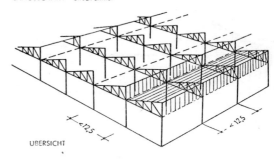

① Einzelne Shedbinder jeweils durch Stützen unterstützt

In einfachen Fällen werden sämtliche Shedbinder einzeln unterstützt. Die Stützweite von maximal 12,50 m ergibt sich weniger aus der Konstruktion, als aus der Forderung einer gleichmäßigen Beleuchtung. Bei niedrigen Hallen wird deshalb der Abstand oft geringer (5–10 m) gewählt, weil sich sonst zu große Helligkeitsunterschiede ergeben. In Richtung des Glasbandes erfährt der Stützenabstand seine Begrenzung mit ebenfalls etwa 12,50 m durch die Spannweite der Pfetten, oder durch die Unterzüge an der Rinne, auf die sich die Shedbinder absetzen, wenn sie in einem engeren Abstand (etwa 2,50–3,50 m) angeordnet sind. Die Lage der

Pfetten senkrecht zum First hat den Vorteil der besseren Belichtungsverhältnisse (keine Schatten der Pfetten) und der leichteren Eindeckung mit Zementdielen oder Leichtbetonplatten.
Die Nachteile der engen Stützenstellung bestehen nicht nur in der Einschränkung des freien Raumes, sondern auch in den zahlreichen Fundamenten und Stützen, die den Vorteil der leichten Shedkonstruktion wieder aufheben können. Bei sehr schlechtem Baugrund (aufgeschüttetem Boden) wird man derartig enge Stützenstellung mitunter wegen der geringen Bodenpressung wählen müssen.

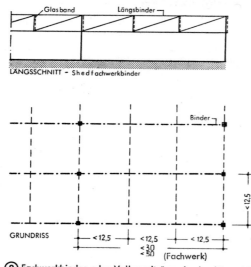

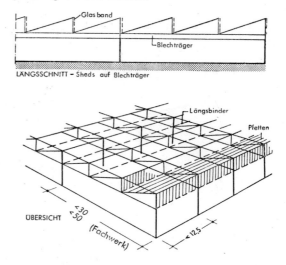

② Fachwerkbinder oder Vollwandträger in der Längsrichtung zur Vergrößerung des Stützenabstandes

Eine Vergrößerung der Stützweite senkrecht zum Fensterband kann durch Anordnung von Unterzügen, auf die sich die einzelnen Sheds abstützen, erzielt werden, oder durch Zusammenfassung mehrerer Sheds zu einem Fachwerkträger.
Beim Einziehen von Kranen wählt man in der Regel Vollwandträger, die zugleich den Kranbahnlängsträger abgeben. Dadurch wird jedoch die lichte Raumhöhe vermindert bzw. bei vorgeschriebener Mindesthöhe der umbaute Raum vergrößert. Während bei vollwandigen Unterzügen die wirtschaftliche Grenze der Spannweite

bei etwa 30 m liegt, kann man mit Fachwerkkonstruktion bis zu 50 m frei überspannen.

Der Nachteil der Fachwerkbinder liegt darin, daß der Obergurt die Dachfläche durchbricht und der Witterung ausgesetzt ist. Außerdem ergeben sich bei senkrechten Glasflächen nur steigende oder fallende Diagonalen in Richtung der Dachfläche, die an dem einen Auflager auf Zug, am andern auf Druck beansprucht werden. Geneigte Glasflächen ergeben eine günstigere Fachwerkausbildung.

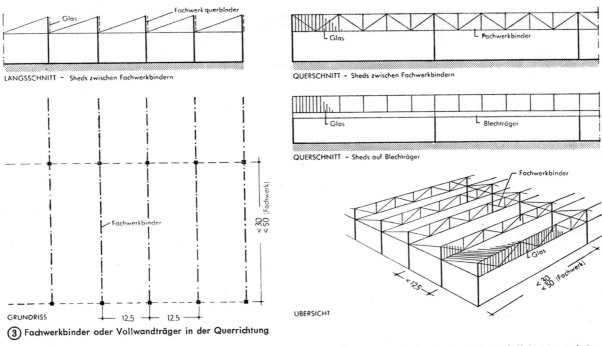

LANGSSCHNITT – Sheds zwischen Fachwerkbindern

QUERSCHNITT – Sheds zwischen Fachwerkbindern

QUERSCHNITT – Sheds auf Blechträger

GRUNDRISS

ÜBERSICHT

③ Fachwerkbinder oder Vollwandträger in der Querrichtung

Ein größerer Stützenabstand in Richtung der Glasbänder kann durch Unterzüge unter dem Glasband oder durch Fachwerkträger innerhalb der Glasfläche erzielt werden. Die Fachwerkträger in der Ebene des Fensterbandes können bis zu 50 m frei gespannt werden; allerdings wird dadurch der Lichteinfall beeinträchtigt, ganz abgesehen davon, daß das Glasband sehr unruhig wirkt. Bei geneigtem Fensterband ergibt sich ein räumlicher Fachwerkträger. Man zieht dann meist einen Vollwandträger unter der Shedrinne vor.

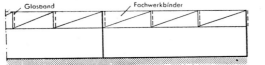

LANGSSCHNITT – Shed- Fachwerkbinder

QUERSCHNITT – Fachwerkbinder

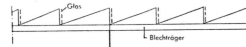

LANGSSCHNITT – Sheds auf Blechträger

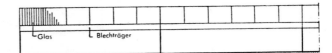

QUERSCHNITT – Blechträger

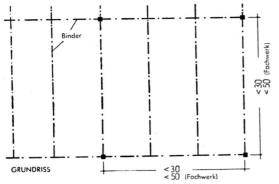

GRUNDRISS

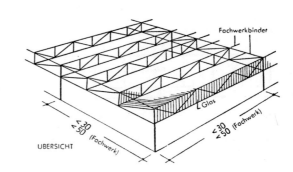

ÜBERSICHT

④ Größter Stützenabstand durch Fachwerkbinder oder Vollwandträger in der Längs- und Querrichtung.

Wenn allseits große Stützenabstände gefordert werden, müssen entsprechende Unterzüge oder Fachwerkträger in beiden Richtungen angeordnet werden, auf die sich die einzelnen Sheds abstützen können. Bei Anordnung von Fachwerkträgern können bis zu 50 m frei überspannt werden, so daß für eine überbaute Fläche von $100 \times 100 = 10\,000$ m² nur eine einzige Stütze in Hallenmitte erforderlich wird. Zur Aufnahme der Windkräfte müssen besondere Windrahmen oder starre Scheiben vorgesehen werden.

Shed-Einzelsysteme mit geringem Stützenabstand (etwa 8×10 m) nach beiden Richtungen. Die Spannweite der Sheds mit < 10 m ergibt sich nicht aus der Konstruktion, sondern aus der Forderung nach einer gleichmäßigen Belichtung. Meist wird sie deshalb nur 6 bis 8 m gewählt.

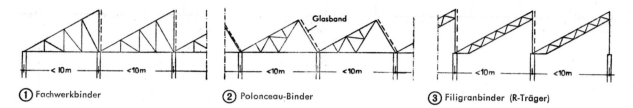

① Fachwerkbinder   ② Polonceau-Binder   ③ Filigranbinder (R-Träger)

Zusammengefaßte Shedsysteme mit großem Stützenabstand senkrecht zum Glasband

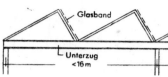 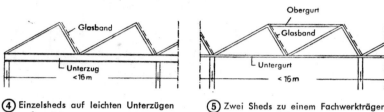 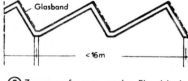

④ Einzelsheds auf leichten Unterzügen aufgesetzt

⑤ Zwei Sheds zu einem Fachwerkträger zusammengefaßt

⑥ Zusammenfassung zweier Einzelsheds zu einem steifen Rahmen

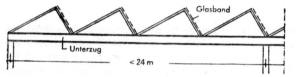

⑦ Schwerer durchgehender Unterzug, auf den sich die Sheds abstützen. Stützenentfernung abhängig von der Höhe und von der Ausbildung des Unterzuges

⑧ Mehrere Sheds zu einem Fachwerkträger vereinigt. Obergurt ist der Witterung ausgesetzt, schwieriger Anschluß an die Dachhaut und an das Glasband

Vollwandige Unterzüge in Richtung des Glasbandes, auf die sich die Einzelsheds absetzen. Stützenentfernung in Richtung der Unterzüge, abhängig von der Höhe und von der Ausbildung des Unterzuges.

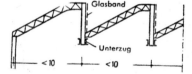 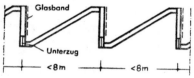 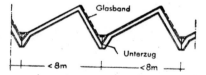

⑨ Gebogener Gitterträger auf zweiteiligen Unterzug (U-Profil) aufgesetzt

⑩ I-Profil mit steifer Eckenausbildung. Unterzug aus I-Profil oder zusammengesetzter Blechträger

⑪ Sheds als durchgehende Rahmen ausgebildet. Unterzug wird auf seitlichen Schub beansprucht

Verschiedenartige Ausbildung der Unterzüge in Richtung des Glasbandes, auf die sich die Einzelsheds oder die Pfetten absetzen

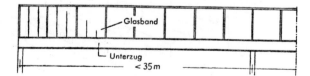 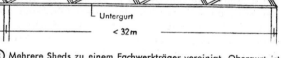

⑫ Vollwandiger Unterzug unterhalb des Glasbandes

⑬ Niedriger Fachwerkträger unterhalb des Glasbandes. Am Auflager durch Zugdiagonalen verstärkt

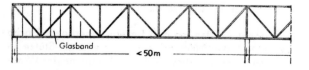 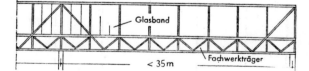 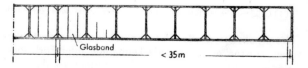

⑭ Fachwerkträger innerhalb des Glasbandes. Beeinträchtigung des Lichteinfalls, unruhige Fensterfläche

⑮ Vierendeel-Träger innerhalb des Glasbandes. Ruhiger Gesamteindruck, bessere Lichtausbeute

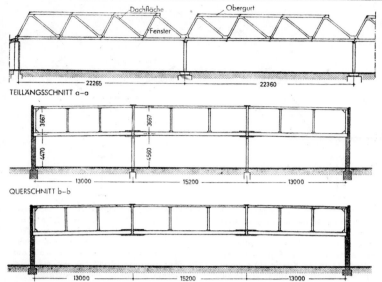

Dachfläche Obergurt Fenster

22265 22360

TEILLÄNGSSCHNITT a–a

3667 3667 4470 4560

13000 15200 13000

QUERSCHNITT b–b

13000 15200 13000

QUERSCHNITT c–c

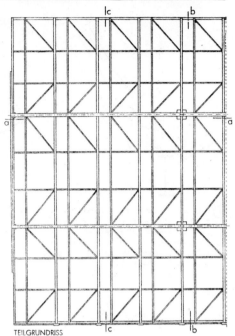

TEILGRUNDRISS

① **Spinnerei Bräunlingen** (Entwurf und Berechnung Dr. Eberlein, Kempten, Ausführung MAN). In der Längsrichtung vier Sheds zu einem Fachwerkträger zusammengefaßt. In der Querrichtung schräg liegende geschweißte Vollwandträger, auf die sich die zwischen den Fachwerkträgern befindlichen beiden Shedrahmen abstützen. Stützenfreie Fläche von 22,30×41,20 m.

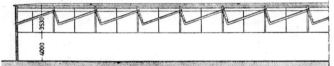

3530 4000

4920 5640 5640 5640 5640 5640

TEILLÄNGSSCHNITT a–a

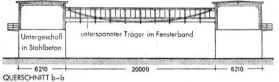

Untergeschoß in Stahlbeton unterspannter Träger im Fensterband

6210 20000 6210

QUERSCHNITT b–b

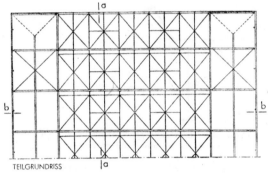

TEILGRUNDRISS

② **Viehverkaufshalle** (Ausführung Jucho, Dortmund)
Einzelne Sheds stützen sich auf unterspannten Träger im Fensterband ab. Auflagerung dieses Trägers auf den Rahmenkonstruk-

tionen der zweigeschossigen Seitenbauten. Um die Seitensteifigkeit sicherzustellen, in der Dachfläche der Sheds durchgehende Diagonalverbände.

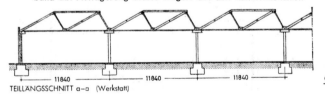

11840 11840 11840

TEILLÄNGSSCHNITT a–a (Werkstatt)

Kranbau in der Werkstatt

11840 11840 11840

TEILLÄNGSSCHNITT b–b (Montagehalle)

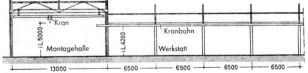

Kran i.L.5000 i.L.4260 Kranbahn Montagehalle Werkstatt

13000 6500 6500 6500 6500

TEILQUERSCHNITT c–c

③ **Spinnereimaschinenfabrik Trützschler & Co., Rheydt-Odenkirchen**

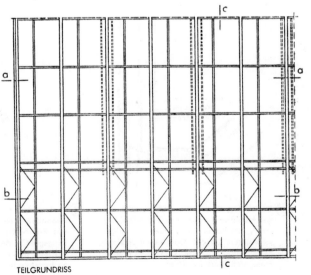

TEILGRUNDRISS

(Architekt W. Schink, Rheydt). Wegen guter Ausleuchtung geringer Abstand der Fensterbänder. Um an Stützen zu sparen, sind zwei Sheds zu einem Fachwerkträger zusammengefaßt.

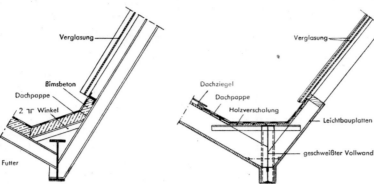

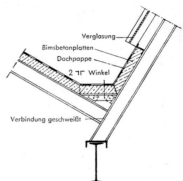

① Geneigte Glasfläche 60°. Shedbinder aus I 20-Profilen wirken als Dreigelenkbogen, Stützweite 7,50 m. Abstand der einzelnen Shedbinder 2,50 m. Durchgehende Unterzüge aus I P 55 und I P 80, Stützweite 20 m. Dachhaut aus Bimsbetonplatten mit Korkauflage und Pappen.

② Geneigte Glasfläche 52°. Binderkonstruktion aus Holz, Unterzug als geschweißter Vollwandbinder. Dacheindeckung mit Ziegeln auf Holzlattung, darunter gespundete Holzschalung. Rinne aus Holz mit Blech. Gesamte Konstruktion unterseitig mit Leichtbauplatten verkleidet.

③ Geneigte Glasfläche 60°. Shedbinder (Stützweite 5,0 m Abstand 2,5 m) aus Spezialprofilen I 152/76 wirken als Dreigelenkbogen. Unterzüge (Stützweite 10,0 m) als Durchlaufträger ebenfalls aus Spezialprofilen I 305/133 mit aufgenietetem C 203/657 für die Windkräfte.

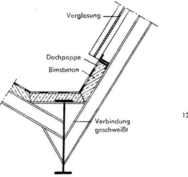

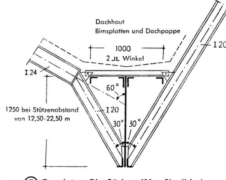

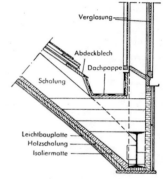

④ Geneigte Glasfläche 64°. Shedbinder (Stützweite 8,0 m) aus I 18-Profilen als Durchlaufträger berechnet. Vollwandiger Unterzug 1050 mm hoch ebenfalls als Durchlaufträger über 2 Feldern mit 27,5 und 32,5 m Stützweite. Dachhaut aus Bimsbetonplatten mit mehrlagiger Pappe.

⑤ Geneigte Glasfläche 60°. Shedbinder (Stützweite 8,0 m) aus I 20- und 24-Profilen. Unterzug als vollwandiger Blechträger, dessen Obergurt gleichzeitig als horizontaler Windträger ausgebildet ist. Dadurch breite, gut begehbare Rinne. Dachhaut Bimsbetonplatten mit Pappe.

⑥ Senkrechte doppelte Glasfläche mit dazwischenliegendem vertikalen Fachwerkbinder. Gewölbte Dachhaut aus Eternit-Tafeln über Holzsparren. Gesamte Konstruktion unterseitig mit Dämmatten, Holzschalung und Leichtbauplatten verkleidet. Sehr schmale Holzrinne.

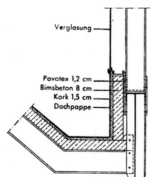

⑦ Senkrechte Glasfläche. Shedbinder als geschweißter Rahmen aus I Profilen. Unterzug als hoher Blechträger mit aufgeschweißtem C Profil. Dachhaut aus Bimsbetonplatten, 1,5 cm dicker Korkdämmung und Blechabdeckung.

⑧ Senkrechtes Fensterband mit dahinterliegendem Fachwerkträger. Dachhaut aus Bimsbeton mit mehrlagiger Pappe. Längsgefälle der Rinne durch Aufbeton. Nachteil der sehr schmalen und schlecht zu begehenden Rinne.

⑨ Senkrechte Glasfläche. Shedbinder als Durchlaufträger aus I Profilen geschweißt. Unterzug als zusammengesetzter Blechträger, dessen Obergurt zugleich als horizontaler Windträger angeordnet ist.

Literatur: O. Sudergath, Moderne Sägedachbauten in Stahl. Der Bauingenieur, 21. Jahrg. (1940), Seite 33.

Konstruktionsblätter des Verbandes Schweiz. Brückenbau- und Stahlhochbau-Unternehmungen, Zürich 1949.

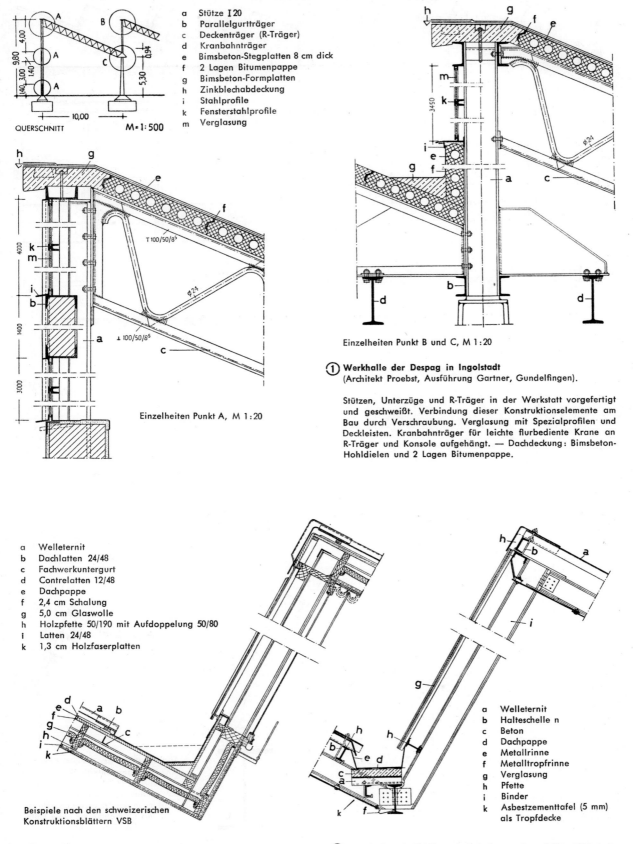

a Stütze I20
b Parallelgurtträger
c Deckenträger (R-Träger)
d Kranbahnträger
e Bimsbeton-Stegplatten 8 cm dick
f 2 Lagen Bitumenpappe
g Bimsbeton-Formplatten
h Zinkblechabdeckung
i Stahlprofile
k Fensterstahlprofile
m Verglasung

QUERSCHNITT   M = 1:500

Einzelheiten Punkt A, M 1:20

Einzelheiten Punkt B und C, M 1:20

① **Werkhalle der Despag in Ingolstadt**
(Architekt Proebst, Ausführung Gartner, Gundelfingen).

Stützen, Unterzüge und R-Träger in der Werkstatt vorgefertigt
und geschweißt. Verbindung dieser Konstruktionselemente am
Bau durch Verschraubung. Verglasung mit Spezialprofilen und
Deckleisten. Kranbahnträger für leichte flurbediente Krane an
R-Träger und Konsole aufgehängt. — Dachdeckung: Bimsbeton-
Hohldielen und 2 Lagen Bitumenpappe.

a Welleternit
b Dachlatten 24/48
c Fachwerkuntergurt
d Contrelatten 12/48
e Dachpappe
f 2,4 cm Schalung
g 5,0 cm Glaswolle
h Holzpfette 50/190 mit Aufdoppelung 50/80
i Latten 24/48
k 1,3 cm Holzfaserplatten

Beispiele nach den schweizerischen
Konstruktionsblättern VSB

a Welleternit
b Halteschelle n
c Beton
d Dachpappe
e Metallrinne
f Metalltropfrinne
g Verglasung
h Pfette
i Binder
k Asbestzementtafel (5 mm)
als Tropfdecke

② Sheddach mit Welleterniteindeckung und Wärmedämmung aus
Glaswollmatten zwischen Holzpfetten. Shedrinne aus Zinkblech.

③ Sheddach mit Welleterniteindeckung ohne Wärmedämmung,
aber untergehängter Tropfdecke aus Asbestzement-Tafeln.

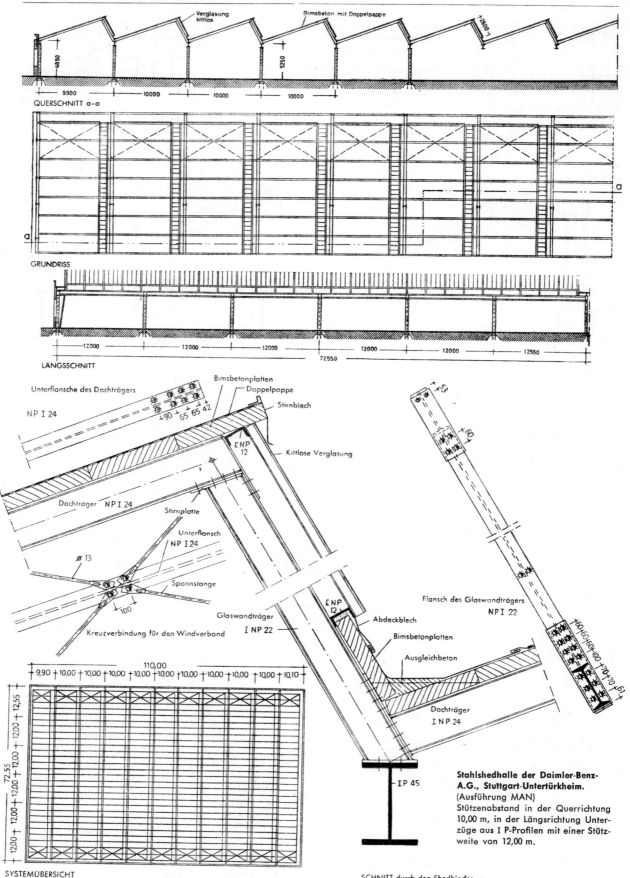

QUERSCHNITT a-a

Verglasung kittlos

Bimsbeton mit Doppelpappe

4850

5250

↑2600↓

9900 · 10000 · 10000 · 10000

GRUNDRISS

a

a

LÄNGSSCHNITT

12000 · 12000 · 12000 · 12000 · 12000 · 12550

72550

Unterflansche des Dachträgers

NP I 24

90 · 65 · 65 · 42

Bimsbetonplatten

Doppelpappe

Stirnblech

Kittlose Verglasung

CNP 12

Dachträger NP I 24

Stirnplatte

Unterflansch NP I 24

Ø 13

Spannstange

100

Kreuzverbindung für den Windverband

Glaswandträger I NP 22

CNP 12

Abdeckblech

Bimsbetonplatten

Ausgleichbeton

Flansch des Glaswandträgers NP I 22

Dachträger I NP 24

SYSTEMÜBERSICHT

110,00

9,90 + 10,00 + 10,00 + 10,00 + 10,00 + 10,00 + 10,00 + 10,00 + 10,00 + 10,00 + 10,10

72,55

12,55 · 12,00 · 12,00 · 12,00 · 12,00 · 12,00

I P 45

Stahlshedhalle der Daimler-Benz-A.G., Stuttgart-Untertürkheim.
(Ausführung MAN)
Stützenabstand in der Querrichtung 10,00 m, in der Längsrichtung Unterzüge aus I P-Profilen mit einer Stützweite von 12,00 m.

SCHNITT durch den Shedbinder

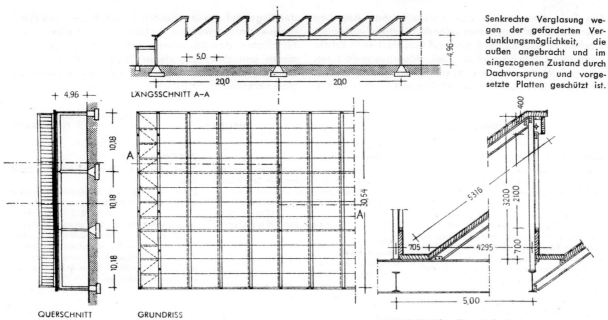

LÄNGSSCHNITT A-A

QUERSCHNITT   GRUNDRISS

SENKRECHTER SCHNITT durch die Shedverglasung

Senkrechte Verglasung wegen der geforderten Verdunklungsmöglichkeit, die außen angebracht und im eingezogenen Zustand durch Dachvorsprung und vorgesetzte Platten geschützt ist.

① **Shedhalle mit Quer- und Längsunterzügen** (Ausführung MAN)
Forderung nach gleichmäßiger und guter Belichtung ergab sehr hohe Glasbänder. Stützenentfernungen 10,18 m×18,00 m. Unterzüge in der Querrichtung aus Spezialprofilen I 475/152. Hauptunterzüge in der Längsrichtung als Durchlaufträger über je 20 m

Stützweite aus I P L 75. Windkräfte in der Querrichtung durch Halbrahmen aufgenommen, in der Längsrichtung durch Stützen der Mittelreihen. Stützen bestehen aus I P L 36, im Fundament eingespannt und oben biegungssteif mit den Hauptunterzügen verbunden. Stahlverbrauch 81 kg/m², Tageslichtquotient 9,2%.

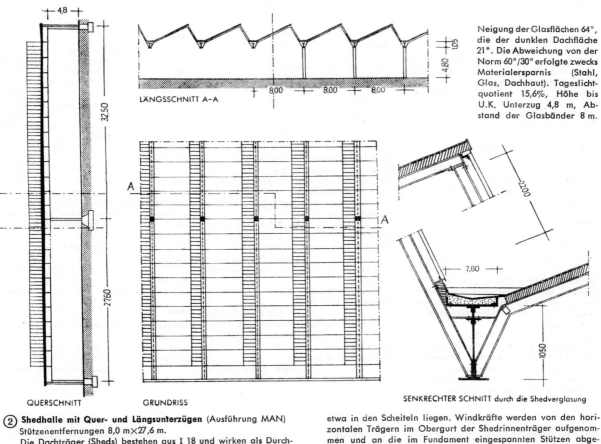

LÄNGSSCHNITT A-A

QUERSCHNITT   GRUNDRISS

SENKRECHTER SCHNITT durch die Shedverglasung

Neigung der Glasflächen 64°, die der dunklen Dachfläche 21°. Die Abweichung von der Norm 60°/30° erfolgte zwecks Materialersparnis (Stahl, Glas, Dachhaut). Tageslichtquotient 15,6%, Höhe bis U.K. Unterzug 4,8 m, Abstand der Glasbänder 8 m.

② **Shedhalle mit Quer- und Längsunterzügen** (Ausführung MAN)
Stützenentfernungen 8,0 m×27,6 m.
Die Dachträger (Sheds) bestehen aus I 18 und wirken als Durchlaufträger, deren Momenten-Nullpunkte bei senkrechter Vollast

etwa in den Scheiteln liegen. Windkräfte werden von den horizontalen Trägern im Obergurt der Shedrinnenträger aufgenommen und an die im Fundament eingespannten Stützen abgegeben. Stahlverbrauch 70 kg/m²

Literatur: Sudergath, O., Moderne Sägedachbauten in Stahl, Bauingenieur 21. Jahrg (1940), Seite 33.

Um beim Vorentwurf oder Entwurf schon Angaben über die Gestehungskosten oder den Materialverbrauch machen zu können, muß man auf entsprechende Erfahrungswerte zurückgreifen. Bei Mehrgeschoßbauten wird der Materialverbrauch auf den umbauten Raum (nach DIN 277) bezogen, bei Hallen und Flachbauten in der Regel auf die überbauten Grundflächen. Die Erfahrungswerte schwanken natürlich entsprechend den Nutzlasten, den Spannweiten, den Gründungsverhältnissen und den besonderen Betriebsbedingungen in weiten Grenzen; trotzdem sind sie für die überschlägige Berechnung als Richtzahlen wertvoll.

GESCHOSSBAUTEN

Stahlbeton

Stahlbetonskelett einschl. Decken (normale Stützweiten, Nutzlasten 500 bis 1500 kg/m²):
1 m³ umbauter Raum benötigt an Stahlbeton
etwa 0,08 bis 0,1 m³
Die Hauptmenge des Stahlbetons wird für die Fundamente und den Keller einschließlich Kellerdecke benötigt. Betrachtet man den umbauten Raum über Erdgeschoßfußboden, so ergeben sich folgende Werte:
1 m³ umbauter Raum über Erdgeschoßfußboden einschl. Decken benötigt an Stahlbeton etwa 0,05 bis 0,08 m³
1 m³ umbauter Raum über Erdgeschoßfußboden ohne Decken, jedoch einschl. Treppen, benötigt etwa 0,025 bis 0,04 m³
1 m³ umbauter Kellerraum benötigt
etwa 0,2 bis 0,4 m³
Für 1 m³ Stahlbeton kann der Stahlbedarf zwischen 40 und 150 kg schwanken. Daraus folgt:
1 m³ umbauter Raum benötigt an Stahl:
leichte Verwaltungsgebäude, Anbauten
etwa 4 bis 7 kg/m³
Büro- und Verwaltungsgebäude, leichte Fabrikgebäude etwa 6 bis 9 kg/m³
Lager- und Fabrikgebäude
etwa 7 bis 12 kg/m³
1 m² Deckenfläche benötigt je nach Nutzlast und Stützweite an Stahl
etwa 5 bis 15 kg/m²

Bezieht man den gesamten Stahlbedarf anstatt auf den umbauten Raum auf die Deckenfläche, so folgt der Stahlverbrauch mit etwa 20 bis 60 kg/m² Deckenfläche.

Bei Verwendung von Spannbeton kann der Stahlbedarf beträchtlich gesenkt werden, dafür sind aber hochwertige Stähle erforderlich.

Stahl

Stahlskelett (normale Stützweiten, Nutzlalasten 500 bis 1500 kg/m²):
1 m³ umbauter Raum benötigt an Stahl
etwa 15 bis 35 kg/m³
Zu diesen Werten kommt noch der Stahlaufwand für die Stahlbetondecken hinzu, der jedoch geringfügig ist und etwa zwischen 2 und 4 kg je m³ umbauter Raum liegen kann.
Das Verhältnis des Stahlaufwandes für Stahlbeton- und Stahlskelettbauen schwankt nach den gemachten Angaben zwischen 0,3 und 0,5. Große Nutzlasten wirken sich zugunsten des Stahlbetons aus, umgekehrt ist der Stahl im Vorteil bei großen Stützweiten.

HALLEN

Stahlbeton ·

Für Rahmentragwerke bei Spannweiten von etwa 15 bis 25 m beträgt der Stahlbedarf (einschl. Dachhaut, jedoch ohne Kranbahnenträger) je m² Hallengrundfläche
12 bis 25 gk/m²
Hallen über 20 m Spannweite 20 bis 50 kg/m²

Stahl

Binderstützweite	15 bis 25 m
Kranbahnstützweite	10 bis 15 m
Traufhöhe der Hallen	10 bis 15 m

Gewichte der gesamten Hallenkonstruktion (ohne Dachhaut) bezogen je m² Hallengrundfläche:
Leichte Hallen, d. h. ohne bzw. mit leichten 5 bis 10 to-Kranen, ohne Bühnen
etwa 40 bis 100 kg/m²
Mittelschwere Hallen, d. h. mit Kranbahnen für 50 bis 70 to Traglast und Bühnen bis 1000 kg/m² Nutzlast
etwa 100 bis 200 kg/m²
Schwere Hallen, d. h. Hallen mit Kranen von 150 bis 250 to Tragkraft
etwa 200 bis 400 kg/m²
Gewichte einzelner Bauteile:
Dachkonstruktion, d. h. Pfetten, Oberlichter, Binder und Dachverbände; also ohne Stützen, Unterzüge, Kranbahnen und Bühnen (bezogen auf die Grundfläche)
etwa 30 bis 40 kg/m²
Pfetten allein (bezogen auf die Grundfläche)
etwa 10 bis 15 kg/m²
Fachwerkwände (bezogen auf die Wandfläche)
etwa 12 bis 25 kg/m²

Holz

Holzbedarf (ohne Schalung und Verschnitt) in m³ je m² Grundrißfläche:
Mehrschiffige Lagerhallen für Stapelware (ohne Fördereinrichtung)
Spannweiten der einzelnen Schiffe 6 bis 20 m
Traufhöhe 5 bis 10 m
etwa 0,03 bis 0,07 m³/m²
Zugehöriger Stahlbedarf (Dübel, Schrauben, Nägel, Bolzen) in kg je m³ Holz
etwa 15 bis 30 kg/m³
Lagerhallen für Schüttgüter (mit Fördereinrichtung)
Spannweiten 20 bis 35 m
Traufhöhe 12 bis 30 m
etwa 0,08 bis 0,13 m³/m²
Zugehöriger Stahlbedarf je m³ Holz
etwa 20 bis 50 kg/m³
Werkhallen
Spannweiten 20 bis 40 m
etwa 0,04 bis 0,08/m²
Zugehöriger Stahlbedarf je m³ Holz
etwa 20 bis 60 kg/m³

FLACHBAUTEN

Stahlbeton

1 m² überbaute Fläche benötigt an Stahlbeton:
Normale Ausführung, Stützweiten 8 bis 20 m, mittlere Höhe 4 bis 6 m einschl. Dachdecke
etwa 0,15 bis 0,25 m³/m²
Schalenkonstruktion, Stützweiten bis zu 10×24 m etwa 0,10 bis 0,15 m³/m²
1 m² überbaute Fläche benötigt daher an Stahl bei normaler Ausführung, Stützweiten 8 bis 20 m, mittlere Höhe 4 bis 6 m einschließlich Dachdecke
etwa 8 bis 20 kg/m²
mit Fertigteilen (vorgespannt)
etwa 8 bis 18 kg/m²
Shedhallen (Spannweiten etwa 6×15)
17 bis 20 kg/m²
Schalen (Tonnen oder Shedschalen) Spannweiten bis zu 10×24 m
15 bis 22 kg/m²
Für die eigentlichen Dachkonstruktionen liegt der Stahlverbrauch bei Schalenbauten zwischen 8,5 und 12,5 kg je m² überbauter Fläche.

Stahl

1 m² überbaute Fläche benötigt an Stahl bei mehrschiffigen niedrigen Hallen (Werkstätten) mit leichter Kranausrüstung (<10 t) und einer Traufhöhe zwischen 5 und 10 m
etwa 60 bis 80 kg/m²
oder auf 1 m³ umbauten Raum bezogen
etwa 8 bis 12 kg/m³
Unterteilung des Stahlaufwandes, bezogen auf 1m² Grundrißfläche, nach

Dachkonstruktion	etwa 25 bis 50 kg/m²
Stützen	etwa 5 bis 20 kg/m²
Kranträger	etwa 5 bis 15 kg/m²
Wände	etwa 4 bis 8 kg/m²

Der Einfluß der sonstigen Einbauten wie Zwischendecken, Bühnen, Keller kann sehr groß sein. Der Stahlaufwand hierfür kann bis zu 30 kg je m² überbauter Fläche ausmachen.
Shedbauten (ohne Dachdecke) ·
Stützweite 10×10, 6×12 m

	etwa 40 bis 60 kg/m²
Stützweite 10×20 m	etwa 50 bis 70 kg/m²
Stützweite 16×20 m	etwa 70 bis 80 kg/m²

Holz

Mehrschiffige niedrige Hallen siehe Hallen.
Shedbauten
Spannweiten (7 bis 10) × (14 bis 20)
Holzbedarf je m² Grundrißfläche
etwa 0,05 bis 0,10 m³/m²
Zugehöriger Stahlbedarf je m³ Holz
etwa 40 bis 90 kg/m³

Literatur: Fritzen, H.: Einige Beispiele neuerer Werkstattbauten, Der Stahlbau 11 (1938), S. 173. — Gaede: Eisenverbrauch beim Eisenbeton, Neues Bauen in Eisenbeton, Berlin 1937, S. 165. — Gattnar, A. und Trysna, F.: Hölzerne Dach- und Hallenbauten, 6. Aufl., Berlin 1954. — Gregor, A.: Der praktische Eisenhochbau, Bd. I, 5. Aufl. Berlin 1930. — Kersten, C.: Eisenbetonskelettbau, Neues Bauen in Eisenbeton, Berlin 1937, S. 141. — Sudergath, O.: Moderne Sägedachbauten in Stahl, Der Bauingenieur, 21 (1940), S. 33.

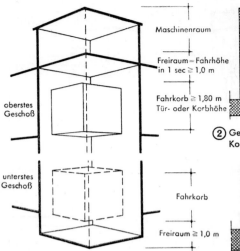

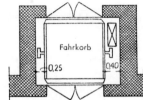

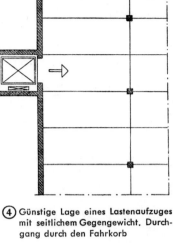

Maschinenraum

Freiraum = Fahrhöhe
in 1 sec ≥ 1,0 m

Fahrkorb ≥ 1,80 m
Tür- oder Korbhöhe

Fahrkorb

Freiraum ≥ 1,0 m

oberstes
Geschoß

unterstes
Geschoß

① Aufzugsschema. Freiraum unter tief-
ster und über höchster Betriebsstel-
lung des Fahrkorbs notwendig

② Gegengewicht hinter dem Fahrkorb:
Korb nur von einer Seite zugänglich.

③ Gegengewicht seitlich neben dem
Fahrkorb: Öffnung des Korbes auf
zwei Seiten möglich

④ Günstige Lage eines Lastenaufzuges
mit seitlichem Gegengewicht. Durchgang durch den Fahrkorb

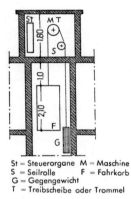

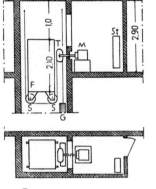

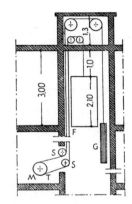

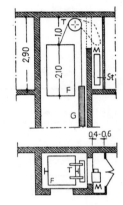

St = Steuerorgane M = Maschine
S = Seilrolle F = Fahrkorb
G = Gegengewicht
T = Treibscheibe oder Trommel

⑤ Maschinenraum über dem
Fahrschacht
Nachteil: Dachaufbau

⑥ Maschinenraum oben neben
dem Fahrschacht
Vorteil: kein Dachaufbau
Nachteil: zu starke Bean-
spruchung der Seile

⑦ Maschinenraum unten neben
Fahrschacht. Zahlreiche Ab-
lenkrollen, große Seillänge

⑧ Flachdachaufzug der
Lohausen-Werke Düsseldorf.
Maschine im Schrank oben
neben dem Fahrschacht. Geringer Platzbedarf, kurze Seile

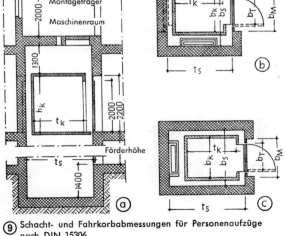

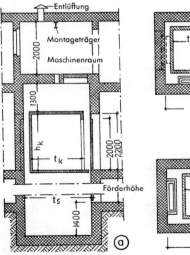

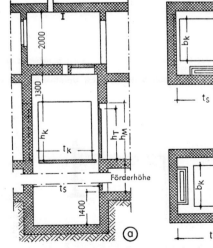

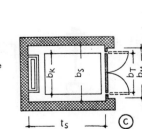

⑨ Schacht- und Fahrkorbabmessungen für Personenaufzüge
nach DIN 15306

⑩ Schacht- und Fahrkorbabmessungen für Lastenaufzüge
nach DIN 15305

Weitere Angaben für die Ausführung von Aufzügen enthalten die Normen DIN 15301 bis DIN 15316

Durchgang für Kranlaufsteg

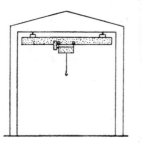

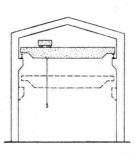

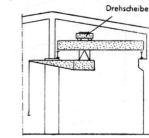
Drehscheibe

① Aufgehängter Laufkran, flurbedient

② Normaler Laufkran, evtl. zwei Kräne übereinander

③ Laufkrane und Konsolkrane

④ Laufkran mit Drehlaufkatze

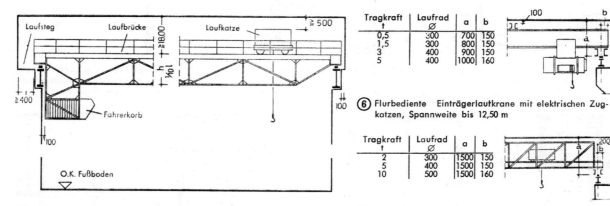

Tragkraft t	Laufrad Ø	a	b
0,5	300	700	150
1,5	300	800	150
3	400	900	150
5	400	1000	160

⑥ Flurbediente Einträgerlautkrane mit elektrischen Zug-katzen, Spannweite bis 12,50 m

Tragkraft t	Laufrad Ø	a	b
2	300	1500	150
5	400	1500	150
10	500	1500	160

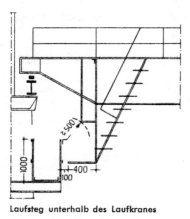

⑤ Durchgangsprofil eines Laufkranes mit Laufkatze und Fahrerstand Alle Maßangaben in mm

⑦ Flurbediente Einträgerlaufkrane mit elektrischen Zug-katzen, Spannweite bis 15,00 m

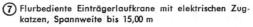

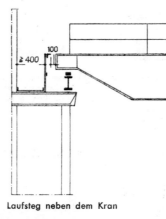

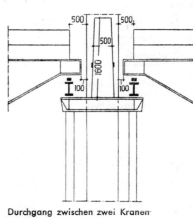

Laufsteg unterhalb des Laufkranes

Laufsteg neben dem Kran

Durchgang zwischen zwei Kranen

⑧ Musterbeispiele für Kranbahnlaufstege (nach Unfallverhütungs-Vorschrift der Hütten- und Walzwerks- Berufsgenossenschaft)

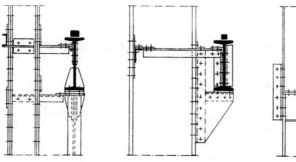

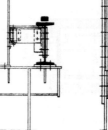

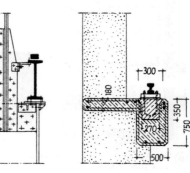

⑨ Ausgeführte Beispiele von Kranbahnträgern in Stahl und Stahlbeton

Rampen

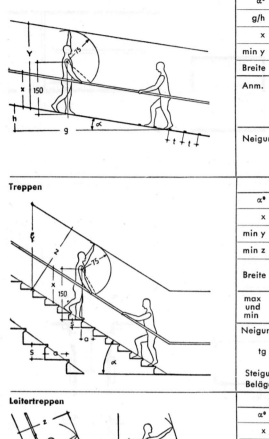

	FLACH		STEIL
α°	0 — 6	6 — 10	10 — 20
g/h	bis 1:10	1:10 — 1:6	1:6 — 1:2,5
x	90	90	90
min y	225 — 220	225 — 220	225 — 220
Breite	85 — 300	85 — 250	85 — 180
Anm.	Trittsichere Belagausbildung; Befahrbar	Besonders griffiger Belag (Hirnholzpflaster, gerauhter Zementestrich usw.); Befahrbar; Handlauf	Trittleisten in gleichen Abständen Handlauf an beiden Seiten

Neigungswinkel: α

$$tg\ \alpha = \frac{h}{g}$$

Trittleistenabstände:

$$t = \frac{63}{2\ \sin \alpha + \cos \alpha}$$

Treppen

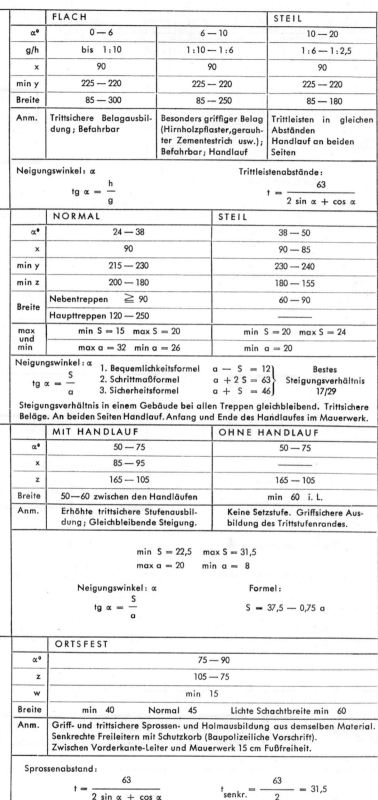

	NORMAL		STEIL
α°	24 — 38		38 — 50
x	90		90 — 85
min y	215 — 230		230 — 240
min z	200 — 180		180 — 155
Breite	Nebentreppen ≧ 90		60 — 90
	Haupttreppen 120 — 250		——
max und min	min S = 15 max S = 20		min S = 20 max S = 24
	max a = 32 min a = 26		min a = 20

Neigungswinkel: α

$$tg\ \alpha = \frac{S}{a}$$

1. Bequemlichkeitsformel a — S = 12 ⎫ Bestes
2. Schrittmaßformel a + 2 S = 63 ⎬ Steigungsverhältnis
3. Sicherheitsformel a + S = 46 ⎭ 17/29

Steigungsverhältnis in einem Gebäude bei allen Treppen gleichbleibend. Trittsichere Beläge. An beiden Seiten Handlauf. Anfang und Ende des Handlaufes im Mauerwerk.

Leitertreppen

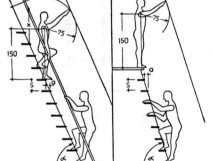

	MIT HANDLAUF	OHNE HANDLAUF
α°	50 — 75	50 — 75
x	85 — 95	——
z	165 — 105	165 — 105
Breite	50—60 zwischen den Handläufen	min 60 i. L.
Anm.	Erhöhte trittsichere Stufenausbildung; Gleichbleibende Steigung.	Keine Setzstufe. Griffsichere Ausbildung des Trittstufenrandes.

min S = 22,5 max S = 31,5
max a = 20 min a = 8

Neigungswinkel: α

$$tg\ \alpha = \frac{S}{a}$$

Formel:

$$S = 37,5 - 0,75\ a$$

Leitern

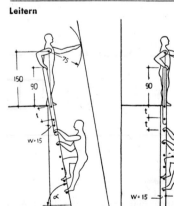

	ORTSFEST
α°	75 — 90
z	105 — 75
w	min 15
Breite	min 40 Normal 45 Lichte Schachtbreite min 60
Anm.	Griff- und trittsichere Sprossen- und Holmausbildung aus demselben Material. Senkrechte Freileitern mit Schutzkorb (Baupolizeiliche Vorschrift). Zwischen Vorderkante-Leiter und Mauerwerk 15 cm Fußfreiheit.

Sprossenabstand:

$$t = \frac{63}{2\ \sin \alpha + \cos \alpha}$$

$$t_{senkr.} = \frac{63}{2} = 31,5$$

min t = 29   max t = 33

Anm.	Alle Maße sind in cm angegeben. Zwischenwerte gradlinig einschalten.

Lit.: Time-Saver Standards, 3. Aufl., New York 1954. — Geissenhöner: Unfallverhütung bei der Planung von Gebäuden, Berlin 1949.

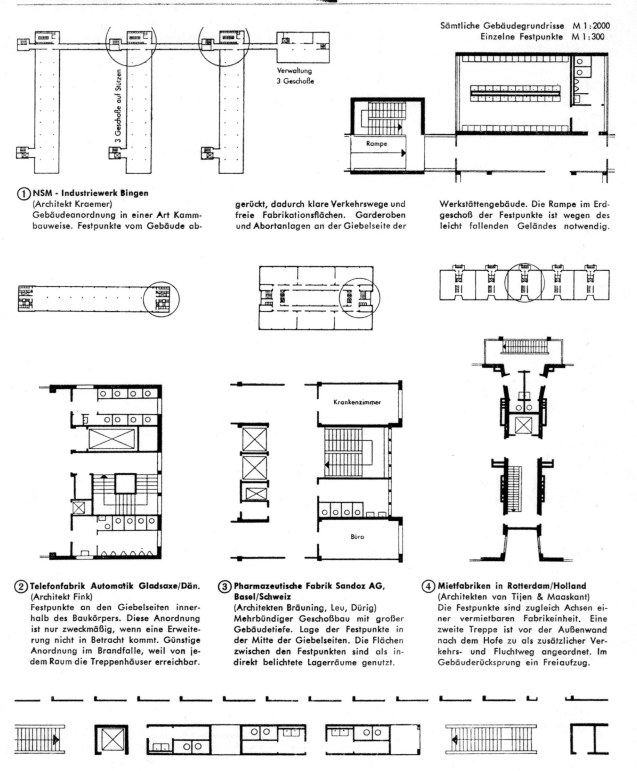

Sämtliche Gebäudegrundrisse M 1:2000
Einzelne Festpunkte M 1:300

3 Geschoße auf Stützen

Verwaltung
3 Geschoße

Rampe

① **NSM - Industriewerk Bingen**
(Architekt Kraemer)
Gebäudeanordnung in einer Art Kamm-
bauweise. Festpunkte vom Gebäude abgerückt, dadurch klare Verkehrswege und
freie Fabrikationsflächen. Garderoben
und Abortanlagen an der Giebelseite der
Werkstättengebäude. Die Rampe im Erdgeschoß der Festpunkte ist wegen des
leicht fallenden Geländes notwendig.

Krankenzimmer

Büro

② **Telefonfabrik Automatik Gladsaxe/Dän.**
(Architekt Fink)
Festpunkte an den Giebelseiten innerhalb des Baukörpers. Diese Anordnung
ist nur zweckmäßig, wenn eine Erweiterung nicht in Betracht kommt. Günstige
Anordnung im Brandfalle, weil von jedem Raum die Treppenhäuser erreichbar.

③ **Pharmazeutische Fabrik Sandoz AG,
Basel/Schweiz**
(Architekten Bräuning, Leu, Dürig)
Mehrbündiger Geschoßbau mit großer
Gebäudetiefe. Lage der Festpunkte in
der Mitte der Giebelseiten. Die Flächen
zwischen den Festpunkten sind als in-
direkt belichtete Lagerräume genutzt.

④ **Mietfabriken in Rotterdam/Holland**
(Architekten van Tijen & Maaskant)
Die Festpunkte sind zugleich Achsen einer vermietbaren Fabrikeinheit. Eine
zweite Treppe ist vor der Außenwand
nach dem Hofe zu als zusätzlicher Ver-
kehrs- und Fluchtweg angeordnet. Im
Gebäuderücksprung ein Freiaufzug.

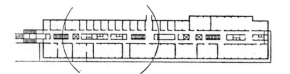

⑤ **Pharmazeutische Fabrik in Südbaden**
(Architekten Eiermann und Hilgers)
Festpunkt unbelichtet in der Längsachse des Gebäudes. Durch Wie-
derholung der Reihung: Treppe, Aufzug, Abortanlage, Nebenräume,
große Gebäudelängen mit entsprechenden Arbeitsflächen.

Kurt Dummer
Bauing.
Berlin-Pankow
Retzbacher Weg 6

Einzelne Festpunkte M 1 : 300

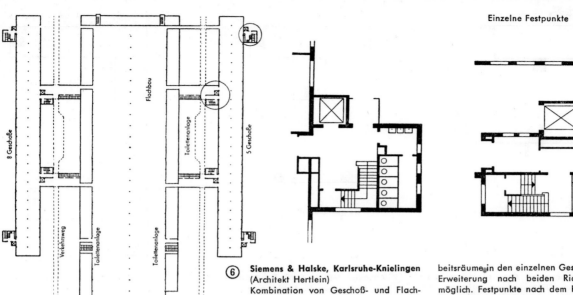

M 1 : 2500

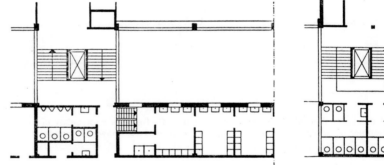

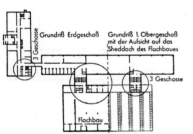

M 1 : 2000

(6) **Siemens & Halske, Karlsruhe-Knielingen**
(Architekt Hertlein)
Kombination von Geschoß- und Flachbauten. Aus dem Geschoßbau herausgezogene Treppenhäuser mit Aufzügen, Installationsschächten und Toiletten. Dadurch große zusammenhängende Arbeitsräume in den einzelnen Geschossen. Erweiterung nach beiden Richtungen möglich. Festpunkte nach dem Flachbau zu mit Verbindungsgang im Erdgeschoß. Aufzüge von beiden Seiten befahrbar. Die Treppenhäuser wurden durch Sicherheitsschleusen feuersicher abgetrennt.

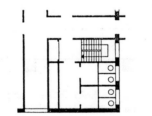

(7) **American Apparate Co Glostrup/Dän.**
(Architekt Fehmerling)
Die Festpunkte sind Bindeglieder zwischen dem Geschoßbau und dem tieferliegenden Flachbau. Anordnung der Garderoben, Wasch- und Duschräume im Flachbau zwischen den Festpunkten. Abortanlagen auf der Halbetage, besonders günstig bei gemischter Belegschaft. Die Aufzüge liegen zwischen den Treppenläufen, die breiten Podeste sind für die Zugänge zu den Aborten genutzt. Differenzstufen zwischen WC und Umkleideräumen. Das Ecktreppenhaus ist für die Verwaltung und die Fabrik ein zusätzlicher Verkehrs- und Fluchtweg.

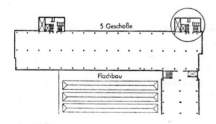

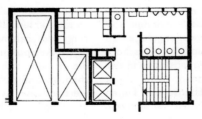

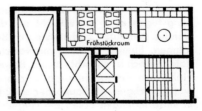

M 1 : 2000

(8) **Brown & Boveri, Baden/Schweiz**
(Architekt Rhon)
Vorgezogene Treppenhäuser ermöglichen durchgehende Arbeitsräume und Erweiterung nach beiden Richtungen. Große Geschoßhöhen in den Werkstätten ergeben Doppelgeschoß in den Treppenhäusern. Dadurch besonders günstige Zusammenfassung aller sanitären Anlagen und Nebenräume (große Lasten- und Personenaufzüge, Toiletten, Waschräume, Garderoben, Frühstücksräume).

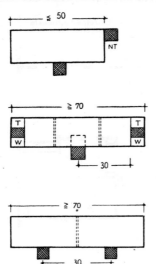

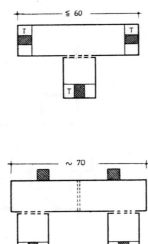

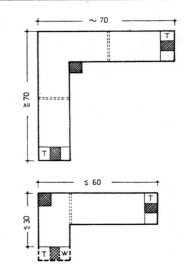

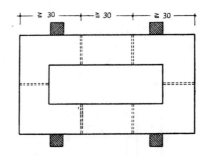

① Geschoßbauten über rd. 50 m Länge müssen Dehnungsfugen erhalten. Anordnung je nach Lage der Treppenhäuser (Festpunkte).

② Anbauten müssen durch Setzungsfugen, die auch durch die Fundamente gehen, vom Hauptbau getrennt werden.

③ Bei Flügel- oder Eckbauten sind Fugen in den einspringenden Ecken nur sinnvoll, wenn die Geschoßzahl wechselt. Sonst Fugen besser in die Flügel legen.

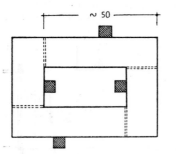

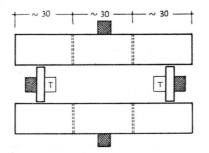

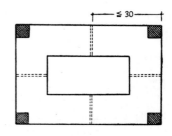

④ Bei Geschoßbauten, die Höfe umschließen, müssen die Fugen je nach Größe der Baukörper in Abhängigkeit von der Lage der Treppenhäuser angeordnet werden.

Bewegungsfugen sind notwendig bei:
1. Temperaturschwankungen (Einschließlich Brandeinwirkungen)
2. Schwinden und Kriechen des Betons
3. Unterschiedlichen Setzungen und Verdrehungen
4. Wechselnder statischer Belastung
5. Dynamischer Krafteinwirkung.

Danach unterscheidet man Dehnungs-, Setzungs- und konstruktiv bedingte Fugen. Oft hat eine Bewegungsfuge mehrere Aufgaben gleichzeitig zu erfüllen.

Längere Bauwerke werden je nach Bauart durch Dehnungsfugen in Abständen nach Tabelle der nächsten Seite unterteilt. Bei Stahlbetonbauten machen sich Dehnungsfugen auch in Rücksicht auf das Schwinden notwendig. Anbauten sind stets durch Bewegungsfugen zu trennen. Ebenso Bauteile mit verschiedener Geschoßzahl. Jedoch ist es nicht ratsam, Bewegungsfugen in der Nähe von Treppenhäusern anzuordnen, weil diese wenig nachgiebige Baukörper sind. Ebenso sind Fugen in einspringenden Ecken bei Flügelbauten nur sinnvoll, wenn die Geschoßzahl wechselt. Bewegungsfugen sollen im Aufriß durch alle Geschosse und Bauteile gehen (auch Putz). Setzungsfugen auch durch die Fundamente. Dehnungsfugen zum Ausgleich der Temperaturänderungen sind besonders in den oberen Geschossen und

▨ Treppenhaus oder Festpunkt
T = Toiletten
W = Waschanlage
NT = Nottreppe

auf der Südseite notwendig. Deshalb in den oberen Geschossen, in auskragenden Platten, in Gesimsen und in den Dachplatten Zwischenfugen einlegen und die Bewegung durch geeignete Maßnahmen der Auflager ermöglichen. Bei dem Übergang unterteilter Bauteile zu nicht unterteilten ist eine ausreichende Zusatzbewehrung vorzusehen.

Durch Aussparen von Streifen oder Feldern beim Betonieren kann sich der Schwindvorgang leichter ausgleichen, so daß auf besondere Dehnungsfugen verzichtet werden kann. Ausgesparte Streifen oder Felder so spät wie möglich ausbetonieren.

In feuergefährdeten Betrieben sind die Dehnungsfugen im einzelnen besonders weit auszubilden und überall dort vorzunehmen, wo durch einen Brand erhitzte Bauteile zu starken Längenänderungen führen und die Standsicherheit eines Bauwerkes gefährden können.

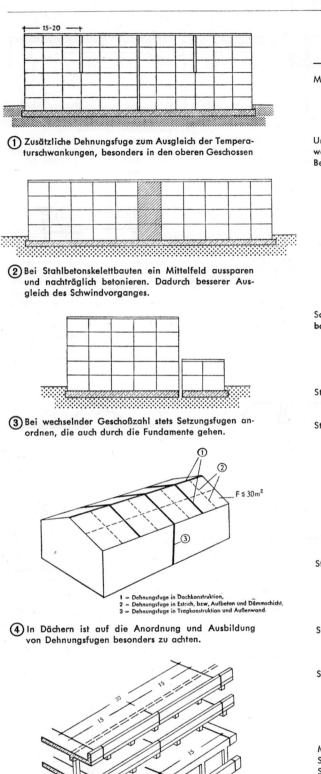

① Zusätzliche Dehnungsfuge zum Ausgleich der Temperaturschwankungen, besonders in den oberen Geschossen

② Bei Stahlbetonskelettbauten ein Mittelfeld aussparen und nachträglich betonieren. Dadurch besserer Ausgleich des Schwindvorganges.

③ Bei wechselnder Geschoßzahl stets Setzungsfugen anordnen, die auch durch die Fundamente gehen.

$F \leqq 30 m^2$

1 = Dehnungsfuge in Dachkonstruktion,
2 = Dehnungsfuge in Estrich, bzw. Aufbeton und Dämmschicht,
3 = Dehnungsfuge in Tragkonstruktion und Außenwand.

④ In Dächern ist auf die Anordnung und Ausbildung von Dehnungsfugen besonders zu achten.

⑤ In auskragenden Platten und in Gesimsen zusätzliche Zwischenfugen vorsehen.

Bauart	Baukörper	nach DIN usw.	Fugenabstand m
Mauerwerk	Längere Gebäude		
	a) aus Ziegelmauerwerk		40—60 m
	b) aus Leichtbetonsteinmauerwerk	1053 Zi.2.8.	$\leqq$ 35 m
Unbewehrter Beton	Langgestreckte Bauwerke:	AIB Zi.3.122	im allgemeinen nicht über 10 m
	a) unbewehrte oder schwach bewerte, plattenförmige und feingliedrige Betonkörper, die der Sonnenbestrahlung ausgesetzt sind. Gehwegplatten und massive Brüstungen mit geringen Dicken, oft noch engere Unterteilung		
	b) massive Baukörper, die der Sonnenbestrahlung ausgesetzt sind (Stützmauern)	AMB § 33	$\leqq$ 10 m
	c) massive Baukörper, die der Sonne nicht ausgesetzt sind		15—20 m
Schüttbauweise	Geschüttete Leichtbetonwände mit in Außen- und Trennwänden durchgehendem Ringanker in Deckenhöhe, der lediglich an Dehnungsfugen unterbrochen werden darf	4232 Zi.5	$\leqq$ 35 m
Stahlbeton	a) Skelett-, Rahmen- und Hallenbauten	1045 § 14,6	30—50 m
Stahl	Skelett-Geschoßbauten ohne Verkleidung		< 50 m
	mit Verkleidung		> 50 m
	Hallenbauten		
	a) bei starken Temperatureinflüssen		50 m
	b) bei Walzwerkshallen und Montagehallen ohne besonderen Wärmeeinfluß		80 m
	c) bei nachgiebigen Stützen		100 m
Stahlbeton	Dachplatten, Größere Abstände, sofern die Wärme- und Schwindspannungen durch zusätzliche Bewehrung bei rechnerischem Nachweis aufgenommen werden		10—15 m
Stahlbeton	Gesimse (gesondert von Dachplatte geschnitten)		5—8 m
Stahlbeton	Decken		
	a) Ortbeton		30—50 m
	b) Ortbeton und Fertigbeton als Scheibe verbunden		30—50 m
	c) Fertigbeton nicht verankert		40—60 m
Mauerwerk Stahlbeton Stahl	Bauten in Bergsenkungsgebieten	Richtlinien April 1953	30—35 m
	Bauten in Bergsenkungsgebieten		50 m
Beton und Stahlbeton	Offene Becken, Kühlturmtassen, Absetzbecken, Behälter		15—20 m

Bauwerke aus Holz benötigen wegen der geringen Wärmeausdehnung des Holzes auch bei größerer Länge keine Dehnungsfugen.

Lit.: Kleinlogel, A.: Bewegungsfugen im Beton- und Stahlbetonbau, 5. Aufl., Berlin 1954.

Bewegungsfugen in Decken

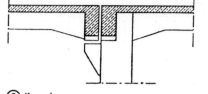

① Doppelte Stütze
Beste Ausbildung durch Verdoppelung der tragenden Konstruktionsteile (Doppelstütze, Doppelbinder, Doppelwände).

② Konsole
Diese Ausbildung ist nicht zu empfehlen, weil der Reibungsdruck eine horizontale Verschiebung meist nicht zuläßt.

③ Auskragender Unterzug
Sofern auskragende Bauteile nicht zu lang werden, ist Lage der Bewegungsfugen zwischen den Traggliedern besonders günstig.

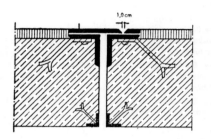

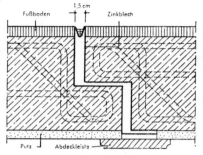

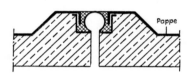

④ Abdeckung mit Schleppeisen. Winkeleisen bei Deckenfuge als Kantenschutz. Schleppeisen evtl. aus 6 mm Riffelblech

⑤ Fuge mit Zinkblech ausgekleidet

⑥ Ausbildung mit Zwischenplatte. Winkeleisen zugleich Kantenschutz. Verguß mit Asphalt und plastischer Masse, so daß im Fußboden keine Fuge erscheint.

Fugenweite in Stahlbetonbauwerken siehe DIN 1045, § 14,6. Abdeckung wegen Brandübertragung siehe DIN 4102, Bl. 1, Abschnitt B 10.

Bewegungsfugen in Dachdecken

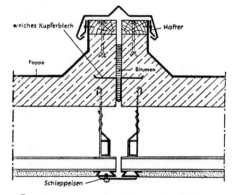

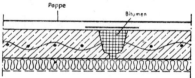

⑦ Amerikanisches Beispiel mit hochgeführter Dachhaut. Fuge auch in untergehängter Rabitzdecke

⑧ Kupferfeder durch Asphaltmastik geschützt

⑨ Einfache Ausbildung durch Erhöhung mit Dreikantleiste

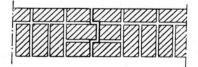

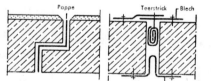

⑩ Kupferfeder freiliegend (evtl. Zinkfeder)

⑪ Zusätzliche Dehnungsfuge im Estrich

Bewegungsfugen in Außenwänden

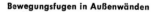

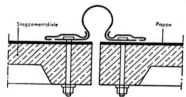

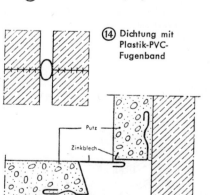

⑭ Dichtung mit Plastik-PVC-Fugenband

⑫ Tragende Wand

⑬ Wandfuge mit Pappeinlage oder Dichtung durch Teerstrick

Bewegungsfugen im Putz

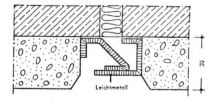

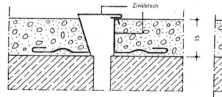

⑮ Dehnungsfuge mit Leichtmetallprofilen

⑯ Ausbildung mit „PROTEKTOR"-Dehnungsfugenleisten im Putz
(Hersteller: Fl. Maisch o.H.G., Gaggenau)

Kurt Dummer
Bauing.
Berlin-Pankow
Retzbacher Weg 6

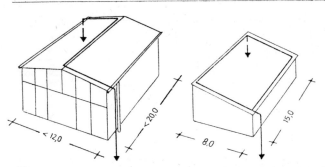

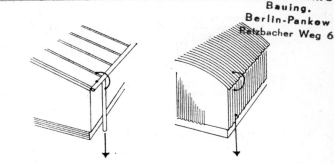

(1) Jedes Gebäude erhält mindestens 2 Ableitungen (Z-Form). Wenn Gebäudetiefe > 12 m, erhalten die Dachbauten am Giebel nach beiden Seiten Ableitungen bis zur Dachrinne (H-Form). Traufkanten ohne Dachrinnen erhalten Auffangleitungen.

(2) Blechdächer an Regenfallrohre anschließen, oder mit eigener Ableitung versehen. Bei Blechdach und Blechwand keine Ableitungen notwendig, sofern die Wand geerdet und mit dem Dach verbunden ist. Stets auch Stahldachbinder anschließen.

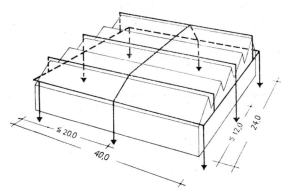

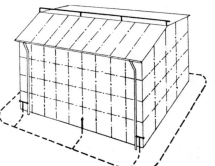

(3) Sheddächer erhalten mindestens alle 12 m Firstleitungen, Anschluß an mindestens zwei Sammelleitungen (Höchstabstand 20 m). Firstkanten aus Metall können als Firstleitungen benutzt werden.

(4) Stahlskelettbauten. Als Auffangvorrichtung nur Firstleitung oder kleine Spitzen von 20 cm Länge erforderlich. Das gesamte Stahlskelett an Erdsammelleitung anschließen. Alle Metallteile miteinander leitend verbinden.

Dachaufbauten müssen eigene Auffangleitungen erhalten. Metallene Aufbauten an Ableitung anschließen. Innere Tragkonstruktionen aus Stahl und Maschinen bei Fahrstuhlaufbauten ebenfalls an die Auffang- oder Gebäudeleitung anschließen.

Stahlbetonskelett. Bewehrung kann als Ableitung benutzt werden. Einige lotrechte Stahleinlagen sind stets zu erden.

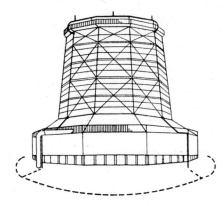

(5) Kühltürme, Behälter, Gerüste aus Stahl brauchen keine Auffangstangen, Ausnahme bei Aufbauten oder Holzverkleidung. Gute Erdung durch Ringleitung besonders wichtig.

(6) Industrieschornsteine Stets Auffangvorrichtung (gußeiserne Abdeckung oder Auffangstangen) notwendig. Bei Höhen > 40 m sind zwei Ableitungen erforderlich.

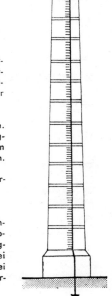

Jeder Industriebau soll mit einer Blitzschutzanlage versehen werden. Sie ist unentbehrlich für Betriebe mit explosions- und feuergefährlichen Stoffen, für Gebäude mit wertvollem Inhalt und für hohe Bauwerke, im besonderen für Schornsteine.

Eine Blitzschutzanlage besteht aus:
1. Auffangvorrichtung (Stangen, Leitungen, Flächen oder Körper aus Metall).
2. Gebäudeleitung: a) Dachleitungen, zugleich als Auffangleitung verwendbar. — b) Haupt- und Nebenleitungen. — c) Anschlußleitungen.
3. Erdungsanlage: a) Banderder (strahler- oder ringförmig verlegter Draht- oder Bandstrahl). — b) Staberder (senkrecht eingetriebene Stäbe oder Rohre). Soweit leitfähige Gas- und Wasserleitungen vorhanden sind, sind Erdleitungen grundsätzlich an diese anzuschließen.

Größere Metallteile und Installationen entweder von Blitzschutzleitung trennen (Abstand 1,50 m) oder leitend verbinden. Für elektrische Installationen Sondervorschriften beachten (Überspannungsschutzeinrichtung, Funkenstrecke).

Normen für Blitzableiterbau: DIN 48801 bis 48860, DIN 57190.

Lit.: **Bestimmungen des Ausschusses für Blitzableiterbau (ABB),** 5. Auflage, Berlin 1951. — Fluthwedel: Das ABC für den Blitzableiterbau, Berlin 1950.

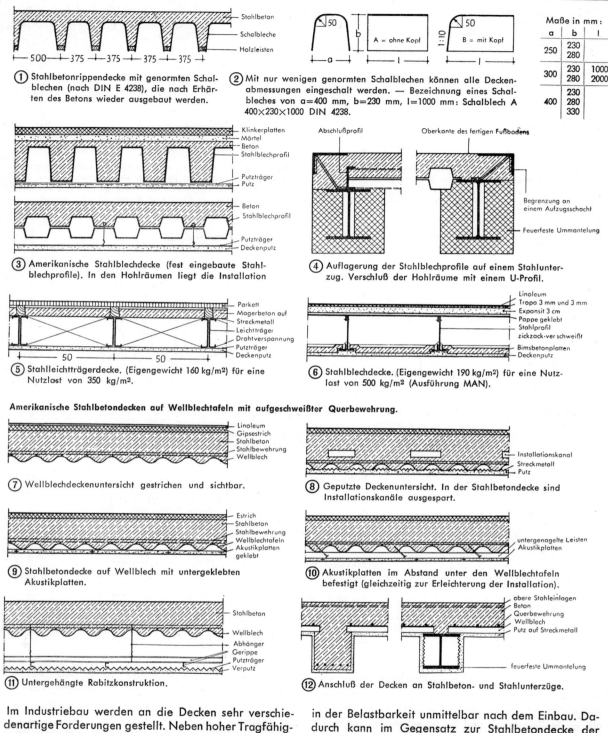

① Stahlbetonrippendecke mit genormten Schalblechen (nach DIN E 4238), die nach Erhärten des Betons wieder ausgebaut werden.

② Mit nur wenigen genormten Schalblechen können alle Deckenabmessungen eingeschalt werden. — Bezeichnung eines Schalbleches von a=400 mm, b=230 mm, l=1000 mm: Schalblech A 400×230×1000 DIN 4238.

Maße in mm:		
a	b	l
250	230	
	280	
300	230	1000
	280	2000
400	230	
	280	
	330	

③ Amerikanische Stahlblechdecke (fest eingebaute Stahlblechprofile). In den Hohlräumen liegt die Installation

④ Auflagerung der Stahlblechprofile auf einem Stahlunterzug. Verschluß der Hohlräume mit einem U-Profil.

⑤ Stahlleichtträgerdecke. (Eigengewicht 160 kg/m²) für eine Nutzlast von 350 kg/m².

⑥ Stahlblechdecke. (Eigengewicht 190 kg/m²) für eine Nutzlast von 500 kg/m² (Ausführung MAN).

Amerikanische Stahlbetondecken auf Wellblechtafeln mit aufgeschweißter Querbewehrung.

⑦ Wellblechdeckenuntersicht gestrichen und sichtbar.

⑧ Geputzte Deckenuntersicht. In der Stahlbetondecke sind Installationskanäle ausgespart.

⑨ Stahlbetondecke auf Wellblech mit untergeklebten Akustikplatten.

⑩ Akustikplatten im Abstand unter den Wellblechtafeln befestigt (gleichzeitig zur Erleichterung der Installation).

⑪ Untergehängte Rabitzkonstruktion.

⑫ Anschluß der Decken an Stahlbeton- und Stahlunterzüge.

Im Industriebau werden an die Decken sehr verschiedenartige Forderungen gestellt. Neben hoher Tragfähigkeit stehen oft Fragen der Schall- und Wärmedämmung, des Erschütterungsschutzes und der Steifigkeit im Vordergrund. Auch die Installation kann die Ausbildung der Decken bestimmen.

In Europa ist die Stahlbetondecke vorherrschend. Auf die Wiedergabe ihrer üblichen Querschnitte wurde zugunsten einiger Sonderausbildungen verzichtet. Außerdem wurden einige Stahldecken, die in Amerika für den Industriebau große Bedeutung haben, zusammengestellt. Ihre Vorteile liegen im Wegfall der Schalung und

in der Belastbarkeit unmittelbar nach dem Einbau. Dadurch kann im Gegensatz zur Stahlbetondecke der Baufortschritt wesentlich gesteigert werden. Neuartig sind die amerikanischen Stahlbetondecken auf Wellblechtafeln mit aufgeschweißter Querbewehrung. Das Wellblech dient als verlorene Schalung und zugleich als Bewehrung. Diese Decken werden sowohl über Stahlbeton als auch über Stahlunterzüge gespannt.

Lit.: Konstruktionsblätter vom Verband Schweiz. Brückenbau- und Stahlhochbau-Unternehmungen, Zürich 1949.
Sweet's Catalog Service, New York 1954. Ramsey & Sleeper, Architectural Graphic Standards, New York.

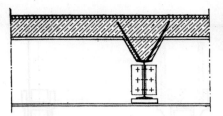

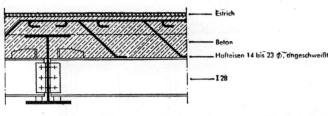

Estrich

Beton

Hafteisen 14 bis 23 ⌀, angeschweißt

I 28

① Gestelzte Verbundträgerdecke (Farbwerke Höchst).
Gemeinsame Tragwirkung von Stahlunterzügen und aufgelegter Betonplatte

durch Verdübelungseisen aus aufgeschweißten Rund- oder Profileisen. Bei genügend großer Konstruktionshöhe besonders für schwere Lasten geeignet.

Literatur: Zendler, Die konstruktive Gestaltung und Ausführung der Verbundträgerdecke im Industriehochbau, Der Bauingenieur, 25. Jahrg. (1950), S. 319.

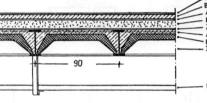

Zementestrich 2 cm
Beton mit Streckmetall 4 cm
Kork 5 cm
Beton 21 cm
Nebenunterzüge I 16
Kork 8 cm
Zementputz auf Drahtgeflecht

② Decke für den Lagerraum eines Kühlhauses (Lagerhaus Basel).

Deckengewicht 732 kg/m², Nutzlasten bis 1500 kg/m², schwere Ausführung, ein-

wandfreie Ausbildung für gute Wärmedämmung, gute Luftschalldämmung.

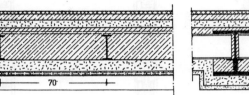

Asphalt
Beton mit Streckmetall
Asphalt
Kork
Zementglattstrich
Armierter Überbeton
Betonhourdis
I 28

Kühlleitungen

③ Decke mit Betonhourdis für ein Kühlhaus (Basel).

Deckengewicht 530 kg/m², Nutzlasten 1000 kg/m². Einwandfreie Wärme- und Feuchtigkeitsisolierung, aufgehängte

Kühlleitungen, Trittschalldämmung ist nicht erforderlich, gute Luftschalldämmung.

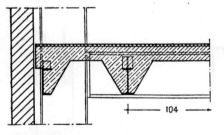

Zementestrich 2 cm
Beton in Verbundkonstruktion
Träger I 28

④ Verbundträgerdecke einer Maschinenhalle (Kraftwerk Weinfelden / Schweiz).

Verbunddecke für Nutzlasten von 5000 kg/m², keine besondere Wärmedämmung

angeordnet, gute Luftschalldämmung, große Widerstandsfähigkeit gegen Feuer.

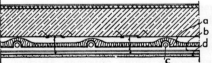

a
b
d
c

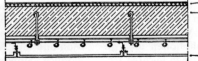

Estrich mit Fußbödenbelag
Beton-Rohdecke
a) Glaswolle-Isoliermatte
b) Wärmeverteilungsblech
c) Heizrohre
d) Putz auf Putzträger
e) Gipsplatten

⑤ Massivplatte mit untergehängter Deckenstrahlungsheizung. Wärmeübertragung von dem Heizrohrregister auf die Wärmeverteilungsbleche durch Wärmeleitung. Abgabe der Wärme in den Raum durch Strahlung. Niedrige Wassertemperaturen. Putz auf Rabitzgewebe.

⑥ Massivplatte mit untergehängter Hohlraumheizung (Schweizer Ausführung). Zwischen Heizrohren und Strahlungsdecke ist ein Hohlraum gelassen. Dadurch höhere Temperaturen in dem Rohrsystem möglich. Wärmeübertragung zur Strahlungsdecke durch Strahlung und

Konvektion. Strahlungsdecke aus abnehmbaren, durchlöcherten Platten (z. B. Aluminium- oder Gipsplatten), die bei Kombination mit Lüftung der Luftzufuhr dienen können. Leichte Zugänglichkeit bei Reparaturen. Untergehängte Strahlungsdecke auch akustisch verwertbar.

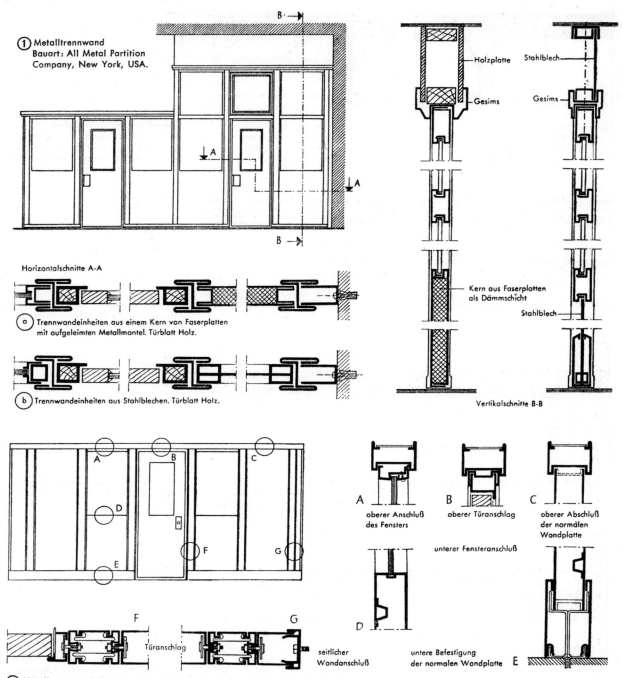

① Metalltrennwand
Bauart: All Metal Partition
Company, New York, USA.

— Holzplatte

Stahlblech

— Gesims

Gesims —

Horizontalschnitte A-A

ⓐ Trennwandeinheiten aus einem Kern von Faserplatten
mit aufgeleimten Metallmantel. Türblatt Holz.

ⓑ Trennwandeinheiten aus Stahlblechen. Türblatt Holz.

— Kern aus Faserplatten
als Dämmschicht

— Stahlblech

Vertikalschnitte B-B

A
oberer Anschluß
des Fensters

B
oberer Türanschlag

C
oberer Abschluß
der normalen
Wandplatte

unterer Fensteranschluß

F

Türanschlag

G

D

seitlicher
Wandanschluß

untere Befestigung
der normalen Wandplatte

E

② Metalltrennwand. Bauart: Aetna Steel Products Corporation, New York, USA.

Zum Unterteilen von Skelettbauten oder großen Räumen werden Trennwände eingebaut. Ihre Bauart hängt von den Anforderungen ab, die an die Trennwände bezüglich Festigkeit, Schallschutz, Wärmedämmung, Nagelbarkeit, Befestigung von Installationen usw. gestellt werden. Man unterscheidet zwischen leichten freitragenden Trennwänden, die die Unterkonstruktion nicht belasten, und solchen, die ihr Gewicht auf eine Unterstützung absetzen müssen. Immer mehr führen sich Trennwände aus Fertigteilen oder aus Stahlelementen ein. Ausführung leichter Trennwände nach DIN 4103 (Ausgabe Juni 1950).

Abb. 1 und 2 zeigen zwei Beispiele leichter Trennwände aus Metall. Anwendung in Büroräumen zum Abtrennen einzelner Abteilungen und zur Abtrennung von Aufsichtsräumen und Kontoren innerhalb der Werkstätten. Montage aus Wandeinheiten in verschiedener Höhe möglich. Stahltrennwände bilden optischen Abschluß, bieten aber nur geringen Schall- und Wärmeschutz. Bei höheren Anforderungen an Schall- und Wärmedämmung muß Ausbildung nach Abb. 1 a erfolgen, oder es werden dickere oder zweischalige Trennwände nötig. Metalltrennwände sind leicht zu montieren, Einbau von Fenstern, Türen und Schaltern ist möglich.

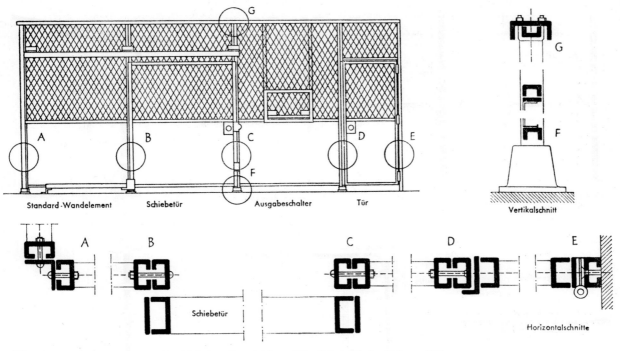

Standard-Wandelement   Schiebetür   Ausgabeschalter   Tür   Vertikalschnitt

Schiebetür   Horizontalschnitte

① Maschendraht-Trennwand aus Wandeinheiten. Bauart: Acorn Wire & Iron Works, Chikago, USA.

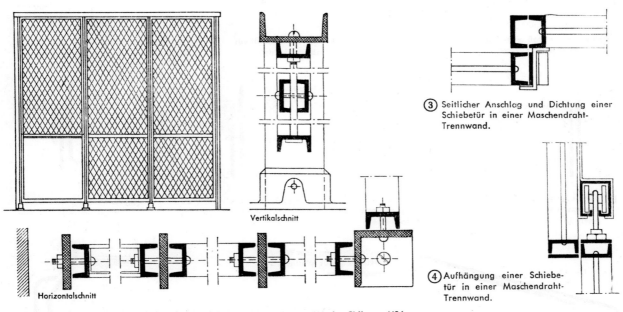

Vertikalschnitt

Horizontalschnitt

③ Seitlicher Anschlag und Dichtung einer Schiebetür in einer Maschendraht-Trennwand.

④ Aufhängung einer Schiebe-tür in einer Maschendraht-Trennwand.

② Schwere Maschendraht-Trennwand. Bauart: Western Wire & Iron Works, Chikago, USA.

Besondere Formen von Trennwänden in Werkstätten, Lagerräumen usw. sind Trennwände aus Maschendraht. Konstruktion: Maschendrahtgeflecht zwischen Rahmen aus Stahlprofilen. Maschendrahttrennwände sind leicht zu versetzen, haben ein geringes Gewicht, sind licht-durchlässig und bieten doch als Abtrennung von Mate-riallagern eine gewisse Sicherheit gegen Einbruch und Diebstahl. Einschaltung von Türen, Toren und Ausgabe-schaltern ohne weiteres möglich. Nachteile der Ma-schendrahtwände: keine Schall- und Wärmedämmung.

Der Einfluß des Gewichtes unbelasteter leichter Trenn-wände auf die Deckenlasten kann nach DIN 1055, Bl. 3, Ziff. 4 durch einen gleichmäßig verteilten Zuschlag zur Verkehrslast berücksichtigt werden. Dieser beträgt bei Wänden bis 100 kg/m² Wandfläche 75 kg/m², bei Wän-den von 100–150 kg/m² 125 kg/m². Ausgenommen sind Wände mit mehr als 100 kg/m² Wandfläche auf Dek-ken ohne ausreichende Querverteilung der Lasten. Bei Verkehrslasten von 500 kg/m² und mehr ist ein gleich-mäßig verteilter Zuschlag nicht nötig.

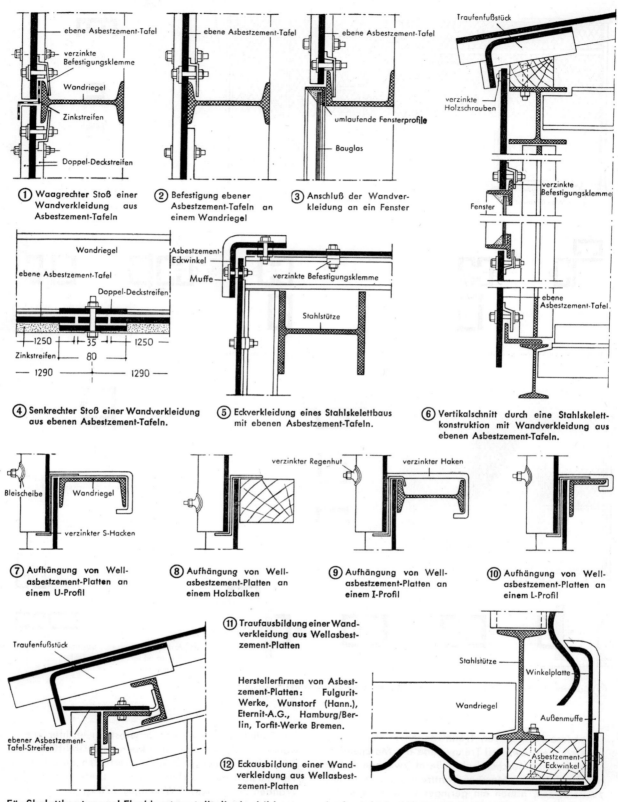

① Waagrechter Stoß einer Wandverkleidung aus Asbestzement-Tafeln

② Befestigung ebener Asbestzement-Tafeln an einem Wandriegel

③ Anschluß der Wandverkleidung an ein Fenster

④ Senkrechter Stoß einer Wandverkleidung aus ebenen Asbestzement-Tafeln.

⑤ Eckverkleidung eines Stahlskelettbaus mit ebenen Asbestzement-Tafeln.

⑥ Vertikalschnitt durch eine Stahlskelettkonstruktion mit Wandverkleidung aus ebenen Asbestzement-Tafeln.

⑦ Aufhängung von Wellasbestzement-Platten an einem U-Profil

⑧ Aufhängung von Wellasbestzement-Platten an einem Holzbalken

⑨ Aufhängung von Wellasbestzement-Platten an einem I-Profil

⑩ Aufhängung von Wellasbestzement-Platten an einem L-Profil

⑪ Traufausbildung einer Wandverkleidung aus Wellasbestzement-Platten

Herstellerfirmen von Asbestzement-Platten: Fulgurit-Werke, Wunstorf (Hann.), Eternit-A.G., Hamburg/Berlin, Torfit-Werke Bremen.

⑫ Eckausbildung einer Wandverkleidung aus Wellasbestzement-Platten

Für Skelettbauten und Flachbauten stellt die Ausbildung der Wände eine eigene Aufgabe dar. Die Wände haben in der Regel keine statische Funktion zu übernehmen, sondern sollen nur als leichte, raumabschließende Haut das Bauwerk umschließen. Ihre Hauptaufgabe besteht im Wetterschutz. Darüber hinaus können sie auch Forderungen der Wärmedämmung und des Schallschutzes zu erfüllen haben. Für alle Außenwände ist ihre Verbindung mit dem Tragsystem des Gebäudes und die Ausbildung der Öffnungen wichtig.

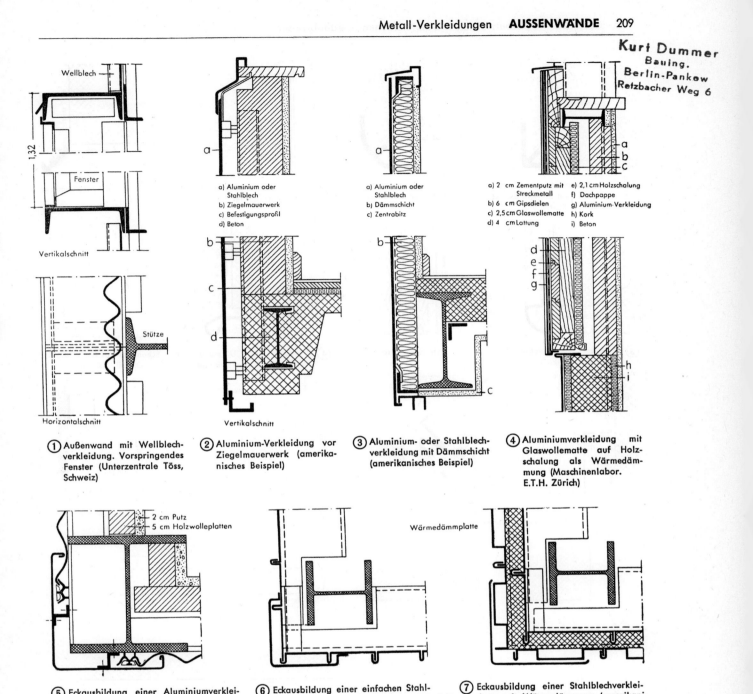

Kurt Dummer
Bauing.
Berlin-Pankow
Retzbacher Weg 6

Wellblech

1,32

Fenster

Vertikalschnitt

Horizontalschnitt

Stütze

a) Aluminium oder
   Stahlblech
b) Ziegelmauerwerk
c) Befestigungsprofil
d) Beton

Vertikalschnitt

a) Aluminium oder
   Stahlblech
b) Dämmschicht
c) Zentrabitz

a) 2 cm Zementputz mit
      Streckmetall
b) 6 cm Gipsdielen
c) 2,5 cm Glaswollematte
d) 4 cm Lattung

e) 2,1 cm Holzschalung
f) Dachpappe
g) Aluminium-Verkleidung
h) Kork
i) Beton

① Außenwand mit Wellblech-
   verkleidung. Vorspringendes
   Fenster (Unterzentrale Töss,
   Schweiz)

② Aluminium-Verkleidung vor
   Ziegelmauerwerk (amerikanisches Beispiel)

③ Aluminium- oder Stahlblech-
   verkleidung mit Dämmschicht
   (amerikanisches Beispiel)

④ Aluminiumverkleidung mit
   Glaswollematte auf Holzschalung als Wärmedäm-
   mung (Maschinenlabor.
   E.T.H. Zürich)

2 cm Putz
5 cm Holzwolleplatten

Wärmedämmplatte

⑤ Eckausbildung einer Aluminiumverkleidung an einer Fabrikhalle aus Stahlfachwerk (Kreuzlingen/Schweiz)

⑥ Eckausbildung einer einfachen Stahl-
   blechverkleidung (amerikanisches Beispiel)

⑦ Eckausbildung einer Stahlblechverklei-
   dung mit Wärmedämmung (amerikanisches Beispiel)

Sind die Forderungen des Wetterschutzes zu erfüllen, dann eignen sich als Material für Wandverkleidungen neben Keramik- oder Kunststeinplatten besonders Metallbleche und Asbestzementplatten. Der Vorzug dieser Materialien besteht darin, daß die Platten dünn und leicht sind. Ihr Nachteil liegt in der sehr geringen Wärmedämmung.

Wenn die Wand auch eine bestimmte Wärmedämmung aufzuweisen hat, muß unter der Außenhaut eine besondere Dämmschicht angeordnet werden. Entweder werden die Gefache zwischen den Stützen mit Ziegelsteinen, die geeignete Wärmedurchgangszahlen aufweisen (Gitterziegel, Hohlsteine, Leichtbetonsteine) aus-

gemauert, oder es werden Korkplatten, Glaswollematten, Hart- oder Weichfaserplatten als Dämmschicht zwischengeschaltet.

Bei Verkleidung von Wänden mit Aluminium ist auf dessen verhältnismäßig große Wärmeausdehnung Rücksicht zu nehmen. Die einzelnen Aluminiumtafeln dürfen untereinander nicht fest verbunden werden, sondern sie müssen beweglich anschließen oder übereinandergreifen. Die Befestigung der Platten oder Tafeln erfolgt durch Schrauben und Haken. Die Eckausbildung bedarf besonderer Überlegung (Spezialprofile).

Lit.: Konstruktionsblätter des VSB. — Ramsey & Sleeper, „Architectural Graphic Standards" S. 84. — Sweet's Catalog Service 1954.

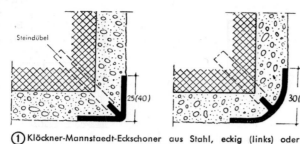

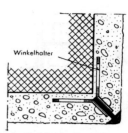

(1) Klöckner-Mannstaedt-Eckschoner aus Stahl, eckig (links) oder abgerundet mit Zierspitze (rechts), Längen nach Wahl mit Grundanstrich als Rostschutz

(2) Befestigung durch Steindübel (links) oder bei Putzkantenschützer durch Winkelhalter mit Langlöchern (rechts)

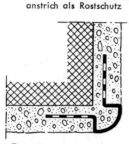

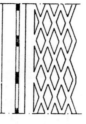

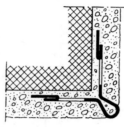

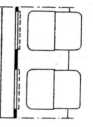

(3) „Protektor"-Unterputzleisten, Profil „S" mit Streckmetallschenkeln aus feuerverzinktem Stahlblech

(4) „Protektor"-Profil „U" mit gelochten Schenkeln aus feuerverzinktem Stahlblech, Lieferlängen 100, 150, 160, 180, 200 cm

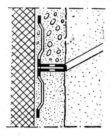

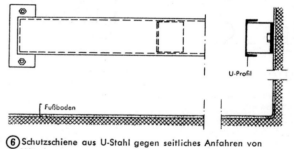

(5) „Protektor"-Trennfugenleisten (links) zur Trennung verschiedener Putzarten und Protektor-Bilderleisten (rechts) mit Verbindungsstücken, 2 m lang

(6) Schutzschiene aus U-Stahl gegen seitliches Anfahren von Wänden

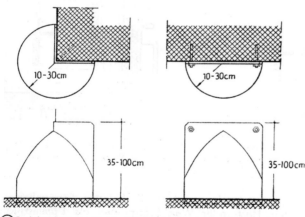

(7) Radabweiser aus 12 mm Stahlblech für schwere Beanspruchung

(8) Schutzschiene aus Stahlrohr in befahrenen Gängen

Putzkanten werden durch Stahlleisten geschützt. Sie dürfen nicht hohl liegen, damit sie Stoßbeanspruchung ertragen können, ohne sich zu verformen. Material massives Stahlblech mit Grundanstrich oder verzinkt. Befestigung durch einzementierte Steindübel oder durch mit Mörtel eingebundene durchlöcherte Winkelhalter (keine Stemmarbeiten). Innerbetrieblich eingesetzte schwere Transportmittel machen Schutzschienen aus U-Profilen oder Rohren erforderlich (Abb. 6 und 8). Ecken oder gefährdete Wandstellen können durch Radabweiser geschützt werden. Beispiel (7) stellt eine schwere Ausführung aus Amerika dar. – Zur Abgrenzung verschiedener Putzarten (Waschräume, Treppenhäuser, Werkstätten) Einbau von Trennfugenleisten. Zum Aufhängen von Tafeln, Bildern, Fotos Verwendung von Bilderleisten (Büroräume, Gänge, soziale Räume).

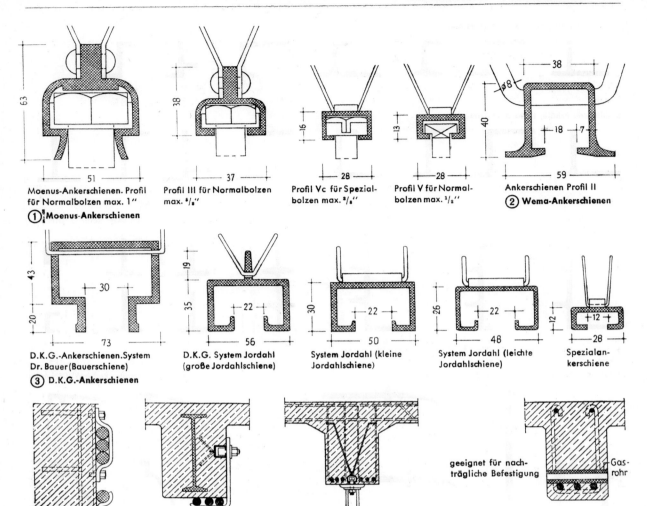

Moenus-Ankerschienen. Profil für Normalbolzen max. 1″
① **Moenus-Ankerschienen**

Profil III für Normalbolzen max. ⁵/₈″

Profil Vc für Spezialbolzen max. ³/₈″

Profil V für Normalbolzen max. ¹/₂″

Ankerschienen Profil II
② **Wema-Ankerschienen**

D.K.G.-Ankerschienen.System Dr. Bauer (Bauerschiene)
③ **D.K.G.-Ankerschienen**

D.K.G. System Jordahl (große Jordahlschiene)

System Jordahl (kleine Jordahlschiene)

System Jordahl (leichte Jordahlschiene)

Spezialankerschiene

④ **Anwendungsbeispiele für Ankerschienen**

geeignet für nachträgliche Befestigung

Gasrohr

⑤ Gasrohr zum Befestigen von Armaturen als Ersatz für Ankerschienen

STATISCHE WERTE VON ANKERSCHIENEN

Trag-fähig-keit kg/m	Bezeichnung		F cm²	G kg	J_x cm⁴	Kleinst. W_x cm³	Liefer-werk Nr.
8 000	Bauerschiene		9,20	7,75	36,6	9,90	
6 000	Große Jordahlschiene		6,75	5,45	14,6	4,51	
4 500	Kleine Jordahlschiene		4,00	3,30	5,05	3,03	1
2 000	Leichte Jordahlschiene		2,46	2,00	2,50	1,70	
2 000	Große Spezialschiene		2,30	1,85	1,15	0,95	
800	Kleine Spezialschiene		1,45	1,10	0,254	0,363	
4 000	Wema-Ankerschiene Profil II		4,60	3,70	8,50	3,90	2
8 000		Profil I	7,14	5,62	18,4	5,20	
5 500		„ II	5,26	4,15	14,7	4,70	
4 500	Moenus-	„ III	3,65	2,87	4,26	2,31	3
3 500	Ankerschiene	„ IV	3,05	2,40	3,42	2,10	
350		„ V	1,10	0,86	0,27	0,30	
800		„ Vc	1,46	1,12	0,26	0,36	
8 000		Profil 84/65	11,05	8,70	41,10	13,38	
6 000		„ 59/42	5.30	4,20	8,78	4,05	
5 000	Halfen-	„ 50/32	4,30	3,80	6,05	3,58	4
4 000	Eisen	„ 50/30	4,00	3,20	4,96	3,22	
2 000		„ 40/22	2,80	2,20	2,04	1,70	
800		„ 28/15	1,46	1,15	0,43	0,495	

Ankerschienen dienen zur Befestigung und Anbringung von Hängelagern der Triebwellen, von Rohrleitungen, Kabeln, Laufkatzenträgern, für Verankerung von Kranbahnschienen und Maschinen an Betonbalken, in Betonfußböden bzw. Betonwänden oder Säulen. Sie werden beim Erstellen des Rohbaues sofort mit eingebaut. Nach den amtlichen Bestimmungen des Deutschen Ausschusses für Stahlbeton, Teil A. VI. § 29, Ziff. 1, letzter Absatz, dürfen bei Berechnung der Biegespannungen einbetonierte Schienen mit bis zu 50% ihres Gesamtquerschnittes als Stahlbewehrung in Rechnung gestellt werden.

Die Verankerung der Ankerschiene im Beton erfolgt in der Regel mittels Bandstahlbügel. Die Aufhängebolzen sind so ausgebildet, daß nach ihrer Einführung in die Schienenschlitze ein Verdrehen und Herausfallen der Bolzen unmöglich ist. Das leichte Verschieben dieser Schraubenbolzen in der ganzen Schienenlänge gestattet eine beliebige Lage der Befestigung bzw. Aufhängung. Moenus-Ankerschienen besitzen mit dem Profil fest vernietete Bügel; ihre Nietstelle liegt innerhalb des Betonquerschnittes. Es können auch gewöhnliche genormte Schrauben verwendet werden.

Lieferwerke:
Nr. 1 Deutsche Kahneisen-Gesellschaft West G. m. b. H., Berlin-Wittenau, Wilhelmsruher Damm 231—245
Nr. 2 J. Eberspächer, Glasdachbau (14a), Eßlingen a. N.
Nr. 3 Clerus Meyn K.-G., Glasdachfabrik (16) Frankfurt/M., Weismüllerstraße 12/18
Nr. 4 J. Halfen K.-G., Baueisenfabr. Düsseldorf, Engerstr. 5

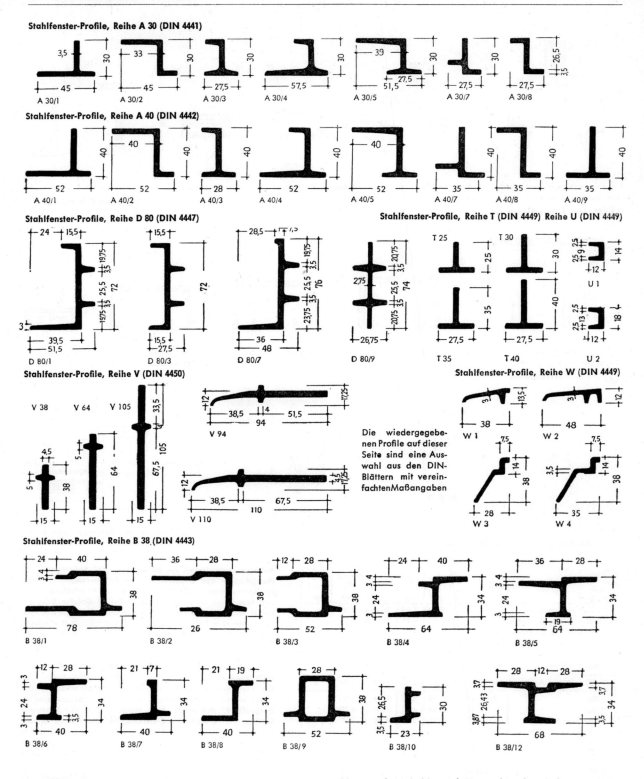

Stahlfenster-Profile, Reihe A 30 (DIN 4441)

A 30/1 A 30/2 A 30/3 A 30/4 A 30/5 A 30/7 A 30/8

Stahlfenster-Profile, Reihe A 40 (DIN 4442)

A 40/1 A 40/2 A 40/3 A 40/4 A 40/5 A 40/7 A 40/8 A 40/9

Stahlfenster-Profile, Reihe D 80 (DIN 4447)

D 80/1 D 80/3 D 80/7 D 80/9

Stahlfenster-Profile, Reihe T (DIN 4449) Reihe U (DIN 4449)

T 25 T 30 T 35 T 40 U 1 U 2

Stahlfenster-Profile, Reihe V (DIN 4450)

V 38 V 64 V 105 V 94 V 110

Stahlfenster-Profile, Reihe W (DIN 4449)

W 1 W 2 W 3 W 4

Die wiedergegebenen Profile auf dieser Seite sind eine Auswahl aus den DIN-Blättern mit vereinfachten Maßangaben

Stahlfenster-Profile, Reihe B 38 (DIN 4443)

B 38/1 B 38/2 B 38/3 B 38/4 B 38/5

B 38/6 B 38/7 B 38/8 B 38/9 B 38/10 B 38/12

Metallfenster

a) Stahlfenster aus Industrieprofilen nach DIN 4441, 4442, 4447 und 4449.
(Häufigste Anwendung im Industriebau)

b) Stahlfenster aus Sonderprofilen für Einfach- und Verbundfenster nach DIN 4443–4446, 4448, 4450.
Aufwendiger als Fenster aus Industrieprofilen.

Verwendung in Verwaltungsgebäuden, Laboratorien, Sozialgebäuden, klimatisierten Räumen, o. ä.

c) Stahlblechfenster aus gezogenen oder gekanteten Stahlblechprofilen

d) Stahlrohrfenster aus nahtlos gezogenen oder geschweißten Rohrprofilen

e) Leichtmetallfenster

Stahlfenster aus Industrieprofilen, fest verglaste Stahlfenster
Anschlagsarten:

Kurt Dummer
Bauing.
Berlin-Pankow
Retzbacher Weg 6

Fachwerkstiel

Holzschraube

Putz

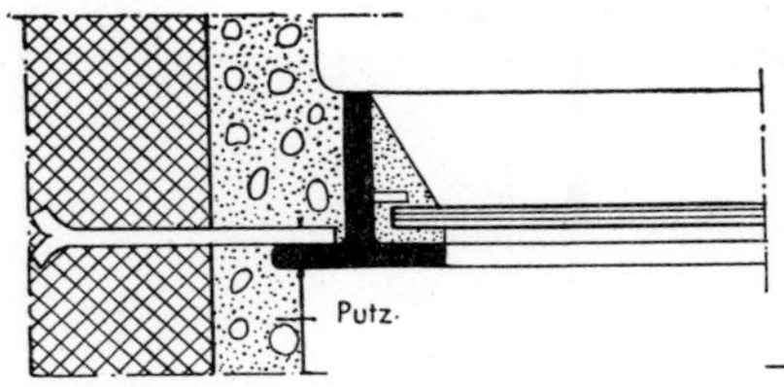

① Anschluß an Mauerwerk ohne Anschlag

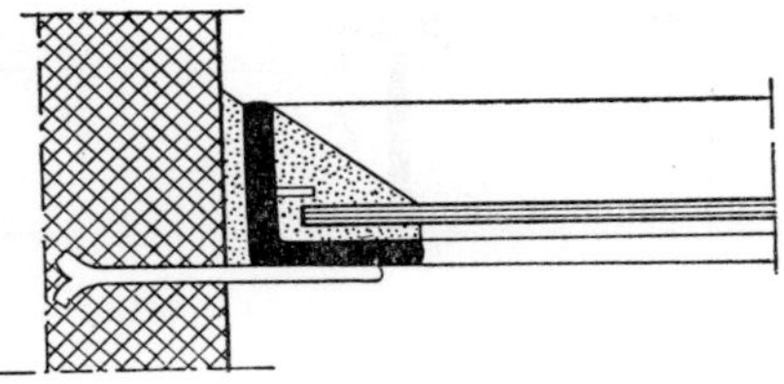

② Anschluß an unverputztes Mauerwerk ohne Anschlag

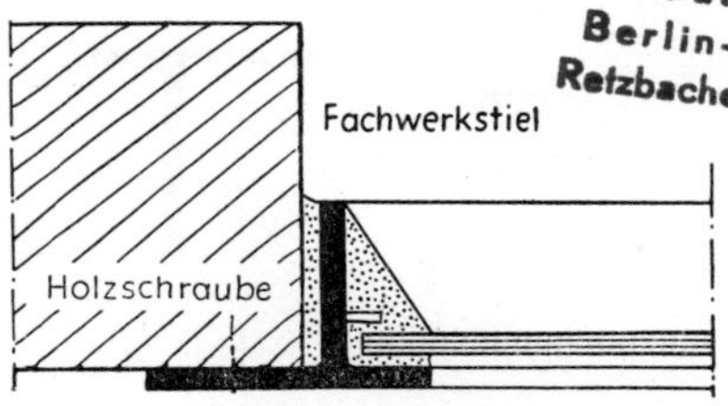

③ Anschluß an Holzfachwerk. Befestigung mit Holzschraube.

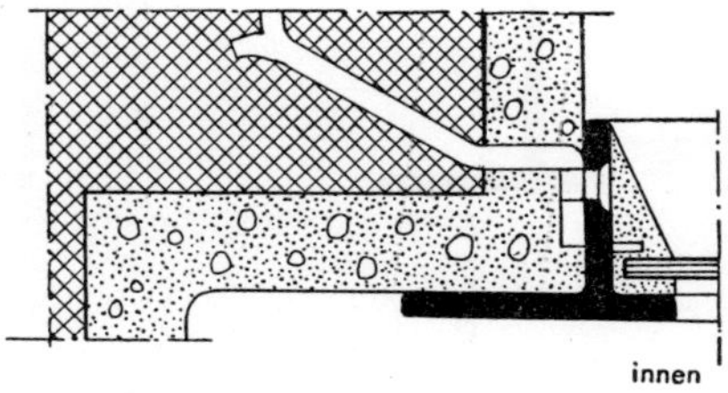

innen

④ Anschluß an Mauerwerk (verputzt) mit Innenanschlag, Kittfalz außen

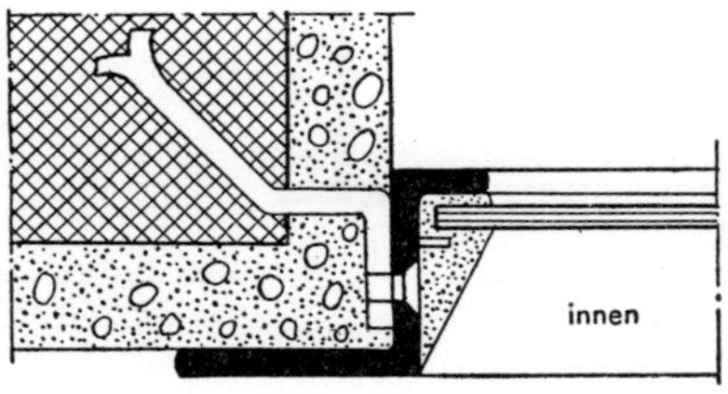

innen

⑤ Anschlag an Mauerwerk mit Innenanschlag, Kittfalz innen

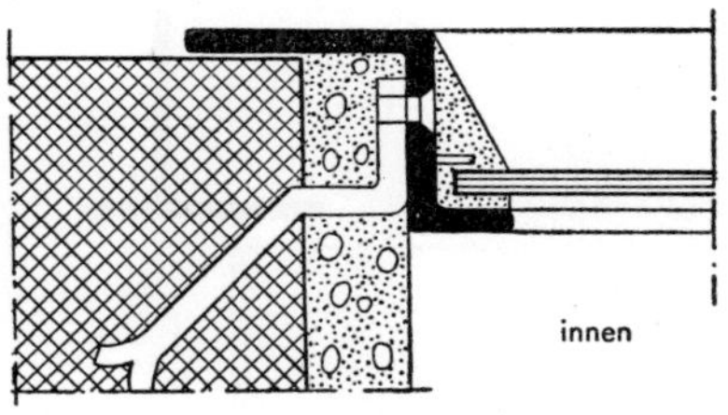

innen

⑥ Außenanschlag unverputzt

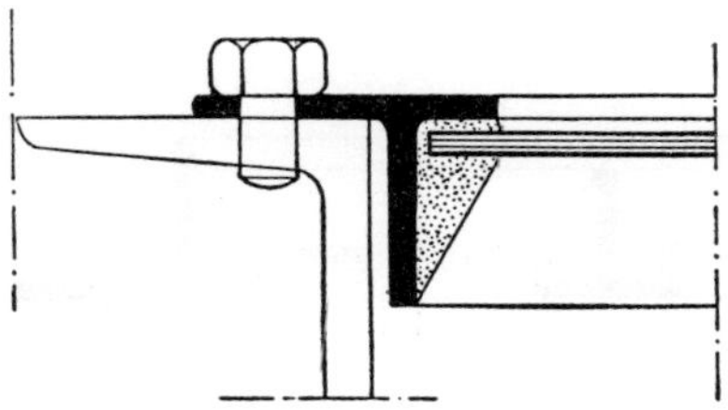

⑦ Fensteranschluß an ⌶-Profil

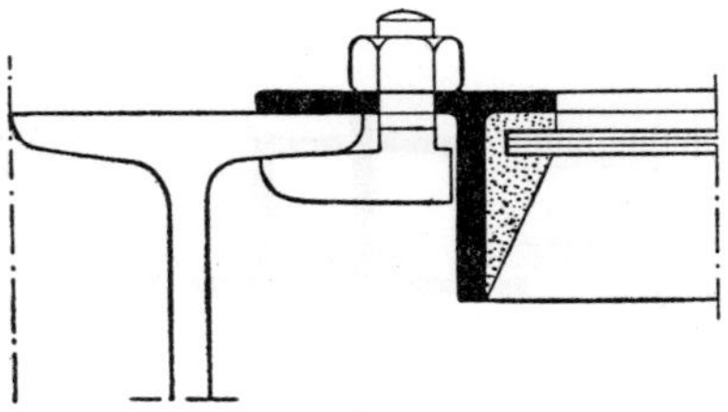

⑧ Fensteranschluß an I-Profil

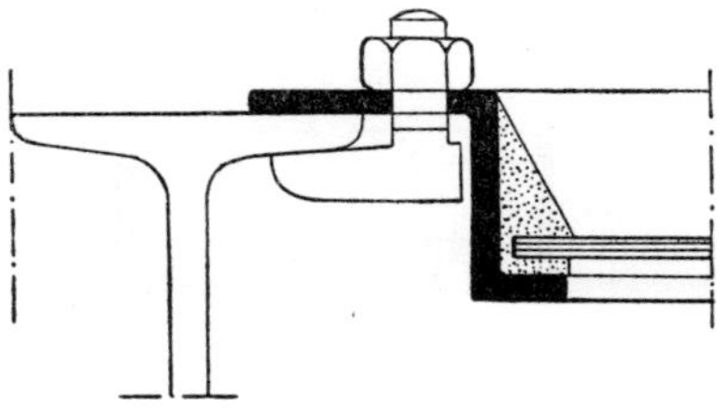

⑨ Fensteranschluß an I-Profil

Stahlfenster aus Sonderprofilen, fest verglaste Stahlfenster
Anschlagsarten:

außen

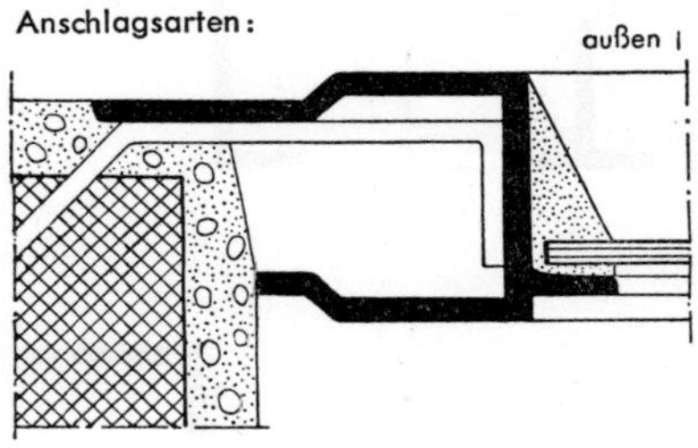

⑩ Sonderprofil B 38/2, Außenanschlag

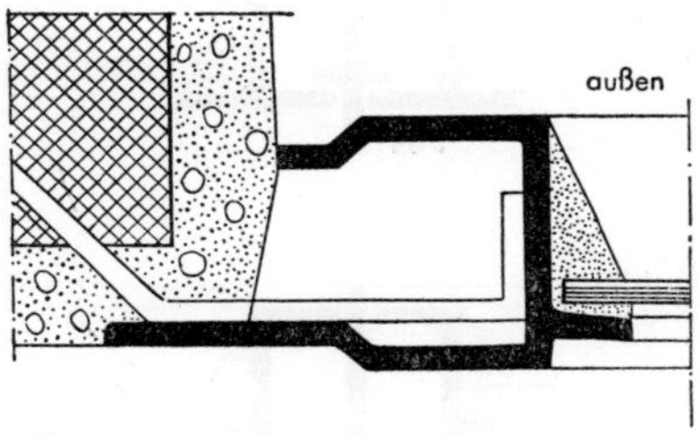

außen

⑪ Sonderprofil B 38/1, Innenanschlag

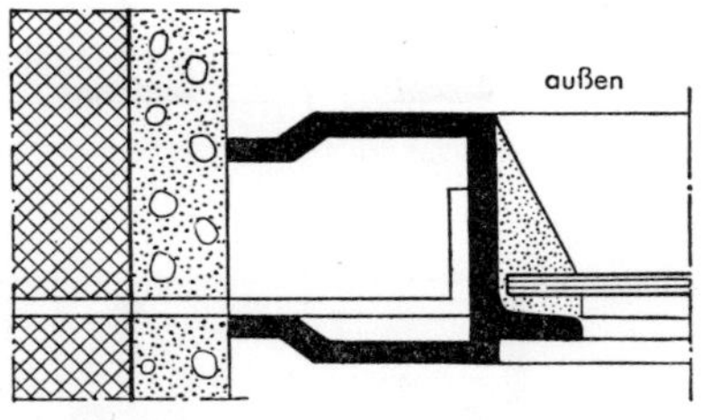

außen

⑫ Sonderprofil B 38/3, ohne Anschlag stumpf in Leibung

Befestigung der Glasscheiben an Stahlprofilen:

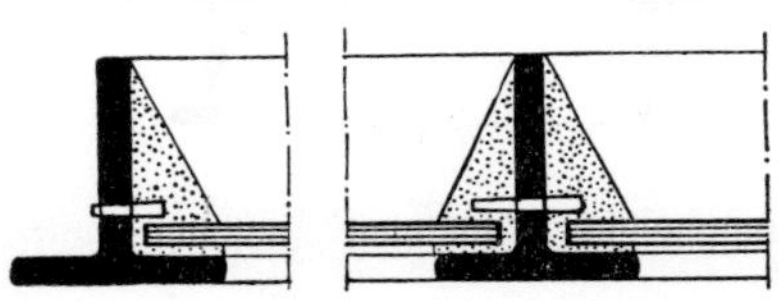

⑬ ⑭ mit Hartholz- oder Stahlstiften

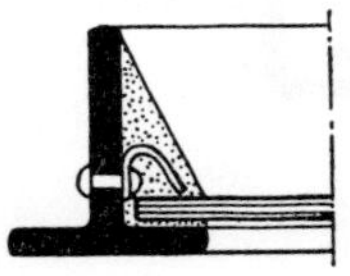

⑮ mit angenieteten Kupferhaftern

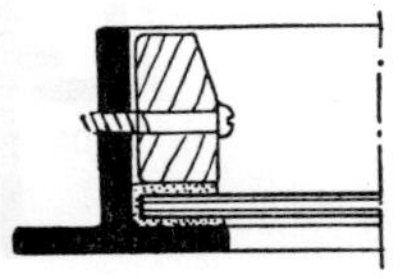

⑯ mit angeschraubter Holzleiste

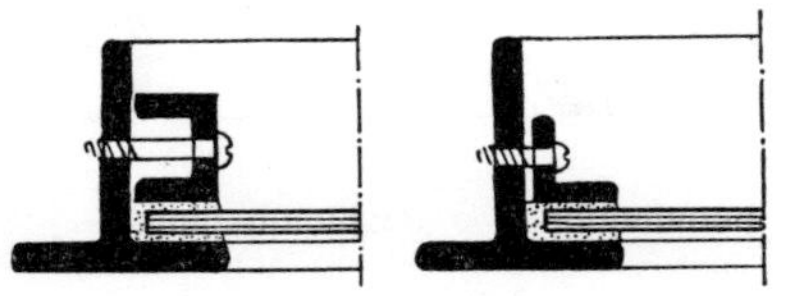

⑰ ⑱ Befestigung mit Stahlprofilen

Große Fensterflächen werden im Industriebau in der Regel fest verglast. Eine einfache Verglasung ist meist ausreichend. Anschluß an die Tragkonstruktion mit Anschlag oder stumpf in der Leibung. Im Massivbau werden die Rahmenprofile in Kalkzementmörtel eingesetzt und mit Flachstahlankern, deren Größe abhängt von der Art und Größe der Rahmenprofile, befestigt. Im Stahlskelettbau Anschluß der Stahlfensterprofile an das Stahlfachwerk mittels Schrauben und Klemmen. Zwischen beiden Profilen zwecks besserer Dichtung Dichtungswickel (z. B. Denso-Wickel). Verglasung von Stahlfenstern meist mit Stiften aus Hartholz oder Stahl befestigt. Entfernung der Stiftlöcher in Industrieprofilen 40 cm. Bei Sonderprofilen Scheibenbefestigung mittels Kupferhaftern, Holzleisten oder kleinen Stahl-Leistenprofilen. Besondere Schutzanstriche gegen Rostgefahr.

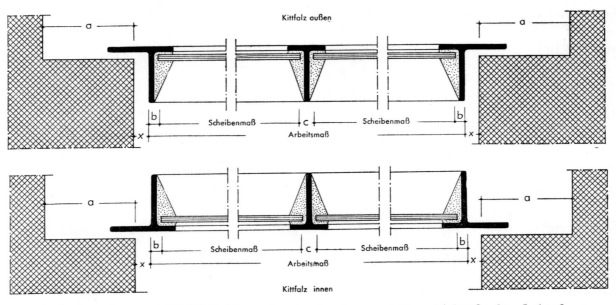

Anschlußmaße eiserner Fenster nach DIN 1001 bis 1004 : $x \leqq 1$ cm, b und c = 1 cm, a > 4 < 7 cm, Arbeitsmaß + 2 x = Fertigmaß.

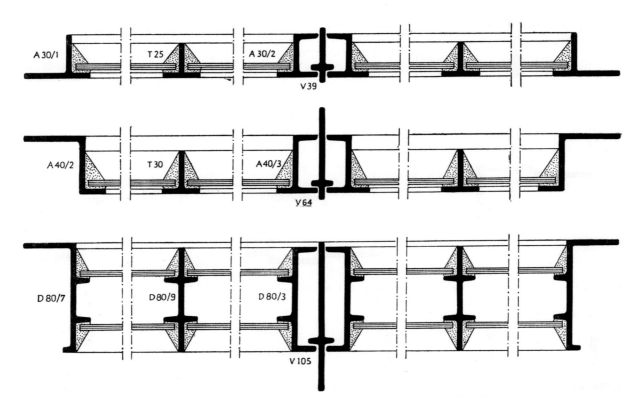

Festverglaste Stahlfenster aus Industrieprofilen nach DIN 4442, 4447 und mit Verstärkungseisen nach DIN 4450 (waagerechte Schnitte)

Bei fest verglasten Fenstern aus Stahlprofilen sind folgende Punkte besonders zu beachten:
1. Anschluß an die Tragkonstruktion des Bauwerks. (Anschlußarten nach DIN 1001–1004)
2. Steifigkeit großer Fenster gegenüber Winddruck. Zwischen den einzelnen Fensterprofilen Verstärkungsprofile der Reihe V (DIN 4450)

3. Anordnung und Ausbildung der Lüftungsflügel
4. Reinigung der Fenster, Mechanische Fensterputzvorrichtungen s. S. 218 u. 219.
Für doppelte Verglasung Spezialprofile, ebenso für Verglasung mit Isolierglas. Flügelanschlag und Verglasung bei Stahlfenstern aus Industrieprofilen nur einfach, geringer Wärme- und Schallschutz.

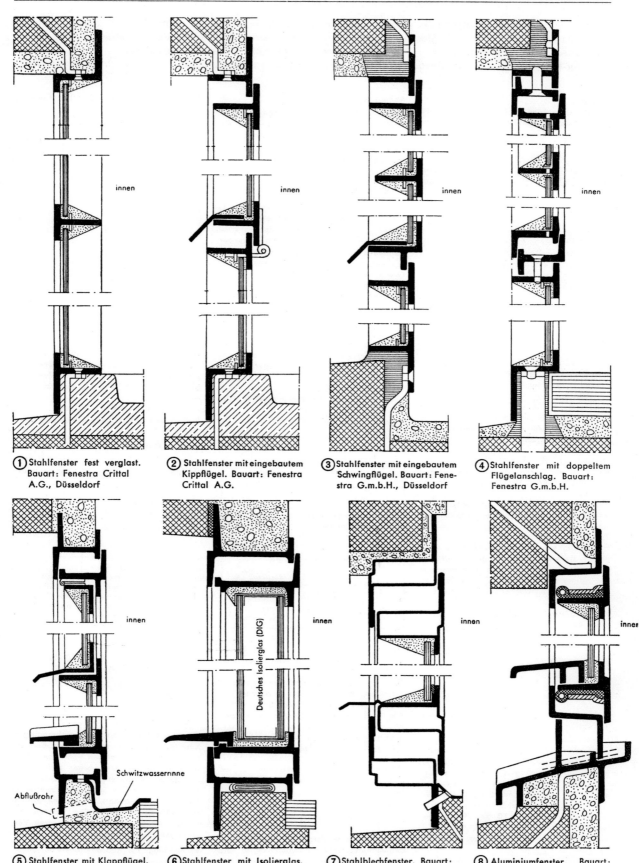

(1) Stahlfenster fest verglast. Bauart: Fenestra Crittal A.G., Düsseldorf

(2) Stahlfenster mit eingebautem Kippflügel. Bauart: Fenestra Crittal A.G.

(3) Stahlfenster mit eingebautem Schwingflügel. Bauart: Fenestra G.m.b.H., Düsseldorf

(4) Stahlfenster mit doppeltem Flügelanschlag. Bauart: Fenestra G.m.b.H.

(5) Stahlfenster mit Klappflügel. Bauart: Union-Stahlfenster

(6) Stahlfenster mit Isolierglas. Bauart: Union-Stahlfenster

(7) Stahlblechfenster. Bauart: Mauser-Stahlfenster

(8) Aluminiumfenster. Bauart: Schwartz-Hautmount/Paris

Glas ist ein in Industriebauten sehr vielseitig verwendeter Baustoff. Neben der Verglasung von Fenstern und Oberlichten wird Glas in Form von Betongläsern auch für tragende Bauteile verwendet. Weiterhin werden Wandfliesen und -platten aus Glas hergestellt. Leider werden die verschiedenen Glasarten und -sorten nicht immer einheitlich bezeichnet.

Im Industriebau kommen hauptsächlich zur Verwendung:

Tafelglas

(maschinell gezogenes Flachglas nach DIN 1249, ältere Bezeichnung: Bauglas, Fensterglas). Verwendungszweck: Fensterglas in Kittfalz oder kittlose Verglasung für senkrechte Fenster und Oberlichter.

Dünnglas		Dickglas
Dicke in mm	Toleranz	Dicke in mm
0,9 } 1,1 }	± 0,1	4 – 5
1,3 } 1,6 }	+ 0,2 – 0,1	5 – 6 6 – 7

Fensterglas

Dicke in mm	Toleranz	
1,8	+ 0,2 – 0,05	(ED = einfache Dicke)
2,8	+ 0,2 – 0,05	(MD = mittlere Dicke)
3,8	± 0,2	(DD = doppelte Dicke)

Abmessungen:

ED Breite 20–60 cm, übliche Länge 160 cm. Größte Oberfläche 0,90 m² (statischer Gesichtspunkt wegen Biegebeanspruchung).

MD Breite bis 110 cm, übliche Länge 160 cm. Verwendet für alle Scheiben über 0,5 m² Fläche.

DD und Dickglas nach statischer Berechnung.

Die Schautafel enthält in ausgezogenen Linien die Begrenzung der verschiedenen Dicken für Flächengrößen von quadratischen und rechteckigen Scheiben mit Seitenverhältnissen bis 1:4, wie sie nach bisherigen Faustregeln als zweckmäßig galten. Auf Grund neuerer Erfahrungen hält man den Übergang von ED auf MD und DD-Glas entsprechend den gestrichelt eingetragenen Grenzlinien für empfehlenswert.

Erforderliche Dicke von Bauglas = Fenstergl.

Gußglas

Maschinell aus der Wanne gegossenes und gewalztes Glas, Oberfläche kann ein- oder beidseitig ornamentiert sein, mit und ohne Drahteinlage.

1. Rohglas
Verwendung: für senkrechte Verglasungen, die großen Beanspruchungen ausgesetzt sind. Sonderbreite bis 200 cm.

2. Ornamentglas
Herstellung wie übliches Gußglas, jedoch mit Ornamentierung, Bezeichnung: Ornamentglas LISTRAL, Karolit, Edelit, Linienglas usw.
Verwendung: für alle normalen senkrechten Verglasungen in Fassaden und im Gebäudeinnern, sowie für Staubdecken.

3. Drahtglas
Herstellung wie übliches Gußglas. Es wird beim Walzen eine Drahteinlage eingedrückt.
Verwendung: für senkrechte Verglasungen als splitterbindend bei Zerstörung. Für Dach- und Deckenverglasung baupolizeilich vorgeschrieben.
Als Verglasung in feuerbeständigen Bauteilen gemäß DIN 4102 zugelassen.

4. Drahtornamentglas
Herstellung wie Drahtglas, besitzt aber eine Ornamentierung auf einer oder beiden Seiten.
Verwendung: wie Drahtglas, durch Ornamentierung aber als lichtstreuendes Glas geeignet.
Feuerbeständig wie Drahtglas.

5. Sondergläser
Herstellung wie übliches Gußglas. Die Ornamentierung hat einen besonderen lichtstreuenden, bzw. lichtlenkenden Effekt.
Bezeichnung: Difulit, Lichtstreuerglas, Wellenglas.
Dicken: 3–4, 4–6, 6–7, 7–9 mm.
Breiten und Längen: wie Ornamentglas.

Dicken und Abmessungen von Gußglas

	Rohglas	Drahtglas	Drahtornamentglas	Ornamentglas
Handelsübliche Dicken in Millimetern	4–6 6–7 7–9 9–10	4–6 6–8 8–10	(4–6) 6–8 8–10	3–4 (4–6)
Lagerabmessungen in cm (nach Fabrikationsart der Hütten)	bis 360, oder bis 420, oder bis 450 lang, von 39 bis 126 breit	bis 360, oder bis 420, oder bis 450 lang, von 39 bis 126 breit	bis 360, oder bis 420, oder bis 450 lang, von 39 bis 126 breit	bis 201/210 lang, (bis 210/360) bis 126 breit

Sicherheitsglas

Zwei Arten

1. Mehrscheiben-Verbundglas

2. Vorgespanntes Einscheiben-Sicherheitsglas

1. Mehrscheiben-Verbundglas.
Zwei oder mehr Scheiben mit einer elastischen Zwischenschicht, die splitterbindend ist. Bei Drahtverbundglas Einlage aus parallelen oder sich kreuzenden Drähten Durchmesser 0,17 mm. Abstand 15 bis 45 mm. Für Normalverglasung zwei Scheiben, bei mehreren Scheiben ab 12,0 mm Panzerglas (schußsicher) genannt.
Durchschlagfest bei Temperaturen von –25° bis +33° C.
Dicken von 2,5 mm bis 12 mm je nach Wahl der Scheiben.

Für Drahtverbundglas normale Dicke: 6 bis 7 mm.
Für Panzerglas und Drahtpanzerglas: 12 bis 14 mm und darüber bis zu 60 mm.
Verbundgläser mit mehr als 2 Scheiben können nachträglich nicht geschnitten werden. Bohrungen sind möglich.
Scheibengröße: bis zu 140/240 cm. In Ausnahmefällen Übergrößen.

Verwendung: Bei hohen Ansprüchen an mechanische Festigkeit, Verhinderung der Unfallgefahr.

2. Vorgespanntes Einscheiben-Sicherheitsglas (SEKURIT, Duro-Glas).

Durch thermische Vergütung vorgespanntes, splitterfreies Einscheiben-Sicherheitsglas, das Wärmestöße bis 300° aushält und aus einer homogenen Spiegelglasscheibe besteht.

Dicken: 4,5–6, 6–8, 8–10, 10–12, 12–14, 14–16, 16–18, 18–20 mm.

Maximalgröße: 160×260 cm bei Dicken über 10 mm.

Arten: Spiegelglas, beiderseits geschliffen und poliert, mattiert oder geätzt.

Vorgespanntes Einscheiben-Sicherheitsglas kann nach der Härtung nicht mehr bearbeitet werden, daher müssen Bohrungen, Kantenbearbeitungen usw. vorher durchgeführt und genaue Maße angegeben werden.
Bei Bruch reißt die Scheibe in zahlreiche kleine Krümel, behält aber ihren Zusammenhalt. Beim Durchstoßen können die Kanten der Krümel keine ernsthaften Verletzungen hervorrufen.

Verwendung: Für Konstruktionen bei denen hohe Ansprüche an die mechanische Festigkeit gestellt werden (Türen).

Isoliergläser

Isoliergläser sind fabrikmäßig hergestellte Einheiten aus 2 oder mehr Scheiben mit dazwischenliegendem abgeschlossenem Luftraum.
Verwendung: Für senkrechte Verglasungen, die gegenüber üblicher Verglasung erhöhte Wärme- und Schalldämmung bieten sollen. Beispiele: Abtrennung von Meisterstuben, Büroräume mit Glaswänden, Verglasung von klimatisierten Räumen.
Es werden fünf verschiedene Sorten hergestellt: Thermopane, Cudo, DIG, Thermolux. Hahn-Doppelscheiben.

Thermopane

besteht aus zwei oder mehreren Glasscheiben, evtl. verschiedene Glassorten, die durch einen 6 oder 12 mm dicken Zwischenraum getrennt sind und deren Kante mittels einer Metallglasverbindung hermetisch geschlossen ist.

Cudo-Doppelscheiben

Zwei Scheiben Fensterglas sind durch ein Metallprofil in 4 oder 8 mm Abstand verbunden. Die Doppelscheiben können auch aus Sicherheitsglas hergestellt werden.

Welldrahtglas

Verwendung als undurchsichtige, jedoch hoch lichtdurchlässige Dacheindeckung in Verbindung mit Wellasbestzement, dessen großwelliger Form es angepaßt ist.
Feuerbeständig wie Drahtglas.

DIG — Deutsches Isolierglas

Verbundplatte aus Tafelglas in 20 mm Abstand durch einen schmalen Verbundrand aus Leichtmetall wasserdicht und unlöslich fest verbunden.
Sie können einen lichtdurchlässigen Isolierkörper aus thermisch verformten, kreuzweise übereinandergelegten Kunststoff-Folien einschließen, der sonnenbeständig ist. Die Kunststoff-Folien sind entweder matt oder klar. Bei Ausführungen in kittlosen Sprossen sind zu breite Deckprofile zu vermeiden, da sonst Biegespannungen in der äußeren Glasscheibe erzeugt werden.

Thermolux

ist ein Verbundglas, das aus zwei Glastafeln (Spiegelglas, Fensterglas, Gußglas oder Drahtglas) besteht und einer dazwischen angeordneten 1 bis 3 mm dicken Schicht seidenartiger, in bestimmten Winkeln gelagerten Glasfäden. Durch einen Verbundrand wird die Glasgespinstschicht zwischen den Glastafeln eingeschlossen.
Thermolux gibt ein diffuses Licht und verhindert die direkte Sonneneinstrahlung. Dadurch werden, unabhängig von der Himmelsrichtung, Lichtverhältnisse erzielt, die sonst nur bei reiner Nordbefensterung möglich sind.
Verwendung: In senkrechten, geneigten und waagerechten (dann als Drahtglas-Thermolux) Verglasungen, die Schutz gegen Sonneneinstrahlungen und Wärmeverluste gewähren sollen.
Scheibengrößen: für senkrechte Verglasungen Fenster- und Gußglas-Thermolux bis 120×300 cm, 130×260 cm;
Drahtglas-Thermolux bis 90×300 cm, 110× 200 cm, 160×270 cm.

Wärmeschutzglas

Herstellung wie Gußglas und Spiegelglas. Durch chemische Zusammensetzung absorbiert das Glas etwa 60 bis 70% der auftreffenden Wärmestrahlen. Das Glas hat eine blaugrüne Eigenfarbe.
Bezeichnung: KATACALOR, Contracalorglas, Exuro (mundgeblasenes Wärmeschutzglas).
Sorten: Wärmeabsorbierendes Spiegelglas, Gußglas, Drahtglas usw.
Verwendung: Als blendungsmindernde und wärmeschützende senkrechte oder waagerechte Verglasung.

Plexiglas

Plexiglas unterscheidet sich von den anderen Glassorten (Silikatgläser) durch seinen chemischen Aufbau (organische Verbindung). Es ist vollständig durchsichtig, außerdem sehr elastisch, deshalb geringe Bruchgefahr. Bei Zertrümmerung sich ergebende Bruchstücke sind verhältnismäßig stumpfkantig und leicht. Plexiglas rechnet deshalb zu den Sicherheitsgläsern. Weiterer Vorteil sind ein geringes Gewicht (Rohgewicht 1,19) und seine leichte Bearbeitbarkeit (Sägen, Bohren).

Hauptnachteil ist, daß es sich bei Temperaturen über 400° entzündet und brennt. Außerdem kann es von gewissen organischen Lösungsmitteln wie z. B. Benzol, Aceton angegriffen werden.

Plexiglas wird in flacher Tafelform geliefert, sein Hauptanwendungsgebiet ist jedoch als Wellglas für Dach- und Wandteile bei Werk- und Lagerhallen. Die Abmessungen entsprechen dem Wellasbestzement, so daß es mit ihm gemeinsam verlegt werden kann.

Bezeichnung	Länge cm	Breite cm	Gewicht kg
Welldrahtglas	125 135 160	92	24 26 30
Plexiglas großwelliges Profil 177/51	125 135 160	92 93	Ausführung farblos
Plexiglas kleinwelliges Profil 130/30 (nicht für Welldrahtglas)	125 135 160 200	102	Ausführung farblos und weiß

Opakglas

In der Masse gefärbtes, undurchsichtiges, gegossenes Glas mit blanker oder ornamentierter Oberfläche und gerillter Rückseite. Chemisch außerordentlich widerstandsfähig, wasserundurchlässig, daher frostsicher und hygienisch.
Maße: Fliesen 15×15, 15×20, 15×30, 20× 20, 20×30 cm.
Wandplatten bis 350×150 cm (Höchstmaß).
Dicke: 5—7, 8—10 mm.
Farben: weiß, schwarz, grün, grau, rot, beige, blau, elfenbein.
Anwendung im Industriebau, besonders in der chemischen, Nahrungs-, Genußmittel- und Getränkeindustrie, Laboratorien, Prüfstände.
Verlegung: Für normal beanspruchte Innenbeläge in Traßkalkmörtel 1:4. Besser jede Glasfliese auf trockener Rückseite mit Bitumenemulsion 1,5 bis 2 mm stark bespachteln und im Zementmörtel 1:5 satt verlegen. Neuerdings sind Spezialkleber entwickelt worden.

Spiegelglas

Beiderseits geschliffenes und poliertes gegossenes Glas. Ist verzerrungsfrei und genügt höchsten Ansprüchen.

Preßglas

Oberbegriff für gepreßte Glaskörper (Glasbausteine, Betongläser, Glasdachziegel).

Glasbausteine

Herstellung: Gepreßte quadratische oder rechteckige Glaskörper in Form von Platten oder Hohlkörpern.
Verwendung: Zur Herstellung von senkrechten Fenstern und Wänden, die eben oder gebogen sein können. Statischer Zusammenhalt durch stahlbewehrte Betonrippen.

Betongläser

Herstellung: Gepreßte quadratische oder runde Glaskörper mit großer Deckelstärke zur Aufnahme größerer Lasten.
Verwendung: Zur Herstellung von Tragdecken aus Glasstahlbeton nach DIN 4229.

Glasfaser

Glasfaser wird aus denselben Rohstoffen erschmolzen, die auch zur Fertigung hochwertiger und chemisch resistenter Gläser Verwendung finden. Je nach den verschiedenen Herstellungsverfahren unterscheidet man Glasgespinst, Glaswatte und Glaswolle.

Glasfasern zeichnen sich aus durch geringe Wärmeleitzahl, niedriges Raumgewicht, hohe Elastizität auf Grund der feinen und langen Faserstruktur, Erschütterungsfestigkeit, Beständigkeit gegen Feuchtigkeit und chemische Einwirkungen (mit Ausnahme von Flußsäure); sie sind weder hygroskopisch noch kapillar feuchtigkeitsleitend, geruchlos, bakterienfrei, ungezieferfrei.
Verwendung im Industriebau: Zur Wärme- und Tritt-Schalldämmung.

Weiterhin Glasfaser-Fugendichtungsstreifen zum Abdichten von Ziegel- und Wellasbestzement-Dächern, Glaswatte-Schnüre zum Abdichten von Maueranschlüssen, Schlitzen, Fensterstöcken, Stoßfugen usw.

AUSKUNFTSTELLEN: Haus der Glasindustrie, Düsseldorf, Couvenstraße 4; Beratungsstelle für Flachglas, Köln, Machabäerstraße 36; Glasfaser Gesellschaft Düsseldorf; Deutscher Fachverband der Fensterglasindustrie, Frankfurt am Main, Untermainkai 12.

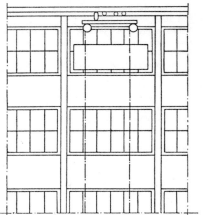

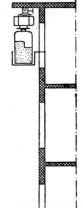

① Anordnung eines Fensterputzliftes, unter dem Hauptgesims hängend.

② Linienführung und Krümmungsradius des Fensterputzliftes unter dem Hauptgesims.

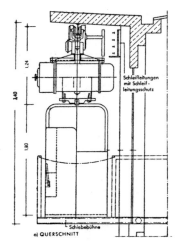

a) QUERSCHNITT

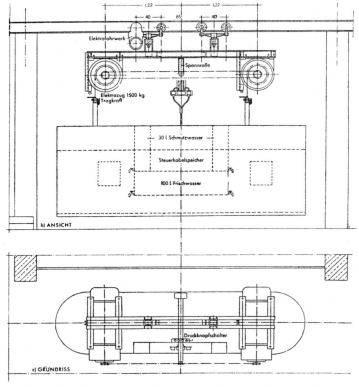

b) ANSICHT

c) GRUNDRISS

Die Anordnung einer Einschienenbahn an vorgekragtem Tragegerüst oder an größeren Dachgesimsen ist die einfachste und billigste Ausführung von Fensterputzvorrichtungen, beeinflußt jedoch wesentlich die Gestaltung des Gebäudes. Die Einschienenkatze besitzt ein kurvengängiges Fahrwerk. Der Fahrkorb kann bequem die Gebäudeecken mit einem kleinsten Radius von 1,20 m umfahren, wenn die Fahrschiene an der Ecke entsprechend geführt wird. (Abb. 2.)

③ Einzelheiten eines unter dem Hauptgesims hängenden Fensterputzliftes. Bauart: DEMAG.

Fensterputzvorrichtungen

Mechanische Fensterputzvorrichtungen werden erforderlich bei Mehrgeschoßbauten mit großen Fensterflächen, die fest verglast sind und nur von außen gereinigt werden können. Die Anlage besteht aus einer elektrisch verfahrbaren Katze und einer Ringbahn, die als Einschienenbahn an Kragarmen vor dem Gebäude oder unter vorspringenden Dachgesimsen aufgehängt werden kann, oder die als zweigleisige Ringbahn auf dem Dach des Gebäudes oder auf einem Mauerabsatz verlegt und mit dem Bauwerk fest verbunden ist. Bei Stahlskelettbauten werden hierbei die Schienen mit der tragenden Stahlkonstruktion unmittelbar verbunden, in Stahlbetonbauten auf Sockel aufgeschraubt. An den Seilen hängt dicht vor dem Gebäude der Fahrkorb. Eine Fangvorrichtung verhindert bei eventuellem Seilbruch einen Unfall. Im Fahrkorb ist genügend Platz für den Fensterputzer und dessen Arbeitsgerät, sowie für Frisch- und Schmutzwasserbehälter. Die Steuerung des Fensterputzliftes erfolgt vom Fahrkorb aus mittels Druckknopfschalter. Der Fahrkorb wird entweder durch Sauggriffe an den Fensterscheiben oder durch feste Handgriffe an den Fensterrahmen gehalten.

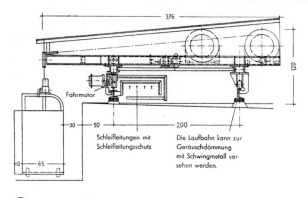

① Fensterputzlift mit ausfahrbarem Fahrkorb

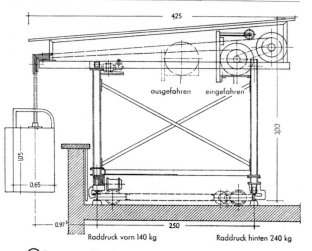

② Fensterputzlift mit ausfahrbarem Fahrkorb auf einem Flachdach mit Attika

Raddruck vorn 140 kg   Raddruck hinten 240 kg

Sämtliche Beispiele dieser Seite nach Bauart DEMAG

Fensterputzvorrichtungen mit Zweischienenkatze sind wesentlich teurer, als Einschienenanlagen. Unter die auf dem Dach des Gebäudes verlegten und befestigten Fahrschienen können Schwingmetallblöcke zur Geräuschdämpfung eingeschaltet werden. Besonders bei Bürogebäuden kann diese Maßnahme erforderlich werden. Abb. 1 und 2 zeigen Anlagen mit beweglichem Rahmen. Um mit dem Fahrkorb die Ecken des Gebäudes umfahren zu können, wird der Fahrwerksrahmen der Katze ausgefahren (Abb. 3 und 4). Auch diese Bewegungen können durch Druckknopfschalter vom Fahrkorb aus veranlaßt werden. Eine ausfahrbare Fensterputzvorrichtung kann u. U. auch notwendig werden bei Vorsprüngen in der Fassade oder bei umfangreichen Lichtreklamen, für deren Überwachung, Kontrolle und Anbringung die Fensterputzanlage ebenfalls verwendet werden kann.

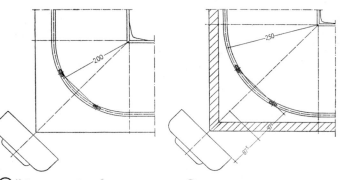

③ Krümmungsradius der Gleisbahnen für Fensterputzlift nach Abb. 1

④ Krümmungsradius der Gleise für Fensterputzlift nach Abb. 2

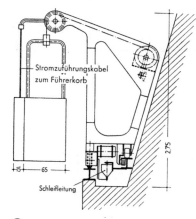

⑤ Fensterputzanlage mit geringem Platzbedarf

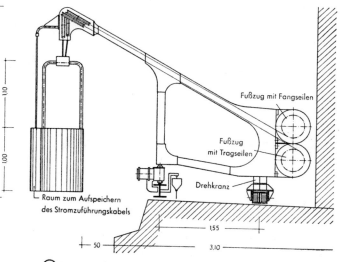

⑥ Reparatureinrichtung für Reklame und gleichzeitig Fensterputzlift

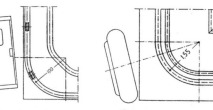

⑦ Krümmungsradius der Gleise für Fensterputzlift nach Abb. 5

⑧ Krümmungsradius der Gleise für Fensterputzlift nach Abb. 6

Abb. 5 und 6 zeigen Fensterputzanlagen, die keinen ausfahrbaren Fahrwerkrahmen besitzen. Dadurch ergibt sich eine wesentliche Vereinfachung der Konstruktion, aber gleichzeitig auch der Nachteil, daß der Fahrkorb nur über Dach die Gebäudeecken umfahren kann. Die Spurbreite der Fahrschienen ist bei dieser Form des Fahrwerks erheblich schmaler, als bei den Konstruktionen mit ausfahrbarem Rahmen (s. Abb 7 und 8). Abb. 5 zeigt eine besonders platzsparende Anlage auf einem Mauerabsatz.

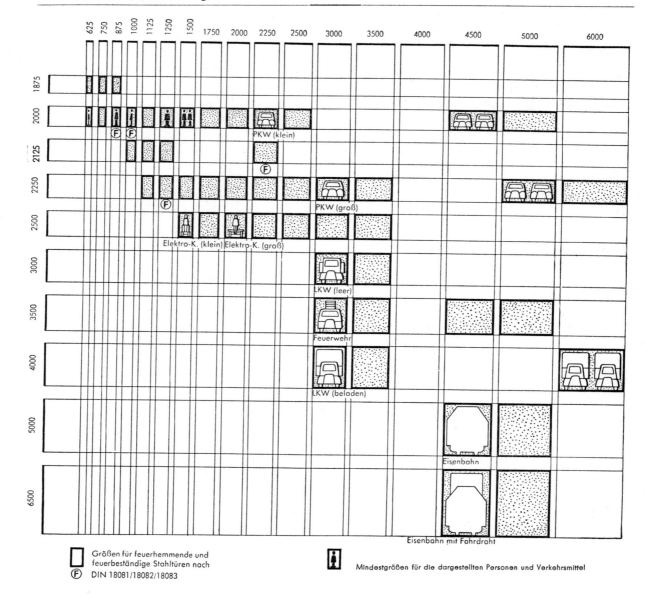

	Größen für feuerhemmende und feuerbeständige Stahltüren nach DIN 18081/18082/18083

Mindestgrößen für die dargestellten Personen und Verkehrsmittel

Öffnungsgrößen für Türen und Tore im Industriebau
nach DIN 18223 Blatt 1

Die oben abgedruckte Tabelle gilt, in Übereinstimmung mit DIN 4172 „Maßordnung im Hochbau", für sämtliche Türen und Tore. Zusammengestellt sind die für den Industriebetrieb üblichen und vorteilhaften Öffnungsgrößen für Türen und Tore. Andere Abmessungen sollen nicht verwendet werden. Sind Ausnahmen notwendig, so sollen deren Rohbaurichtmaße ganzzahlige Vielfache von 125 mm sein. In der Tabelle werden die Rohbaurichtmaße angegeben, aus denen die Nennmaße der Tür- und Toröffnungen entsprechend den Bauarten abzuleiten sind.

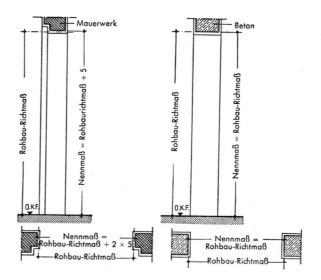

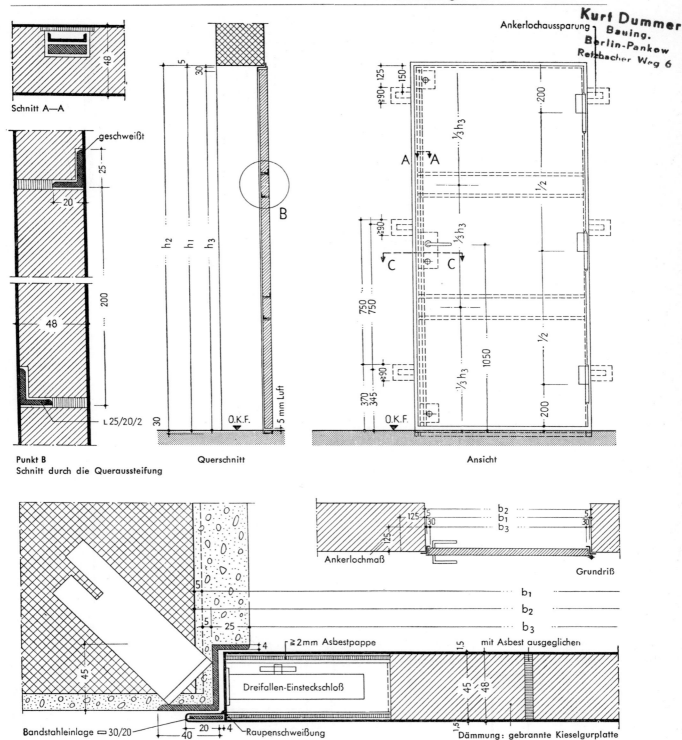

Schnitt A—A

geschweißt

Punkt B
Schnitt durch die Queraussteifung

Querschnitt

Ankerlochaussparung

Ansicht

Ankerlochmaß

Grundriß

≥2mm Asbestpappe   mit Asbest ausgeglichen

Dreifallen-Einsteckschloß

Bandstahleinlage ▭ 30/20   Raupenschweißung

Dämmung: gebrannte Kieselgurplatte

Schnitt C—C

Einflügelige feuerhemmende und feuerbeständige Stahltüren:

Baurichtmaß (in mm)		Durchgangsmaß (in mm)	
Breite	Höhe	Breite	Höhe
875	2000	815	1970
1000	2000	940	1970
1250	2250	1190	2220

Feuerbeständige Stahltür (Fbl-Tür) nach DIN 18081

Feuerbeständige und feuerhemmende Stahltüren sind genormt in DIN 18081 und 18082, sie müssen den Anforderungen der Brandversuche nach DIN 4102 entsprechen. Öffnungsgrößen nach DIN 18223. Das Türblatt besteht aus einer feuerbeständigen bzw. feuerhemmenden Schicht zwischen zwei 1,5 mm dicken glatten Stahlblechen. Aufhängung in drei Türbändern, Befestigung der Türzarge mit drei Mauerankern aus Flacheisen. Eine Schließvorrichtung muß die Tür ständig geschlossen halten.

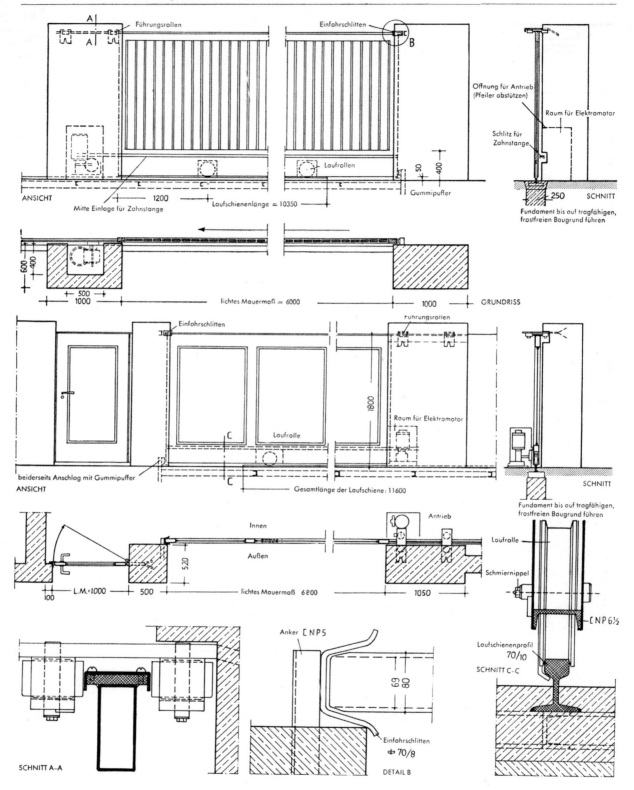

Elektrische Schiebetore

Elektrisch angetriebene Schiebetore aus Stahl für Hofeinfahrten. Die Tore werden durch freistehende oder in Pfeiler eingebaute Elektromotore bewegt. Öffnen und Schließen wird durch Schaltung vom Pförtnerhaus aus erreicht oder durch direkte Schaltung am Tor.

Die Schiebetore laufen auf Laufrollen über einer Laufschiene und werden von Führungsrollen gehalten. Die Kraftübertragung vom Antriebsmotor auf das Tor erfolgt mittels einer Zahnstange. Bauart: Deutsche Metalltüren-Werke, Aug. Schwarze A.G., Brackwede i. W.

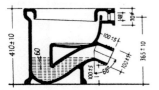

① Flachspülklosett nach DIN 1381 Form B mit schrägem Anschlußstutzen

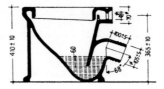

② Tiefspülklosett nach DIN 1382 Form B mit schrägem Anschlußstutzen

Tiefspülklosetts nach DIN 1381 Form A mit senkrechtem Anschlußstutzen und B mit schrägem Anschlußstutzen Abb. 1 und Flachspülklosetts nach DIN 1382 Form A und B Abb. 2.
Tiefspülklosetts sind vorzuziehen, da sie weniger Ansatzpunkte zum Verschmutzen bieten als Flachspülklosetts.
Anzahl der Becken: je 1 Abort für 15 Frauen und je 1 Abort für 20 Männer. Dazu für Männer die ungefähr gleiche Zahl von Urinalen. Bei größerer Belegschaft können folgende Zahlenangaben als Richtlinien gelten:

Stärke der Beleg-schaft (M oder F)	Anzahl der Becken	
	Männer	Frauen
Bis 10	1	1
Bis 25	2	2
Bis 100	je weitere 25 M 1 Becken mehr	je weitere 15 F 1 Becken mehr
Bis 500	je weitere 40 M 1 Becken mehr	je weitere 25 F 1 Becken mehr
Bis 1000	je weitere 50 M 1 Becken mehr	je weitere 40 F 1 Becken mehr
Über 1000	je weitere 60 M 1 Becken mehr	je weitere 50 F 1 Becken mehr

Bei Fließbandproduktion müssen die Aborte unter Umständen dezentralisiert werden, weil die Entfernung vom Arbeitsplatz nicht zu groß werden darf.

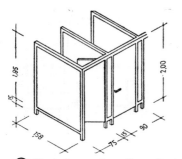

③ Abmessungen einer Abortzelle mit nach innen schlagender Tür

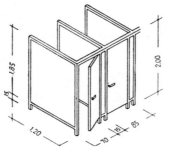

④ Abmessungen einer Abortzelle mit nach außen schlagender Tür

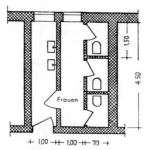

⑤ Anordnung von Abortzellen in Längsrichtung zum Gang. Ungünstige Zusammenfassung der Installation

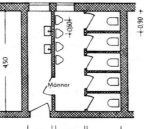

⑥ Männertoilette mit nach innen schlagenden Zellentüren und Urinalen im Gang

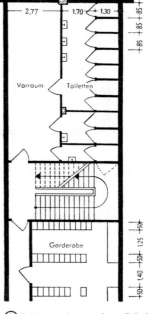

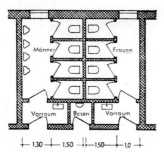

⑦ Toilettenanlage für Frauen und Männer. Die Männertoilette benötigt mehr Platz als die Frauentoilette.

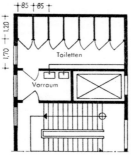

⑧ Toilettenanlage für Männer mit P.-Rinnen in Verbindung mit einem Festpunkt, Treppenhaus und Aufzugschacht

⑨ Toilettenanlagen einer Tabakfabrik (in Aalborg) im Zusammenhang mit einem Umkleideraum an einem Treppenhaus

Die Aborte sollen dezentralisiert werden. Aus diesem Grunde sind nicht mehr als 10 Zellen in einer Gruppe zusammenzufassen. Günstig lassen sich die Aborte in Verbindung mit den Festpunkten anordnen, da diese ohnehin in ihrem Abstand begrenzt sind und sich außerdem gute Möglichkeiten für die Unterbringung der Installation ergeben.
Platzbedarf der Toiletten ist abhängig von der Art der W.C.-Zellen: Zellen mit nach innen schlagenden Türen, Abb. 3, 0,85×

1,50 m, Gang 1,00 m. Zellen mit nach außen schlagenden Türen, Abb. 4, 0,85×1,20 m, Gang 1,40 m. Der Gesamtraumbedarf ist jedoch bei Zellen mit nach innen schlagenden Türen geringer.
Bei Anordnung von Urinalen im Gang muß dieser mindestens 30 cm breiter werden. Deshalb beanspruchen Männertoiletten mehr Raum als Frauentoiletten. Platzbedarf eines Urinals oder Standbreite pro Person an einer P.-Rinne = 60 cm.
Bei Toilettenanlagen mit Pissoirständen ist

eine Fußbodenrinne vorzusehen, in Toiletten ohne Pissoirs eine Fußbodenentwässerung. Sprenghahn mit Schlauchverschraubung ist in allen Toiletten erforderlich.
Vorräume mit Ausgußbecken für Wasch- und evtl. Trinkzwecke. Anzahl der Ausgußbecken: etwa 1 Becken auf 5 bis 6 Aborte.
Der Vorraum muß durch eine Trennwand in ganzer Höhe von den Toiletten abgeschlossen sein, da er sonst die Wirkung als Geruchschleuse nicht erfüllt. Die Türen des Vorraumes müssen sich selbsttätig schließen.

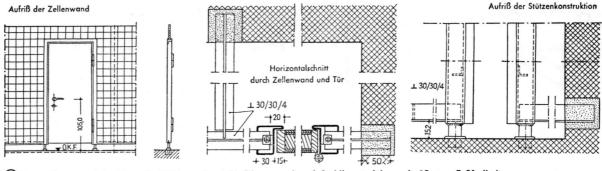

Aufriß der Zellenwand

Horizontalschnitt durch Zellenwand und Tür

⊥ 30/30/4
†20†

+ 30 +15†   ⤫ 50 ⤫

Aufriß der Stützenkonstruktion

⊥ 30/30/4

152

⑩ Klosett-Trennwand der Firma Stahl-Schanz G.m.b.H. Fliesenwand auf Stahlkonstruktion mit 15 cm Fußfreiheit.

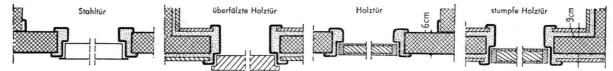

Stahltür   überfälzte Holztür   Holztür   6cm   stumpfe Holztür   9cm

⑪ Zargenprofile für Zellentüren in Stahl und Holz für Klosett- und Badeanlagen der Firma Stahl-Schanz G.m.b.H.

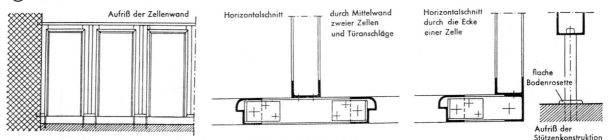

Aufriß der Zellenwand

Horizontalschnitt durch Mittelwand zweier Zellen und Türanschläge

Horizontalschnitt durch die Ecke einer Zelle

flache Bodenrosette

Aufriß der Stützenkonstruktion

⑫ Klosett-Trennwand der Firma Klöckner-Mannstaedt-Werke GmbH., Troisdorf. Wand aus Formsteinen zwischen U-Eisenprofilen

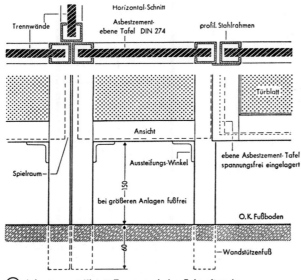

Horizontal-Schnitt

Trennwände   Asbestzement-ebene Tafel DIN 274   profil. Stahlrahmen

Türblatt

Ansicht

Aussteifungs-Winkel   ebene Asbestzement-Tafel spannungsfrei eingelagert

Spielraum

150

bei größeren Anlagen fußfrei   O.K. Fußboden

—Wandstützenfuß

⑬ Asbestzement-Klosett-Trennwand der Fulguritwerke. Ebene Fulgurittafeln zwischen Spezialhohlprofilen.

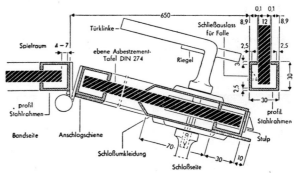

650   Schließauslass für Falle   0,1 0,1   8,9 12 8,9

Türlinke

Spielraum 4–7   ebene Asbestzement-Tafel DIN 274   Riegel   2,5   2,5

profil Stahlrahmen   30   30

Bandseite   Anschlagschiene   Stulp   profil Stahlrahmen

Schloßumkleidung   70   30 10

Schloßseite

⑭ Ausbildung einer Zellentür in einer Fulgurit-Asbestzement-Trennwand

Wände bleiben etwa 15 cm über O.K. Fußboden für bessere Reinigungsmöglichkeiten fußfrei.
Holzwände sind leicht und nicht sehr dauerhaft. Sie sind nicht sehr widerstandsfähig gegen Feuchtigkeit und starke Beanspruchung und werden leicht beschrieben.
Massive Konstruktionen aus Halbstein- oder Viertelsteinwänden mit Fliesen oder Putz haben den Nachteil der fehlenden Fußfreiheit.

Günstig ist die Ausführung der Zellentrennwände in Form von Stahlrahmenkonstruktionen. Als Material zwischen den Stahlrahmen werden verwendet: Fliesen, glasierte Verblendsteine oder Formsteine, Abb. 10–12. Besonders geeignet sind Asbestzementwände zwischen quadratischen Spezialhohlprofilen. Sie sind leicht und weisen trotz geringer Stärke eine hohe Festigkeit auf, sind unempfindlich gegen Hitze, Feuchtigkeit und Frost. Spezialanstrich der Wände ist in jeder Farbe möglich, Abb. 13, 14.
Bei Bemessung der Zellen ist auf die lieferbare Größe der Platten Rücksicht zu nehmen.
Zellentüren in Holz oder Stahl zwischen Stahlzargen, Abb. 11, 14.
Fußboden: leicht zu reinigende Fußböden, Terrazzo- und Fliesenfußboden.

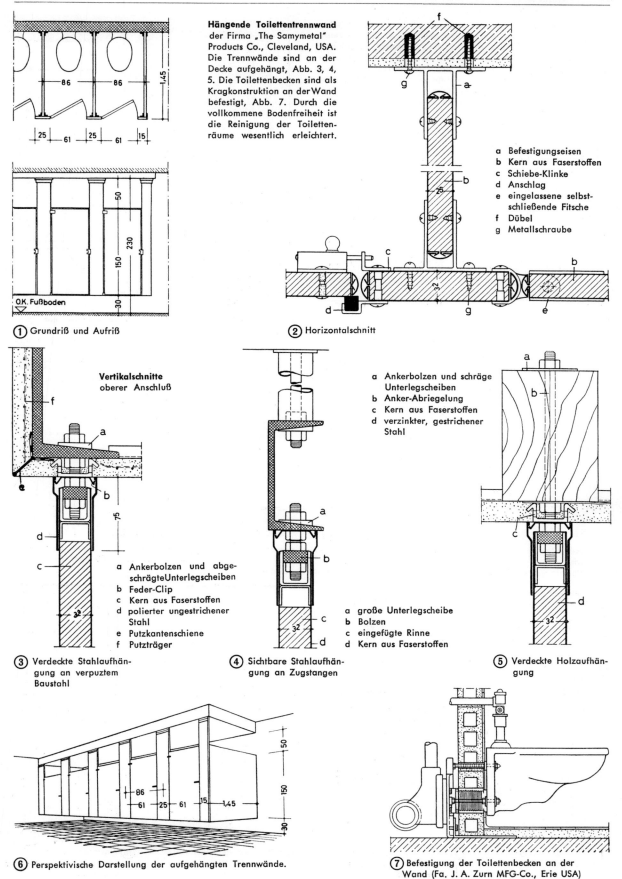

Hängende Toilettentrennwand der Firma „The Samymetal" Products Co., Cleveland, USA. Die Trennwände sind an der Decke aufgehängt, Abb. 3, 4, 5. Die Toilettenbecken sind als Kragkonstruktion an der Wand befestigt, Abb. 7. Durch die vollkommene Bodenfreiheit ist die Reinigung der Toilettenräume wesentlich erleichtert.

a Befestigungseisen
b Kern aus Faserstoffen
c Schiebe-Klinke
d Anschlag
e eingelassene selbstschließende Fitsche
f Dübel
g Metallschraube

① Grundriß und Aufriß

② Horizontalschnitt

Vertikalschnitte oberer Anschluß

a Ankerbolzen und abgeschrägte Unterlegscheiben
b Feder-Clip
c Kern aus Faserstoffen
d polierter ungestrichener Stahl
e Putzkantenschiene
f Putzträger

③ Verdeckte Stahlaufhängung an verpuztem Baustahl

a große Unterlegscheibe
b Bolzen
c eingefügte Rinne
d Kern aus Faserstoffen

④ Sichtbare Stahlaufhängung an Zugstangen

a Ankerbolzen und schräge Unterlegscheiben
b Anker-Abriegelung
c Kern aus Faserstoffen
d verzinkter, gestrichener Stahl

⑤ Verdeckte Holzaufhängung

⑥ Perspektivische Darstellung der aufgehängten Trennwände.

⑦ Befestigung der Toilettenbecken an der Wand (Fa. J. A. Zurn MFG-Co., Erie USA)

Garderobenschränke sollen nach DIN 4547 einzeln, nicht zweiseitig mit gemeinsamer Rückseite ausgeführt werden. Wand- und Dachflächen sind glatt auszubilden, ebenso die Schrankfüße, um Schmutzansammlungen zu vermeiden. — Wichtig ist eine gute Entlüftung des Garderobenschrankes. Luftöffnungen sind in jedem Fach vorzusehen, mit insgesamt mindestens 60 cm² Fläche. In feuchten Betrieben ist dieser Lüftungsquerschnitt zu vergrößern.

Der Schrankboden soll luftdurchlässig sein; gelochtes Blech, Rost aus Streckmetall oder Drahtgitter.

Aufschlagende Türen müssen gut versteift und mit Renkverschluß (Bajonettverschluß, Basküleverschluß) versehen werden.

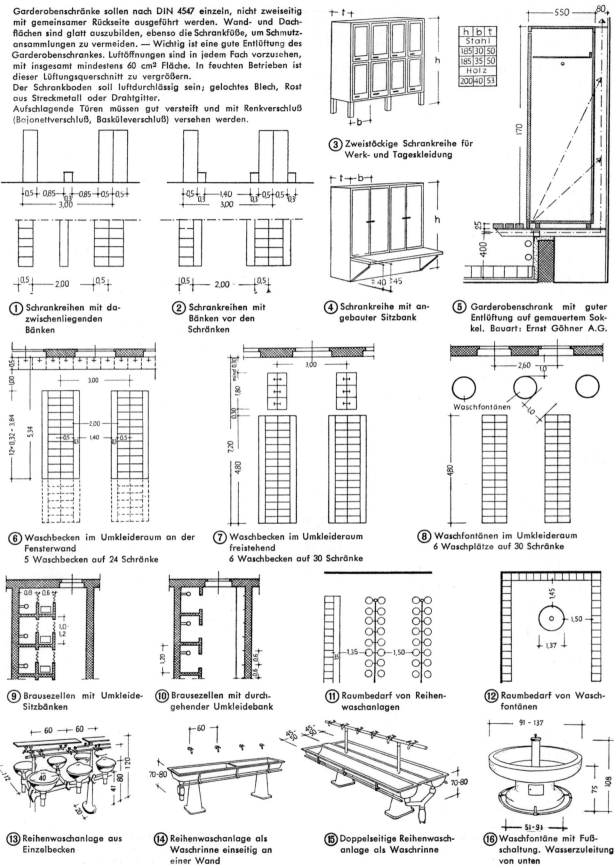

h	b	t
Stahl		
185	30	50
185	35	50
Holz		
200	40	53

① Schrankreihen mit dazwischenliegenden Bänken

② Schrankreihen mit Bänken vor den Schränken

③ Zweistöckige Schrankreihe für Werk- und Tageskleidung

④ Schrankreihe mit angebauter Sitzbank

⑤ Garderobenschrank mit guter Entlüftung auf gemauertem Sokkel. Bauart: Ernst Göhner A.G.

⑥ Waschbecken im Umkleideraum an der Fensterwand
5 Waschbecken auf 24 Schränke

⑦ Waschbecken im Umkleideraum freistehend
6 Waschbecken auf 30 Schränke

⑧ Waschfontänen im Umkleideraum
6 Waschplätze auf 30 Schränke

Waschfontänen

⑨ Brausezellen mit Umkleide-Sitzbänken

⑩ Brausezellen mit durchgehender Umkleidebank

⑪ Raumbedarf von Reihenwaschanlagen

⑫ Raumbedarf von Waschfontänen

⑬ Reihenwaschanlage aus Einzelbecken

⑭ Reihenwaschanlage als Waschrinne einseitig an einer Wand

⑮ Doppelseitige Reihenwaschanlage als Waschrinne

⑯ Waschfontäne mit Fußschaltung. Wasserzuleitung von unten

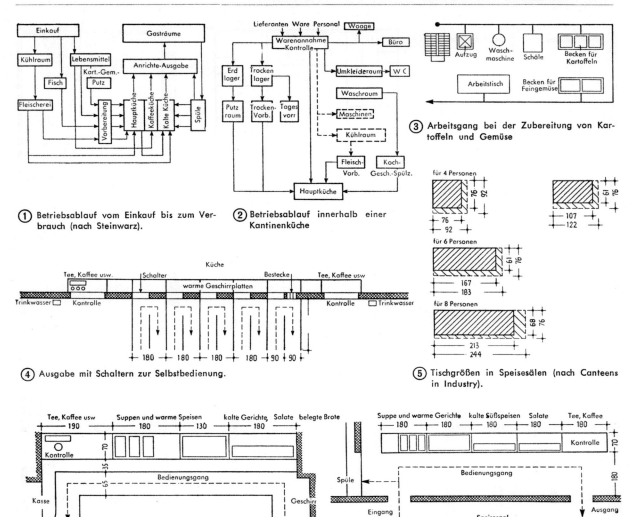

① Betriebsablauf vom Einkauf bis zum Verbrauch (nach Steinwarz).

② Betriebsablauf innerhalb einer Kantinenküche

③ Arbeitsgang bei der Zubereitung von Kartoffeln und Gemüse

④ Ausgabe mit Schaltern zur Selbstbedienung.

⑤ Tischgrößen in Speisesälen (nach Canteens in Industry).

⑥ Ausgabe mit Bedienungsgang für Selbstbedienung.

⑦ Ausgabe für Bedienung durch Personal.

Küchen:

Die Abb. 1 und 2 enthalten zwei Beispiele für den Betriebsablauf in Kantinenküchen.

Platzbedarf: Für eine Mindestzahl von 200 Personen:
 (nach Heideck-Leppin)
a) Küche mit Putz- und Spülküche . . . . 35–40 qm
b) Vorratsräume . . . . 50–60 qm
Für weitere je 200 Personen:
a) Küche mit Putz- und Spülküche . . . 13–15 qm
b) Vorratsräume . . . . 20–22 qm

Die Vorratsräume gliedern sich auf (nach „Canteens in Industry") für je 100 Mahlzeiten:

Trockenvorräte	2,8– 3,7 qm
Speisekammer	1,1– 1,4 qm
Gemüselager	1,5– 1,9 qm
Töpfe, Geschirr, usw. . . .	1,3– 1,5 qm
Putzzeug	1,1– 1,3 qm
Abfall, Ausgüsse	1,5– 1,9 qm
	9,3–11,7 qm

Raumbedarf in Speisesälen (nach „Canteens in Industry")

Personen je Tisch	Maße (cm)	Stühle (cm)		Sitzkapazität und Raumbedarf in m² für Personen			
		Breite	Tiefe	100	250	500	1000
4	107 × 107	61	61	140	350	700	1395
4 od. 6	92 × 92 122 × 76 183 × 76	45	56	112	280	558	1116
8 od. 6	268 × 68 160 × 68	40	54	93	233	465	930
12 od. 16	275 × 69 366 × 69	35	35	56	140	279	558

Raumbedarf in Speiseräumen:

1,0 bis 1,5 qm je Sitzplatz. Abhängig von der Größe und Anordnung der Tische. Belegschaft kann in 2 bis 3 Schichten essen, um den Raumbedarf geringer werden zu lassen. Anordnung langer Tische ist raumsparender als kleinere Einzeltische. Tischgrößen s. Abb. 4. Bei Selbstbedienung der Belegschaft muß eine geeignete Essenausgabe vorgesehen werden. Abb. 5 bis 7.

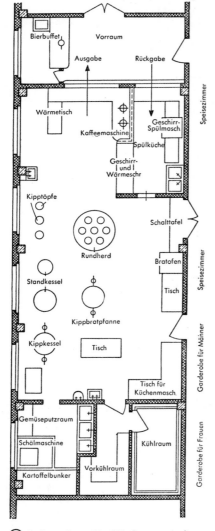

⑧ Küchenanlage für 700 Personen mit Kochküche, Anrichte, Spüle, Kühlräumen und Vorbereitung

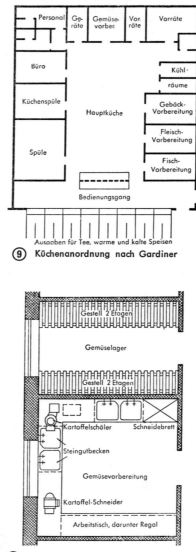

⑨ Küchenanordnung nach Gardiner

⑩ Küchenanlagen nach Gardiner

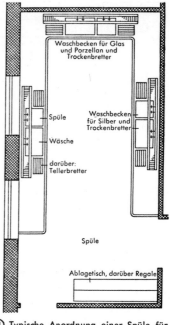

⑪ Typische Anordnung einer Spüle für 400 Personen

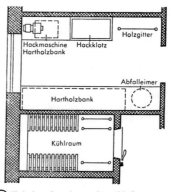

⑫ Fleischvorbereitung für 400 Personen

Kücheneinrichtungen (nach Steinwarz)

für 25 Mahlzeiten: 1 Wirtschaftsherd mit 4 Kochstellen und Bratofen, Fleischwolf, Kaffeemühle, Brotschneidemaschine, Passiermaschine, Universal-Küchenmaschine.

für 50 Mahlzeiten: Wirtschaftsherd mit 6 Kochstellen, Bratofen und Wärmeschrank. Küchenmaschinen wie oben. Zusätzlich: kleine Kartoffel-Schälmaschine.

für 100 Mahlzeiten: Herd von 2 m Länge mit 2 Bratöfen und 1 Wärmeschrank. Wasserbad.

oder 1 Kessel, 125 l, mit zugehörigen Einsätzen für Kartoffeln, Gemüse, Fleisch, Fisch.

oder Herd mit 6–10 Kochstellen verschiedener Größe mit Bratofen.

oder Tischherd mit 6–10 Kochstellen und getrennt aufgestellter Bratofengruppe.

dazu: 1 Wärmeschrank in der Essenausgabe.

Sonstige Küchenmaschinen: Wie oben. Dazu Küchen-motor mit Aufsteckgeräten, Gemüse-Zerkleinerungsmaschine, Aufschnitt-Schneidemaschine.

Spüleinrichtung:

für 25 Essen: Warmwasserapparat, 2teiliger Spültisch, Ausguß.

für 50 Essen: Geschirrspüle, 2–3teilig (je nach Raum), Warmwasserapparat, Ausguß.

für 100 Essen: 3teilige Geschirrspüle, Warmwasserapparat, Ausguß, evtl. Wärmetisch für Teller.

Die Abb. 8–12 zeigen einige typische Anlagen und Einrichtungen von Kantinenküchen. Zuordnung der Nebenräume, wie Spüle, Vorräte, Vorbereitung, möglichst unmittelbar neben der Kochküche.

Lit.: Steinwarz: Speiseräume und Küchen im gewerblichen Betrieb. — E. D. Mills: The Modern Factory. — C. G. Gardiner: Canteens At Work. — Canteens In Industry, Industrial Welfare Society. — Heideck-Leppin: Industriebau.

GESETZE, VERORDNUNGEN UND VORSCHRIFTEN FÜR DEN INDUSTRIEBAU

A. Gesetze

Aus dem BGB (Bürgerliches Gesetzbuch) sind folgende Paragraphen zu beachten:

§ 618	Räume usw. so einrichten, daß keine Gefahr für Leben und Gesundheit der Benutzer besteht.	§ 907	Unzulässige Einwirkungen auf Grundstücke durch Anlagen auf Nachbargrundstücken.
§§ 903—924	Pflichten und Rechte der Eigentümer von Grundstücken	§ 908	Gefährdung von Grundstücken durch Einsturz von benachbarten Gebäuden.
	Insbesondere:	§ 909	Ausbildung von Stützmauern.
§ 905	Rechte des Eigentümers an seinem Grundstück.	§ 912	Grenzüberschreitungen (Überbau).
§ 906	Zuführung von Gasen, Dämpfen, Rauch, Ausbreitung von Erschütterungen.	§ 917	Verbindungen von Grundstücken mit öffentlichen Wegen.

Die Verleihung von Rechten an Wasserläufen (Hafen, Stichkanal, Anlegestelle mit baulichen Vorrichtungen, Stauanlagen, Wasserentnahme- und -zuführung) ist im Preußischen Wassergesetz vom 7. April 1913 festgelegt. An neuen Gesetzen über Wasserrecht und Wasserwirtschaft wird seit Jahren gearbeitet.

B. Länder- und Städtebauverordnungen

Die Länder- und Städtebauverordnungen haben Gesetzes-Charakter
Z. B.: Landesbauordnung für das Land Oldenburg vom 8. Dez. 1937.
Bauordnung für den Siedlungsverband Ruhrkohlenbezirk vom 1. Juni 1946.
Landesbauordnung Schleswig-Holstein vom 1. August 1950.
Bayrische Bauordnung vom 17. Februar 1901.
Die gewerbliche Nutzung wird gestattet auf Grund des städtebaulichen Teilplanes (Bebauungsplan, Durchführungsplan oder ähnliches) oder des Baunutzungsplanes. In diesen Plänen können Gebiete ausschließlich für gewerbliche Zwecke ausgewiesen werden (Gewerbegebiete) oder die gewerbliche Nutzung beschränkt werden (reine Wohngebiete, Mischgebiete). Die Festsetzung erfolgt auf der rechtlichen Grundlage der Verordnung über die Regelung der Bebauung von 1936. Eine Sonderstellung nimmt die Verordnung über Garagen und Einstellplätze (Reichsgaragenordnung) vom 17. Februar 1939 ein, die in allen Ländern der Bundesrepublik einheitlich gilt.

C. Unfallverhütungsvorschriften

Die Unfallverhütungsvorschriften werden von den jeweiligen Berufsgenossenschaften herausgegeben.

Z. B. Unfallverhütungsvorschriften der:
Berufsgenossenschaft der keramischen und Glas-Industrie
Hütten- und Walzwerks-Berufsgenossenschaft
Maschinen- und Kleineisenindustrie-Berufsgenossenschaft
Textil- und Bekleidungs-Berufsgenossenschaft
Bau-Berufsgenossenschaft (Ausgabe 1949). Sie enthält Vorschriften über die Baudurchführung

Die Gewerbeaufsichtsämter überwachen die Einhaltung der Unfallverhütungsvorschriften der Berufsgenossenschaften mit Ausnahme der Vorschriften der Bau-Berufsgenossenschaft sowie der Vorschrift über Gerüste. Die Beachtung dieser letztgenannten Vorschriften wird von den Bauaufsichtsämtern überprüft.

D. Erlasse, Verordnungen u. dgl. gewerbepolizeilichen Inhalts

Aus der Reichsgewerbeordnung vom 26. Juli 1900, die laufend ergänzt wurde, sind besonders zu nennen:

§ 16	Genehmigung von Anlagen, die die Nachbarschaft belästigen können.	§ 24	Anlage und Betrieb von Dampfkesseln.
§ 23	Stauanlagen für Wassertriebwerke.	§ 27	Geräuschbelästigung.
		§ 120	Herstellung von Betriebsräumen.

Für folgende gewerbliche Betriebe und Anlagen bestehen Gesetze, Verordnungen, Vorschriften, Richtlinien usw.

Bleifarben und Bleiverbindungen.
Fabriken zur Herstellung von Bleifarben
Sackfabriken i. d. Thomasmehlsäcke wiederhergestellt werden
Aufenthalts-, Speise- und Waschräume,
Kleiderablagen und Aborte
Azetylenanlagen (Fabriken)
Kraftmaschinen (bewegliche)
Zellhorn (Zelluloidwaren)
Massenquartiere der Arbeiter
Elektrische Anlagen
Küchen (gewerbliche)
Röntgenfilme
Sprengstoffe
Glasverarbeitung
Aufzüge (Fahrstühle)
Dampffässer

Äthyläther
Wassergas und Halbwassergasanlagen einschließlich der Sauggasanlagen
Thomasmehlmühlen und Lagerräume für Thomasmehl
Brennbare Flüssigkeiten (Mineralöle und Lagertanks)
Buchdruckereien (Schriftsetzereien)
Mahlmühlen und Getreidelagerräume
Zinkhütten und Zinkerzrösthütten
Kraftwageneinstellräume
Akkumulatoren
Lumpensortierereien
Roßhaarspinnereien
Zigarrenfabriken
Bleihütten
Benzinwäschereien

Jutespinnereien
Ammonsalpeter
Lüftung von Arbeitsräumen in Gewerbe- und Fabrikbetrieben und von großen Küchen
Trocknereien landwirtschaftlicher Erzeugnisse
Gewerbliche Werk- und Lagerstätten
Gummivulkanisieranstalten
Spiegelbeleg-Anstalten
Staublungenerkrankungen (Silikose)
Brennbare Flüssigkeiten
Kälteanlagen
Metallbeizereien
Spinnereien
Alkali-Chromate
Haarhutfabriken
Arsen-Wasserstoff
Knallquecksilber
Dampfkessel

E. Teilweise Zusammenstellung der für vorstehende Betriebe und Anlagen gültigen Gesetze und Verordnungen in

Schürmann, Heinrich: Sonderbauordnungen, Werner-Verlag GmbH, Düsseldorf 1955.
Kreher-Wohland: Planung gewerblicher Bauten, Bayer. Schulbuch-Verlag, München 1949.

Baltz-Fischer: Preußisches Baupolizeirecht, Carl Heymanns Verlag KG, Berlin 1954 (Unveränderte Ausgabe vom Stand 1938).

DIN - NORMBLATT - VERZEICHNIS (AUSZUG)

Bei den Normblättern ist stets die letzte Ausgabe maßgebend. Die mit einem Stern (*) versehenen Normen sind Richtlinien für die Bauaufsichtsämter. Die übrigen Normen gelten als Hinweise.

I. Maßordnung, Zeichen und Zeichnungen im Bauwesen

DIN	Ausgabe	
107	5. 39	Links- und Rechtsbezeichnung im Bauwesen.
1080	(9. 54)	Zeichen für Festigkeitsberechnungen im Bauingenieurwesen (Entwurf).
1356	6. 31	Bauzeichnungen im Hochbau (in Neubearbeitung).
4171	5. 55	Industriebau, Achsenabstände und Geschoßhöhen.
4172	6. 55	Maßordnung im Hochbau.

II. Lastenannahmen

1055*	6. 40	Bl. 1 Lastannahmen für Bauten; Bau- und Lagerstoffe, Bodenarten und Schüttgüter.
	8. 43	Bl. 2 —, Eigengewicht von Bauteilen.
	2. 51	Bl. 3 —, Verkehrslasten.
	6. 38	Bl. 4 —, Windlast.
	12. 36	Bl. 5 —, Schneelast.

III. Grundbau

1054*	8. 40	Zulässige Belastung des Baugrundes und der Pfahlgründungen.
4019	5. 55	Baugrund; Setzungsberechnung bei lotrechter, mittiger Belastung, Richtlinien.
4021	5. 55	Baugrund und Grundwasser; Erkundung, Bohrungen, Schürfe, Probenahme, Grundsätze.
4021	5. 55	Baugrund und Grundwasser; Erkundung, Bohrungen, Schürfe, Probenahme, Grundsätze.
4022	2. 55	Schichtenverzeichnis und Benennen der Boden- und Gesteinsarten, Baugrunduntersuchungen.
4023	2. 55	Baugrund- und Wasserbohrungen; Zeichnerische Darstellung der Ergebnisse.

IV. Mauerwerksbau

1053	12. 52	Mauerwerk, Berechnung und Ausführung.
105	1. 52	Mauerziegel; Vollziegel und Lochziegel.
106	10. 41	Kalksandsteine (Mauersteine).
18151	9. 52	Hohlblocksteine aus Leichtbeton.
18152	9. 52	Vollsteine aus Leichtbeton.

V. Holzbau

1052*	10. 47	Holzbauwerke, Berechnung und Ausführung.
4070 bis	11. 38	Holzabmessungen; Kantholz, Balken, Dachlatten, Bretter und Bohlen, Spundung von gehobelten und rauhen Brettern, gehobelte
4073	5. 37	Bretter, Bohlen und verleimte Platten.
4074*	3. 39	Bauholz, Gütebedingungen (in Neubearbeitung).
1101*	1. 52	Holzwolle-Leichtbauplatten, Abmessungen, Eigenschaften und Prüfung.
1102	1. 52	Holzwolle-Leichtbauplatten nach DIN 1101, Richtlinien für die Verwendung im Hochbau.
52175	6. 54	Holzschutz, Grundlagen, Begriffe.
68800	(4. 55)	Holzschutz im Hochbau (Entwurf).
68701	8. 54	Holzpflaster. Beschaffenheit, Maße, Lieferung, Verlegung von rechteckigem Holzpflaster.

VI. Stahlbau

1050*	10. 46	Stahl im Hochbau, Berechnungsgrundlagen.
	6. 47	Bl. 2 Altstahl im Hochbau, Richtlinien für die Aufarbeitung und Verwendung.
1051*	2. 37	Grauguß im Hochbau, Berechnungsgrundlag.
4100*	8. 34	Geschweißte Stahlhochbauten, Vorschriften.
4114*	7. 52	Bl. 1 Stahlbau, Stabilitätsfälle (Knickung, Kippung, Beulung), Berechnungsgrundlagen, Vorschriften, Bl. 2 —, Richtlinien.
1000	(7. 54)	Stahlbauten außer Eisenbahn- und Straßenbrücken. Ausführung (Entwurf).
1005 bis	3. 24	Stahl-Fachwände, Anschluß der Riegel an I-Stiele. Bleche und U-Stiele. Belastungsbrei-
1007	4. 28	ten für Winddruck.

DIN	Ausgabe	
1003 bis	3. 24	Pfettenbefestigung. Gerberpfetten; Gelenke; Ausbildung und Tragfähigkeit. Bei gleichbleibendem Binderabstand, mit erhöhten Profilen der Endfelder, mit Verstärkung in den End-
1012	3. 24	feldern, bei verkürztem Binderabstand in den Endfeldern.
1034	3. 25	Bl. 1, Bl. 2, Darstellung von Einzelheiten bei Stahlkonstruktionen.
4113	(3. 55)	Aluminium im Hochbau. Richtlinien für Ausführung und Bemessung (Entwurf).
4115*	8. 50	Stahlleichtbau und Stahlrohrbau im Hochbau, Vorläufige Richtlinien für die Zulassung, Ausführung, Bemessung.

VII. Stahlbetonbau

1044	43	Stahlbetonbau, Einheitliche Bezeichnungen.
1045*	43	Bestimmungen für Ausführung von Bauwerken aus Stahlbeton (Ergänzung zu DIN 1045 und DIN 1047, Ausgabe 1. 55, Tragende Wände aus Beton- und Stahlbeton im Hochbau).
1046*	43	Bestimmungen für Ausführung von Stahlsteindecken.
1047*	43	Bestimmungen für Ausführung von Bauwerken aus Beton.
4024	1. 55	Stützkonstruktionen für rotierende Maschinen.
4028*	10. 38	Stahlbetonhohldielen, Bestimmungen für Herstellung und Verlegung.
4030	9. 54	Beton in betonschädlichen Wässern u. Böden.
4225*	2. 51	Fertigbauteile aus Stahlbeton, Richtlinien für Herstellung und Verwendung.
4227*	10. 53	Spannbeton, Richtlinien für Bemessung und Ausführung.
4229*	7. 50	Tragwerke aus Glasstahlbeton, Grundsätze für die Ausführung.
4231*	7. 49	Instandsetzung beschädigter Stahlbetonhochbauten, Richtlinien für Ausführung und Berechnung.
4237	(10. 53)	Massive Rohdecken, Achsmaße, Deckendicken (Entwurf)
4239	4. 54	Verbundträger-Hochbau. Richtlinien für die Ausbildung und Bemessung.

VIII. Bauteile

272	6. 43	Bl. 1. Steinholz, Industrie- und Stampfböden.
		Bl. 2 —, Steinholzfußböden.
		Bl. 3 —, Steinholzunterböden.
		Bl. 4 —, Untergrund.
		Bl. 5 —, Prüfbestimmungen.
1100	3. 41	Hartbetonbeläge, Hartbetonstoffe.
4103*	6. 50	Leichte Trennwände, Richtlinien für die Ausführung.
4121	8. 51	Hängende Drahtputzdecken (Rabitzdecken).
4162	10. 45	Wandbauplatten aus Ziegelsplitt.
18162	5. 54	Wandbauplatten aus Leichtbeton.
18163	6. 54	Wandbauplatten aus Gips.
18223	(2. 53)	Tür- und Toröffnungen für den Industriebau (Öffnungsgrößen) (Entwurf).

IX. Sonderbauwerke

1056*	8. 40	Bl. 1 Freistehende Schornsteine, Grundlagen für die Ausführung. Bl. 2 —, Bestimmungen für die Prüfung von Mauerwerk und Beton.
1057	8. 40	—, Schornsteinmauersteine.
1058	(10. 44)	Bl. 1 Säureschornsteine, Berechnung und Bauarten (Entwurf). Bl. 2 —, Bauausführung.
4230*	6. 44	Rohrbrücken aus Stahlbeton, zweigeschossig, für die chemische Industrie, Abmessungen und Lastannahmen.

X. Schutz gegen Feuchtigkeit, Wärme, Kälte, Schall, Erschütterungen

DIN	Ausgabe	
4031	7. 32	Wasserdruckhaltende Dichtungen für Bauwerke aus nackten Teerpappen oder nackten Asphaltbitumenpappen.
4117*	6. 50	Abdichtung von Hochbauten gegen Erdfeuchtigkeit, Richtlinien.
4108*	7. 52	Wärmeschutz im Hochbau.
4109*	4. 44	Schallschutz im Hochbau.
4150	7. 39	Erschütterungsschutz im Bauwesen.

XI. Heizung und Lüftung

285	12. 40	Feuerungsanlagen, Industrieöfen und freistehende Schornsteine.
2429	4. 25	Bl. 1, Bl. 2, Bl. 3, Bl. 4 Sinnbilder für Rohrleitungen.
4701	7. 47	Wärmebedarf von Gebäuden, Regeln für die Berechnung.
4702	2. 44	Kessel von Heizungsanlagen, Regeln für die Berechnung.
44920	12. 47	Leistungsaufnahme von Heizkörpern für industrielle und gewerbliche Verwendung.
1946	3. 51	Lüftung von Versammlungsräumen.
18017	8. 52	Lüftung innenliegender Bäder und Spülaborte durch senkrechte Schächte und Querkanal ohne Motorenkraft.

VDI-Lüftungsgrundsätze für Bauherrn, Architekten und Lüftungsfachleute; VDI-Richtlinien:

2301		Lüftung von Arbeitsräumen in Gewerbe- und Fabrikbetrieben.
2302		Lüftung von großen Küchen.

XII. Belichtung, Beleuchtung, Befensterung.

5034	11. 35	Tagesbeleuchtung; Leitsätze.
5035	7. 53	Innenraumbeleuchtung mit künstlichem Licht, Leitsätze.
5039	5. 55	Licht, Lampen, Leuchten; Begriffe, Grundeinteilung.
5040	(1. 54)	Leuchten für Beleuchtungszwecke; Begriffe, Grundeinteilung (Entwurf).
5041	1. 47	Leuchten für Leuchtzwecke; Begriffe, Grundeinteilung.
1001 bis 1004	7. 21 7. 21	Eiserne Fenster für Scheiben 18×25 cm, 25× 36 cm, 36×50 cm.
4440 bis 4450	6. 48	Stahlfenster-Profile.
4451	10. 44	Stahlprofile für kittlose Verglasungen.
1249	8. 52	Tafelglas; Dicken, Sorten, Maßangaben.

XIII. Feuerschutz, Blitzschutz

4102*	11. 40	Bl. 1 Widerstandsfähigkeit von Baustoffen und Bauteilen gegen Feuer und Wärme, Begriffe. Bl. 2 —, Einreihung in die Begriffe. Bl. 3 —, Brandversuche. (In Neubearbeitung).
18081	10. 53	Feuerbeständige Stahltüren (F b 1 — Tür), einflügelig.
18082	(4. 54)	Feuerhemmende Stahltür, einflügelig (Entw.).
18083	(2. 55)	Feuerbeständ. Stahltür, zweiflügelig (Entw.).
48801 bis 48860	4. 52	Blitzableiter, Erdungsanlagen; Leitungen, Werkstoffe, Verarbeitungsrichtlinien.

XIV. Wasserversorgung und Abwasserbeseitigung

1988	3. 55	Wasserversorgungsanlagen, Wasserleitungsanlagen in Grundstücken, Bau und Betrieb.
4263	6. 47	Leitungsquerschnitte des Wasserbaus.
2425	2. 40	Rohrnetzpläne der Gas- und Wasserversorgung, Richtlinien.
19625	12. 54	Großwasserzähler für kaltes Wasser.
1986	2. 42	Grundstücksentwässerungsanlagen, Technische Vorschriften für Bau und Betrieb.
1987	2. 55	Entwässerung der Grundstücke und Anschluß an die gemeindliche Abwasseranlage.
1997	8. 51	Absperrvorrichtungen in Grundstücksentwässerungsanlagen, Baugrundsätze.

DIN	Ausgabe	
1999	8. 52	Bl. 1 Benzinabscheider, Baurichtlinien. Bl.2 —, Einbau, Größe und Betrieb, Richtlin.
4040	(4. 52)	Fettabscheider, Baugrundsätze (Entwurf).
4261	2. 42	Grundstückskläranlagen, Vorläufige Richtlinien für Anwendung, Bau und Betrieb.

XV. Krane und Aufzüge

120*	11. 36	Bl. 1 Stahlbauteile von Kranen und Kranbahnen, Berechnungsgrundlagen. Bl. 2 Grundsätze für die bauliche Durchbildung.
536	5. 41	Kranschienen.
15301	8. 50	Tragkräfte, Fahrgeschwindigkeiten für Personen- und Lastenaufzüge.
15305	9. 52	Lastenaufzüge, Fahrkorb- und Schachtabmessungen (Entwurf).
15306	9. 52	Personenaufzüge, Fahrkorb- und Schachtabmessungen (Entwurf).
15307	1. 53	Personen-Umlaufaufzug, für 2 Personen je Fahrkorb, Fahrkorb- und Schachtabmessungen.
15308	12. 52	Personen-Umlaufaufzüge, Förderhöhen, Gesamthöhen.
15021	4. 51	Krane und Winden, Tragkräfte.
15022	4. 51	Krane; Arbeitsgeschwindigkeiten, Hubhöhen, Richtlinien.
15023	4. 51	Krane; Ausladungen.

XVI. Neue Bauarten

4110	7. 38	Zulassung neuer Bauweisen, Technische Bestimmungen (in Neubearbeitung).

XVII. Farbgebung

1843	5. 52	Anstrich von Maschinen; Farben.
2403	12. 53	Kennzeichnung von Rohrleitungen nach dem Durchflußstoff.
2404	12. 42	Kennfarben für Heizungsrohrleitungen.
4818	12. 53	Farben für Gefahrenstellen, Sicherheitseinrichtungen und wichtige Hinweise (Sicherheitsfarben).
5381	7. 41	Kennfarben für Schilder, Behälter, Leitungen, Maschinen, Geräte, Bedienteile usw.

XVIII. Bauausführung

276*	3. 54	Kosten von Hochbauten.
277*	11. 50	Hochbauten, Umbauter Raum, Raummeterpreis.
1960	11. 52	Teil A der VOB; Allgemeine Bestimmungen für die Vergebung von Bauleistungen.
1961	11. 52	Teil B der VOB; Allgemeine Vertragsbedingungen für die Ausführung von Bauleistungen.
18300 bis 18384	7. 55	Teil C der VOB; Technische Vorschriften für Bauleistungen im Hochbau (wird ergänzt).

Allein-Verkauf der Normblätter durch Beuth-Vertrieb GmbH, Berlin W 15, Uhlandstraße 175 und Köln, Friesenplatz 16.
Auskünfte über den Stand und die Weiterführung der in- und ausländischen Normungsarbeiten erteilen:

die Geschäftsstelle des Deutschen Normenausschusses
(1) Berlin W 15, Uhlandstraße 175

sowie die Zweigstellen
(1) Berlin W 8, Kronenstraße 3
(22c) Köln, Friesenplatz 16.

XIX. Literatur

Deutscher Normen-Ausschuß	DIN-Normblatt-Verzeichnis, Berlin 1953 (erscheint jährlich)
Gottsch-Hasenjäger	Technische Baubestimmungen, 4. Auflage, Köln 1954 (wird vierteljährlich ergänzt)
Wedler, B.	Berechnungsgrundlagen für Bauten, 22. Aufl., Berlin 1953
Deutscher Ausschuß für Stahlbeton	Bestimmungen des Deutschen Ausschusses für Stahlbeton, 6. Aufl., Berlin 1955
Verein Deutscher Eisenhüttenleute	Stahl im Hochbau, 12. Aufl., Düsseldorf 1953

LITERATURVERZEICHNIS

Entwicklung und Geschichte

DEUTSCHER WERKBUND. Jahrbuch des Deutschen Werkbundes: Wege und Ziele in Zusammenhang von Industrie, Handwerk und Kunst. Jg. 1912, Jena
Jahrbuch des Deutschen Werkbundes: Die Kunst in Industrie und Handel. Jg. 1913, Jena, mit den Aufsätzen:
GROPIUS, W., Die Entwicklung moderner Industriebaukunst
MUTHESIUS, H., Das Formproblem im Industriebau, Jahrbuch des Deutschen Werkbundes: Der Verkehr. Jg. 1914, Jena
LINDNER, W. Bauten der Technik. Berlin 1927
LINDNER, W. und G. STEINMETZ. Die Ingenieurbauten in ihrer guten Gestaltung. Berlin 1923
MATSCHOSS, C Beiträge zur Geschichte der Technik und Industrie. Berlin 1921-1932
MATSCHOSS, C. und W. LINDNER. Technische Kulturdenkmale. München 1932
OSTHUS, H. Neugestaltung der Industriebauten. Stuttgart 1937
SCHULTZE-NAUMBURG, P. Die Gestaltung der Landschaft durch den Menschen. München 1928
STRAUB, H. Geschichte der Bauingenieurkunst. Basel 1949

Grundlagen und Gebäudelehre

DEUTSCHER NORMENAUSSCHUSS. DIN-Normblatt-Verzeichnis, Köln (erscheint jährlich)
ARB.-GEM. D. LANDESVERBANDES DER ELEKTRIZITÄTSWERKE. Bau- und Betrieb von Heizkraftanlagen. Göttingen 1949
AUSPITZER, O. Bau und Betrieb chemischer Fabriken. Wien 1950
BAUWELT-VERLAG. Bauwelt Katalog, 15. Jg. Berlin, Wiesbaden 1954
BOURGET, P. Batiment Industriels et Commerciaux. Paris 1951
BUCKNELL, H. Industrial architecture. London, New York 1935
CHRSCHANOWSKI, S. N. Planung von Großbetrieben. Berlin 1952
DODGE CORPORATION. Time-Saver Standards. New York 1954
DUNHAM, C. W. Planning Industrial Structurs. New York 1948
ELSÄSSER, K. und H. OSSENBERG. Bauten der Lebensmittelindustrie. Stuttgart 1954
GIEDION, S. Space, Time and Architecture. Cambridge 1949
GRUNDKE, G. Die Bedeutung des Klimas für den industriellen Standort. Jena 1953
HEIDECK, E. und O. LEPPIN. Der Industriebau, Planung und Ausführung von Fabrikanlagen. Berlin 1933
HERTLEIN, H. Fabrikanlagen. (In Hütte Bd. III, 27. Aufl.) Berlin 1930
— Wernerwerk-Hochbau. Berlin 1930
— Das Schaltwerk-Hochhaus in Siemensstadt. Berlin 1930
HISCOX, W. J. Factory Lay-Out, Planning and Progress. London 1948
JÄHNE, F. Der Ingenieur im Chemiebetrieb. Weinheim 1951
LAHDE, H. Planungsleitfaden für Industrieanlagen. Düsseldorf 1954
LODDERS, R. Industriebau und Architekt und ihre gegenseitige Beeinflussung. (Schriftenreihe des BDA.) 1947
LOGIE, G. Industry in Towns. London 1952
LUCHTERHAND, H. Das gesamte Boden- und Baurecht, I. und II. Teil. Neuwied 1953 (Ergänzbare Sammlung)
LÜTH, F. Planung und Bau von Hüttenwerken. Berlin, Göttingen, Heidelberg 1952
MADDOCK, L. und G. BELLHOUSE. The Factories Act. London 1937
MAURER, H., T. MAURER, R. P. LOHSE und E. ZIETSCHMANN. Neue Industriebauten. Ravensburg 1954
MAIER-LEIBNITZ, H. Der Industriebau; Die bauliche Gestaltung von Gesamtanlagen und Einzelgebäuden. Berlin 1932
MILLS, E. D. The Modern Factory. Plymouth 1951
MITTAG, M. Baukonstruktionslehre, 4. Aufl. Gütersloh 1953
MUSIL, L. Die Gesamtplanung von Dampfkraftwerken. Berlin 1948
NELSON, G. Industrial Architecture of Albert Kahn. New York 1939
NEUENSCHWANDER, E. und C. NEUENSCHWANDER. Alvar Aalto. Zürich 1954
NEUFERT, E. Bauordnungslehre. Berlin 1943
— Bauentwurfslehre. 15. Aufl. Berlin 1954
PLANCK, R. Kühlhausbau. Karlsruhe 1950
RADOS, K. Ipari Épületek Tervezése. Budapest 1953

RAMSEY, C. G. und H. R. SLEEPER. Architectural Graphic Standards. 4. Aufl. London 1951
REID, K. Industrial Buildings. New York 1951
SCHULENBURG, A. Neuzeitliche Metallgießereien. Berlin 1955
STATISTISCHES BUNDESAMT. Die Industrie der Bundesrepublik Deutschland. Stuttgart, Köln 1953
STANGE, B. Dampfkessel- und Feuerungsanlagen. Berlin 1949
STĚPÁNEK, O. Architektura Prumyslovych Staveb. 2. Aufl. Prag 1949
SWEET'S CATALOG SERVICE. Industrial Construction File (erscheint jährlich). New York 1954
SCHWEDISCHER BAUDIENST. Svensk Byggkatalog (erscheint alle zwei Jahre). Stockholm 1954
THIEL, G. Der Säurebau. Berlin 1951
VISCHER, J. und L. HILBERSEIMER. Beton als Gestalter. Stuttgart 1928
VOLKART, H. Schweizer Architektur. Ravensburg 1951

Soziale und Sanitäre Räume, Arbeitshygiene

GARDINER, G. C. Canteens at Work. Oxford 1941
HINDEN, R. Brause-Anlagen. Düsseldorf 1950
INDUSTRIAL WELFARE SOCIETY. Canteens in Industry. Westminster 1947
— Works Lavatories. London 1949
KOELSCH, F. Lehrbuch der Arbeitshygiene. Stuttgart 1954
LUTZ, G. Gewerbehygiene. Stuttgart 1947
PLATTY, F. A. Industrial Hygiene and Toxicology. New York und London 1948/49
SCHNEIDER, A. Großküchen — Werksküchen. Düsseldorf 1953
STEINWARZ, H. Der Umkleideraum, Wasch- und Baderaum in gewerblichen Betrieben. Berlin 1940
— Speiseräume und Küchen in gewerblichen Betrieben. Berlin 1938

Farbgebung

BAIERL, F. Ordnung und Sicherheit im Betrieb durch Farben. Düsseldorf 1953
BIRREN, F. Selling with Color. New York 1945
BIRREN, F. Color Psychology and Color Therapy. New York 1950
DU PONT, E. L. Color conditioning for industry. Wilmington 1946
FRIELING, H. und X. AUER. Mensch, Farbe, Raum: Angewandte Farbenpsychologie. München 1954
FRIELING, H. Farbenkarte für psychologische Raumgestaltung und Farbendynamik. Göttingen 1954
FRIELING, H. Die Sprache der Farben. München, Berlin 1939
KOCH, H. Licht und Farbe im Betrieb. Soest 1951
LUCKIESH, M. Light and Color in Advertising and Merchanising. New York 1923
LÜSCHER, M. Psychologie der Farben. Basel 1949
NATIONAL SAFETY COUNCIL. Color in Industry. Chicago 1950
RICHTER, M. Bibliographie der Farbenlehre. Göttingen 1952
PITTSBURGH PLATE GLASS CO. Color Dynamics for Industry. Pittsburgh 1949
WILSON, R. F. Farbe, Licht und Arbeit. Göttingen 1954

Feuerschutz, Unfallschutz, Vorschriften

AUSSCHUSS FÜR BLITZABLEITERBAU. Blitzschutz. Berlin 1951
DOORENTZ, R. Bauwerk im Großbrand. Berlin 1952
GEISSENHÖNER, G. Unfallverhütung bei der Planung von Gebäuden. Berlin 1949
GOTTSCH, H. und S. HASENJÄGER, Technische Baubestimmungen. 4. Aufl. (Ergänzbare Sammlung) Köln 1954
GROBHOLZ, K. Bau- und Feuersicherheit. München 1953
INT. ARBEITSAMT (BUNDESMINISTERIUM FÜR ARBEIT). Muster-Sicherheitsvorschriften für gewerbliche Anlagen. Genf 1949
KREHER, L. und E. WOHLAND. Planung gewerblicher Bauten. München 1949
SCHÜRMANN, H. Sonderbauordnungen. Düsseldorf 1955
WEDLER, B. Berechnungsgrundlagen für Bauten. Berlin 1953
WEDLER, B. und O. LUETKENS. Bauten im Bergsenkungsgebiet. Berlin 1948
LÜCKE, O. R. Feuerschutz und Sicherheit in gewerblichen Betrieben. Berlin 1952

Verkehr und Transport

AUMUND, H. Hebe- und Förderanlagen. Berlin, Göttingen, Heidelberg 1950

ERNST, H. Die Hebezeuge. Braunschweig 1950/53

DEUTSCHE BUNDESBAHN. Allgemeine Bedingungen für Privatgleisanschlüsse (PAB) vom 1. Jan. 1955

FREYMARK, H.-U. Das Förderwesen in den Werkstätten des Stahlbaues und des Behälterbaues. Bremen 1949

HAMANN, W. Moderne Transporteinrichtungen in den USA. Wien 1952

HEIDEBROEK, E. Fördertechnik für Massengüter. Halle 1953

KÜMMEL. O. Die Privatgleisanschlüsse der Deutschen Reichsbahn in technischer Hinsicht. Berlin 1931

NEHSE, H. Die Privatgleisanschlüsse der Deutschen Reichsbahn in rechtlicher Hinsicht. Berlin 1931

RICKEN, T. Fördermittel für Bearbeitungs- und Zusammenbauwerkstätten. München 1949

Wasserversorgung und Abwasserbeseitigung

BAHLSEN, H. Das Wasser. Betrachtungen über seine Verwendung für häusliche und industrielle Zwecke. München 1952

BRIX, J., H. HEYD und E. GERLACH. Die Wasserversorgung. 5. Aufl. München 1952

HOSANG, W. Stadtentwässerung. 2. Aufl. Stuttgart 1953

HUSMANN, W. Vom Wasser. Jahrbuch für Wasserchemie und Wasserreinigungstechnik. Weinheim 1952

IMHOFF, K. Taschenbuch der Stadtentwässerung. 15. Aufl. München 1951

KLEIN, R. Die Aufbereitung der Industrie- und Gebrauchswässer. Essen 1948

LEICK, J. Das Wasser in der Industrie und im Haushalt. Dresden 1949

LIEBMANN, H. Handbuch der Frischwasser- und Abwasserbiologie. München 1951

MEYER, A. F., LANGBEIN, F. und H. MÜHLE. Trinkwasser und Abwasser. Berlin, Göttingen, Heidelberg 1949

SIERP, F. Die gewerblichen und industriellen Abwässer. Berlin, Göttingen, Heidelberg 1953

Ausbau (Belichtung, Belüftung, Beheizung, Installation, Schallschutz)

BEHRE, A. Chemisch-physikalische Laboratorien und ihre neuzeitlichen Einrichtungen. Leipzig 1950

CAMMERER, J. S. Der Wärme- und Kälteschutz in der Industrie. 2. Aufl. Berlin, Göttingen, Heidelberg 1951

COLEMAN, H. S. Laboratory Design. New York 1951

CORDS-PARCHIM, W. Technische Bauhygiene. Leipzig 1953

FABER, R. und B. Kell. Heating and Air Conditioning. New York 1943

FACHAUSSCHUSS FÜR LÜFTUNGSTECHNIK DES VDI. Lüftungsgrundsätze. Düsseldorf 1953

GÖHRING. O. Lüftung und Klimatisierung. Wien 1953

HEID, H. und A. KOLLMAR. Die Strahlungsheizung. Halle 1948

KOLLMAR, A. und W. LIESE. Die Heiz- und Lüftungsanlagen in den verschiedenen Gebäudearten. Berlin, Göttingen, Heidelberg 1954

KOCH, H. Lüftungs- und Absaugungsfragen im Betrieb. Soest 1953

KUFFERATH, A. Klimaanlagen für Industrie und Gewerbe. Berlin 1955

LÜBKE, E. Schallabwehr im Bau- und Maschinenwesen. Berlin 1940

OLDENHAGE, O. Raumluftfrage in der Industrie. München 1951

RECKNAGEL, H. und E. SPRENGER. Taschenbuch für Heizung und Lüftung. München 1952

RIETSCHEL, H. und H. GRÖBER. Lehrbuch der Heiz- und Lüftungstechnik. 12. Aufl. Göttingen 1950

ROTH, O. Dampfheizungen, Lüftungen und Klimaanlagen. Stuttgart 1950

SUMMERER, E. Die künstliche Beleuchtung von Innenräumen. Düsseldorf 1948

SPIESER, R. Handbuch der Beleuchtung. Basel 1950

VEREIN DEUTSCHER INGENIEURE. VDI-Richtlinien für Lärmabwehr. Berlin 1938

— VDI-Richtlinien für Heiztechnische Anlagen. Düsseldorf 1950

WEIGEL, G. Grundzüge der Lichttechnik. Essen 1952

ZELLER, W. Technische Lärmabwehr. Stuttgart 1950

— Baulicher Schallschutz. Stuttgart 1948

Grundbau

KÖGLER, F. und A. SCHEIDIG. Baugrund und Bauwerk. Berlin 1953

LUFSKY, K. Bituminöse Bauwerksabdichtung. Leipzig 1952

SCHOKLITSCH, A. Der Grundbau. Wien 1952

SCHRÖDER, H. Grundbau-Taschenbuch. Berlin 1955

SCHULTZE, E. und H. MUHS. Bodenuntersuchungen für Ingenieurbauten. Berlin, Göttingen, Heidelberg 1950

TIEDEMANN, B. Über Bodenuntersuchungen bei Entwurf und Ausführung von Ingenieurbauten. Berlin 1952

Holzbau

FONROBERT, F. Grundzüge des Holzbaues im Hochbau. Berlin 1948

GATTNAR, A. und F. TRYSNA. Hölzerne Dach- und Hallenbauten. Berlin 1954

HALASZ, R. v. Holzbautaschenbuch. 4. Aufl. Berlin 1952

STOY, W. Der Holzbau. Berlin 1950

Stahlbau

BLEICH, F. Stahlhochbauten. Berlin 1932

DEUTSCHER STAHLBAU-VERBAND. Stahlbau-Handbuch. Bremen 1952

— Schriftenreihe. Heft 1 bis 14, insbesondere: Heft 4, Stahlleichtbau. Bremen 1950. Heft 6, Das Förderwesen in den Werkstätten des Stahlbaues. Bremen 1949. Heft 14, Gestalteter Stahl. Bremen 1953

GREGOR, A. Der praktische Eisenhochbau. Berlin 1930

KERSTEN, C. Der Stahlhochbau. 5. Aufl. Berlin 1949

SCHAPER, G. Grundlagen des Stahlbaues. 7. Aufl. Berlin 1944

SCHAECHTERLE, K. Stahlbau. (In Hütte Bd. III, 27. Aufl.) Berlin 1950

STÜSSI, F. und O. WICHSER. Stahlbau. Zürich 1951

VERBAND SCHWEIZERISCHER BRÜCKENBAU- UND STAHLHOCHBAU-UNTERNEHMUNGEN. Schweizer Stahlbauten. Zürich 1952

— Konstruktionsblätter. Zürich 1949

VEREIN DEUTSCHER EISENHÜTTENLEUTE. Stahl im Hochbau. 12. Aufl. Düsseldorf 1953

Stahlbetonbau

DEUTSCHER AUSSCHUSS FÜR STAHLBETON. Bestimmungen des Deutschen Ausschusses für Stahlbeton. Stand April 1955, 6. Aufl. Berlin 1955

DEUTSCHER BETON-VEREIN. Neues Bauen in Eisenbeton. Berlin 1937

— Berichte der Hauptversammlungen (erscheinen jährlich). Berlin 1954

BETON-KALENDER. Taschenbuch für Beton und Stahlbeton (erscheint jährlich). Berlin 1954

FLÜGGE, W. Statik und Dynamik der Schalen. Berlin 1934

GIRKMANN, K. Flächentragwerke. Wien 1948

GREIN, K. Pilzdecken, Theorie und Berechnung. Berlin 1948

KERSTEN, C. Der Sahlbetonbau. 3. Bd. 19. Aufl. Berlin 1954

KLEINLOGEL, A. Bewegungsfugen i. Beton- u. Stahlbetonbau. Berlin 1954

— Fertigungskonstruktionen im Beton- und Stahlbetonbau. 3. Aufl. Berlin 1949

LEONHARDT, F. Spannbeton für die Praxis. Berlin 1955

PUCHER, A. Lehrbuch des Stahlbetonbaues. Wien 1949

Sammelwerke und Handbücher

AKADEMISCHER VEREIN HÜTTE. Hütte I, Theoretische Grundlagen. 28. Aufl. Berlin 1955

Hütte II A. Maschinenbau. 28. Aufl. Berlin 1954

Hütte II B, Maschinenbau. 28. Aufl. Berlin 1955

Hütte III, Bautechnik. 28. Aufl. Berlin. In Vorbereitung

Hütte IV, Elektrotechnik. 28. Aufl. Berlin. In Vorbereitung

Hütte V A, Verkehrstechnik. 28. Aufl. Berlin. In Vorbereitung

Hütte V B, Verkehrstechnik und Vermessungstechnik. 28. Aufl. Berlin 1955

Betriebshütte, Bd. I, Fertigung, Bd. II, Betrieb. 4. Aufl. Berlin 1954

EMPERGER, F. Handbuch für Eisenbetonbau. 14 Bde. 4. Aufl. Berlin 1934 (ab 1945 herausgegeben von H. Schröder als Handbuch für Stahlbetonbau)

OTZEN, R. Handbibliothek für Bauingenieure, 27 Bde. Berlin 1929 (ab 1950 herausgegeben von F. Schleicher)

SCHLEICHER, F. Taschenbuch für Bauingenieure. 2 Bde. 2. Aufl. Berlin 1955

STICHWORTVERZEICHNIS · INDEX · INDEX · INDICE · INDICE

DEUTSCH	ENGLISH	FRANÇAISE	ITALIANO	CASTELLANO
Fahrkorb 195, 219	cage	cage	cassa del montacarichi	Cajón del ascensor, Cabina del ascensor
Fahrradstand 137	cycle stand	stand pour bicyclettes	ripostiglio per biciclette	Puesto para guardar bicicletas
Fahrschiene 158, 218	driving rail	rail de roulement	rotaia	Riel, Carril, Rail
Faltwerk 121, 127	folding work	système pliant	costruzione piegabile	Construcción plegable
Farbe 75, 96	colour	couleur	pittura	Color
Fensterputzvorrichtung 107, 218	window cleaner	dispositif de nettoyage des fenêtres	dispositivo per la publizia della finestre	Mecanismo limpiaventanas
Feuerschutz 67, 203	fire protection	protection contre le feu	protezione contro incendi	Protección contra incendios
Flachbau 39, 119, 174	flat roof building	construction plate	costruzione bassa ad un piano	Construcción baja
Fläche 30, 76	building area	superficie couverte par les bâtiments	superfice	Superficie edificada
überbaute — 35, 61, 72			superficie con fabbricati	
Flächenbedarf 35, 61, 137	area required	superficie requise	ingombro	Superficie necesaria
Flächennutzungsplan 49	area utilization plan	plan d'exploitation des superficies	pianto di sfruttamento delle superficie	Plan de aprovechamiento de superficie
Fließband 16, 76	assembly line	tapis roulant	catena di fabbricazione	Cadena de fabricación
Fluchtrutsche 69	escape chute	couloir de secours	canalone di fuga	Tobogán de escombros
Fluchtstange 69	surveyor's rod	barre de secours	barra di fuga	Palo de bajada
Fluchtweg 69, 198	escape way	chemin de fuite	via di fuga	Camino de huida
Formänderung 113, 125, 162	change of shape	changement de forme	deformazione	Deformación
Fördereinrichtung 76, 132	conveyor	transporteur	dispositivo di trasporto	Dispositivo elevador, Dispositivo de transporte
Frischwasser 48, 66	fresh water	eau fraîche	acqua fresca	Agua fresca
Fundament 148, 164	foundation	fondation	fondamento	Cimientos
Fußboden 91, 109, 111	floor	plancher	pavimento	Suelo, Piso
-belag 197	flooring	revêtement du plancher	rivestimento del pavimento	Revestimiento del suelo
Fußweg 52, 63	foot path	sentier	marciapiede	Acera
Gebäudeachse 99	building axis	axe de l'édifice	asse dell'edificio	Eje del edificio
Gebäudeabstand 61	distance between buildings	distance entre les bâtiments	distanza fra gli edifici	Distancia entro edificios
Gebäudeflucht 106	building alignment	alignement des bâtiments	fila degli edifici	Fila de edificios
Gebäudeform 38	style of building	forme du bâtiment	forma dell'edificio	Forma del edificio
Gebäudetiefe 148	building depth	profondeur du bâtiment	profondità dell'edificio	Profundidad del edificio
Gefälle 125, 183	slope	pente	pendenza	Declive, Desnivel
Gelände 33, 51, 99, 148	land	terrain	altitudine del terreno	Terreno
Gelenk 107, 132	hinge	articulation	articolazione	Articulación
Gelenkrahmen 150, 165	linked frame	cadre articulé	telaio articolato	Pórtico articulado
Geschoß 61, 100	storey	étage	piano	Piso
Geschoßbau 38, 97, 145	storey building	construction à étages	costruzione a più piani	Construcción de pisos
Geschoßdecke 204	story ceiling	plancher entre deux étages	soffitto di piano	Sclado de los pisos
Geschoßhöhe 100, 135, 148	height between floors	hauteur d'étage	altezza del piano	Altura de los pisos
Gestaltung 27, 107, 116, 128	conformation	configuration	configurazione	Estructuración, Formación
Giebel 116, 128, 163	gable	faîte	comignolo	Frontispicio
Glas 42, 216	glass	verre	vetro	Cristal, Vidrio
Glasbaustein 42, 108, 217	glass brick	brique en verre	pietra di costruzione di vetro	Bloque de vidrio, Ladrillo de vidrio
Glasscheibe 72, 213	glass pane	vitre	lastra di vetro	Cristal, Cristal plano
Gleis 54, 139, 140, 143	rails	voie	binario	Carril, Vía
Gleisanschluß 52, 138	branch line	raccordement privé	binario di congiunzione	Vía de empalme
Gliederung 30, 59, 117	structure	arrangement	disposizione, struttura	Sección, Distribución
Grenzabstand 61	boundary distance	distance des bornes	distanza limite	Distancia al límite
Grundriß 100, 111	plan	plan	pianta	Planta, Proyección horizontal
Grundstück 35, 139	premises	terrain	terreno	Solar, Terreno
Gründung 58	foundation	fondation	fondazione	Fundación, Cimentación
Grundwasser 47, 66, 145	ground water	nappe souterraine	acqua d'infiltrazione	Agua subterránea
Hafen 49	harbour	port	porto	Puerto
Halle 39, 111, 162	hall	hangar	sala, padiglione	Nave
einschiffig 162, 168	—, single nave	—, à une nef	—, padiglione ad una navata	—, Cobertizo de una nave
mehrschiffig 118, 162, 169	—, multinave	—, à plusieurs nefs	—, padiglione a più navata	—, Cobertizo de varias naves
Handwaschbecken 91, 223	hand washing basin	bassin à laver les mains	catino per le mani	Lavabo para las manos
Handwerksgebiet 60	trade range	sphère de métier	distretto di artigianato	Recinto de artesanos
Hebezeug 76	lifting device	engin de levage	gru	Aparato elevador
Heizung 38, 80, 85	heating	chauffage	riscaldamento	Calefacción
Himmelsrichtung 99	direction	orientation	punti cardinali	Punto cardinal
Hochhaus 26	skyscraper	gratte-ciel	grattacielo, casa alta	Rascacielos
Holzbau 40, 194	timber work	construction en bois	costruzione di legno	Construcción de madera
Holzhalle 168, 169	wooden hall	hangar en bois	padiglione di legno	Nave de madera
Industriebau 13, 21, 27	industrial building	bâtiment d'industrie	edificio industriale	Edificio industrial
Industriegebiet 60	industrial area	domaine d'industrie	territorio industriale	Zona industrial
Innenraum 31, 109, 130	interior	intérieur	sala interna	Volumen cúbico interior
Installation 84, 211	installation	installation	installazione	Instalación

DEUTSCH	ENGLISH	FRANÇAISE	ITALIANO	CASTELLANO
Kanalisation 66	canalization	canalisation	canalizzazione	Canalisación
Kantine 94	canteen	cantine	spaccio,	Cantina
Kennfarbe 96	characteristic colour	couleur de marque	colore di controllo	Color de control
Kesselhaus 26, 81	boiler house	salle des chaudières	edificio delle caldaie	Caza de calderas
Klarglas 108, 216	clear glass	verre limpide	vetro chiaro	Cristal liso
Klimaanlage 83	air conditioning	climatisation	dispositivo di condiziona-mento d'aria	Acondicionamento de aire
Klosett 93, 223	W. C.	cabinet d'aisances	luogo di decenza	W. C., Retrete
Konstruktionshöhe 100, 149	height of structure	hauteur de construction	altezza della costruzione	Altura de la construcción
Korrosion 102, 112	corrosion	corrosion	corrosione	Corrosión
Kraftwerk 16, 47, 81, 85	power plant	centrale de force motrice	centrale elettrica	Central eléctrica
Kran 77, 123, 196	crane	grue	gru	Grúa
Kranbahnschiene 77, 196	crane way rail	rail du chemin de roulement	rotaia della gru	Carril de grúa
Kranbahnträger 77, 165	crane way girder	poutre de pont roulant	sopporto della rotaia della gru	Soporte de la vía (del carro) de la grúa
Kreislauf 48, 65	circulation	circulation	circolazione	Circulación
Kühlturm 27	cooling tower	tour de réfrigération	torre di raffreddamento	Torre refrigerante
Kühlwasser 46, 65	cooling water	eau de refroidissement	acqua di raffreddamento	Agua de refrigeración
Ladestelle 111, 138, 140	loading place	poste de chargement	posto di caricamento	Embarcadero
Lage 55, 60, 99, 105	situation	situation	situazione	Situación
Lagerraum 38, 89	storing room	magasin	magazzino	Almacén, Depósito
Landesplanung 18, 33	regional planning	projets de travaux à base régionale	progetti statali	Proyecto de urbanización
Längsgefälle 124, 176	longitudinal slope	pente longitudinale	inclinazione longitudinale	Pendiente longitudinal
Lastenaufzug 77, 195	goods elevator	monte-charge	montacarichi	Montacargas
Laufkran 77, 196	travelling crane	grue roulante	gru scorrevole	Grúa corredera, Puente grúa
Laufsteg 185, 196	pathway	passerelle	passerella	Andamio de trabajo, Andén de servicio, Pasarela
Leichtmetall 42, 209, 215	light metal	métal léger	metallo leggero	Metal ligero
Leitungsnetz 47, 84	distributing network	réseau	rete di conduttura	Red del alumbrado eléctrico
Licht 62, 74, 101, 114, 122	light	lumière	luce	Luz
Lichtraumprofil 124, 143, 196	clear space profile	profile de claire-voie	profile sagoma interiore	Luces, Acotaciones
Lüftung 82	ventilation	aération	ventilazione	Ventilación
Lüftungsjalousie 112	ventilating shutter	persienne d'aération	persiana di ventilazione	Persiana de ventilación
Luftschutz 62	anti-aircraft defence	défense aérienne	protezione antiaerea	Protección antiaérea
Maschinenbesatzplan 15, 84	engine staff scheme	plan pour le service des machines	pianta per posizione delle macchine	Plan de emplazamiento de la maquinaria
Maschineningenieur 13	engineer	ingénieur mécanicien	ingegnere industriale	Ingeniero industrial
Maschinenraum 195	engine room	salle des machines	locale delle macchine	Sala de máquinas
Massivbau 43	solid structure	construction pleine	costruzione massiccia	Edificación maciza, Macizo
Massivdecke 147, 156, 205	solid ceiling	plancher plein	soffitto massiccio	Losa (techo)
Maßordnung 71, 135	dimensioning	mesures	regolamento rel. alle misura	Orden de medidas
Maßstab 31, 114, 132	scale	échelle	scala	Escala (del dibujo)
Materialbedarf 194	material required	matériaux requis	materiale necessario	Material necesario
Materialverkehr 34, 76, 97	material traffic	trafic de matériaux	movimenti del materiale	Movimiento del material
Mehrzweckbau 17, 98	multi-purpose building	construction à usage varié	edificio a più scopi	Edificio para diversos fines
Mittelschiff 39, 118, 162	central nave	nef centrale	navata centrale	Nave central
Montagebau 121	assembly building	construction d'assemblage d'éléments	costruzione prefabbricata	Construcción prefabricada
Nebenfläche 35, 37	secondary area	surface accessoire	superficie laterale	Superficie lateral
Normung 71, 135, 136	standardization	standardisation	normalizzazione	Normalización,
Nottreppe 69, 106	emergency staircase	escalier de secours	scala di emergenzia	Escalera de urgencia
Nutzfläche 35, 37, 97, 121	useful area	surface utile	superficie utile	Superficie útil
Nutzlast 125	useful load	charge utile	carico utile	Carga útil
Oberfläche 30, 41	surface	surface	superficie	Superficie, Cara superior
Oberlicht 74, 114, 122	skylight	fenêtre du jour	lucernario	Claraboya, Lucernario
Öffnung 107, 114, 220	opening	ouverture	apertura	Abertura
Parkplatz 63	parking lot	parc automobile	parcheggio	Plaza de estacionamiento
Pendelstütze 112, 148, 163	pendulum stanchion	appui pendulaire	sopporto a pendolo	Soporte articulado,
Personenaufzug 77, 195	passenger elevator	ascenseur	ascensore	Ascensor para personas
Pfette 39, 125, 164	purlin	panne	traversa superiore	Correa (en el tejado)
Pförtner 137	porter	portier	portinaio	Portero
Pilzdecke 110, 157	mushroom ceiling	plafond champignon	soffitto portato di colonne forma fungo	Techo en voladizo, Columnas acarteladas
Planung 33	planning	projet de travaux	progetti	Planeamiento
Podest 106	landing	palier	pianerottolo	Rellano
Produktion 14, 34, 97	production	production	produzione	Producción
Queroberlicht 115	transverse skylight	jour transversal	lucernario trasversale	Claraboya transversal,
Querschnitt 100, 111, 120	cross section	section transversale	Sezione	Corte transversal

Stichwortverzeichnis

Kurt Dum...
Bauing.
Berlin-Pankow 237
Retzbacher Weg 6

DEUTSCH	ENGLISH	FRANÇAISE	ITALIANO	CASTELLANO
Radfahrweg 52	cyclists' path	chemin pour cyclistes	pista ciclista	Camino para ciclistas
Rahmen 112, 117, 146, 165	frame	cadre	telaio, intelaiatura	Pórtico
Rampe 111, 143, 197	ramp	rampe	rampa	Rampa, Embarcadero
Randbalken 126, 156, 176	edge beam	poutre de bord	trave laterale	Viga lateral
Raum 31, 90, 109, 130	room	salle	spazio, sala	Espacio; Sala, Habitación
medizinischer — 95	—, medicinal	—, médicale	—, sala medica	—, Botiquín
sanitärer — 91	—, sanitary	—, sanitaire	—, sala sanitaria	—, Sanidad
sozialer — 92	—, social	—, sociale	—, sala di riunione	—, Sala de reunión
umbauter — 72, 194	—, walled-in space	—, espace renfermé dans la construction	—, spazio volumetrico dell'edificio	—, Volumen global de la edificación (de la obra)
Raumprofil 124, 143	space profile	profil de l'espace	sagoma dello spazio	Perfil acotado
Regellichtraum 143	regular clear space	espace régulier	sagome normalizzate	Sala de luz cenital
Regenwasser 56, 104, 124	rain water	eau de pluie	acqua di pioggia	Agua de lluvia
Reihung 30, 102, 117	series	ordre	schieramento	Enfilamiento
Ringverkehr 139	ring traffic	sens giratoire	traffico circolare	Tráfico circular
Rinne 125, 184, 190	gutter	gouttière	canale, scanalatura	Canal, Canalón
Rohbau 135	raw brick building	construction en maçonnerie brute	ossatura di un edificio	Construcción en bruto
Rohrleitung 84, 96	piping	tuyauterie	conduttura	Tubería
Rohstoff 16, 46, 49	raw material	matière première	materia prima	Materia prima
Schalen 29, 44, 104, 127, 176	mould	coffrage	conchiglia	Membrana, Cáscara
einfach gekrümmte — 176	—, simple curved	—, à courbure simple	—, conchiglia a curvatura semplice	—, Costera de curva sencilla
zweifach gekrümmte — 177	—, double curved	—, à courbure double	—, conchiglia a curvatura doppia	—, Costera de doble curvatura
Schiebebühne 54, 139, 144	travelling platform	plateforme roulante	soletta mobile	Transbordador
Schiene 53, 143	rail	rail	rataia	Riel, Rail
Schnee 115, 123	snow	neige	neve	Nieve
Schornstein 28, 38, 203	chimney	cheminée	ciminiera	Chimenea
Schutzschiene 210	guard rail	rail protecteur	barra di protezione	Barra protectora
Schwerindustrie 140	heavy industry	industrie lourde	industria pesante	Industria pesada
Schwitzwasser 81, 115, 185	condensation water	eau de condensation	acqua di condensazione	Agua de trasudación
Seitenschiff 118, 162	aisle	nef latérale	navata laterale	Nave lateral
Setzstufe 197	riser	contre-marche	scalino collocato	Tabica (de la escalera)
Setzung 161, 200	settlement	tassement	inclinazione, abassamento	Hincado
Shed 128, 182	shed	shed	tetto forma di sega con lucernario	Cubierta en diente de sierra
Sicherheitsglas 216	safety glass	verre de sûreté	vetro di sicurezza	Cristal de seguridad
Sichtbeton 43	sight concrete	béton de parement	strato ornamentale del calcestruzzo	Hormigón liso
Sonderräume 89	special room	pièce séparée	spazio speciale	Pieza especial
Sozialgebäude 90	social aid building	bâtiment social	edificio per scopi sociali	Edificio social
Spannbeton 111, 170, 175	span concrete	béton à effort	calcestruzzo preteso	Hormigón pretensado
Spannweite 148, 155, 178	span	distance entre appuis	distanza fra gli apoggi	Distancia entre apoyos
Spurweite 143	gauge of way	largeur de voie	scartamento delle rotaie	Ancho de la vía
Städtebau 18, 55, 60	town planning	urbanisme	costruzione urbana	Edificación urbana
Stahlbeton 40, 103, 127, 194	steel concrete	béton armé	calcestruppo armato d'acciaio	Hormigón armado
Stahlbetonfertigteil 101, 172	steel concrete prefabricated element	élément préfabriqué en béton armé	pezzo prefabbricato di calcestruzzo armato d'acciaio	Pieza prefabricada de hormigón armado
Stahlbetonhallen 112, 170	steel concrete hall	hangar en béton armé	padiglione di calcestruzzo armato d'ac.	Nave de hormigón armado
Stahlbetonschalen 44, 104, 126, 176	steel concrete mould	coffrage à béton armé	conchiglia di calcestruzzo armato d'ac.	Membrana, Cascara de hormigón armado
Stahlbetonsheds 127, 182	steel concrete shed	shed en béton armé	tetto forma sega di calcestruzzo armato	Cubiérta en diente de sierra de hormigón armado
Stahlbetonskelett 103, 155	steel concrete skeleton	squelette en béton armé	ossatura calcestruzzo armato	Estructura de hormigón armado
Stahlbau 41, 102, 125	steel construction	construction en acier	costruzione di acciaio	Construcciones metálicas
Stahlbewehrung 176	steel armouring	armement en acier	armatura di acciaio	Armadura metálica
Stahlfenster 212	steel window	fenêtre en acier	finestra di acciaio	Ventanas metálicas
Stahlhalle 111, 166	steel hall	hangar en acier	padiglione di acciaio	Nave metálica
Stahlleichtbau 72, 125	steel light construction	construction légère en acier	costruzione leggera di acciaio	Construcción ligera de acero
Stahlshed 125, 186	steel shed	shed en acier	tetto forma sega di acciaio	Cubiertas metálicas en diente de sierra
Stahlskelett 102, 148	steel skeleton	squelette en acier	ossatura di acciaio	Estructura de acero
Standort 33, 45, 61	stand	emplacement	luogo dove si trova l'edificio	Emplazamiento
Steifrahmen 148	braced box frame	cadre d'entretoisement	telaio rigido	Marco estable
Steigleitung 105, 156	rising pipe line	conduite montante	condotto ascendente	Conducto eléctrico ascendente
Steigungsverhältnis 79, 197	rated rising	montée	rapporto d'inclinazione	Relación de inclinación
Stockwerkrahmen 148, 161	storey frame	cadre d'étage	ossatura di un piano	Entramado del piso
Strahlungsheizung 80, 205	radiation heating	chauffage à radiation	riscaldamento a raggi	Calefacción por radiación

DEUTSCH	ENGLISH	FRANÇAISE	ITALIANO	CASTELLANO
Strebenfachwerk 113, 168, 187	strut frame	treillis avec pièces inclinées	traliccio a cavalletti	Entramado de montantes
Stütze 44, 109, 125, 148, 150	support	appui	appoggio	Apoyo
Stützenabstand 111, 168	span between supports	écartement des appuis	distanza tra gli appoggi	Distancia entre apoyos
System 44, 162	system	système	sistema	Sistema
statisches — 44, 162	—, static	—, statique	—, sistema statico	—, Sistema estático
statisch bestimmt 44, 162	—, statically determined	—, statiquement déterminé	—, sistema staticamente determinato	—, Sistema estáticamente determinado
statisch unbestimmt 44, 162	—, statically undetermined	—, statiquement indéterminé	—, sistema staticamente indeterminato	—, Sistema hiperestático
Tageslicht 73, 99, 114, 122,	day light	jour	luce del giorno	Luz natural
Temperatur 80, 200	temperature	température	temperatura	Temperatura
Toleranz 71	tolerance	tolérance	tolleranza	Tolerancia
Tonnenschale 104, 127, 176	barrel mould	coffrage à tonnelle	conchiglia forma di botta	Membrana en forma de bóveda de tonel
Tor 78	door	porte	portone	Portal
Trägerrost 157	girder foundation	treillis de la poutre	griglia di travi	Arriostramiento de vigas
Tragkonstruktion 40, 43, 117,	supporting structure	appareil porteur	costruzione portante	Constructura de apoyo,
Trennwand 206, 224	partition wall	cloison	parete di separazione	Muro, Tabique
Treppenhaus 105, 198, 200	staircase hall	cage d'escalier	gabbia della csala	Caja de la escalera
Trittleiste 197	tread ledge	rebord de marche	lista per scalino	Rodapiés
Trittstufe 197	tread	marche	scalino	Huella (de la escalera)
Tür 71, 78, 220, 224	door	porte	porta	Puerta
feuerbeständig 221	—, fireproof	—, à l'épreuve du feu	—, porta incombustibile	—, Puerta incombustible
Türbreite 78, 220	width of door	largeur de la porte	larghezza della porta	Ancho de la puerta
Typung 71, 179	typing	typisation	normalizzazione	Estandardización
Übergabeanlage 54, 138	plant ready for surrender	installation de remise	istallazione di trasferimento	Instalación de transferencia
Ummantelung 102	encasing	blindage	inviluppo, rivestimento	Envoltura
Unterzug 146, 155	prop	sous-poutre	trave principale di appoggio	Viga maestra de apoyo
Verblendung 103	facing	parement	schermo	Paramento, Chapeado
Verbundglas 216	compound glass	verre compound	vetro composito	Cristal de doble tubo
Verbundträger 149, 205	compound girder	poutre compound	trave composita	Viga de empalme,
Verglasung 185, 213	glazing	vitrage	invetriatura	Colocación de cristales
Verkehr 49, 52, 63, 76, 125	traffic	trafic	traffico	Tráfico
Verkehrsfläche 35, 37	traffic area	surface de trafic	superficie per il traffico	Superficie de tráfico
Verkehrsgleis 138	traffic rails	voie de circulation	binario di traffico	Vía de tráfico
Verkehrsweg 52, 72, 198	traffic way	chemin de communication	via per il traffico	Camino de tránsito
Verkleidung 208	covering	revêtement	rivestimento	Revestimiento
Verwaltung 38, 58	administration	administration	amministrazione	Administración
Vollwandträger 44, 165, 186	plate girder	poutre pleine	trave a parete intiera	Viga de alma llena
Vorschriften 62, 229	regulations	dispositions	prescrizioni	Prescripciones, Instrucciones
Vorspannung 41, 160	strengthening	tension auxiliaire	tensione preliminaria	Tensión preliminar
Waggonkipper 145	dumping truck	culbuteur de wagon	rovesciatore di vagoni	Vagoneta velquete
Wandverkleidung 208	wainscotting	revêtement du mur	rivestimento di mura	Revestimiento de la pared
Wärmebedarf 80	heat required	chaleur requise	quantità di calore necessaria	Calor necesario
Wärmedämmung 81, 209	heat damming	endiguement de la chaleur	isolazione contro il calore	Reducción del calor
Wärmedurchgang 81	heat passage	passage de la chaleur	permeabilità per il calore	Traspaso del calor
Warmwasserheizung 80	hot water heating	chauffage à l'eau chaude	riscaldamento ad acqua calda	Calefacción central per circulación de agua
Waschfontäne 93, 226	washing fountain	fontaine de toilette	fontana per lavarsi	Surtidor para lavar
Waschraum 92, 226	washing room	salle de toilette	lavatoio	Cuarto de lavabos
Wasserbedarf 45, 47, 65	water required	eau requise	quantità d'acqua necessaria	Consumo de agua
Wasserstraße 49	waterway	voie navigable	via navigabile	Vías navegables
Wasserversorgung 47, 64	water supply	approvisionnement en eau	approvvigionamento d'acqua	Abastecimiento de aguas
Wasserwirtschaft 48	water economy	économie de l'eau	economia d'acqua	Aprovechamiento de aguas
Weiche, 52, 138, 142	siding	aiguille	scambio nelle rotaie	Aguja, Cambio de vía
Wellasbestzement 137, 208	corrugated asbestos cement	ciment d'asbeste ondulé	cimento d'amianto ondulato	Uralita ondulada
Wellblech 42, 137, 209	corrugated sheet iron	tôle ondulée	lamiera ondulata	Chapa ondulada
Welldrahtglas 217	corrugated wired glass	verre filé ondulé	vetro armato ondulato	Cristal armado ondulado
Werksiedlung 49, 55	factory settlement	colonie de fabrique	colonia d'abitazioni per operai	Colonia obrera
Wind 44, 101, 146, 163	wind	vent	vento	Viento
Windrahmen 103, 147, 163	wind frame	cadre de contreventement	costruzioni di rinforzo	Marco paravientos
Windverband 103, 146, 163	wind bracing	contreventement	costruzioni contro pressioni vento	Arriostramiento para contraviento
Wohngebiet 55, 60	dwelling area	quartier d'habitations	regione di abitazioni	Barrio de viviendas
Zarge 78, 221, 224	window frame	châssis	cornice	Cercha, Cerco de ventana
Ziegelrohbau 43	brick raw building	construction en briques brutes	ossatura dell'edificio in mattoni	Construcción en bruto de ladrillo
Zwischendecke 109	intermediate ceiling	plafond intermédiaire	soffitto intermedio	Techo intermedio
Zwischenwand 206	partition wall	cloison mitoyenne	parete intermedia	Pared intermedia, Tabique

WERK- UND ARCHITEKTENVERZEICHNIS